유도은
S+감정평가실무

유도은 편저

2차 | 기본서 2권 제13판

박문각 감정평가사

차례

PART 03　감정평가방법의 적용 및 의사결정

PART
03
감정평가방법의
적용 및 의사결정

유형별 감정평가방법

제1절 토지의 유형별 감정평가

01 용도별 토지의 감정평가 시 고려사항 [1]

1. 주거용지

주거용지(주상복합용지를 포함한다)는 주거의 쾌적성 및 편의성에 중점을 두어 다음의 사항 등을 고려하여 감정평가한다.

- 도심과의 거리 및 교통시설의 상태
- 상가와의 거리 및 배치상태
- 학교 · 공원 · 병원 등의 배치상태
- 조망 · 풍치 · 경관 등 지역의 자연적 환경
- 변전소 · 폐수처리장 등 위험 · 혐오시설 등의 유무
- 소음 · 대기오염 등 공해발생의 상태
- 홍수 · 사태 등 재해발생의 위험성
- 각 획지의 면적과 배치 및 이용 등의 상태

(1) 주거의 쾌적성 및 편의성

주거용지는 단독주택, 다세대 · 연립주택, 아파트 등 주거의 목적으로 이용되고 있는 토지를 뜻한다. 일반적으로 주거용지는 주거의 쾌적성 및 편의성을 중심으로 주거환경, 안정성 등에 영향을 주는 특성이 있다.

주상복합용지는 주거용지의 특성과 상업용지의 특성을 모두 포함하고 있다. 본 기준에서는 주상복합용지에 대하여 주거용지와 유사하게 주거의 쾌적성 및 편의성을 강조하였으나, 해당 토지가 속한 용도지대의 특성을 고려하여 상업 · 업무용지의 수익성 및 업무의 효율성 등의 주요 고려사항도 적용 가능할 것이다.

---

1) 감정평가실무기준 해설서(Ⅰ) 총론편, 한국감정평가사협회 등, 2014.02, pp.259~268

⑵ 주요 고려사항

본 규정의 사항들은 주거용지의 감정평가 시 고려해야 할 사항인 동시에 주거용지의 가치형성요인으로 작용한다. 주거지는 생활의 기초가 되는 곳으로서 쾌적성 및 편의성에 중점을 두고 감정평가한다.

이것은 거주자의 일상생활과 밀접한 연관을 가지는 요인들로서 전통적인 주거형태에서부터 현대인의 주거생활까지 열거될 수 있다. 최근에는 환경문제와 관련된 소음 및 대기오염 등 공해발생 여부의 상태의 중요성이 커지고 있다.

일반적으로 주거용지의 감정평가 시 고려할 주요 사항으로는 자연적 조건과 관련하여 지형, 지적, 지세, 지질, 지반, 경관, 기후, 일조, 통풍 등이 있다. 또한 사회적·행정적 조건에는 편의시설의 인접 상태, 공해, 위험, 혐오시설의 유무, 교통상태, 공공시설의 유무 및 접근성, 제도상 규제 등이 있다.

2. 상업·업무용지

상업·업무용지는 수익성 및 업무의 효율성 등에 중점을 두고 다음의 사항 등을 고려하여 감정평가한다.

> - 배후지의 상태 및 고객의 질과 양
> - 영업의 종류 및 경쟁의 상태
> - 고객의 교통수단 상태 및 통행 패턴
> - 번영의 정도 및 성쇠의 상태
> - 번화가에의 접근성

⑴ 수익성 및 업무의 효율성

상업·업무용지는 기본적으로 이익창출을 위한 활동이 이루어지는 용지로서, 수익성 및 업무의 효율성에 따라 토지가치가 영향을 받는다. 고도화된 상업지역일수록 상업·업무시설의 집적도, 배후지의 상태 및 고객의 질과 양 등의 영향력이 높아지는 경향이 있다.

⑵ 주요 고려사항

상업·업무용지는 양호한 입지장소에 위치함에 따라 입지주체가 경제활동을 영위할 때 수익성 및 업무의 효율성에 어떠한 영향을 주는지에 대한 부분이 중요하다. 수익성의 극대화가 최유효이용의 중요한 요건 중의 하나이므로 이에 영향을 미치는 다양한 요인을 고려한다.

사회·경제적 고려사항으로는 배후지 및 고객의 양과 질, 대중교통 등 교통수단과의 접근성, 번영의 정도 등이 있다. 물리적인 고려사항으로는 가로 및 획지의 형상, 접면너비, 지반 등이 있다.

3. 공업용지

공업용지는 제품생산 및 수송·판매에 관한 경제성에 중점을 두고 다음의 사항 등을 고려하여 감정평가한다.

> • 제품의 판매시장 및 원재료 구입시장과의 위치관계
> • 항만, 철도, 간선도로 등 수송시설의 정비상태
> • 동력자원, 용수·배수 등 공급처리시설의 상태
> • 노동력 확보의 용이성
> • 관련 산업과의 위치관계
> • 수질오염, 대기오염 등 공해발생의 위험성
> • 온도, 습도, 강우 등 기상의 상태

(1) 제품생산 및 수송·판매에 관한 경제성

공업용지는 제품의 생산 및 판매에 따른 경제성과 관련된 활동이 중심이 되는 특성을 갖는다. 즉, 공업 생산에 미치는 영향과 조건 등을 고려하여 해당 용지의 가치에 어떠한 영향을 미치는지를 중점적으로 고려하여야 할 것이다.

(2) 주요 고려사항

공업용지의 제품생산, 수송 및 판매 등과 관련하여 경제성에 영향을 미치는 주요 사항으로는 원료, 기동력, 자본, 동력, 용지 등의 생산요소와 시장, 운송, 환경요인, 정부의 정책 등이 있다. 자연적 조건과 관련하여 기후, 용지, 용수, 재해 등이 있고, 사회적·경제적 조건에는 시장수요와 접근성, 원재료, 노동력, 기술, 교통, 정부기관, 통신, 방재 등의 주요요인이 있다.

4. 농경지

농경지는 농산물의 생산성에 중점을 두고 다음의 사항 등을 고려하여 감정평가한다.

> • 토질의 종류
> • 관개·배수의 설비상태
> • 가뭄 피해나 홍수 피해의 유무와 그 정도
> • 관리의 편리성이나 경작의 편리성
> • 마을 및 출하지에의 접근성

(1) 농산물의 생산성

농경지는 농작물을 경작할 수 있는 토지를 의미하며, 해당 농경지의 생산성에 중점을 두어 감정평가를 한다. 다양한 환경, 위치적 조건하에서 생산성에 따라 토지가치가 영향을 받으며, 경작의 편리성 및 판매지와의 접근성 등도 상당한 영향을 미친다.

⑵ **주요 고려사항**

대상농경지의 토질, 수질의 상태, 소비자와의 거리 및 수송시설의 정비상태, 시장 접근성 등 자연적 · 사회적 · 경제적 조건을 종합적으로 고려하여야 한다.

5. 임야지

임야지는 자연환경에 중점을 두고 다음의 사항 등을 고려하여 감정평가한다.

> • 표고, 지세 등의 자연상태
> • 지층의 상태
> • 일조, 온도, 습도 등의 상태
> • 임도 등의 상태

⑴ **자연환경**

임야지는 수목이 많이 자라고 있는 재산적인 가치를 지닌 산지로서, 토지가치에 기본적으로 영향을 미치는 요인은 자연환경이라고 볼 수 있다. 따라서 해당 토지의 지세, 일조 등 전반적인 자연상태를 고려하여 감정평가하도록 한다.

⑵ **주요 고려사항**

임야지는 자연환경에 영향을 미치는 사항을 주로 고려하여 감정평가한다. 죽목의 생육상태에 영향을 줄 수 있는 일조, 온도, 습도, 풍우 등의 기상상태와 생산물의 반출 및 비용에 영향을 주는 요인으로 임도의 정비상태, 노동력 확보 등을 고려한다.

02 일단(一團)으로 이용 중인 토지의 감정평가(일단지)

1. 일단지 평가의 개념

2필지 이상의 토지가 일단으로 이용 중이고 그 이용 상황이 사회적 · 경제적 · 행정적 측면에서 합리적이고 대상토지의 가치형성 측면에서 타당하다고 인정되는 등 용도상 불가분의 관계에 있는 경우에는 일괄감정평가를 할 수 있다. 일단지인 토지는 한 필지처럼 평가한다.

2. 일단지의 판정

⑴ **건축물이 소재하거나 건축허가 이후 착공한 경우**

2필지 이상의 토지에 하나의 건축물(부속건축물을 포함한다)이 건립되어 있거나 건축 중에 있는 토지와 공시기준일 현재 나지상태이나 건축허가 등을 받고 공사를 착수한 때에는 토지소유자가 다른 경우에도 일단지로 본다. 공사에 착수하기 이전 상황인 경우라 하더라도 토지에 건축허가 후 착공이 확실시된다면 일단지로 판단할 수 있을 것이다. 다만 개발단계에 있는 토지의 일단지 여부는 개발행위허가시점, 건축허가시점 또는 착공신고 완료시점 등과 같은 특정 행위시점만을 기준으로 일률적으로 판단하는 것은 바람직하지 않으며, 대상 토지의 최유효이용관점에서 법적 허용성 이외에 물리적 가능성, 경제적 타당성, 최대수익성을 함께 고려해야 할 것이다.[2]

>> 양 필지상에 한 동의 건물이 있는 경우의 일단지의 경우 건축물관리대장의 관련 지번을 확인하여 일단지로 판정한다.

일반건축물대장(갑)

건물ID		고유번호	
대지위치	서울특별시 ■■구 ■■동	지번	1031-3 외 2필지
대지위치	서울특별시 ■■구 ■■동		
지번	지번 관련 주소 1031-33, 1031-34		
1031-3 외 2필지			

(2) 토지소유자의 동일성

일단지의 판단기준과 토지소유자의 동일성은 원칙적으로 직접적인 관련이 없다. 또한 2필지 이상의 토지가 용도상 불가분의 관계에 있다고 인정되는 경우에는 각각의 토지소유자가 다른 경우에도 「민법」상 공유관계로 보아 일단지에 포함시키고 있다.

(3) 「공간정보의 구축 및 관리 등에 관한 법률」 [3]

「공간정보의 구축 및 관리 등에 관한 법률」상의 지목 분류와 관련하여 볼 때, 일단지의 구체적인 판정기준은 용도상 불가분의 관계에 있는지 여부이지, 지목의 동일성 여부는 아니므로, 지목분류의 개념과 반드시 일치하는 것은 아니다.

(4) 일시적인 이용상황

2필지 이상의 토지가 일단을 이루어 이용되고 있어도 그것이 주위환경 등의 사정으로 보아 일시적인 이용상황인 경우에는 이를 일단지로 보지 않는 것이 타당하다. 이러한 경우의 예로서 가설건축물의 부지, 조경수목재배지, 조경자재제조장, 골재야적장, 간이창고, 간이체육시설용지(테니스장, 골프연습장, 야구연습장 등) 등으로 이용되고 있는 경우를 들 수 있다.

3. 일단지 내 구분평가하는 경우

일단지의 일부가 용도지역 등을 달리하는 등 가치가 명확히 구분되어 둘 이상의 표준지가 선정된 때에는 구분된 부분을 각각 일단지로 보고 평가한다.

---

2) 한국감정평가사협회, 감정평가기준팀-2316, 2014.07.01.
3) 구 「측량·수로조사 및 지적에 관한 법률」(2015.06.04. 시행)

기 본예제

아래 토지에 대한 일단지 여부 및 개별특성(가로조건 및 획지조건)을 판단하시오.

자료 평가대상 및 관련도면

1. 평가대상
   (1) 토지 : A동 100번지, A동 100-1번지
   (2) 건물(상가동) : A동 100번지외 1필지(관련지번 : A동 100-1번지)
2. 관련도면

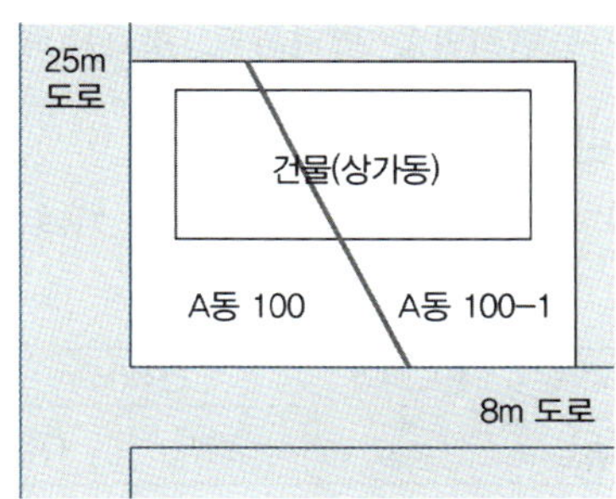

예시답안

양 필지상 하나의 건물이 소재하는 용도상 불가분관계로서 일단지이며, 일단의 개별요인으로서 광대소각, 세장형이다.

03 공유지분 토지의 감정평가

1. 공유지분의 개념

하나의 물건을 2인 이상이 소유하는 경우이다. 목적물 전체가 평가 의뢰되는 경우가 일반적이므로 단독소유와 같이 평가하면 될 것이나, 공유란 각 공유자가 갖는 지분이 있어 그 지분을 평가의뢰할 경우에는 실질적으로 지분이 미치는 토지의 위치확인 및 면적 사정 등이 곤란한 경우가 있으므로 공유지분의 법률적인 성질과 공유물의 법률관계를 이해하여야 한다.

2. 평가방법

일필의 토지를 공동목적하에 결합된 인적결합관계가 없는 2인 이상이 공동소유하는 공유지분토지 중 특정 공유지분에 대해서는 다음과 같이 평가한다.

>> 공유지분등기는 등기사항전부증명서(갑구)를 통해 확인한다.

(1) 위치확인이 가능한 경우

위치확인이 가능한 경우에는 그 확인된 위치에 따라 감정평가한다.

(2) 위치확인이 곤란한 경우

위치확인이 곤란한 경우에는 전체의 가격을 산출하여 지분비율에 의거 평가하되, 그에 대한 취지 등을 감정평가서에 기재한다.

> 대상지분의 감정평가액 = 평가대상 토지의 평가액(원/m^2) × 지분면적(전체면적 × 지분비율)

(3) 평가대상 지분의 위치가 확인되는 경우로서 현실의 점유면적과 지분권리면적이 상이할 때

현실적인 지분권리행사 가능면적만을 평가하되, 평가목적별로 상이하게 처리될 수 있다.

(4) 나지로서 위치확인이 곤란한 경우

나지로서 위치확인이 곤란한 경우에는 공유물 전체의 가격을 산출하여 지분비율에 의거 평가한다.

기호	소재지	지번	지목 및 용도	용도지역 및 구조	면적(m^2)		감정평가액		비고
					공부	사정	단가	금액	
1	경기도 용인시 ○○면 ○리	266	답	자연녹지지역	506	506	153,000	77,418,000	
2	동소	264-4	답	자연녹지지역	1,247 1.108x—— 2,985	462.87	149,000	68,967,630	○○○ 지분

3. 위치확인방법

(1) 공유지분자 전원 또는 인근 공유지분자 2인 이상의 위치확인동의서를 받아 확인한다.

(2) 공유지분 토지가 건물이 있는 토지(이하 "건부지"라 한다)인 경우

① 합법적인 건축허가도면이나 합법적으로 건축된 건물로 확인하는 방법
② 상가·빌딩 관리사무소나 상가번영회 등에 비치된 위치도면으로 확인하는 방법
  ≫ 건부지를 상기의 방법을 통하여 위치확인한 경우에는 감정평가서에 그 내용을 기재한다.

> **○ 구분소유적 공유**
>
> "구분소유적 공유(區分所有的 共有)"란 1필의 토지 중 위치, 면적이 특정된 일부를 양수하고서도 분필에 의한 소유권이전등기를 하지 않은 채 편의상 그 필지의 면적에 대한 양수부분의 면적비율에 상응하는 공유지분등기를 경료한 경우가 대표적이다. 이러한 구분소유적 공유관계는 공유자 간 상호명의신탁관계로 보기 때문에 내부적으로는 토지의 특정부분을 소유한 것이지만, 공부상으로는 공유지분을 갖는 것으로 본다. 따라서 공유지분토지를 감정평가할 때에는 먼저, 공유자 간 구분소유적 공유관계에 있는

지를 파악하는 것이 필요하다. 본 기준에서는 대상지분의 위치 확인이 가능한지 여부에만 국한하여 특정 위치의 감정평가를 할 수 있는지를 판단하고 있으나, 이는 향후 검토가 필요한 사항으로 보인다. 대법원 판례(1988.8.23, 86다59, 86다카307)에서는 "한 필지의 토지 중 일부를 특정하여 매수하고 다만 그 소유권이전등기만은 한 필지 전체에 관하여 공유지분권이전등기를 한 경우에는 그 특정부분 이외의 부분에 관한 등기는 상호명의신탁을 하고 있는 것이라고 보아야 한다."고 판시하였고, 또 다른 대법원 판례(1997.3.28, 96다56139)에서는 "공유자 간 공유물을 분할하기로 약정하고 그때부터 자신의 소유로 분할된 각 부분을 특정하여 점유·사용하여 온 경우, 공유자들의 소유형태는 구분소유적 공유관계이다." 라고 하여 구분소유적 공유관계를 인정하였다.

기 본예제

감정평가사 SLA 씨는 아래 부동산에 대한 감정평가를 의뢰받았다. 평가대상에 대한 평가액을 결정하시오.

자료 1 ▶ 평가대상 및 관련 도면

1. 평가대상
   (1) 토지: A동 100번지 丙 지분(300/900)
   (2) 건물: A동 100번지 상 C동
2. 관련도면

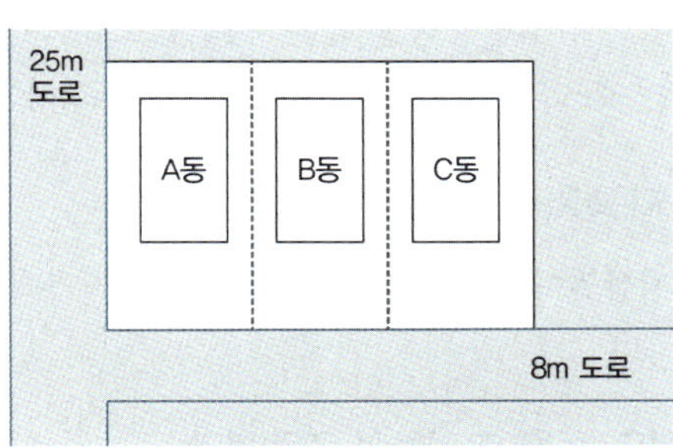

>> 상기 도면은 실제 지적현황과 동일하며, 상기와 같이 인접 지분소유자와 위치확인을 받았다.

자료 2 ▶ 소유권관계

1. 토지

소유자	甲	乙	丙
A동 100번지(900m²)	300/900	300/900	300/900

2. 건물

A동(120m²)	B동(120m²)	C동(120m²)
甲 1/1	乙 1/1	丙 1/1

자료 3 ▶ 가격자료

1. 25m 도로변 상업지대: m²당 1,500,000원
2. 8m 도로변 공업지대: m²당 800,000원
3. 건물의 m²당 평가액: 300,000원

◢예시답안

Ⅰ. 평가개요

본건은 토지(공유지분) 및 건물에 대한 감정평가로서 위치확인동의서 및 지상건축물을 통하여 위치확인되는
바, 丙의 점유지분을 평가한다.

Ⅱ. 감정평가액

1. 토지

8m도로변 공업지대로서 800,000원/m²($\times$ 300m² = 240,000,000원)

2. 건물

$300,000 \times 120 = 36,000,000$원

3. 소계

276,000,000원

---

04 지상권이 설정된 토지 등의 감정평가

1. 개념

지상권은 타인의 토지에서 건물이나 공작물 혹은 수목을 소유하기 위하여 그 토지를 사용할 수 있는
권리로 지상권이 설정되면 토지의 사용·수익이 제한되므로 이를 토지평가 시 반영하여야 한다.

2. 지상권이 설정된 토지평가

지상권이 설정된 토지는 지상권이 설정되지 않은 상태의 토지가액에서 해당 지상권에 따른 제한정도
등을 고려하여 감정평가한다.

(1) 지상권에 따른 제한정도 등을 고려하여 감정평가

지상권이 설정된 토지는 지상권이 설정되지 않은 상태의 토지가액에서 해당 지상권에 따른 제한
정도 등을 고려하여 감정평가한다.

지상권에 따른 제한정도를 고려하는 방법으로는 ⅰ) 지상권의 가치를 구하여 지상권이 설정되지
않은 상태의 토지가액에서 차감하는 방법, ⅱ) 지상권이 설정되지 않은 상태의 토지가액에 제한정
도에 따른 적정한 비율을 결정하여 곱하는 방법이 있다.

① 지상권의 가치를 구하여 차감하는 방법

정확한 지불임대료(또는 지상권의 지료)와 필요제경비의 파악이 가능하고 기대이율 등을 파악
할 수 있는 경우에는 다음과 같은 산식을 활용할 수 있다.

$$\text{지상권이 설정된 토지가격} = P - \{(P \times R + C) - L\} \times \frac{(1 + r)^n - 1}{r \times (1 + r)^n}$$

$$\underbrace{\qquad\qquad}_{\text{지상권의 가치}}$$

P : 토지의 시장가치   R : 적정기대이율   C : 필요제경비

L : 실제지불임대료(또는 지상권의 지료)   n : 지상권의 존속기간   r : 이율

》 P × R + C = 토지의 실질임대료, 토지의 경우 적절한 임대사례를 찾기 어려운 경우가 많기 때문에 적산법을 이용하는 경우가 많다(적산임대료).

② 제한의 정도를 감안한 일정비율의 적용

일반적으로 토지에 대한 지상권이 설정된 경우에는 토지소유자의 토지이용이 제한된다. 따라서 제한의 정도를 고려한 적정비율을 적용하여 감정평가할 수 있다. 적정비율은 일률적으로 판단하기보다는 대상토지의 제반요인을 고려하여 결정하도록 한다.

③ 공제방식에 따른 지상권가치 감정평가방법

토지의 완전소유권가치에서 지상권설정자 귀속가치(토지에 대한 임대권가치)를 차감한 가액을 지상권의 가치로 볼 수 있다.

⑵ 저당권자가 채권확보를 위하여 설정한 지상권의 경우

저당권자가 채권확보를 위하여 설정한 지상권의 경우에는 이에 따른 제한 등을 고려하지 않고 감정평가한다.

⋮ [토지] 서울특별시

순위번호	등기목적	접수	등기원인	권리자 및 기타사항
13	지상권설정	20○○년 9월 4일 제○○○○○호	20○○년 9월 4일 설정계약	목적 건물 기타 공작물이나 수목의 소유 범위 310.6m²(토지의 전부) 존속기간 20○○년 9월 4일부터 만 30년 지료 없음 지상권자 주식회사 ○○은행 　　　　　　서울특별시

⑶ 지상 정착물과 소유자가 다른 토지

토지와 지상 정착물의 소유권이 서로 다른 경우 법정지상권이 설정될 수 있다. 토지와 건물 간에 불일치하는 소유관계로 인하여 토지의 이용 등에 제한을 받을 수 있으므로, 토지와 지상 정착물의 소유권 관계를 명확히 파악하여야 정착물의 존재로 인한 토지가치에 대한 영향을 적정하게 고려할 수 있다.

기 본예제

대상토지의 시장가치가 3,000,000원/m²이고 적정기대이율이 12%, 필요제경비가 시장가치의 2%일 때, 실제지불임대료는 시장가치의 5%이다. 타인소유의 잔존내용연수 20년인 철근콘크리트조 슬래브지붕이 건립된 토지의 지상권가격과 지상권이 설정된 토지의 가격을 산정하시오(단, 할인율은 10%이고 지상권은 건물존속기간 동안 유지된다).

예시답안

1. 지상권가격

(1) 정상지불임대료 : $3,000,000 \times (0.12 + 0.02) = 420,000$원

(2) 실제지불임대료 : $3,000,000 \times 0.05 = 150,000$원

(3) 지상권가격 : $(420,000 - 150,000) \times \dfrac{1.1^{20} - 1}{0.1 \times 1.1^{20}} \fallingdotseq 2,300,000$원/m²

2. 지상권이 설정된 토지가격

$3,000,000 - 2,300,000 = 700,000$원/m²

⑷ **제시외 건물이 있는 토지**

의뢰인이 제시하지 않은 지상 정착물(종물과 부합물을 제외한다)이 있는 토지의 경우에는 소유자의 동일성 여부에 관계없이 지상 정착물과 소유자가 다른 토지의 규정에 의하여 감정평가한다. 다만, 타인의 정착물이 있는 국·공유지의 처분을 위한 감정평가의 경우에는 지상 정착물이 있는 것에 따른 영향을 고려하지 않고 감정평가한다.

⑸ **고압선 등 통과 토지**

① 송전선 또는 고압선(이하 "고압선 등"이라 한다)이 통과하는 토지는 통과전압의 종별, 고압선 등의 높이, 고압선 등 통과부분의 면적 및 획지 안에서의 위치, 철탑 및 전선로의 이전가능성, 지상권설정 여부 등에 따른 제한의 정도를 고려하여 감정평가할 수 있다.

② 고압선 등 통과부분의 직접적인 이용저해율과 잔여부분에서의 심리적·환경적인 요인의 감가율을 파악할 수 있는 경우에는 이로 인한 감가율을 각각 정하고 고압선 등이 통과하지 아니한 것을 상정한 토지가액에서 각각의 감가율에 의한 가치감소액을 공제하는 방식으로 감정평가한다.

05 공법상 제한을 받는 토지의 감정평가

1. 개요

(1) 의의

공법상 제한을 받는 토지란 관계법령에 의하여 토지의 이용규제나 제한을 받는 토지를 말한다. 이 중 가장 대표적인 것은 국토계획법에 의한 용도지역·용도지구·용도구역의 지정 또는 변경을 받은 토지와 기반시설 중 도시관리계획으로 결정된 시설이 있다. 이러한 공법상 제한은 토지의 가격형성에 직간접적으로 영향을 미치므로 감정평가를 할 때에는 이에 대한 분석이 필요하며, 토지의 공법상 제한은 이를 반영하여 평가한다.

(2) 공법상 제한의 종류

① 일반적 제한

일반적 제한이란 공법상 제한이 해당 공익사업의 시행을 직접목적으로 하여 가해진 것이 아닌 경우로서 제한 그 자체로 목적이 완성되고 구체적인 사업의 시행이 필요치 아니한 계획제한을 의미한다.

② 개별적 제한

개별적 제한이란 공법상 제한이 해당 공익사업의 시행을 직접목적으로 가하여진 경우나, 그 제한이 구체적인 사업의 시행을 필요로 하는 계획제한으로 특별제한이라고도 한다.

2. 도시·군계획시설에 저촉되는 토지

(1) 도시·군계획시설의 개념 및 가치형성요인

도시·군계획시설이라 함은 도로·철도·광장·공원·녹지·학교·하천 등의 기반시설 중 도시·군관리계획으로 결정된 시설을 말하며 이러한 도시·군계획시설의 부지로 결정된 토지를 도시·군계획시설에 저촉되는 토지라고 한다. 일반적으로 사인의 토지가 국토계획법상 도시·군계획시설로 지정되는 것은 당해 토지가 매수될 때까지 시설예정부지의 가치를 상승시키거나 계획된 사업의 시행을 어렵게 하는 변경을 해서는 안된다는 내용의 '변경금지의무'를 토지소유자에게 부과하는 것을 의미하며, 도시·군계획시설의 지정으로 말미암아 당해 토지의 이용가능성이 배제되거나 또는 토지소유자가 토지를 종래 허용된 용도대로도 사용할 수 없기 때문에 재산적 손실이 발생하는 경우가 있어 감정평가에서는 이러한 재산적 손실을 일반적으로 감안하고 있다.

(2) 평가방법

① 전체가 저촉되는 경우

도시·군계획시설 저촉 등 공법상 제한을 받는 토지를 감정평가할 때(보상감정평가는 제외한다)에는 비슷한 공법상 제한상태의 표준지공시지가를 기준으로 감정평가한다. 다만, 그러한 표준지가 없는 경우에는 비교표준지의 선정기준을 충족하는 다른 표준지공시지가를 기준으로 한 가액에서 공법상 제한의 정도를 고려하여 감정평가할 수 있다.

② 일부가 저촉되는 경우

전체 토지 중 일부가 도시·군계획시설에 저촉된 토지의 경우 저촉된 부분과 저촉되지 않은 부분을 구분평가한다. 단, 토지의 일부가 도시·군계획시설 저촉 등 공법상 제한을 받아 잔여 부분의 단독이용가치가 희박한 경우에는 해당 토지 전부가 그 공법상 제한을 받는 것으로 감정평가할 수 있다.

참고

토지 중 일부가 저촉된 경우 감정평가 명세표

1	경기도 광주시 ○○읍 ○○리	000-0	전	준주거지역	145	138 7	2,600,000 1,820,000	358,800,000 12,740,000	현황 "대" 도시계획시설 도로저촉

(3) 감가율의 결정

「국토의 계획 및 이용에 관한 법률」 제2조 제7호의 규정에 의한 도시·군계획시설에 저촉되는 토지는 그 도시·군계획시설에 저촉된 상태대로의 가격이 형성되어 있는 경우에는 그 가격을 기준으로 평가하고, 저촉된 상태대로의 가격이 형성되어 있지 아니한 경우에는 저촉되지 아니한 상태를 기준으로 한 가격에 그 도시·군계획시설의 저촉으로 인한 제한정도에 따른 적정한 감가율(비준표) 등을 고려하여 평가한다.[4]

(4) 유의사항

현장조사 시 도시·군계획시설이 언제 지정되었는지를 확인했을 때 시설지정이 오래 전이었다면 유사물건의 거래사례 포착이 용이하고 도시·군계획시설의 해제전망 등 장래성이 양호하나, 최근에 지정된 것은 해제가능성이 적음에 유의해야 한다.

기 본예제

아래 토지 A, B에 대한 시가참조목적의 감정평가액을 결정하시오(기준시점 : 2027년 6월 30일).

자료 1 평가대상

연번	소재지	면적 (m²)	용도지역	이용상황	도로접면	형상/지세	비고
A	Y시 K동 100	200	자연녹지	공업용	소로한면	정방형 평지	도로 20%
B	Y시 K동 200	200	생산녹지	공업용	소로한면	정방형 평지	–

풀이영상

» 기호 A 토지 중 40m²는 도시계획시설도로에 저촉되어 있다.

---

4) 표준지공시지가 조사·평가기준 제28조

자료 2 표준지공시지가 목록(2027.1.1. 기준)

연번	소재지	면적(m²)	용도지역	이용상황	도로접면	형상/지세	공시지가(원/m²)	비고
가	Y시 K동 110	200	자연녹지	공업용	소로한면	정방형 평지	562,000	–
나	Y시 K동 210	200	생산녹지	공업용	소로한면	정방형 평지	400,000	도로 20%

자료 3 참고도면

본건 A		표준지 나

도시계획시설도로

8m 도로

표준지 가		본건 B

자료 4 2027년 5월 지가변동률(Y시, 녹지지역) : 해당월 0.214%, 연간누계치 1.131%

자료 5 행정적 조건을 제외한 제반 개별요인은 대등한 것으로 본다.

구분	일반	도로
일반	1.00	0.85

자료 6 그 밖의 요인으로서 공히 30% 증액보정하며, 토지단가는 반올림하여 천원 단위까지 결정한다.

예시답안

Ⅰ. 평가개요

토지에 대한 시가참조목적의 감정평가로서 기준시점은 2027년 6월 30일이다.

Ⅱ. 비교표준지 선정

본건 A는 자연녹지 공업용으로서 표준지 가를 선정하며, 본건 B는 생산녹지 공업용으로서 표준지 나를 선정한다.

Ⅲ. 시점수정치(2027.01.01.~2027.06.30. 녹지지역)

$1.01131 \times (1 + 0.00214 \times 30/31) = 1.01340$

Ⅳ. 각 토지의 감정평가액

1. 기호 A

$562,000 \times 1.01340 \times 1.000(지역) \times 1.000(개별) \times 1.30(그 밖) = 740,000원/m²(도로저촉 : 629,000원/m²)$
(미저촉부분(160m²) : 118,400,000원, 저촉부분(40m²) : 25,160,000원, 합계 : 143,560,000원)

2. 기호 B

$400,000 \times 1.01340 \times 1.000(지역) \times 1.031(개별^*) \times 1.30(그 밖) = 543,000원/m²(\times 200 = 108,600,000원)$

$* 개별요인 : \dfrac{1}{0.8 + 0.2 \times 0.85}$

(5) 도시 · 군계획시설의 매수청구에 대한 감정평가

① 매수청구제도의 개요

장기미집행 도시 · 군계획시설부지에 대한 매수청구제도는 도시 · 군계획시설 결정으로 인하여 토지를 종래의 용도대로 사용할 수 없게 됨으로써 토지의 매도가 사실상 불가능하고 경제적으로 의미 있는 이용가능성이 배제되는 토지 소유자의 재산권에 대한 가혹한 침해를 적절하게 보상하려는 제도이다(헌재 1999.10.21, 97헌바26).

② 도시 · 군계획시설 매수청구감정평가

> **국토계획법 제47조**(도시 · 군계획시설 부지의 매수 청구)
>
> ① 도시 · 군계획시설에 대한 도시 · 군관리계획의 결정(이하 "도시 · 군계획시설결정"이라 한다)의 고시일부터 10년 이내에 그 도시 · 군계획시설의 설치에 관한 도시 · 군계획시설사업이 시행되지 아니하는 경우(제88조에 따른 실시계획의 인가나 그에 상당하는 절차가 진행된 경우는 제외한다. 이하 같다) 그 도시 · 군계획시설의 부지로 되어 있는 토지 중 지목(地目)이 대(垈)인 토지(그 토지에 있는 건축물 및 정착물을 포함한다)의 소유자는 대통령령으로 정하는 바에 따라 특별시장 · 광역시장 · 특별자치시장 · 특별자치도지사 · 시장 또는 군수에게 그 토지의 매수를 청구할 수 있다. 다만, 다음 각 호의 어느 하나에 해당하는 경우에는 그에 해당하는 자(특별시장 · 광역시장 · 특별자치시장 · 특별자치도지사 · 시장 또는 군수를 포함한다. 이하 "매수의무자"라 한다)에게 그 토지의 매수를 청구할 수 있다.
> 1. 이 법에 따라 해당 도시 · 군계획시설사업의 시행자가 정하여진 경우에는 그 시행자
> 2. 이 법 또는 다른 법률에 따라 도시 · 군계획시설을 설치하거나 관리하여야 할 의무가 있는 자가 있으면 그 의무가 있는 자. 이 경우 도시 · 군계획시설을 설치하거나 관리하여야 할 의무가 있는 자가 서로 다른 경우에는 설치하여야 할 의무가 있는 자에게 매수 청구하여야 한다.
> ④ 매수 청구된 토지의 매수가격 · 매수절차 등에 관하여 이 법에 특별한 규정이 있는 경우 외에는 「공익사업을 위한 토지 등의 취득 및 보상에 관한 법률」을 준용한다.

3. 둘 이상 용도지역에 걸친 토지

(1) 둘 이상 용도지역에 속한 토지의 행위제한

「국토계획법」 제84조 제1항에서는 하나의 대지가 둘 이상의 용도지역 등에 걸치는 경우로서 각 용도지역 등에 걸치는 부분 중 가장 작은 부분의 규모가 330제곱미터(도로변에 띠 모양으로 지정된 상업지역에 걸쳐 있는 토지의 경우에는 660제곱미터) 이하인 경우에는 전체 대지의 건폐율 및 용적률은 각 부분이 전체 대지 면적에서 차지하는 비율을 고려하여 각 용도지역 등별 건폐율 및 용적률을 가중평균한 값을 적용하고, 그 밖의 건축 제한 등에 관한 사항은 그 대지 중 가장 넓은 면적이 속하는 용도지역 등에 관한 규정을 적용한다. 다만, 건축물이 고도지구에 걸쳐 있는 경우에는 그 건축물 및 대지의 전부에 대하여 고도지구의 건축물 및 대지에 관한 규정을 적용한다.

(2) 평가방법

① 각 용도지역별로 구분평가 원칙

둘 이상의 용도지역에 걸쳐있는 토지는 각 용도지역 부분의 위치, 형상, 이용상황, 그 밖에 다른 용도지역 부분에 미치는 영향 등을 고려하여 각 용도지역별로 감정평가한다(용도지역별 비교

표준지를 선정하되, 개별요인은 최유효이용의 측면에서 전체를 기준으로 함을 원칙으로 봄이 타당할 것이다). 단, 의뢰인이 평균단가를 산출하도록 요청하는 경우에는 용도지역별 감정평가액(원/m²)을 면적비율에 따른 평균가액으로 결정할 수 있다.

> **참고**
>
> **감정평가 명세표 양식**
>
> | 1 | 경기도
용인시
○○구
○○동 | 16-1 | 대 | 자연녹지지역
보전녹지지역 | 635 | 265 | 1,350,000 | 357,750,000 | 자연녹지
지역부분 |
> |---|---|---|---|---|---|---|---|---|---|
> | | | | | | | 370 | 1,280,000 | 473,600,000 | 보전녹지
지역부분 |

② **노선변의 대상(帶狀)의 상업지역의 경우**

노선변의 대상(帶狀)의 일반상업지역의 경우 둘 이상 용도지역에 걸친 표준지를 선정하여 용도지역 비중에 따른 요인을 개별요인(행정적 요인)보정하여 일괄단가로 평가할 수 있다.

> **참고**
>
> **감정평가 명세표 양식**
>
> | 1 | 서울특별시
○○구
○○동 | 000-0 | 대 | 일반상업지역,
제3종
일반주거지역 | 184.1 | 184.1 | 47,300,000 | 8,707,930,000 |
> |---|---|---|---|---|---|---|---|---|

: 건축연면적 산정의 예시(노선상업지역의 경우) [5]

3종일반주거지역(650m²) 용적률 250%(서울시 기준)	일반상업지역(670m²) 용적률 800%(서울시 기준)	⇒	일반상업지역 건축연면적 6,983m² (가중평균용적률 529%)

≫ (650 × (250/100) + 670 × (800/100))/1,320 = 529%

3종일반주거지역(670m²)	일반상업지역(650m²)	⇒	3종일반주거지역 건축연면적 6,877m² (가중평균용적률 521%)

≫ (670 × (250/100) + 650 × (800/100))/1,320 = 521%

(3) **주된 용도지역으로 평가하는 경우**

용도지역을 달리하는 부분의 면적비율이 현저하게 낮아 가치형성에 미치는 영향이 미미하거나 관련 법령에 따라 주된 용도지역을 기준으로 이용할 수 있는 경우에는 주된 용도지역의 가액을 기준으로 감정평가할 수 있다.

---

5) 감정평가실무기준 해설서(Ⅱ) 보상편, 한국감정평가사협회 등, p.39

> **국토계획법 제84조**(둘 이상의 용도지역 · 용도지구 · 용도구역에 걸치는 대지에 대한 적용기준)
>
> ① 하나의 대지가 둘 이상의 용도지역 · 용도지구 또는 용도구역(이하 이 항에서 "용도지역 등"이라 한다)에 걸치는 경우로서 각 용도지역 등에 걸치는 부분 중 가장 작은 부분의 규모가 대통령령으로 정하는 규모 이하인 경우에는 전체 대지의 건폐율 및 용적률은 각 부분이 전체 대지 면적에서 차지하는 비율을 고려하여 다음 각 호의 구분에 따라 각 용도지역 등별 건폐율 및 용적률을 가중평균한 값을 적용하고, 그 밖의 건축 제한 등에 관한 사항은 그 대지 중 가장 넓은 면적이 속하는 용도지역 등에 관한 규정을 적용한다. 다만, 건축물이 고도지구에 걸쳐 있는 경우에는 그 건축물 및 대지의 전부에 대하여 고도지구의 건축물 및 대지에 관한 규정을 적용한다.
>   1. 가중평균한 건폐율 = (f1x1 + f2x2 + … + fnxn) / 전체 대지 면적. 이 경우 f1부터 fn까지는 각 용도지역 등에 속하는 토지 부분의 면적을 말하고, x1부터 xn까지는 해당 토지 부분이 속하는 각 용도지역 등의 건폐율을 말하며, n은 용도지역 등에 걸치는 각 토지 부분의 총 개수를 말한다.
>   2. 가중평균한 용적률 = (f1x1 + f2x2 + … + fnxn) / 전체 대지 면적. 이 경우 f1부터 fn까지는 각 용도지역 등에 속하는 토지 부분의 면적을 말하고, x1부터 xn까지는 해당 토지 부분이 속하는 각 용도지역 등의 용적률을 말하며, n은 용도지역 등에 걸치는 각 토지 부분의 총 개수를 말한다.
> ② 하나의 건축물이 방화지구와 그 밖의 용도지역 · 용도지구 또는 용도구역에 걸쳐 있는 경우에는 제1항에도 불구하고 그 전부에 대하여 방화지구의 건축물에 관한 규정을 적용한다. 다만, 그 건축물이 있는 방화지구와 그 밖의 용도지역 · 용도지구 또는 용도구역의 경계가 「건축법」 제50조 제2항에 따른 방화벽으로 구획되는 경우 그 밖의 용도지역 · 용도지구 또는 용도구역에 있는 부분에 대하여는 그러하지 아니하다.
> ③ 하나의 대지가 녹지지역과 그 밖의 용도지역 · 용도지구 또는 용도구역에 걸쳐 있는 경우(규모가 가장 작은 부분이 녹지지역으로서 해당 녹지지역이 제1항에 따라 대통령령으로 정하는 규모 이하인 경우는 제외한다)에는 제1항에도 불구하고 각각의 용도지역 · 용도지구 또는 용도구역의 건축물 및 토지에 관한 규정을 적용한다. 다만, 녹지지역의 건축물이 고도지구 또는 방화지구에 걸쳐 있는 경우에는 제1항 단서나 제2항에 따른다.
>
> **국토의 계획 및 이용에 관한 법률 시행령 제94조**(2 이상의 용도지역 · 용도지구 · 용도구역에 걸치는 토지에 대한 적용기준)
>
> 법 제84조 제1항 각 호 외의 부분 본문 및 같은 조 제3항 본문에서 "대통령령으로 정하는 규모"라 함은 330제곱미터를 말한다. 다만, 도로변에 띠 모양으로 지정된 상업지역에 걸쳐 있는 토지의 경우에는 660제곱미터를 말한다.

기 본예제

다음 토지에 대한 시가참조목적의 감정평가액을 결정하되, 토지단가는 반올림하여 만원 단위까지 결정한다(기준시점 : 2027년 6월 30일).

자료 1 ▶ 평가대상 토지의 현황

연번	소재지	지목/면적(m²)	용도지역	이용상황	도로조건	형상/지세
1	A동 100	대/200	일반상업, 3종일주	상업용	광대한면	세장형/평지
2	A동 200	대/200	3종일주, 1종일주	상업용	소로한면	세장형/평지
3	A동 300	대/150	3종일주, 1종일주	상업용	소로한면	정방형/평지

풀이영상

» 기호 1은 50m²가 일반상업지역 150m²가 제3종일반주거지역에 걸쳐 있다.
» 기호 2는 100m²가 제3종일반주거지역에 100m²가 제1종일반주거지역에 걸쳐 있다.
» 기호 3은 5m²가 제1종일반주거지역에 145m²가 제3종일반주거지역에 걸쳐 있다.

자료 2 인근지역의 비교표준지 목록(공시기준일 : 2027년 1월 1일)

연번	소재지	지목/면적(m²)	용도지역	이용상황	도로조건	형상/지세	공시지가(원/m²)
A	A동 110	대/100	일반상업, 3종일주	상업용	광대한면	정방형/평지	3,000,000
B	A동 210	대/100	3종일주	상업용	소로한면	정방형/평지	1,200,000
C	A동 310	대/100	1종일주	상업용	세로(가)	정방형/평지	800,000

≫ 기호 A는 50m²가 일반상업지역 50m²가 제3종일반주거지역에 걸쳐 있다.

자료 3 지가변동률(2027.01.01. ~ 2027.06.30.)

상업지역 : 2.143%, 주거지역 : 1.541%

자료 4 개별요인에 대한 요인치

1. 도로조건

도로조건	광대한면	소로한면	세로(가)
광대한면	1.00	0.80	0.70

2. 형상조건 : 정방형과 장방형(가장형, 세장형 포함)은 대등한 것으로 본다.
3. 용도지역별 평점

용도지역	일상	3주	1주
3주	1.42	1.00	0.90

자료 5 참고도면

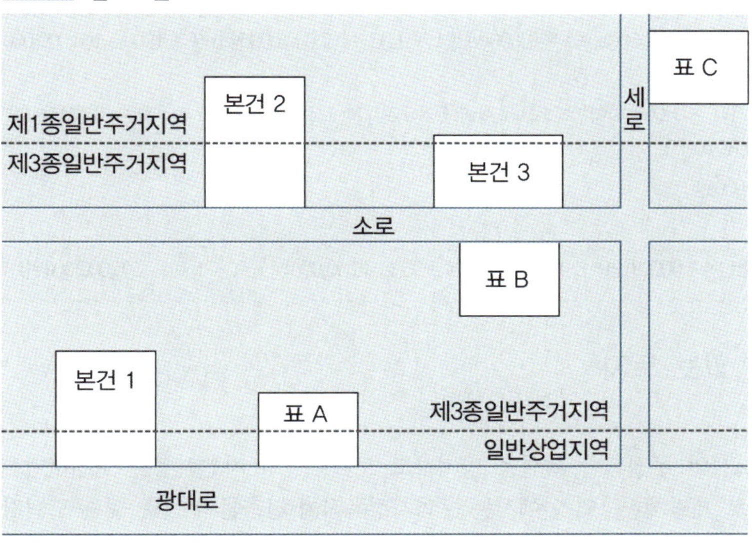

자료 6 그 밖의 요인은 아래와 같이 적용한다.

구분	표준지 A	표준지 B	표준지 C
그 밖의 요인	1.40	1.35	1.30

예시답안

Ⅰ. 평가개요

토지에 대한 시가참조목적의 감정평가이다(기준시점 : 2027년 6월 30일).

Ⅱ. 비교표준지 선정

본건 1은 일반상업, 제3종일반주거로서 용도지역이 유사한 표준지 A를 선정한다.

본건 2는 제3종일반주거지역은 표준지 B, 제1종일반주거지역 부분은 표준지 C를 선정한다.

본건 3은 제1종일반주거지역의 면적이 미미한바 주된 용도지역인 제3종일반주거지역 기준 표준지 B를 선정한다.

Ⅲ. 시점수정치

1. 본건 1

비교표준지의 용도지역별 면적으로 가중평균하도록 한다.[6]

$1.02143 \times 50/100 + 1.01541 \times 50/100 \fallingdotseq 1.01842$

2. 본건 2, 3(주거지역) : 1.01541

Ⅳ. 감정평가액 결정

1. 본건 1

$3,000,000 \times 1.01842 \times 1.000(지역) \times 0.913(개별^*) \times 1.40 \fallingdotseq 3,910,000원/m^2(\times 200 = 782,000,000원)$

$* \text{행정적 조건} : \dfrac{50/200 \times 1.42 + 150/200 \times 1.00}{50/100 \times 1.42 + 50/100 \times 1.00}$

2. 본건 2

(1) 제3종일반주거지역 부분

$1,200,000 \times 1.01541 \times 1.000(지역) \times 1.000(개별) \times 1.35 \fallingdotseq 1,640,000원/m^2(\times 100 = 164,000,000원)$

(2) 제1종일반주거지역 부분

$800,000 \times 1.01541 \times 1.000(지역) \times 1.143(개별^*) \times 1.30 \fallingdotseq 1,210,000원/m^2(\times 100 = 121,000,000원)$

$* \text{가로조건} : 0.80/0.70$

(3) 총액 : 285,000,000원

3. 본건 3

$1,200,000 \times 1.01541 \times 1.000(지역) \times 1.000(개별) \times 1.35 \fallingdotseq 1,640,000원/m^2(\times 150 = 246,000,000원)$

4. 개발제한구역 안에 있는 토지

(1) 의의

개발제한구역이란 도시의 무질서한 확산을 방지하고 도시주변의 자연환경을 보전하기 위하여 1971년 도입된 것으로 개발제한구역 안에서는 구역지정목적에 건축물의 건축 및 용도변경, 공작물의 설치, 토지의 형질변경, 도시계획사업 등 도시개발 행위는 원칙적으로 금지된다. 다만, 구역지정목적에 지장이 없는 행위로서 축사·창고 같이 농림수산업시설과 영농을 위한 형질변경 등 일부행위는 시장·군수·구청장의 허가를 받아 이를 행할 수 있다.[7] 따라서 개발제한구역 안에 있는 토지의 평가에 있어서는 이러한 상황을 파악하여 평가 시 반영하여야 한다.

---

6) 감정평가에 관한 규칙 제14조에 의하여 비교표준지가 있는 시·군·구의 용도지역별 지가변동률을 적용한다.

7) 개발제한구역의 지정 및 관리에 관한 특별조치법 제12조

기 본예제

아래 토지에 대한 적정한 비교표준지를 선정하시오.

자료 1 평가대상

구분	소재지	지목	용도지역	이용상황
1	C동 100	대	개발제한 자연녹지	근린생활시설 건부지
2	C동 200	전	개발제한 자연녹지	동식물관련시설 건부지
3	C동 300	잡	개발제한 자연녹지	야적장(주차장)

>> 일련번호 #2는 현황은 창고용으로 이용 중에 있으나, 이행강제금이 부과되고 있음.

자료 2 인근지역의 표준지공시지가

구분	표준지 A	표준지 B	표준지 C	표준지 D	표준지 E	표준지 F
용도지역	개발제한 자연녹지	개발제한 자연녹지	개발제한 자연녹지	개발제한 자연녹지	개발제한 자연녹지	개발제한 자연녹지
지목	대	대	창	전	장	잡
이용상황	상업나지	상업용	창고시설	전기타	공업용	공업나지

예시답안

1. 기호 #1 : 개발제한구역으로서 상업용 건부지인 표준지 B를 선택한다(표준지 A는 나지로서 유사성이 떨어짐).
2. 기호 #2 : 개발제한구역 동식물관련시설 건부지로서 유사한 표준지 D를 선택한다(합법적인 이용상황 기준하므로 표준지 C는 유사성이 떨어짐).
3. 기호 #3 : 개발제한구역으로 야적장과 유사한 이용상황인 공업나지인 표준지 F를 선택한다(표준지 E는 건부지로서 본건과 유사성이 떨어짐).

---

(2) **평가방법** [8]

개발제한구역 안에 있는 토지는 그 공법상 제한을 받는 상태를 기준으로 평가하되, 실제용도 또는 지목이 대인 경우에는 그 상황에 따라 거래가격이 현저히 변동하므로 이에 유의하여야 하며 일반적으로 다음과 같이 평가할 수 있다.

① **건축물이 있는 토지**

건축물이 있는 토지는 개발제한구역법 시행령 제13조 제1항에서 규정하는 범위 안에서의 건축물의 개축·재축·증축·대수선·용도변경 등이 가능한 토지를 상정하여 평가한다.

② **개발제한구역 지정 당시부터 지목이 대인 건축물이 없는 토지**

개발제한구역 지정 당시부터 지목이 대인 건축물이 없는 토지(이축된 건축물이 있었던 지목이 대인 토지로서 개발제한구역 지정 당시부터 해당 토지의 소유자와 건축물의 소유자가 다른

---

8) 표준지공시지가 조사·평가기준 제31조

경우의 토지를 포함하며, 형질변경허가가 불가능한 토지를 제외한다)는 건축이 가능한 상태를 기준으로 평가한다.[9]

③ 건축물이 없는 대지 [10]

건축물이 없는 대지를 기준으로 감정평가하며, 인근에 유사한 표준지가 없는 경우 동일수급권 내 유사지역의 표준지를 선정하거나 건축물이 있는 대지의 표준지에 격차율을 반영하여 평가한다.

④ 기타 건축이 불가능한 지목이 대인 토지

건축이 불가능한 지목이 대인 토지는 현실의 이용상황을 고려하여 평가한다.

(3) 개발제한구역의 매수청구토지의 감정평가

① 매수대상토지의 판정기준 및 매수의무

> **개발제한구역의 지정 및 관리에 관한 특별조치법 제17조**(토지매수의 청구)
>
> ① 개발제한구역의 지정에 따라 개발제한구역의 토지를 종래의 용도로 사용할 수 없어 그 효용이 현저히 감소된 토지나 그 토지의 사용 및 수익이 사실상 불가능하게 된 토지(이하 "매수대상토지"라 한다)의 소유자로서 다음 각 호의 어느 하나에 해당하는 자는 국토교통부장관에게 그 토지의 매수를 청구할 수 있다.
>   1. 개발제한구역으로 지정될 당시부터 계속하여 해당 토지를 소유한 자
>   2. 토지의 사용·수익이 사실상 불가능하게 되기 전에 해당 토지를 취득하여 계속 소유한 자
>   3. 제1호나 제2호에 해당하는 자로부터 해당 토지를 상속받아 계속하여 소유한 자
> ② 국토교통부장관은 제1항에 따라 매수청구를 받은 토지가 제3항에 따른 기준에 해당되면 그 토지를 매수하여야 한다.
> ③ 매수대상토지의 구체적인 판정기준은 대통령령으로 정한다.

② 매수대상토지의 매수가격

> **개발제한구역의 지정 및 관리에 관한 특별조치법 시행령 제30조**(매수가격의 산정시기·방법)
>
> ① 법 제18조 제3항 전단에 따른 매수가격은 매수청구 당시의 표준지공시지가(「부동산 가격공시에 관한 법률」 제3조에 따른 표준지공시지가를 말한다. 이하 이 조에서 같다)를 기준으로 그 공시기준일부터 매수청구인에게 매수금액을 지급하려는 날까지의 기간 동안 다음 각 호의 변동사항을 고려하여 산정한 가격으로 한다.
>   1. 해당 토지의 위치·형상·환경 및 이용 상황
>   2. 「국토의 계획 및 이용에 관한 법률 시행령」 제125조 제1항에 따라 국토교통부장관이 조사한 지가변동률과 생산자물가상승률
> ② 제1항에 따른 매수가격은 표준지공시지가를 기준으로 「감정평가 및 감정평가사에 관한 법률」에 따른 감정평가법인등(이하 "감정평가법인등"이라 한다) 2인 이상이 평가한 금액의 산술평균치로 한다.

---

9) 개발제한구역 내 지목 "대"라고 하더라도 건물을 신축할 수 있는 경우가 있는가 하면 이축권 행사나 산사태 등 자연재해지역으로 철거보상지역은 지목이 "대"라고 하더라도 건축이 불가능한 지역이 있으므로 평가 시 반드시 건축허가가능 여부를 파악하고 평가해야 할 것이다.

10) 이축권 행사나 산사태 등 자연재해지역으로 철거보상지역은 지목이 "대"라고 하더라도 건축이 불가능한 지역이 그 예라고 할 수 있다.

일반적 계획제한인 개발제한구역의 상태를 기준으로 하되, 개발제한구역으로 인하여 이용상황이 현저하게 불리해지기 전의 상태를 기준으로 평가한다.

5. 접도구역 안의 토지

⑴ 의의

접도구역은 도로법 및 고속국도법에 의해 규정된 구역으로서, 도로경계선에서 양측으로 각각 아래와 같이 접도구역이 지정된다. 접도구역이 지정되면 일정한 행위제한이 가해지므로 이러한 제한이 토지가격에 영향을 미치는지 조사하여야 한다.

도로의 종류	구분	지정폭(양측각각)
고속국도	전 구간	10m
일반국도	전 구간	5m
지방도 및 군도	전 구간 또는 일부	5m

⑵ 접도구역 안에서의 행위제한

① 원칙적 금지행위

도로법 제40조에 의거 접도구역 안에서는 토지의 형질을 변경하는 행위, 건축물 기타의 공작물을 신축, 개축 또는 증축하는 행위는 원칙적으로 금지된다.

> **도로법 제40조**(접도구역의 지정 및 관리)
>
> ③ 누구든지 접도구역에서는 다음 각 호의 행위를 하여서는 아니 된다. 다만, 도로 구조의 파손, 미관의 훼손 또는 교통에 대한 위험을 가져오지 아니하는 범위에서 하는 행위로서 대통령령으로 정하는 행위는 그러하지 아니하다.
> 1. 토지의 형질을 변경하는 행위
> 2. 건축물, 그 밖의 공작물을 신축 · 개축 또는 증축하는 행위

② 제한적 허용행위 [11]

연면적 $10m^2$ 이하의 화장실, 연면적 $50m^2$ 이하의 퇴비사, 연면적 $30m^2$ 이하의 축사 또는 도로의 이용 증진을 위하여 필요한 주차장의 설치, 증축되는 부분의 바닥면적 합계가 $30m^2$ 이하인 건축물의 증축 등은 제한적으로 허용된다.

⑶ 접도구역 안 토지의 평가

① 국가 등의 매수목적으로 평가의뢰된 경우에는 제한된 상태대로의 가격으로 평가한다.

② 국 · 공유재산 처분의 경우로서 접도구역의 지정 및 지정취소에 관한 권한을 가진 행정청이 그 지정취소를 조건으로 평가를 요청한 경우로서 현실적으로 지정취소가 가능한 경우에는(접도구역지정이 해제된 상태로) 조건부평가가 가능하다.

---

11) 도로법 시행령 제39조(접도구역의 지정 등)

③ 접도구역의 지정은 사업적 규제의 의미가 있으나, 사업실시는 상당히 미확정인 상태에 있으므로 제한의 정도가 도시·군계획시설도로에 저촉된 것만큼 강하지 않다. 건부지로서의 효용이 기대되는 나지의 경우에는 건축이 불허되므로 상당히 불리한 점이 있다고 하겠다.

④ 타용도로의 전환가능성이 기대되지 않는 순수 농경지가 접도구역에 저촉된 경우에는 인근의 정상적 농경지와의 가격 차이가 크지 않을 수 있다.

기 본예제

아래 토지에 대한 감정평가액(시가참조목적)을 결정하되, 토지단가는 반올림하여 유효숫자 세자리까지 산정한다(기준시점 : 2027년 9월 10일).

자료 1 평가대상 토지의 내역

소재지	면적(m²)	지목	이용상황	용도지역	도로교통	형상/고저
Y시 A면 K리 ○○○	2,000	답	답	생산관리	세로(가)	부정형저지

≫ 해당 토지 중 400m²는 접도구역에 저촉되어 있다.

자료 2 인근의 표준지공시지가 내역(2027.01.01.)

기호	소재지	면적(m²)	지목	이용상황	용도지역	도로교통	형상/지세	공시지가(원/m²)
A	K리 ○○○	1,000	답	답	계획관리	소로한면	부정형평지	140,000
B	K리 ○○○	1,000	답	답	생산관리	소로한면	가장형평지	95,000

자료 3 인근지역의 거래사례(합리성 검토자료)

기호	소재지	면적(m²)	용도지역	지목/현황	거래금액	거래시점	비고
1	K리 ○○○	1,500	생산관리	답/답	225,000,000	2026.12.01	토지만의 거래
2	K리 ○○○	700	생산관리	답/장	210,000,000	2026.01.01	토지만의 거래

≫ 기호 1의 개별특성 : 세로(가), 부정형, 평지, 개발행위허가(근린생활시설(제조장)) 득
≫ 기호 2의 개별특성 : 세로(가), 가장형, 평지, 토목공사 완료

자료 4 지가변동률(단위 : %)

구분	2026년 12월		2027년 7월	
	당월	누계	당월	누계
계획관리	0.141	2.197	0.079	1.110
생산관리	0.112	2.329	0.097	1.321
답	0.210	2.789	0.109	1.201

자료 5 요인비교관련 자료

1. 세로(가)에 접한 토지는 소로한면에 접한 토지에 비하여 5% 열세하다.
2. 부정형의 토지는 가장형의 토지에 비하여 3% 열세하다.
3. 저지의 토지는 평지의 토지에 비하여 3% 열세하다.
4. 접도구역에 저촉된 부분은 그렇지 않은 부분에 비하여 30% 열세하다.
5. 개발행위허가를 득한 경우 그렇지 않은 경우에 비하여 10% 우세하다.
6. 그 밖의 요인 비교치로서 50%를 증액보정한다.

풀이영상

예시답안

Ⅰ. 평가개요

농지에 대한 시가참조목적의 감정평가액을 결정한다(기준시점 : 2027.09.10.).

Ⅱ. 공시지가기준법

1. 비교표준지 선정

생산관리지역, 답으로서 유사한 B 선정한다.

2. 시점수정치(2027.01.01. ~ 2027.09.10. 생산관리)

$1.01321 \times (1 + 0.00097 \times 41/31) \fallingdotseq 1.01451$

3. 지역요인 비교치 : 인근지역으로 대등하다(1.000).

4. 개별요인 비교치(접도구역 미저촉부분)

구분	접근조건	자연조건	획지조건	행정적 조건	기타조건	개별요인비교치
요인치	0.95	1.00	0.94	1.00	1.00	0.893
비고	세로(가)/소로한면	대등함	부정형/가장형 저지/평지	대등함	대등함	–

5. 공시지가 기준가액

$95,000 \times 1.01451 \times 1.000 \times 0.893 \times 1.50(그 밖) \fallingdotseq 129,000원/m^2$

Ⅲ. 거래사례비교법

1. 거래사례 선택

생산관리지역으로서 이용상황(현황) 유사한 거래사례 1을 선정한다.

$(225,000,000 \div 1,500 = @150,000)$

2. 시점수정치(2026.12.01. ~ 2027.09.10. 생산관리)

$1.00112 \times 1.01321 \times (1 + 0.00097 \times 41/31) \fallingdotseq 1.01565$

3. 지역요인 비교치 : 인근지역으로 대등하다(1.000).

4. 개별요인 비교치(접도구역 미저촉부분)

구분	접근조건	자연조건	획지조건	행정적 조건	기타조건	개별요인비교치
요인치	1.00	1.00	0.97	0.91	1.00	0.883
비고	대등함	대등함	저지/평지	허가없음/허가득	대등함	–

5. 비준가액

$150,000 \times 1.000(사정) \times 1.01565 \times 1.000 \times 0.883 \fallingdotseq 135,000원/m^2$

Ⅳ. 감정평가액 결정

감정평가에 관한 규칙 제14조에 의하여 공시지가기준법으로 결정하되, 거래사례비교법에 의한 합리성이 인정된다.

- 접도구역 미저촉부분 : @129,000(× 1,600 = 206,400,000원)
- 접도구역 저촉부분 : @90,300(× 400 = 36,120,000원)
- 소계 : 242,520,000원

(4) 접도구역의 매수청구 시 감정평가

① 매수대상토지의 판정기준

> **도로법 제41조**(접도구역에 있는 토지의 매수청구)
>
> ① 접도구역에 있는 토지가 다음 각 호의 어느 하나에 해당하는 경우 해당 토지의 소유자는 도로관리청에 해당 토지의 매수를 청구할 수 있다.
>   1. 접도구역에 있는 토지를 종래의 용도대로 사용할 수 없어 그 효용이 현저하게 감소한 경우
>   2. 접도구역의 지정으로 해당 토지의 사용 및 수익이 사실상 불가능한 경우
> ② 제1항 각 호의 어느 하나에 해당하는 토지(이하 "매수대상토지"라 한다)의 매수를 청구할 수 있는 소유자는 다음 각 호의 어느 하나에 해당하는 자이어야 한다.
>   1. 접도구역이 지정될 당시부터 해당 토지를 계속 소유한 자
>   2. 토지의 사용·수익이 불가능하게 되기 전에 해당 토지를 취득하여 계속 소유한 자
>   3. 제1호 또는 제2호에 해당하는 자로부터 해당 토지를 상속받아 계속 소유한 자
> ③ 상급도로의 접도구역과 하급도로의 접도구역이 중첩된 경우 매수대상토지의 소유자는 상급도로관리청에 제1항에 따른 매수청구를 하여야 한다.
> ④ 도로관리청은 제1항에 따라 매수청구를 받은 경우 해당 토지가 효용의 감소 등 대통령령으로 정한 기준에 해당되면 이를 매수하여야 한다.
>
> **동법 시행령 제40조**(매수대상토지의 판정기준)
>
> 법 제41조 제1항에 따른 매수대상토지(이하 "매수대상토지"라 한다)의 판정기준은 다음 각 호와 같다. 이 경우 매수대상토지의 효용감소, 사용·수익의 불가능에 대하여 매수청구인의 귀책사유가 없어야 한다.
> 1. 법 제41조 제1항 제1호에 해당하는 토지: 매수청구 당시 매수대상토지를 접도구역 지정 이전의 지목(매수청구인이 접도구역 지정 이전에 적법하게 지적공부상의 지목과 다르게 사용하고 있었음을 공적자료로써 증명하는 경우에는 접도구역 지정 이전의 실제 용도를 지목으로 본다)대로 사용할 수 없음으로 인하여 매수청구일 현재 해당 토지의 개별공시지가(「부동산 가격공시에 관한 법률」 제10조에 따른 개별공시지가를 말한다)가 그 토지가 소재하는 읍·면·동에 지정된 접도구역의 동일한 지목의 개별공시지가(매수대상토지의 개별공시지가는 제외한다) 평균치의 100분의 50 미만일 것
> 2. 법 제41조 제1항 제2호에 해당하는 토지: 법 제40조 제3항에 따른 행위제한으로 인하여 해당 토지의 사용·수익이 사실상 불가능할 것

② 매수대상토지의 매수가격

> **도로법 제42조**(매수청구의 절차 등)
>
> ③ 매수대상토지의 매수가격(이하 "매수가격"이라 한다)은 매수청구 당시의 「부동산 가격공시에 관한 법률」에 따른 공시지가를 기준으로 그 공시기준일부터 매수청구인에게 대금을 지급하려는 날까지의 기간 동안 대통령령으로 정하는 지가변동률, 생산자물가상승률, 해당 토지의 위치·형상·환경 및 이용 상황 등을 고려하여 평가한 금액으로 한다.
> ⑤ 제1항부터 제3항까지의 규정에 따라 매수대상토지를 매수하는 경우 매수가격의 산정 방법, 매수 절차, 그 밖에 필요한 사항은 대통령령으로 정한다.

> **동법 시행령 제42조**(매수가격의 산정 방법 등)
>
> ① 법 제42조 제3항에서 "대통령령으로 정하는 지가변동률, 생산자물가상승률"이란 「부동산 거래신고 등에 관한 법률」 제19조에 따라 국토교통부장관이 조사한 지가변동률 및 「한국은행법」 제86조에 따라 한국은행이 조사·발표하는 생산자물가지수에 따라 산정된 생산자물가상승률을 말한다.
> ② 법 제42조 제3항에 따른 매수대상토지의 매수가격(이하 "매수가격"이라 한다)은 「부동산 가격공시에 관한 법률」 제3조에 따른 표준지공시지가를 기준으로 「감정평가 및 감정평가사에 관한 법률」에 따른 감정평가법인등(이하 "감정평가법인등"이라 한다) 2인 이상이 각각 법 제42조 제3항에 따라 평가한 금액의 산술평균치로 한다.

일반적 계획제한인 접도구역의 상태를 기준으로 하되, 접도구역으로 인하여 이용상황이 현저하게 불리해지기 전의 상태를 기준으로 평가한다.

③ 협의에 의한 토지의 매수

도로의 관리청은 접도구역의 지정목적을 달성하기 위하여 필요한 경우에는 토지소유자와 협의하여 접도구역 안의 토지를 매수할 수 있다. 접도구역 안의 토지를 협의매수하는 경우의 가격의 산정시기·방법 및 기준 등에 관하여는 「토지보상법」의 규정을 준용한다.

> **도로법 제44조**(협의에 의한 토지의 매수)
>
> ① 도로관리청은 접도구역을 지정한 목적을 달성하기 위하여 필요하면 접도구역에 있는 토지 및 그 정착물의 소유자와 협의하여 해당 토지 및 그 정착물을 매수할 수 있다. 이 경우 매수한 토지 및 그 정착물의 귀속에 관하여는 제42조 제4항을 준용한다.
> ② 제1항에 따라 접도구역의 토지 및 그 정착물을 협의 매수하는 경우에 그 매수가격의 산정 시기·방법 및 기준 등에 관하여는 「공익사업을 위한 토지 등의 취득 및 보상에 관한 법률」 제67조 제1항, 제70조, 제71조, 제74조, 제75조, 제75조의2, 제76조, 제77조 및 제78조 제5항부터 제9항까지의 규정을 준용한다.

06 유형별 특수토지의 감정평가

1. 광천지

1) 개념 및 평가기준

광천지란 지하에서 온수·약수·석유류 등이 용출되는 용출구(湧出口)와 그 유지(維持)에 사용되는 부지를 뜻한다. 다만, 온수·약수·석유류 등을 일정한 장소로 운송하는 송수관·송유관 및 저장시설의 부지는 제외한다.[12]

광천지는 광천의 종류, 광천의 질과 양, 부근의 개발상태 및 편익시설의 종류와 규모, 사회적 명성, 그 밖에 수익성 등을 고려하여 감정평가하되, 토지에 화체되지 아니한 건물, 구축물, 기계·기구 등의 가액은 포함하지 아니 한다.

---

12) 「공간정보의 구축 및 관리 등에 관한 법률」 시행령 제58조 제6호

2) 평가방법

(1) 공시지가기준법

인근지역 또는 동일수급권 내 유사지역의 표준지공시지가(광천지 표준지)를 기준으로 평가한다. 공시지가기준법 적용 시 광천의 종류, 광천의 질과 양, 부근의 개발상태 및 편익시설의 종류와 규모, 사회적 명성, 그 밖에 수익성 등을 고려하여 평가한다.

(2) 거래사례비교법

그 광천의 종류, 질 및 양의 상태, 부근의 개발상태 및 편익시설의 종류·규모, 사회적 명성, 기타 수익성 등을 고려하여 거래사례비교법에 의하여 평가한다.

(3) 원가법

공구당 총가격은 굴착, 그라우팅, 동력, 배관에 소요되는 비용과 가설비, 부대비용, 업자이윤 등의 비용에 소지가격을 더한 금액에서 광천지에 화체되지 아니한 건물, 구축물, 기계 등의 가치상당액을 공제하여 결정한다.

온천개발비용은 굴착비, 그라우팅비, 펌프, 모터, 동력, 배관비 등으로 이는 토지의 심도, 지질의 양상, 사용하는 기기능력에 따라 변동한다. 그러나 광천지의 가치는 대상광천지 온천수의 수질 및 대상광천지의 지역적, 개별적 요인에 의하여 형성되므로 온천개발비용을 그대로 광천지의 가치로서 인정하는 것에는 무리가 있다.

$$\text{원가법에 의한 감정평가액} = \text{공구당 총가격} \div \text{대상광천지의 면적}$$

(4) 혼합법

$$\text{대상광천지가격} = \text{표준광천지의 기준개발비}(\text{원}/m^2) \times \text{광(온)천지지수}$$
$$\times \frac{\text{대상물건 용출량지수}}{\text{표준광천지 용출량지수}}$$

① 표준광천지의 기준개발비

해당 온천지역 내의 현황을 파악하여 심도, 지질, 구경, 착정방식 등에서 가장 평균적, 현실적인 온천공을 기준한 개발비용으로 산정하되 일반적으로 허가 및 지질조사비용, 착정 및 그라우팅 비용, 시설비용, 일반관리비 및 이윤, 토지매입비용($1m^2$) 등이 있다.

$$\text{광천지(온천지)지수} = \frac{\text{표준광천지 (추정)수익가액}}{\text{표준광천지 기준개발비}(\text{원}/m^2)}$$

② **표준광천지 (추정)수익가액**

$$= \frac{총용출량(t/일) \times 365(일/년) \times 실제양탕비율 \times [판매단가(원/t) - 양탕비용(원/t)]}{환원이율}$$

$$= \frac{표준용출량(t/일) \times 365(일/년) \times [판매단가(원/t) - 양탕비용(원/t)]}{환원이율}$$

》 양탕비율 = 판매량 ÷ 총용출량

③ **용출량지수**

$$대상(표준)온천지 \ 용출량 \times 온도보정률(도표) = 대상(표준)온천지 \ 보정 \ 후 \ 용출량$$
$$\rightarrow 대상(표준)온천지 \ 용출량지수(도표)적용$$

3) 광천지 감정평가 시 유의사항

온천공은 그 자체로서 가치가 형성된다기보다는 추가적인 개발을 통하여 그 수익이 현출되게 된다. 거래사례비교법의 적용에 있어서 우리나라의 온천은 비화산원(非火山源)으로 숫자적으로 희소성이 있어 거래사례가 거의 없고, 일부 있는 경우에도 토지, 건물에 포함하여 일체로 거래되거나 특수한 거래사례를 수반하고 있어 가격자료로 이용할 수 있는 정상거래사례의 포착이 어렵다. 또한 원가법 자체가 가격이라고 보기 어려운 경우도 많으므로 3방식 평가 시 각각 문제점이 있으므로 유의해야 한다.

기 본예제

다음 특수토지(광천지)에 대한 평가액을 구하시오.

자료 1 대상광천지 내용
1. 소재지: 청주시 흥덕구 B동 20번지
2. 면적: 1m²
3. 대상토지는 광천지로서, 심도는 320m, 용출량은 330톤/일, 용출온천수의 온도는 45℃로 조사되었다.

자료 2 인근의 표준광천지
1. 소재지: 청주시 흥덕구 B동 50번지
2. 면적: 1m²
3. 표준광천지는 심도 300m, 용출량 350톤/일, 온도는 41℃로 조사되었다. 일일 판매량은 189톤/일로 조사되었다. 표준광천지는 최근에 개발된 것이다.
4. 개발비용명세
   (1) 허가 및 지질조사비용: 2,000,000원
   (2) 착정 및 그라우팅: 16,500,000원
   (3) 펌프(수중모타)시설: 5,000,000원
   (4) 배관 및 저수조시설: 3,500,000원
   (5) 일반관리비 및 이윤: 4,050,000원
   (6) 토지매입가격(1m²): 450,000원

자료 3 **온도에 따른 용출량 보정률**

온도	보정률
45℃ 미만	0.8
50℃ 미만	0.9

자료 4 **용출량지수**

용출량	지수
282톤 미만	2.5
334톤 미만	3.0

자료 5 **기타자료**

1. 온천수의 판매단가 : 400원/톤
2. 양탕비용 : 256원/톤
3. 종합환원이율 : 15%

예시답안

I. 평가개요

본건은 광천지 평가로 평가액은 다음과 같이 산정한다.

$$\text{광천지평가액} = \text{기본개발비} \times \text{온천지지수} \times \frac{\text{대상광천지 용출량지수}}{\text{표준광천지 용출량지수}}$$

II. 평가액산정

1. 기본개발비

$2,000,000 + 16,500,000 + 5,000,000 + 3,500,000 + 4,050,000 + 450,000 = 31,500,000$원

2. 온천지지수

(1) 수익가액 : $189 \times 365 \times (400 - 256) \div 0.15 ≒ 66,226,000$원

(2) 온천지지수 : $\dfrac{66,226,000}{31,500,000} ≒ 2.10$

3. 용출량지수

(1) 표준광천지 : $350 \times 0.8 = 280$톤

(2) 대상광천지 : $330 \times 0.9 = 297$톤

(3) 용출량지수 : $\dfrac{3.0}{2.5}$

4. 평가액

$31,500,000 \times 2.10 \times \dfrac{3.0}{2.5} ≒ 79,380,000$원

2. 산림의 감정평가

1) 산림의 의의

「산림자원의 조성 및 관리에 관한 법률」 제2조(정의)

이 법에서 사용하는 용어의 뜻은 다음과 같다.
1. "산림"이란 다음 각 목의 어느 하나에 해당하는 것을 말한다. 다만, 농지, 초지(草地), 주택지, 도로, 그 밖의 대통령령으로 정하는 토지에 있는 입목(立木)·대나무와 그 토지는 제외한다.
   가. 집단적으로 자라고 있는 입목·대나무와 그 토지
   나. 집단적으로 자라고 있던 입목·대나무가 일시적으로 없어지게 된 토지
   다. 입목·대나무를 집단적으로 키우는 데에 사용하게 된 토지
   라. 산림의 경영 및 관리를 위하여 설치한 도로[이하 "임도(林道)"라 한다]
   마. 가목부터 다목까지의 토지에 있는 암석지(巖石地)와 소택지(沼澤地 : 늪과 연못으로 둘러싸인 습한 땅)

산림과 임야의 차이

산림의 경우 집단적으로 생육되는 입목과 그 토지를 말하는 반면, 임야는 「공간정보의 구축 및 관리 등에 관한 법률」에 따른 지목의 종류 중 하나로 산림과 들판을 이루고 있는 숲, 습지, 황무지 등의 토지를 말한다. 즉, 산림은 토지와 입목 전체를 지칭하나, 임야는 산림과 들판 등의 토지만을 지칭하여 엄밀하게 보면 차이가 있으나 실무적으로는 혼용되고 있다.

2) 조사사항

산림의 가격자료에는 거래사례, 조성사례, 시장자료 등이 있으며, 대상 산림의 특성에 맞는 적절한 자료를 수집하고 정리한다.

(1) 사전조사사항

등기사항전부증명서·임야대장·임야도·토지이용계획확인서·입목등록원부·입목등기사항전부증명서 등을 통해 다음의 사항을 조사한다.
① 소재지, 지번, 지목, 면적, 입목의 내용, 소유자
② 분수계약·지역권·지상권·임대차 등 소유권의 제한사항
③ 관련 법령에 따른 산림의 사용·처분 등의 제한 또는 그 해제
④ 그 밖의 참고사항

(2) 실지조사사항

지황조사(기후, 지형, 지세, 지리, 토양, 지위 등), 임황조사(임종, 수종, 임상, 혼효율, 수령, 수고, 경급, 입목도, 소밀도, 재적, 생장률, 하층식생 등), 영림실태 파악(산림연혁 및 경영관리상태, 조림 및 수확관계, 피해상황, 인근산림의 상황 및 입지조건 등), 그 밖의 참고사항

3) 산림의 평가방법 [13]

> **감정평가에 관한 규칙 제17조**(산림의 감정평가)
>
> ① 감정평가법인등은 산림을 감정평가할 때에 산지와 입목(立木)을 구분하여 감정평가해야 한다. 이 경우 입목은 거래사례비교법을 적용하되, 소경목림(小徑木林 : 지름이 작은 나무·숲)인 경우에는 원가법을 적용할 수 있다.
> ② 감정평가법인등은 제7조 제2항에 따라 산지와 입목을 일괄하여 감정평가할 때에 거래사례비교법을 적용해야 한다.

(1) 감정평가의 원칙

산림은 산지와 입목을 구분하여 감정평가한다. 다만, 입목의 경제적 가치가 없다고 판단되는 경우에는 입목을 감정평가에서 제외할 수 있다(유실수 단지의 감정평가는 과수원의 감정평가방법을 준용한다). 산지와 입목을 일괄하여 감정평가하는 경우에는 거래사례비교법을 적용해야 한다.

(2) 산지와 입목의 일괄감정평가

산지와 입목을 일괄하여 감정평가할 때에 거래사례비교법을 적용하여야 한다. 즉, 해당 산림가액이 산지가액과 입목가액의 합산으로 결정하는 것이 불합리하거나, 인근지역 내 산림 전체가 일체로 거래된 적절한 사례가 있는 경우에는 일괄감정평가하게 된다.

산지에 입목이 생육하고 있는 산림 전체 가치는 산지 단독만의 가치와는 달리 입목이 생장함에 따라서 변하게 된다. 즉, 입목의 경제적 성숙기가 가까워짐에 따라 산림의 가치는 점점 증가하는데 성숙기에 도달했을 때의 산림 가치는 입목을 벌채하여 얻을 수 있는 입목만의 가치에 산지의 가치를 가산한 것과 동일·유사한 가치를 갖는다.

① 거래사례비교법

거래사례비교법에 의하여 산림가액을 산정하고자 할 때에는 먼저 인근지역, 유사지역 또는 동일수급권 내에서 가능한 다수의 거래사례를 수집하고, 수집된 자료 중에서 물적, 위치적, 시간적으로 동일성 또는 유사성이 있다고 인정되는 적정한 거래사례를 선정하여야 한다. 그리고 사정보정과 시점수정을 한 후 지역요인과 개별요인을 비교·검토하여 적정한 비준가액을 산정한다.

산지와 입목을 일체로 하여 거래되는 경우 산지나 입목의 가격을 각각 파악할 수 있으면 산지와 입목을 별도로 산정하여 이를 합산하면 산림가액이 된다. 그러나 입목의 가치가 경미하거나 입목의 가치가 있더라도 구분할 수 없는 경우에는 산림 전체의 거래사례를 이용하여야 하며, 감정평가실무에서는 편의상 거래사례 가격을 산림면적으로 나누어 단위면적당 단가로 비교하며 이 경우 면적요인에 대한 보정을 하고 있다.

---

13) 감정평가실무기준 해설서(Ⅰ) 총론편, 한국감정평가사협회 등, 2014.02, pp.374~376

② **산림비용가법**(원가법)

산림비용가는 임분이 성립된 후 현재에 이르기까지 들어간 비용을 일정한 이율로 계산한 후가에서 그동안 거두어들인 수익을 같은 방법으로 계산하여 비용의 후가에서 공제한 것으로서 입목의 비용가와 지가를 합한 것이라고 볼 수 있으므로, 입목비용가식을 사용하면 산림비용가(Wkm)는 다음 식과 같다.

$$Wkm = Hkm + B$$
$$= (B + V)[(1 + P)^m - 1] + C(1 + P)^m - \sum D_a (1 + P)^{m-a} + B$$
$$= (B + V + C)(1 + P)^m - \sum D_a (1 + P)^{m-a} - V$$

Wkm: 산림비용가	Hkm: 임목비용가
B: 산지가액	V: 관리자본
C: 조림비	P: 이자율
D_a: a년의 간벌수익	m: 조림 후 평가연도까지의 기간

③ **산림기망가법**(수익환원법)

산림기망가는 임분에 대하여 현재(m년생)부터 벌채예정년(u년생) 사이에 기대되는 장래수익의 현가합계에서 그동안에 소요되는 비용의 현가합계를 공제한 입목기망가와 지가의 합계라고 볼 수 있으므로, 입목기망가식을 사용하면 산림기망가(Wem)는 다음 식과 같다.

$$Wem = Hem + B$$
$$= \frac{A_u + D_n(1 + P)^{u-n} + (B + V)}{(1 + P)^{u-m}} - (B + V) + B$$
$$= \frac{A_u + D_n(1 + P)^{u-n} + B + V}{(1 + P)^{u-m}} - V$$

Wem: 산림기망가	Hem: 입목기망가
A_u: 벌기수익	D_n: m년도 이후 n년도의 간벌수익
B: 산지가액	V: 관리자본
u: 벌채예정년(벌기령)	m: 조림 후 평가연도까지의 기간(해당 임령)
p: 이자율	

⑶ **임지**(산지)**의 감정평가**

① **토지의 감정평가방법 준용 등**

토지의 감정평가방법과 동일하다. 임지의 경우에는 일반토지와는 가격형성요인의 차이가 있으므로 이에 유의하여 평가해야 한다.

산림의 경우 공법상 제한 사항을 확인할 필요가 있는데 특히 보전산지/준보전산지 여부 및 보안림지정 여부에 유의하고, 산림의 면적이 대규모인 경우 보전산지와 준보전산지 양 지역에 걸쳐 있는 경우가 많으므로, 해당 소재지 지자체의 부서 등에서 보전산지대장 등을 열람하여 각 해당 면적을 확인한다.

또한 해당 산림의 이용·수익을 제한하는 각종 부담(법정지상권 등)을 확인한다. 즉, 묘지관리
대장 및 입목등기부 등에 의해 분묘나 수목 등을 확인할 필요가 있으며, 이 밖에 각종 제시외
건물의 소재 여부 및 고압선이나 철탑의 존재 여부 등도 확인해야 한다.

② **산지 감정평가 시 원가성의 고려**

소지상태의 산지를 취득하고 이를 조림 등 입목육성에 적합한 상태로 개량하는 데 소요된 총
비용 등을 감안하여 기준시점 현재의 산지의 가액을 감정평가하는 방법으로서, 대체로 다음의
비용항목으로 구성된다. 현재까지 발생한 비용의 원리금 합계에서 현재까지 얻은 수익의 원리금
합계를 공제한 금액이 된다.

　㉠ 임지구입비용·소유권이전 등기수속비용·취득세·재산세 등 임지의 취득과 유지관리에
　　소요된 비용

　㉡ 임지를 취득한 후 입목육성에 적합한 상태로 임지를 개량하는 데 투입된 비용, 즉 배수공
　　사·야계사방공사·객토공사 등에 소요된 비용

　㉢ 각종 비용을 투입한 후 기준시점까지의 기간에 대한 이자

③ **경제적 가치가 없는 입목의 감정평가 제외**(지상의 자연생 활잡목 등 소재 시)

현장조사 시 입목의 가치를 판단하여 가치가 없는 경우에는 해당 입목을 감정평가에서 제외할
수 있다. 즉, 활잡목이 자생하는 산림의 경우, 특히 경제적 가치가 없다고 판단되는 입목은 일괄
감정평가의 대상이 아니라 해당 입목이 감정평가에서 제외된다고 볼 수 있다.

④ **경계의 확인**(임야의 위치확인)

산림의 감정평가 시 경계 확인이 어려운 경우가 많다. 산림은 보통 경계를 정확하게 특정하기가
어렵기 때문에 임야도, 지적도, 지번약도, 항공측량도 등과 실제 능선과 계곡의 형상, 경사도,
주변의 건축물 등을 참고하여 경계를 확인하게 된다. 다만, 경계의 판단이 사실상 불가능한
경우에는 의뢰인에게 이 같은 사실을 알리고 측량 전문인을 통한 경계측량 등을 요청하여 경
계를 확정하는 것이 필요하다.

Check Point!

▶ **토지임야의 개념 및 감정평가방법**

1. 토지임야의 개념

토지임야(토림)는 주변의 토지이용상황으로 보아 순수임야와 구분되며, 주로 경작지 또는 도시(마을)
주변에 위치해 있는 구릉지와 같은 임야를 말한다.

임야는 통상 산xx번지 식으로 표기되면서 임야대장에 등재되나 토림은 일반번지로 토지대장에 등재
되고 임야대장상 등재된 임야는 임야도에, 토지대장상 등재된 토림은 지적도에 표기되어 있다. 토림은
지목은 임야이나 순수임야라기보다 일반토지에 해당하고 예전부터 사실상 형질변경(불법개간)을 하여
사실상 전 또는 초지, 잔디 등을 식재하는 농경지이거나 언덕이나 지세가 낮고, 전답이나 마을주변에
있는 임야로서 쓰임새가 일반토지에 준하는 임야를 말한다.

> **2. 토지임야의 감정평가방법**
>
> 토지임야의 감정평가방법은 토지임야의 개별특성별로 다양하여 일반화시키기는 어려우나 해당 토지임야의 용도지역, 용도지구 등은 물론이고 관련 법령상 원상회복의 의무가 부여되어 있는지 여부 등을 면밀하게 살펴 감정평가해야 할 것이다.

(4) 입목의 평가 [14]

① 개요

입목을 감정평가할 때에는 거래사례비교법(시장가역산법)을 적용하여야 한다. 거래사례비교법을 적용하는 것이 곤란하거나 적절하지 않은 경우에는 조림비용 등을 고려한 원가법 등을 적용할 수 있다.

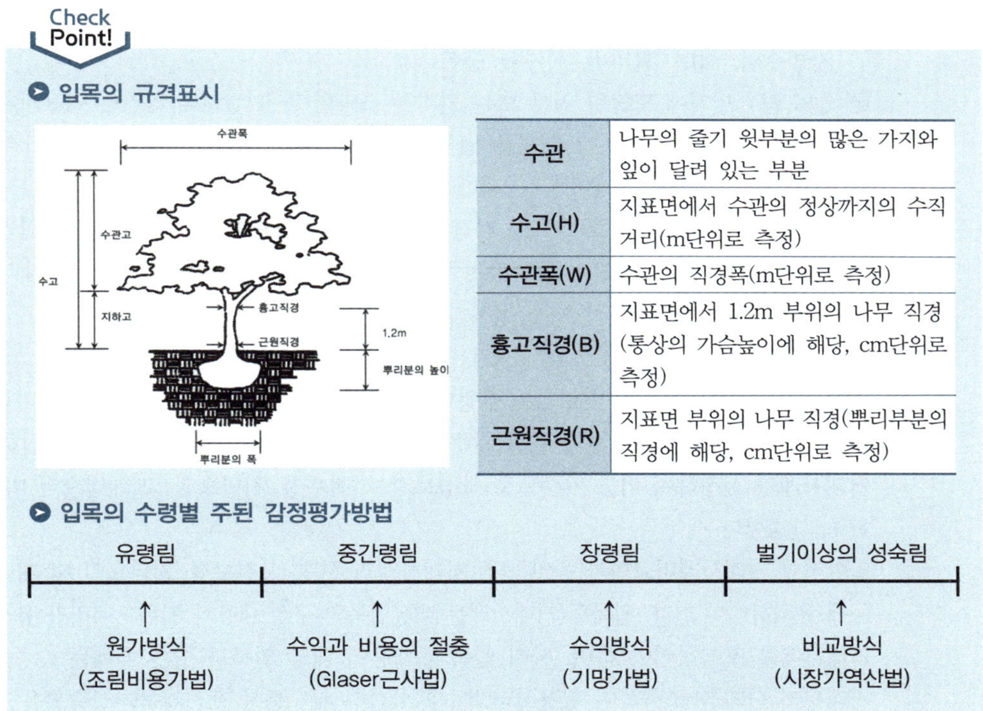

수관	나무의 줄기 윗부분의 많은 가지와 잎이 달려 있는 부분
수고(H)	지표면에서 수관의 정상까지의 수직 거리(m단위로 측정)
수관폭(W)	수관의 직경폭(m단위로 측정)
흉고직경(B)	지표면에서 1.2m 부위의 나무 직경(통상의 가슴높이에 해당, cm단위로 측정)
근원직경(R)	지표면 부위의 나무 직경(뿌리부분의 직경에 해당, cm단위로 측정)

㉠ 유령림 : 유령림에 대한 명확한 구분은 없으나, 일반적으로 식재 때부터 제1회 간벌을 실시하기 전인 15년생 경까지의 임분을 말한다. 유령림에서의 입목의 감정평가는 식재 및 보육을 위한 투자액을 기준으로 하여 평가하는 원가법을 채택하는 것이 보통이다.

---

14) 감정평가실무기준 해설서(Ⅰ) 총론편, 한국감정평가사협회 등, 2014.02, pp.361~371

유령림에 대하여 임령(林齡)·수고(樹高)·지름 등의 한계를 수량적으로 결정하기는 곤란하고, 일반적으로 식재 때부터 제1회 간벌을 실시하기 전인 15년생 경까지의 임분을 말하거나 벌기령의 1/3까지의 기간을 유령림으로 취급하기도 한다.

원가법에 활용할 자료는 대상임분의 조성 및 관리에 소요된 비용 즉, 지대, 조림비, 하예비, 무육비, 관리비 등과 간벌수입이므로 현지에서 조사하거나 영림계획서와 각종 장부를 통해 파악하여야 한다.

ⓛ **중령림(중간령급의 임분)**: 비용가로서 감정평가하기에는 입목이 너무 커서 감정평가액이 실정에 맞지 않으며, 또 기망가로 감정평가하기에는 벌채까지의 기간이 너무 길어 확실성이 문제로 된다. 이와 같은 중간임분의 입목 평가에는 원가수익 절충방식인 글라저법이 채택된다.

ⓒ **벌기 미만의 장령림**: 장령림은 벌채, 이용하기에는 아직 미숙한 상태이지만 입목이 어느 정도 성장하여 이용가치가 있을 때이다. 따라서 장령림은 주로 벌기에 도달한 때의 이용가치를 할인하여 평가하는 기망가법이 사용된다. 입목기망가법에 활용될 자료는 벌기수익, 간벌수익, 지대, 관리비, 이자율 등이다.

ⓔ **성숙림**: 벌기에 도달한 임분 또는 벌기를 초과한 과숙 임분의 평가는 이용가치에 의하여 평가한다. 이용가치는 그 입목을 벌채 반출하여 원목으로 판매할 수 있는 가격에서 벌채, 반출 등에 소요된 벌출비를 공제하여 산출하는 시장가역산법을 채택한다.

시장가역산법에 활용할 자료는 시장원목가격(수종별·경급별·형질별), 생산비용(벌목조재비, 산지집재비, 운반비 등), 자본회수기간, 이자율 등으로서 현지사정에 따라 작업조건, 자금수준이 다르므로 조사를 철저히 하여야 한다.

② **거래사례비교법**

거래사례비교법이란 산지상에 있는 감정평가 대상 입목과 유사한 성질과 내용을 가진 입목만의 거래사례가격이 조사되는 경우 이를 기준으로 하여 입목가격을 산정하는 방법을 말하며, 적정한 거래사례를 선정하여 이를 기준으로 사정보정, 시점수정, 지역요인 및 개별요인 비교 등을 통하여 산정한다.

일반적인 거래사례비교법과 동일하나, 거래사례의 선택, 시점수정, 지역요인 및 개별요인 비교 등에 유의하여야 한다. 입목의 거래사례는 대상입목의 구성 내용과 지위·지리가 유사한 입목의 거래사례를 포착하여야 하며, 사례 입목의 내용이 대상 입목과 다른 때에는 수종별·직경별 거래사례 단가를 조사하여 활용한다. 이때 시점수정은 통상 생산자물가상승률을 적용하거나 실제 입목시장에서의 가격변동추이를 고려하여 할 것이며, 지역요인은 임업을 입지주체로 하는 입지조건과 같고, 개별요인은 임업의 생산성 및 입목의 임황과 밀접한 관계를 가지고 있다. 거래사례비교법의 적용 시에는 입목재적과 입목가액의 관계, 입목형질과 입목가액의 관계 및 입목경급과 입목가액의 상호 상관관계 등에 대해서도 충분히 유의하여 감정평가해야 한다.

③ **원가방식(조림비용가법)**

실제 입목의 가치는 성립하지 않는 유령림에 대하여 그 투입된 원가를 기준으로 평가하는 방식이다. 유령림에 적합하고 10년 이상의 입목은 과도하게 평가되는 특징이 있다. 또한 지대의 영향이 과도하여 도시지역 및 전용가능한 임야 등 순수산림으로서의 임지가액을 초과하는 임지상의 조림비용 산정 시 지대를 조정하여야 한다. 지대를 단순히 지가를 기준으로 파악하면 상당한 고가산정이 되므로 주의하여야 한다.

기준시점까지 입목에 투입한 비용(지대, 조림비, 하예비, 제벌비, 간벌비, 비배관리비 등의 구입·개량·유지관리비)의 현가(투입비용의 미래가치)에서 해당 기간 동안 간벌 등으로 얻은 수익(간벌수입 등)의 현가(투입비용의 미래가치)를 뺀 금액으로 입목가액을 구하는 방법이다.

입목은 원가법을 사용하는 일반적인 건물, 기계·기구와는 달리 상각자산이 아닌 지속적으로 생장과정에 있는 물건으로서, 그 가치가 연차적으로 증가하므로 감가수정을 요하지 않는다.

$$HKm = (B+V)[(1+p)^m - 1] + C(1+p)^m - \sum Da(1+p)^{m-a}$$

Hkm: 입목비용가 B: 지대 V: 관리자본

p: 이자율 C: 조림비 D_a: a년의 간벌수익

m: 조림 후 평가연도까지의 기간

대체로 육성임업에서는 투입비용의 대부분은 유령기에 집중되고, 과거에 투입된 기술내용이나 비용이 분명하지 않은 것이 보통이며, 가격의 변동으로 인한 적절한 조정도 곤란하다. 또한 육성기간이 장기간으로 연이율 p의 평정차가 산출치에 크게 영향을 미친다는 문제점이 있으므로, 임령이 많은 장령림 이후의 입목에 대하여는 원가방식을 적용하기가 곤란하여 성림기 이전의 입목에 대한 감정평가방법으로 사용하고 있다.

현실적으로는 입지조건이 불량한 장소 또는 조성 성적이 불량한 산지의 입목일수록 투입 경비가 많이 소요된다. 따라서 불량 산지보다도 우량 산지의 입목가가 계산상 저가로 산정되는 경우도 있으므로, 유령림이 거래되는 사례가 있다면 거래사례와의 비교 검토를 통하여 원가법에 의하여 산정된 가액과 시산조정을 하여야 한다.

기 본예제

임지 1ha를 2,000,000원에 매입하여 초년도에 조림비 450,000원과 매년 관리비 100,000원을 투입해온 입목의 가격을 평가하시오. 참고로 입목은 20년생의 낙엽송으로 15년이 되었을 때 400,000원의 간벌수입을 얻었으며, 자금에 대한 이자율 및 토지기대이율(필요제경비 포함)은 6%이다. 현금흐름은 반올림하여 천원 단위까지 결정한다.

예시답안

Ⅰ. 평가개요

비용가법으로 입목의 가격을 평가한다.

Ⅱ. 투하된 비용의 미래가치

1. 지대(이자분)

$$2,000,000 \times 0.06 \times \frac{1.06^{20} - 1}{0.06} ≒ 4,414,000원$$

2. 매년 관리비

$$100,000 \times \frac{1.06^{20} - 1}{0.06} ≒ 3,679,000원$$

3. 초년도 조림비

$450,000 \times 1.06^{20} ≒ 1,443,000$원

4. 간벌수입(비용차감)

$400,000 \times 1.06^{20-15} ≒ 535,000$원

III. 입목의 감정평가액

$4,414,000 + 3,679,000 + 1,443,000 - 535,000 ≒ 9,001,000$원

---

④ 시장가역산법

시장역산가는 산지 입목의 거래사례는 구하기 어려우나 인근 시장의 원목 또는 제재목의 가격은 상대적으로 구하기 쉬우므로, 시장의 원목 또는 제재목의 가격에서 벌채비용 등 생산비용과 이윤을 공제하여 산지의 입목가액을 구하는 방식이다. 시장가역산법은 벌기령에 가까운 입목의 경우에 유용한 평가법이다.

시장가역산법은 평가대상 입목을 벌채하여 원목 등 제품으로 만들어 이 제품을 실제로 원목 등으로 팔릴 것으로 예측되는 인근시장까지 운반하여 판매할 때까지의 벌채 운반방법을 가상하고, 이에 소요되는 채취비를 추정한 다음에 이 제품과 동종, 동품 등인 물건의 시장가격을 사정한 후, 이 가격에서 벌채, 반출에 요구되는 비용을 공제하여 입목가액을 산정하는 방법이다.

입목의 시가는 그 지방에서 입목의 매매사례 수준에서 형성되는 벌채가격인데, 여기서 벌채가격은 입목을 벌출(伐出) 판매하여 얻은 금액에서 이에 소요된 벌출비를 공제한 금액과 같으므로, 시장가격에서부터 역산하면 산원(山元)에서의 입목가를 구할 수 있게 된다.

시장가역산법에 의하여 산정한 가액은 원목시장가, 각종 수익률 등 일부 가정요인이 개입되지만 시장거래의 관행을 반영한 현실적이고 실증적인 가액이므로, 시장가격이 있는 입목에는 이 방법을 사용하는 것이 일반적이다.

$$\text{산식}: \quad X = f\left(\frac{A}{1+mp+r} - B\right)$$

X: 산원입목가 f: 조재율 A: 원목시장가
m: 자본회수기간 p: 이자율 r: 기업자 이윤 및 투자위험율
B: 생산비용(벌목조재비, 산지집재비, 운반비 및 임도보수·신설비용, 잡비 등)

>> **조재율(이용률)**: 입목을 벌채, 반출, 가공하여 생산되는 목재재적의 원래의 입목재적에 대한 비율로 통상 %로 표시되며 일반적으로 표준목법을 사용하여 조사한다(침엽수: 60~90%, 활엽수: 40~60%).

>> **원목시장가(재적당원목가격)**: 평가대상 입목을 벌채반출하여 가장 가까운 시장에서 실제로 원목으로 판매될 것으로 예측되는 원목 도매가격을 말한다. 측정 예상되는 총 재적에 대한 원목의 시장가치를 의미한다(원/m³).

>> **생산비용(재적당생산비)**: 입목생산비용은 수확작업 시 소용되는 제비용으로서 벌목, 조재, 집재, 운재, 매각 등에 소요된 비용의 합계로서 벌목조재비, 산지집재비, 운반비 및 임도보수·신설비용, 잡비 등으로 구성된다. 측정 예상되는 총 재적에 대한 생산비를 의미한다(원/m³).

>> **투하자본회수기간**: 입목대금의 회수기간을 의미, 입목대금을 지급한 다음 날부터 생산품을 매각하고 그 매각대금은 수령한 날까지로서 사업의 경영기간 또는 사업기간에 해당한다.

>> **투하자본수익률(이자율)**: 자본회수기간, 투자방법, 생산 중의 결손 등 위험부담, 금리 등을 종합적으로 검토·고찰하여 결정해야 하며, 일반적으로 금융기간에서의 일반자금 대출금리를 적용한다.

>> **기업이윤율(기업자이윤 및 투자위험률)** : 기업이윤율 외에 원목의 결손율을 포함한 것으로 총자본에 대한 결손율로 계산한다.

기 본예제

다음 제시된 자료를 보고 입목가격을 구하시오.

자료

1. 입목재적 : 50m³(총재적)
2. 입목조재율 : 70%
3. 시장원목가격 : 20,000원/m³
4. 기업이율 : 10%
5. 은행대출이자율 : 1%/월
6. 자본회수기간 : 20월
7. 생산비 : 4,000원/m³

예시답안

1. **평가개요**
   시장가역산법으로 입목의 가격을 평가한다.

2. **입목단가**

$$\text{입목단가} = \text{조재율} \times \left[\frac{\text{원목시장가격}}{1 + \text{자본회수기간} \times \text{월이율} + \text{기업이율}} - \text{생산비} \right]$$

$$= 0.7 \times \{20,000 \div (1 + 20 \times 0.01 + 0.1) - 4,000\} = 8,000원/m³$$

3. **입목가격**
   $50 \times 8,000 = 400,000원$

---

⑤ **수익방식**(기망가법)

입목기망가법은 현재의 입목에 대하여 장차 벌채될 때까지 기대할 수 있는 순수익을 구하는 수익환원법의 일종으로서 평가하고자 하는 입목이 벌기에 가서 벌채될 것으로 예상하고, 현재부터 벌채 예정년 사이에 기대되는 장래 수익의 전가합계에서 그동안에 소요되는 비용의 전가합계를 공제한 차액을 입목기망가라 한다. 따라서 입목기망가는 장차의 예상수익을 임업이율 P에 의하여 m년 현재의 가액으로 환산한 것이다.

장점은 성숙 중인 입목의 가액을 산정할 수 있으며, 단점으로는 주요요소인 지대의 경우 조립비용가와 같은 문제점을 가지고 있어 주의가 필요하며, 간벌수익의 경우 그 파악이 상당히 곤란하다는 것이다. 따라서 이론적으로는 상당히 우수한 방식이나 실무상 적용 시에는 주의가 필요하다. 입목기망가법에 의한 입목의 평가액은 다음의 식과 같다.

$$Hem = \frac{A_u + D_n(1+P)^{u-n} - (B+V)[(1+P)^{u-m}-1]}{(1+P)^{u-m}}$$

Hem : 입목기망가
A_u : 벌기수익
D_n : m년도 이후 n년도의 간벌수익
B : 산지가액
V : 관리자본
u : 벌채예정년(벌기령)
m : 조림 후 평가연도까지의 기간(해당 임령)
n : 간벌 시의 임령
P : 이자율(임업이율)

주벌수익 및 간벌수익은 각각의 벌기령에서의 벌채 예상액이며, 가액은 기준시점에서의 시가를 적용하며, 산지가액과 관리자본의 경우도 이와 같다. 주벌시기는 일반적으로 「산지관리법」상에서의 표준벌기령, 영림계획에서의 벌기령, 그 지방의 관행상 벌기령 등이 사용된다. 감정평가 대상 입목에 적합한 임분수확표를 이용하되 현실림이 대부분 비법정림인 상태이므로, 임분수확표 상의 수확량을 적정하게 감가하여 산정한다.

이자율은 일반물가상승률만큼 낮춘 실질적 임업이율을 사용한다. 즉, 명목적 임업이율을 13%, 다른 물건 가격의 평균상승률(일반물가상승률)이 10%라면 실질적 임업이율은 3%이다. 입목 기망가법에서의 지가는 임지기망가에 의한 산지가액을 적용해야 한다는 주장도 있으나, 일반적으로 기준시점에서의 산지가액을 사용한다.

기 본예제

벌기를 30년으로 하는 20년생의 낙엽송림 1ha를 평가하시오(30년 된 낙엽송림의 주벌수입은 4,200,000원이고 25년이 되었을 때의 간벌수입은 360,000원이다. 임지는 210,000원에 매입하였고 매년 관리비는 12,000원이 투입되었으며, 기대이율 및 할인율은 6%이다).

예시답안

I. 평가개요

기망가법으로 입목의 가격을 평가한다.

II. 향후 입목의 수익 및 비용

1. 주벌수입의 현가

$$4,200,000 \times \frac{1}{1.06^{10}} ≒ 2,345,000원$$

2. 간벌수입의 현가

$$360,000 \times \frac{1}{1.06^{5}} ≒ 269,000원$$

3. 매년지대의 현재가치

$$210,000 \times 0.06 \times \frac{1.06^{10} - 1}{0.06 \times 1.06^{10}} ≒ 93,000원$$

4. 매년 관리비 투하액

$$12,000 \times \frac{1.06^{10} - 1}{0.06 \times 1.06^{10}} ≒ 88,000원$$

III. 입목의 수익가액

$$2,345,000 + 269,000 - 93,000 - 88,000 ≒ 2,433,000원$$

⑥ **글라저**(Glaser) **근사법**(수익과 원가의 절충)

유령목에 대해서는 비용가법, 장령림에 대해서는 기망가법, 벌기에 달했거나 벌기를 초과한 입목에 대해서는 시장가역산법 또는 직접적인 거래사례비교법을 적용하는 것이 일반적이다. 그러나 유령림과 성숙림 사이의 성장과정 중에 입목은 성장시기에 따라 비준가액과 적산가액이 상당한 차이를 보이고 있으므로, 비용가법과 기망가법의 중간적인 방법, 즉 원가수익 절충방식을 적용하는 것이 권장되고 있으며, 이 방법의 대표적인 것으로서 글라저법(Glaser)이 있다.

감정평가방법은 조림비용과 벌기령에 달한 주벌수익과의 관계를 분석하여 전임령에 대하여 적정하게 분배하는 방식으로 성숙 중인 입목의 감정평가에 적합한 방식이다. 또한 수식이 간단하여 기망가법과 같이 지대의 문제와 간벌수익 등 조사 산정하기 곤란한 요소가 없는 것이 큰 장점이라 할 수 있다. 이 식은 독일의 글라저가 수종별로 많은 입목의 거래사례를 수집하여 바이에른의 국유림에서 벌기에 도달하지 않은 입목의 평가식으로 고안한 것이다.

㉠ 임령 10년의 가액이 없는 경우

$$A_m = (A_u - C) \times \frac{m^2}{u^2} + C$$

A_m: m년 현재 구하는 입목가액

A_u: 적정 벌기령 u년의 주벌수입(단, m년 현재의 시가액)
C : 초년도 조림비(노면정지비, 신식비, 하예비 등)
u : 적정 벌기령
m : 현재 수령

㉡ 임령 10년의 가액이 있는 경우 : 대부분의 육성임업의 경우 투입비의 대부분이 조림 초기의 10년간에 편재되는 것이 보통이므로, 일본에서는 사유림의 보안림 편입, 국유림의 매각 시 11년생 이상으로서 벌기 미만의 입목에 대하여는 다음 식을 사용하고 있다.

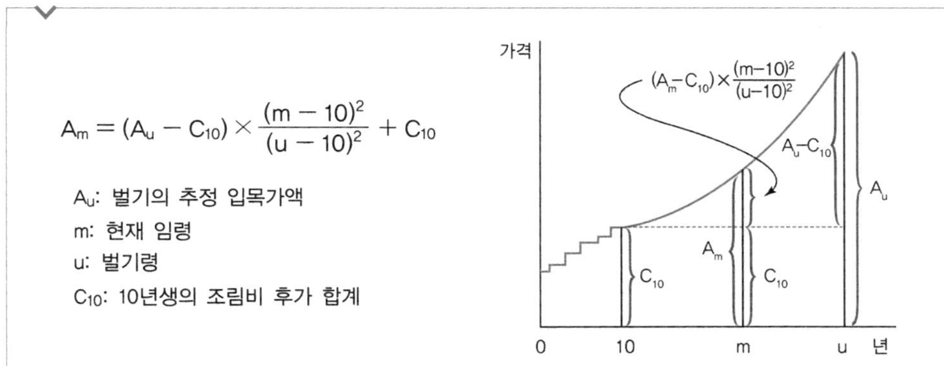

$$A_m = (A_u - C_{10}) \times \frac{(m-10)^2}{(u-10)^2} + C_{10}$$

A_u: 벌기의 추정 입목가액
m: 현재 임령
u: 벌기령
C_{10}: 10년생의 조림비 후가 합계

기 본예제

柳평가사는 의뢰인 高 씨로부터 입목평가를 의뢰받고 다음과 같은 자료를 수집·정리하였다. 다음 입목을 글라저법으로 평가하되, 반올림하여 천원 단위까지 표시한다.

자료 1 평가대상 입목

수종	임령	면적	경사도	표준벌기령
잣나무	20년	3.9ha	20°~30°	45년

자료 2 조사사항

1. 우세목의 평균수고는 8.6m이고 지위지수분류표(임업시험장연구보고 12호)에 임령 20년 우세목의 평균수고가 8.6m이면 그 임지의 지위지수는 8이라 한다.
2. 표준벌기령일대의 주·부림목 본수, 1본당 간재적 등은 잣나무림의 임분 수확표 및 자료조사에 따르면 지위지수 8, 임령 45년일 때 다음과 같다.

주·부림목 본수	1본당 간재적	재적당이용률	입목도
1,008본/ha	0.261m³	86.7%	0.8

3. 표준벌기령인 잣나무입목의 시장가격 : 65,570원/m³

자료 3 최초 연도비용

1. 묘목비는 ha당 3,000본을 본당 60원에 구입하였다.
2. 기타비용(원/ha)

운반비	정리작업비	식재비	하예비
5,000	100,000	70,000	100,000

3. 잡비와 관리비는 각각 직접비의 5%, 3%이다.

예시답안

Ⅰ. 평가개요

본건은 잣나무의 입목평가로 글라저법으로 평가한다.

Ⅱ. 입목가격산정

1. 표준벌기가액

(1) 총이용재적(= 단위면적당 이용재적 × ha당 본수 × 입목도 × 면적)

$0.261 \times 0.867 \times 1,008 \times 0.8 \times 3.9ha \fallingdotseq 711.664m^3$

(2) 표준벌기가액 : $65,570 \times 711.664 \fallingdotseq 46,664,000$원

2. 최초 연도비용

(1) 직접비 : $(60 \times 3,000 + 5,000 + 100,000 + 70,000 + 100,000) \times 3.9ha = 1,775,000$원

(2) 잡비와 관리비 : $1,775,000 \times (0.05 + 0.03) = 142,000$원

(3) 최초 연도비용 : $1,775,000 + 142,000 \fallingdotseq 1,917,000$원

3. 입목가격

$$(46,664,000 - 1,917,000) \times \frac{20^2}{45^2} + 1,917,000 \fallingdotseq 10,756,000원$$

● 입목 감정평가 시 유의사항

1. 입목재적과 입목가액

입목의 단가를 산정할 때 전체 재적이 상이하면 수종 등이 동일하더라도 수급관계와 반출비의 관계 때문에 그 단가에 차이가 생긴다. 일반적으로 거래재적이 많을수록 입목은 비싸게 거래되고, 한 장소에서 입목의 반출량이 많으면 그에 따라 반출비의 단가는 낮아지므로 입목의 단가는 높아지는 점 등에 유의한다.

2. 입목형질과 입목가액

입목은 수종 및 형질에 따라 거래되는 가격의 차이가 많으므로, 거래사례와 비교할 때 입목의 형질조사에도 유의하여야 한다.

3. 입목의 경급과 입목가액

일시에 조성된 인공림의 경우에는 입목의 경급이 거의 일정할 수 있으나, 실제로는 일시에 조성했다 하더라도 생장량의 차이로 입목 경급은 차이나는 경우가 있으며, 혼효림의 경우에는 수종별, 직경급별 차이가 심하게 발생한다. 이 경우 각 직경급별로 입목단가를 거래사례자료에 의하여 조사할 때에는 경급별 입목가액 차이에 유의하여야 한다.

(5) **임업부대시설의 감정평가**

임업부대시설이라 함은 임도, 방화선, 건물(관리사, 창고 등), 소방망대, 임간묘포 등 임업경영에 사용되는 일체의 시설 등을 말하는 것이다.

① **임도 및 방화선**(防火線)

임도 및 방화선(防火線)을 감정평가할 때에는 원가법을 적용하여야 한다. 다만, 산지의 감정평가액에 임도가액을 포함시킨 경우에는 따로 감정평가를 하지 아니한다.

② **건물 및 소방망대**(消防望臺)

건물 및 소방망대(消防望臺)를 감정평가할 때에는 원가법을 적용하여야 한다.

③ **임간묘포**(林間苗圃)

임간묘포(林間苗圃)를 감정평가할 때에는 거래사례비교법을 적용하여야 한다. 다만, 거래사례비교법의 적용이 곤란하거나 적절하지 않은 경우에는 원가법을 적용할 수 있다.

3. 과수원의 감정평가

1) 정의

과수원이란 집단적으로 재배하는 사과·배·밤·호두·귤나무 등 과수류 및 그 토지와 이에 접속된 저장고 등 부속시설물의 부지(주거용 건물이 있는 부지는 제외)를 말한다.

2) 조사·확인사항

과수원의 가격자료에는 거래사례, 조성사례, 임대사례, 수익자료 등이 있으며, 대상 과수원의 특성에 맞는 적절한 자료를 수집하고 정리한다.

(1) 사전조사사항

소재지, 지번, 지목, 면적, 관련 법령에 따른 토지의 사용·처분 등의 제한 또는 그 해제, 그 밖의
참고사항

(2) 실지조사사항

소재지, 지번, 지목, 면적, 과수상황(수종, 품종, 수령, 주수 및 면적), 재배관리상황(비배관리, 관개,
배수상황, 병충해의 정도 및 구제예방), 과거의 수확량 및 품등정도, 생산물의 판로, 판매가격, 판
매방법, 토양 및 입지조건, 수지 예상 및 장래성, 그 밖의 참고사항

3) 자료의 수집 및 정리

거래사례(과수원의 거래사례 및 가격수준 등), 조성사례(식재비 등), 임대사례(임대수익, 임대보증금,
보증금운용이율, 기타 수익, 총비용 등), 수익자료(판매가격, 생산비용, 평균순수익 등), 그 밖에 감정
평가액 결정에 참고가 되는 자료

4) 과수원의 감정평가방법

> **감정평가에 관한 규칙 제18조**(과수원의 감정평가)
>
> 감정평가법인등은 과수원을 감정평가할 때에 거래사례비교법을 적용해야 한다.

(1) 과수원의 감정평가방법(과수원부지와 과수목을 일괄로 평가하는 경우)

과수원은 과수와 그 과수가 식재되어 있는 토지가 일체로 거래되는 경우가 대부분이다. 거래사례
비교법에 의하여 과수원의 가액을 산정하고자 할 때에는 먼저 인근지역, 유사지역 또는 동일수급권
내에서 가능한 다수의 거래사례를 수집하고, 수집된 자료 중에서 물적, 위치적으로 동일성 또는 유
사성이 있다고 인정되는 적정한 거래사례를 선정하여 상호 비교하여 산정하되, 지상 과수의 수종·
수령·발육 및 관리상태 등에 따른 시장 내에서의 과수원 거래가격수준 차이에 유의하여야 한다.

(2) 거래사례비교법을 적용하기 어려운 경우의 감정평가방법

① 원가법

인근지역 등에서 동종의 과수원에 대한 거래사례가 없거나 유령수의 과수로 구성되어 거래사
례비교법의 적용이 곤란하거나 적정하지 아니한 경우에 원가법을 적용할 수 있다. 원가법에
의한 감정평가액은 과수원 부지와 과수를 개별 감정평가하여 합산하는 방식으로, 과수원 부지는
공시지가기준법에 의해, 과수는 해당 과수에 대한 소요비용 등을 감안하여 감정평가하게 된다.

② **수익환원법**

지상 과수에서 일정한 수익이 창출되는 경우 과수원은 수익성 부동산으로서의 성격을 가지게 되므로 수익환원법을 적용할 수 있다. 수익환원법에 의한 감정평가액은 잔존효용연수에 대한 순수익의 현가합계액과 기간 말의 토지가치 복귀액을 합산하여 산정한다.

수익환원법에 의하여 평가하는 경우 순수익을 산출하기 위해서는 연수입에서 소요비용[조세공과, 비료대(지급비료 포함) 및 약제대, 노임(자가노력비, 제조, 시비, 밭갈이 비용), 일반관리비 및 판매비, 운영자금이자]을 공제하여 결정한다.

5) 과수원의 감정평가 시 유의사항

(1) 거래사례비교법 적용의 문제점

과수경영기술의 발전 등으로 다년간 생육이 요구되는 과수가 점차 줄어들어 단년생 과수가 일반적인 경우가 되어 가고 있는 추세이며, 동일한 수종이라도 품종 등에 따라 식재 및 경영 방식과 이에 따라 발생하는 수익의 정도가 상당한 차이가 있을 수 있다. 따라서 대상과 동일한 과수원 사례를 적용하기 위해서는 단순히 인근지역의 유사 과수원 사례라고 해서 무조건 적용하는 것이 아니라 이에 대한 면밀한 검토가 필요할 것이다.

(2) 정상식재의 판단과 적용

정상식재의 개념은 단순히 표준적인 식재주수를 의미하는 것은 아니며, 정상적인 생육이 가능한 최상의 재배를 기준하여 정상적인 이익(혹은 최상의 이익)을 실현할 수 있는 상태를 의미한다. 대상과수를 실제조사할 경우 정상식재(적정본수식재)나 적정한 무육관리가 되어 있지 않은 경우가 있으므로, 대상과수의 현상을 참작하여 적의 가감조정하여야 하며, 집단 재배관리되는 경영 과수원이 아닌 경우는 재배관리의 난점과 수익에 미치는 제반 불합리한 요인을 감안하여 감가하여야 한다.

기 본예제

P 씨는 자신 소유의 과수원을 매각하기 위해 Y평가사에게 감정평가를 의뢰하였다. 다음 자료를 활용하여 사과나무가 식재되어 있는 과수원의 감정평가액을 산정하되, 평가단가는 반올림하여 천원단위까지 결정한다.

풀이영상

자료 1 ▶ 평가대상물건

1. 과수원부지
   (1) 소재지: 경기도 화성시 팔탄면 가재리 132번지
   (2) 지목, 면적: 과수원, 15,000m²
   (3) 용도지역: 관리지역
   (4) 기타: 대상토지는 6m 도로에 접해 있으며, 부정형, 완경사지를 이루고 있다.
2. 과수목
   (1) 사과나무 20년생: 150주
   (2) 사과나무 5년생: 75주
3. 기준시점: 2027년 9월 4일

자료 2

본 토지의 감정평가액(원/m²): 215,000

자료 3 ▶ 인근의 과수원의 거래사례

경기도 화성시 팔탄면 가재리 278번지, 관리지역, 지목 과수원, 20,000m²의 과수원으로서 정상식으로 식재되어 있다. 최근(기준시점)에 거래되었으며, 거래가격은 4,500,000,000원에 거래되었다. 사례의 소유자 K 씨는 사과나무를 재배하여 인근 ○○농협에 사과를 납품하여 수익을 얻고 있다. 과수원 가격은 몇 년간 변동이 없으며, 면적을 제외한 비교요인치는 대상이 사례에 비하여 5.5% 우세하다고 본다.

자료 4 ▶ 대상 과수나무의 수익성

1. 20년생 사과나무의 나무가격은 인근 시장에서 형성되어 있지 않으며, 앞으로 주당 연간 40,000원의 순수익(매출에서 매출원가와 지대 등 비용을 차감한 금액)을 창출할 것으로 예상되며 10년간 수익이 지속될 것이다.
2. 5년생 사과나무는 유령수로서 아직 수익은 없는 상태이며, 인근 시장에는 사과나무 묘목의 가치만 형성되어 있으며 묘목가치는 주당 10,000원이다.

자료 5 ▶ 투하비용

1. 정상 수확기에 미달한 5년생 사과나무는 2023년 초에 식재되었다.
2. 정상 수확기에 미달한 5년생 사과나무 식재 후 매년 초 20,000원/주씩 비용을 투하하였다.
   (식재연도 포함)(묘목구입비 별도)

자료 6 ▶ 기타사항

할인율 및 이자율: 연 10%

예시답안

Ⅰ. 평가개요

본건은 과수원에 대한 감정평가로서 감정평가에 관한 규칙에 근거하여 거래사례비교법으로 평가한다(기준시점: 2027년 9월 4일).

Ⅱ. 거래사례비교법

인근지역의 과수원 거래사례로서 용도지역, 이용상황 등 유사하며, 최근 거래사례로서 적정한 것으로 판단된다(m²당 225,000원).

$225,000 \times 1.000 \times 1.00000 \times 1.000 \times 1.055 ≒ 237,000원/m²(\times 15,000 = 3,555,000,000원)$

III. 과수원의 개별평가액

1. 토지의 감정평가액

$215,000$원$/\text{m}^2(\times 15,000 = 3,225,000,000$원$)$

2. 수익수(20년생)의 감정평가액

$$40,000 \times \frac{1.1^{10} - 1}{0.1 \times 1.1^{10}} ≒ 246,000원/주(\times 150주 = 36,900,000원)$$

3. 유령수(5년생)의 감정평가액

$10,000 + 20,000 \times (1 + 1.1 + 1.1^2 + 1.1^3 + 1.1^4) \times (1 + 0.1 \times 8/12) ≒ 140,000$원$/$주
$(\times 75주 = 10,500,000원)$

4. 개별평가액 합계

$3,225,000,000 + 36,900,000 + 10,500,000 = 3,272,400,000$원

IV. 감정평가액 결정

각 평가방법에 의한 시산가액이 유사한바, 「감정평가에 관한 규칙」 제18조에 의거 거래사례비교법에 의한
평가액인 237,000원/m²(과수목 포함)으로 결정한다($\times$ 15,000 = 3,555,000,000원).

4. 석산(광업용지)의 감정평가

(1) 석산의 감정평가방법 [15]

「산지관리법」에 따른 토석채취허가를 받거나 채석단지의 지정을 받은 토지, 「국토의 계획 및 이
용에 관한 법률」에 따른 토석채취 개발행위허가를 받은 토지 또는 「골재채취법」에 따른 골재채취
허가(육상골재에 한함)를 받은 토지(이하 "석산"이라 한다)를 감정평가할 때에는 수익환원법을
적용하여야 한다. 다만, 수익환원법으로 감정평가하는 것이 곤란하거나 적절하지 아니한 경우에는
토석의 시장성, 유사 석산의 거래사례, 평가사례 등을 고려하여 공시지가기준법 또는 거래사례비
교법으로 감정평가할 수 있다.

(2) 수익환원법 적용방법

수익환원법을 적용할 때에는 허가기간 동안의 순수익을 환원한 금액에서 장래 소요될 기업비를
현가화한 총액과 현존 시설의 가액을 공제하고 토석채취 완료시점의 토지가액을 현가화한 금액을
더하여 감정평가한다. 토석채취 완료시점의 토지가액을 현가화한 금액은 허가기간 말의 토지현황
(관련 법령 또는 허가의 내용에 원상회복·원상복구 등이 포함되어 있는 경우는 그 내용을 고려한
것을 말한다)을 상정한 기준시점 당시의 토지감정평가액으로 한다.

---

15) 감정평가실무기준 610.1.7.15. 석산

$$\text{수익환원법에 의한 석산 감정평가}(p) = \left\{ \cfrac{a}{S + \cfrac{i}{(1+i)^n - 1}} - E - F \right\} + \cfrac{p_R}{(1+r)^n}$$

a : 순수익	E : 장래소요기업비 현가
S : 환원이율	F : 현존 시설가액
i : 축적이율	p_R : 복귀가격, 채취 완료시점의 토지가격
n : 가행연수	r : 할인율

출처 : 석산 감정평가방법에 관한 연구, 2017.02, 한국골재협회 등

(3) 석산 감정평가액의 배분

석산의 감정평가액은 합리적인 배분기준에 따라 토석(석재와 골재)의 가액과 토지가액으로 구분하여 표시할 수 있다.

석산(특수토지)의 가치 = 토석의 가치 + 토지의 가치

(4) 용도폐지된 광업용지

용도폐지된 광업용지는 인근지역 또는 동일수급권 안의 유사지역에 있는 용도폐지된 광업용지의 거래사례 등 가격자료에 의하여 공시지가기준법 및 거래사례비교법으로 평가한다. 다만, 용도폐지된 광업용지의 거래사례 등 가격자료를 구하기가 곤란한 경우에는 인근지역 또는 동일수급권 안의 유사지역에 있는 주된 용도 토지의 가격자료에 의하여 평가하되, 다른 용도로의 전환가능성 및 용도전환에 소요되는 통상비용 등을 고려한 가격으로 평가한다.

5. 염전부지의 감정평가

1) 염전의 정의 및 종류

염전이라 함은 염 또는 간수를 제조하기 위하여 해수를 농축하는 자연증발지를 가진 지면을 말한다. 천일염전은 저수지와 염전 내부와의 지반고의 고저에 따라 고지식(高地式)과 저지식(低地式)으로 구별되며, 염전 내부의 증발지 각 단(段)의 낙차가 계속적인 경우와 역낙차의 경우로 구분하여 유하식(流下式)과 급상식(級上式)으로 구분된다.

2) 염전의 감정평가방법

(1) 거래사례비교법

염전을 감정평가할 때에는 인근지역 또는 동일수급권 안의 유사지역에 있는 염전의 거래사례 등 가격자료에 의하여 공시지가기준법 및 거래사례비교법을 적용하여야 한다. 거래사례비교법으로 감정평가하는 경우에는 입지조건, 규모 및 시설 등의 상태, 염생산가능면적과 부대시설면적의 비율,

수익성 등을 고려한 가격으로 감정평가하되, 토지에 화체되지 아니한 건물 및 구축물 등의 가격상당액이 포함되어 있는 때에는 이를 공제한 것으로 하여야 한다.

(2) 그 외 감정평가방법

적정한 거래사례가 없거나 거래사례비교법의 적용이 불가능한 경우에는 원가법이나 수익환원법 등으로 감정평가할 수 있을 것이다. 즉, 인근지역 내 유사한 염전으로 조성된 사례를 통해 개발에 소요된 비용과 성숙도 및 기타 제반 사항이 파악되고 염전의 설비 등에 대한 자료가 확인될 경우에는 원가법을 적용할 수 있고, 염전 전체의 총수익과 비용 등에 대한 수익성 자료가 있는 경우에는 수익환원법을 적용할 수 있다.

다만, 수익환원법으로 감정평가하는 경우에는 토지와 건물, 기타 구축물이 산출하는 염전 전체의 순수익에서 토지만이 산출하는 잔여수익을 산정하여 환원하는 방법인 토지잔여법을 활용할 수 있다. 수익환원법에 의하여 평가하는 경우 순수익을 산출하기 위해서는 연수입에서 소요비용[제염원가(제염비, 염전비), 일반관리비와 판매비, 운영자금이자]을 공제하여 결정한다.

6. 유원지의 감정평가

유원지는 인근지역 또는 동일수급권 안의 유사지역에 있는 유사용도 토지의 거래사례 등 가격자료에 의하여 공시지가기준법 및 거래사례비교법으로 평가한다. 다만, 그 유원지가 새로이 조성되어 거래사례비교법으로 평가하는 것이 현저히 곤란하거나 적정하지 아니하다고 인정되는 경우에는 원가법 또는 수익환원법으로 평가할 수 있다.

7. 골프장(용지)의 감정평가

1) 골프장의 분류

(1) 이용형태에 따른 구분

회원제(Membership)골프장, 대중(Public)골프장으로 분류된다.

(2) 지형적 특성에 따른 구분

해안형, 평지형, 산악형으로 분류되며, 지형적인 특성에 따라 골프장 조성비에 영향을 준다.

(3) 규모에 따른 구분

비정규골프장(9홀), 정규골프장(18홀, 27홀, 36홀)으로 나뉜다.

2) 골프장용지의 구분

(1) 개발지

개발지란 골프코스(티그라운드·페어웨이·러프·그린 등), 주차장 및 도로, 조정지(골프코스 밖에 설치된 연못), 조경지(형질 변경 후 경관을 조성한 토지), 클럽하우스 등 관리시설의 부지를 뜻한다.

(2) **원형보존지**

원형보존지란 개발지 이외의 토지로서 해당 골프장의 사업계획승인 시부터 현재까지 원형상태 그대로 보전이 되고 있는 임야, 늪지 등의 토지를 의미한다.

3) 골프장의 평가방법

(1) 원가법

① 토지의 감정평가방법

㉠ 공시지가기준법 : 인근지역 또는 유사지역의 유사한 골프장용지의 표준지공시지가를 선정 및 비준하여 가치를 결정한다. 대부분 본건이 표준지로서 지역 및 개별요인 보정은 불필요하다.

㉡ 원가법 : 조성 전 토지가치에 개발지와 원형보전지의 표준적 공사비, 부대비용, 제세공과금 (토지용역수수료, 인허가용역비, 설계 및 감리비, 각종 부담금, 토목공사비 등) 및 적정이윤을 가산하여 원가법으로 평가할 수 있다. 골프장 조성공사비는 본건의 조성공사비 내역을 기준하거나(직접법), 유사 골프장의 조성공사비를 참작하여(간접법) 결정할 수 있다(원/홀).

참고

골프장용지의 원가법에 의한 감정평가[16]

평가가격 = [조성 전 토지의 소지가격 + (조성공사비 및 그 부대비용 + 취득세 등 제세공과금 + 적정이윤)] ÷ 해당 토지의 면적

1. 소지가격

① 의의 : 조성 전 토지의 소지가격은 골프장으로 조성되기 전 개별토지의 토지이용상황을 고려하고 개발이익이 배제된 상태의 가격

② 산정방법 : 적정한 거래사례를 수집하되 대상 골프장의 소지가격의 확인이 불가능하거나, 골프장 조성 전 토지의 이용상황 확인이 불가능한 경우에는 동일수급권내에서 골프장으로 용도전환이 가능한 토지의 거래사례를 수집하여 비교하되, 일단지로 비교할 수 있음.

2. 조성공사비 및 그 부대비용

① 조성공사비 및 그 부대비용은 해당 골프장의 조성공사비 등을 직접 파악하여 직접법을 사용하되, 조성공사비가 해당 토지 조성 시 특수한 공법을 사용하거나 해당 토지의 조성공사비가 적정하지 아니한 경우 등은 인근의 유사토지의 조성공사비를 적용하여 간접법을 사용할 수 있음.

② 조성공사비 및 그 부대비용의 일반적인 구성항목

- 토지용역수수료 : 토지매입 대행비
- 인허가 용역비 : 도시관리계획 입안, 도시계획시설 실시계획 인가신청, 환경·교통·재해 등 영향평가, 체육시설등록 신청과 관련한 용역비 및 대행비 등
- 설계/감리비 : 토목 및 코스설계비, 토목감리비
- 각종부담금 : 농지보전부담금, 대체산림자원조성비, 기반시설부담금 등
- 토목공사비 : 골프장용지의 토목공사비, 잔디식재비, 도로포장공사비 등에 대한 수급인(건설업자)의 직·간접공사와 적정이윤
- 개발업자의 일반관리비 및 직·간접 경비
- 기타 : PM용역수수료, 민원해소비용 등
- 공사비는 홀당 또는 m^2당으로 산정할 수 있다.

---

16) 2020년 표준지공시지가 조사·평가 업무요령, 국토교통부, 2019.09, pp.416~419

3. **취득세 및 제세공과금**

골프장 준공과 관련된 취득세 등은 일반적인 세금과 부담금을 포함하여 산정함.
① 취득세 등 : 대중 골프장 : 2.2%, 회원제 골프장 : 11%, 미준공 골프장 : 0%
② 준공 시 세금 : 토목공사에 수반하여 지목변경에 따른 취득세, 등록세를 부과하고 있음.
③ 개발부담금

4. **적정이윤**

적정이윤은 (노무비 + 경비 + 일반관리비) × 이윤율이나, 사업시행자 시행방식을 상정한 평가이므로 "0"으로 함.

5. **기타공사비 요인**

보정이 필요한 경우는 아래와 같음.
① 직접 공사비 산정이 어려운 경우나 직접 공사비가 인근 유사 골프장에 비해 상대적으로 과소·과대한 경우
② 지형 특성(암반 등)으로 인하여 공사비가 적정하지 아니한 경우
③ 미 준공 골프장의 경우 공정률 반영

6. **골프장용지 조사·평가 대상 제외범위**

① 골프장 안의 관리시설인 클럽하우스·창고·오수처리시설 등 지상의 건축물
② 골프장용지에 화체되지 아니한 시설물 및 조경수 등
③ 잔교(교량), 급·배수시설(맨홀·암거·흄관 등과 스프링클러)

ⓒ **거래사례비교법** : 인근 또는 동일수급권 내 유사지역 내에 소재하는 동종 골프장을 기준하여 거래사례비교법으로 평가가 가능하다. 거래사례의 거래가격에서 지상의 건물 등의 가치를 차감한 가액을 비준한다.

② **건물 등의 감정평가방법**

건물 및 기구 등은 원가법으로 감정평가한다.

(2) 거래사례비교법

인근 또는 동일수급권 내 유사지역 내에 소재하는 동종 골프장을 기준으로 토지와 건물을 일체로 비준이 가능하다[m^2당 금액, 홀(Hole)당 금액].

골프장의 개별요인은 일반적인 토지, 건물의 요인에 대한 비교에 아래의 항목 등을 추가로 비교해야 한다.

코스개발특성	홀수, 등록면적, 개발지와 원형보전지의 비율, 골프코스 설계의 우수성, 코스전장(코스레이팅), 코스의 관리상태, 관개·배수의 양부 등
시설개발특성	조경의 상태, 숙박시설·부대시설·조명시설의 유무, 대중골프장 병설여부 등
경영특성	내장객 수, 골프장 이용요금(그린피), 연간 매출액, 영업이익률, 분쟁여부, 종업원의 태도, 캐디의 친절도 등
기타특성	지명도(명성), 개장일자, 회원제/대중제, 회원수, 골프회원권 가격 등

(3) 수익환원법

골프장의 순수익(영업이익)을 할인 또는 환원하여 감정평가가 가능하다. 단, 부동산 가치와 무관한 영업권의 가치는 배제되어야 할 것이다.

4) 골프장 감정평가 시 유의사항

(1) 골프장면적

골프장의 면적은 「체육시설의 설치·이용에 관한 법률」 시행령 제20조 제1항의 규정에 의하여 등록된 면적(조성공사 중에 있는 골프장용지는 동법 제12조의 규정에 따라 사업계획의 승인을 얻은 면적을 말한다)으로 한다.

(2) 일단지평가

골프장용지는 해당 골프장의 등록된 면적 전체를 일단지로 보고 감정평가하되, 면적비율에 의한 평균가격으로 평가가격을 결정한다. 다만, 하나의 골프장이 회원제골프장과 대중골프장으로 구분되어 있을 때에는 그 구분된 부분을 각각 일단지로 보고 평가한다.

5) 골프장 감정평가방법 준용

경마장 및 스키장시설, 그 밖에 이와 비슷한 체육시설용지나 유원지의 감정평가에 준용한다.

기본예제

아래 골프장에 대한 감정평가액(매매참고용)을 결정하시오.

풀이영상

자료 1 평가대상 골프장의 현황

1. 명칭: HV 컨트리클럽
2. 소재지: 충청북도 진천군 B면 K리 산29-1 외 76필지
3. 규모: 18홀 정규 퍼블릭(대중제)
4. 면적: 1,405,860m²(등록면적)
5. 지상건물의 현황

구분	구조	면적(m²)	사용승인일	현장조사사항
클럽하우스	철근콘크리트조	6,526.7	2024.12.10.	현황 클럽하우스로서 경제적 내용연수는 50년이고 잔가율은 0임.
기타건물	철근콘크리트조 및 철골조	1,265.1	2024.12.10.	기숙사, 그늘집, 티하우스, 설비창고, 카트창고 등으로 이용 중으로서 경제적 내용연수는 40년이고 잔가율은 0임.

6. 골프장 토지의 준공시점: 2025.1.1.
7. 개장일: 2025.5.1.

자료 2

1. 표준지공시지가 현황(공시기준일: 2027년 1월 1일)

기호	소재지	지목	면적(m²)	이용상황	용도지역	도로교통	형상지세	공시지가(원/m²)
A	진천군 B면 K리 산29-1	체	1,405,860 (일단지)	골프장	계획관리	소로한면	부정형 완경사	34,000

2. 표준지의 세부현황

세부내역	본건과의 비교
• 규모: 대중제 18홀 • 면적: 1,405,860m² • 개장일: 2025.5.1.	본건이 비교표준지임.

자료 3 ▶ 본건 토지공사 관련 사항

1. 조성 및 건물공사 내역

구분	세부내용	공사비 내역	비고
조성공사비	골프장 조성공사	홀당 평균 15억원	• 취득세 미포함 • 취득세율 　－ 대중제: 2.2% 　－ 회원제: 11% • 적정이윤: 취득세 포함 공사비의 10% • 기타공사요인 관련 비용: 적정이윤 포함 공사비의 6%
	설계비 및 감리비	600,000,000원	
	구축물, 전기	3,100,000,000	
클럽하우스 신축공사비	공사대금	m²당 1,100,000원	
기타건물 신축공사비	공사대금	m²당 500,000원	

2. 상기 공사비는 모두 준공시점기준의 가격이다.

자료 4 ▶ 그 밖의 요인보정치 결정

인근지역 및 유사지역의 골프장 평가선례를 검토한 결과 그 밖의 요인 보정치로서 40%를 증액보정한다.

자료 5 ▶

기준시점 최근에 K골프장(대중제 27홀)이 1,100억원에 거래되었으며, HV골프장은 K골프장 대비 5% 우세하다.

자료 6 ▶ 비교요인치

1. 지가변동률(단위 : %)

구분	2025년 12월	2026년 12월	2027년 6월
진천군 계획관리	−0.321 (1.536)	0.111 (2.612)	0.061 (2.115)
안성시 계획관리	−0.121 (0.936)	0.124 (2.242)	0.011 (1.005)

2. 건축비는 보합세를 가정한다.

자료 7 ▶ 수정재무제표 현황

1. 골프장의 환원이율: 10.0%
2. 영업이익: 연간 80억원

자료 8 ▶ 기타사항

1. 현장조사기간: 2027.8.10.(1일)
2. 투하자본수익률은 월 0.5%를 적용할 것
3. 조성 전 소지의 매입비 등 평균적인 가격(준공시점 기준)은 평방미터당 25,500원이다.
4. 시산가액은 홀당 평가액에 의하며, 반올림하여 천만원 단위까지 산정한다.

◀예시답안

I. 평가개요

본건은 골프장에 대한 매매참고용 감정평가로서 기준시점은 2027년 8월 10일이다.

II. 개별평가에 의한 감정평가액

1. 토지의 감정평가액

(1) 처리방침 : 골프장의 원형보전지 및 개발지 모두를 일단지로 평가하며, 등록된 면적을 평가한다.

(2) 공시지가기준가격 : $34,000 \times 1.02200^* \times 1.000 \times 1.000 \times 1.40 ≒ 49,000$원/m²

    * 시점(2027.1.1.~2027.8.10. 진천군 계획관리) : $1.02115 \times (1 + 0.00061 \times 41/30)$

(3) 조성원가법에 의한 감정평가액

① 조성공사비 및 부대비용 : 토지가치의 감정평가인바, 건물에 투하된 비용은 제외하고 토지에 포함되는 비용만 산정한다.

    $1,500,000,000 \times 18$홀 $+ 600,000,000 + 3,100,000,000 = 30,700,000,000$원

② 세금 및 이윤이 포함된 조성공사비 등

    $30,700,000,000 \times (1 + 0.022) \times 1.1 \times 1.06 ≒ 36,583,716,400$원($÷ 1,405,860 ≒ 26,022$원/m²)

③ 조성원가법에 의한 토지의 감정평가액 : $(25,500 + 26,022) \times 1.06480^* ≒ 55,000$원/m²

    * 성숙도수정(진천군 계획관리), 2025.1.1.~2027.8.10.

      $1.01536 \times 1.02612 \times 1.02115 \times (1 + 0.00061 \times 41/30)$

(4) 토지의 감정평가액 결정 : 공시지가기준법에 의한 가격으로 결정하되, 원가법에 의한 시산가액에 의한 합리성이 인정되는 것으로 판단되는 바, 49,000원/m²으로 결정한다($\times 1,405,860 = 68,887,140,000$원).

2. 건물의 감정평가액

(1) 클럽하우스 : $1,100,000 \times 48/50 = 1,056,000$원/m²($\times 6,526.7 = 6,892,195,200$원)

(2) 기타건물 : $500,000 \times 38/40 = 475,000$원/m²($\times 1,265.1 = 600,922,500$원)

(3) 건물의 감정평가액 : $6,892,195,200 + 600,922,500 = 7,493,117,700$원

3. 개별평가에 의한 감정평가액

$68,887,140,000 + 7,493,117,700 = 76,380,257,700$원(홀당 약 4,240,000,000원)

III. 거래사례비교법에 의한 시산가액

1. 사례의 적부 : 본건과 유사한 대중제 골프장의 정상적인 거래사례로서 채택한다($110,000,000,000 ÷ 27$홀 ≒ 홀당 4,070,000,000원).

2. 비준가액

$4,070,000,000 \times 1.000$(사정) $\times 1.00000$(시점, 최근) $\times 1.00$(지역) $\times 1.05$(개별) ≒ 4,270,000,000원

IV. 수익환원법에 의한 시산가액

$8,000,000,000 ÷ 0.10 = 80,000,000,000$원(홀당 약 4,440,000,000원)

V. 감정평가액 결정

1. 시산가액(홀당 가격)

원가법	거래사례비교법	수익환원법
4,240,000,000	4,270,000,000	4,440,000,000

2. 감정평가액 결정

상기와 같이 시산되었는바, 원가법에 의한 시산가액으로 결정하되, 거래사례비교법 및 수익환원법에 의한 합리성이 인정되는 것으로 판단된다(76,380,257,700원, 홀당 약 4,240,000,000원).

8. 종교용지의 감정평가

(1) 평가기준

종교용지 또는 사적지(이하 "종교용지 등"이라 한다)는 그 토지가 위치한 인근지역의 주된 용도 토지의 거래가격을 활용하여 공시지가기준법 및 거래사례비교법으로 평가하되, 그 용도 제한 및 거래제한의 상태 등을 개별요인으로 고려하여 평가한다.[17]

(2) 주변환경에 따른 종교용지 감정평가 시 유의사항

다만, 그 종교용지 등이 농경지대 또는 임야지대 등에 소재하여 해당 토지의 가격이 인근지역의 주된 용도 토지의 가격수준에 비하여 일반적으로 높게 형성되는 것으로 인정되는 경우에는 원가법에 따르되, 조성공사비 및 그 부대비용은 토지에 화체되지 아니한 공작물 등의 설치에 소요되는 금액 상당액을 뺀 것으로 한다. 다만, 특수한 공법을 사용하여 토지를 조성한 경우 등 해당 토지의 조성공사비가 평가가격 산출 시 적용하기에 적정하지 아니한 경우에는 인근 유사토지의 조성공사비를 참작하여 적용할 수 있다.

(3) 종교용지의 감가 여부

조성용지를 종교용지로 지정하여 처분하는 경우에는 수요의 제한을 받기 때문에 인근의 대지보다 낮게 평가가 되며, 기존 시가지나 종교용지는 지목변경이 용이하므로 인근의 표준적인 이용상황에 따른 금액으로 평가되어야 할 것이다.

9. 택지 등 조성공사 중에 있는 토지

1) 평가대상

건물 등의 건축을 목적으로 농지전용허가나 산지전용허가를 받거나 토지의 형질변경허가를 받아 택지 등으로 조성 중에 있는 토지에 적용된다.

2) 평가기준

(1) 조성 중인 상태대로의 가격이 형성되어 있는 경우에는 그 가격을 기준으로 감정평가한다.

① 현황이 조성 전인 경우
조성 전의 이용상태의 비교표준지에 개별요인을 보정(상향)하여 평가한다.

② 현황이 조성이 된 경우
조성 후의 이용상태의 비교표준지에 개별요인을 보정(미성숙으로 인한 하향)하여 평가한다.

(2) 조성 중인 상태대로의 가격이 형성되어 있지 아니한 경우에는 조성 전 토지의 소지가액, 기준시점까지 조성공사에 실제 든 비용상당액, 공사진행정도, 택지조성에 걸리는 예상기간 등을 종합적으로 고려하여 감정평가한다.

---

17) 단, 보상감정평가 시 그 제한이 해당 공익사업으로 인한 경우에는 반영하지 않는다.

① **가산방식에 의한 조성택지의 감정평가방법**

> 조성택지 준공시점의 감정평가액(원/m²)
> = (소지가액 + 조성공사비 + 공공공익시설부담금 + 판매비 및 일반관리비
> + 농지조성비 등 + 개발업자의 적정이윤) ÷ 유효택지면적(m²)

② **개발법에 의한 토지의 평가**

대상토지를 개발했을 경우 예상되는 총 매매(분양)가격의 현재가치에서 개발비용의 현재가치를 공제한 값을 토지가치로 하는 방법으로서, 현금흐름할인분석법의 절차를 이용하여 개발대상토지의 가액을 산정한다.

각종 부담금

구분	납입대상	납입금액
농지보전부담금[18]	농지를 농지 외의 목적으로 사용하는 경우 납입해야 한다.	개별공시지가의 100분의 30으로 하되, 상한금액은 50,000원/m²이다.
대체산림자원조성비[19]	산지전용허가 등을 받으려는 자가 납입해야 한다.	매년 산림청장이 고시하는 금액에 따르며, 준보전산지, 보전산지, 산지전용·일시사용제한지역에 따라 m²당 금액이 다르다. 여기에 개별공시지가 일부 반영비율이 가산되어 대체산림자원조성비가 부과된다.
대체초지조성비[20]	초지를 형질변경하는 경우 납입해야 한다.	매년 농림수산식품부장관이 고시하는 금액에 의하며 초지조성단가에 3년간 초지관리비를 합산한 금액으로 ha(1만m²)당 금액을 기준으로 고시된다.

3) 환지지역 내의 토지평가방법

(1) 도시개발법상 환지방식의 사업시행

도시개발법상 사업시행방식 중 환지방식은 법적 소유권을 유지한 상태에서 사업시행하고, 각 토지의 위치, 지적, 토질, 이용, 환경 고려하며 사업 시행 후의 토지이용계획에 맞게 이동하는 사업방식을 말한다. 환지방식의 특징은 초기 투자비용 저렴하고, 체비지 매각대금으로 사업비 충당할 수 있으며, 토지소유권 보호되는 특징이 있다. 환지방식은 세부적으로 평가식, 면적식, 절충식의 방법이 있다.

---

18) 농지법 제39조(농지보전부담금)
19) 산지관리법 제19조(대체산림자원조성비)
20) 초지법 제23조(초지의 전용 등)

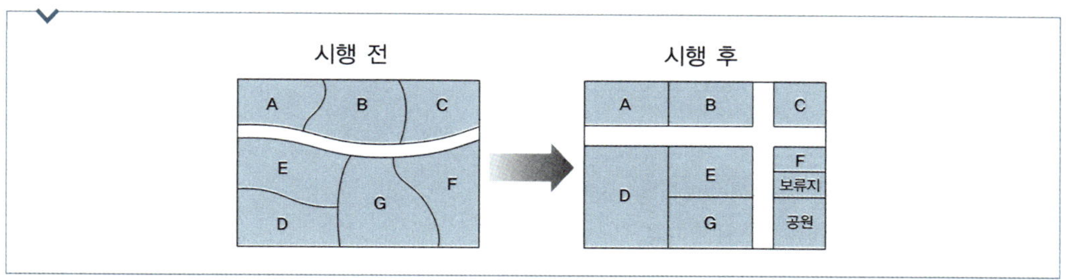

(2) 도시개발법상 환지방식에 의한 사업시행지구 안에 있는 토지

① 환지처분 이전에 환지예정지로 지정된 경우

청산금의 납부 여부에 관계없이 환지예정지의 위치, 확정예정지번[블록(BL)·롯트(LOT)], 면적, 형상, 도로접면상태와 그 성숙도 등을 고려하여 평가한다. 다만 환지처분 이전 상태에서는 권리면적을 원칙[21]으로 평가하되, 환지처분 이후에는 환지면적을 기준으로 평가한다.

② 환지예정지의 지정 전인 경우

종전 토지의 위치, 지목, 면적, 형상, 이용상황 등을 기준으로 평가한다.

③ 환지예정지 면적처리에 대한 부분

구분	경우	평가목적	원칙	기재요령
환지처분 이전 환지 예정지로 지정된 경우	권리면적 > 환지면적	경매평가	권리면적	평가목적을 고려하여 권리면적으로 평가하였으며, 교부청산금(○○m²)은 환지처분시점에 최종 확정된다.
	권리면적 < 환지면적	경매평가	권리면적	평가목적을 고려하여 권리면적으로 평가하였으며, 징수청산금(○○m²)은 환지처분시점에 최종 확정된다.
	권리면적 > 환지면적	담보평가	권리면적 (환지면적 가능)	평가목적을 고려하여 권리면적으로 평가하였으며, 교부청산금(○○m²)은 환지처분시점에 최종 확정된다. (환지면적 기준 시) 담보평가의 안정성을 고려하여 환지면적을 기준으로 사정하였으며, 교부청산금(○○m²)은 환지처분 시에 최종 확정된다.
	권리면적 < 환지면적	담보평가	권리면적	평가목적을 고려하여 권리면적으로 평가하였으며, 징수청산금(○○m²)은 환지처분시점에 최종 확정된다.
환지처분 이후 (청산금 정산여부 무관)		공부상 면적		본건에는 ○○원의 청산금(혹은 지연이자 포함된 금액)이 있는바, 경매진행 시 참조하시기 바랍니다.

---

21) 시가감정대상이 환지예정지이고 거기에 권리면적 이외에 절반 이상의 과도면적이 포함되어 있는 토지라면 장차 환지확정에 따라 과도면적에 해당하는 청산금은 토지소유자가 부담하는 것이므로 이와 같은 환지예정지를 평가함에 있어서는 그 환지면적을 기준으로 하여 가격산정을 하되 권리면적과 과도면적의 구체적 사정을 고려하고 과도면적에 대한 환지처분 후 확정될 청산금 등 제반조건을 감안하여 그 시가를 산정하여야 할 것이고 감정인이 위 환지예정지를 감정평가하면서 위와 같은 사정을 고려함이 없이 만연히 과도면적에 대한 청산금이 이미 청산된 것임을 전제로 하여 그 시가를 정산하는 평가를 하였다면 「감정평가에 관한 법률」 제20조 소정의 감정인이 과실로 위 토지를 감정 당시 시가와 현저한 차이가 있게 평가한 경우에 해당한다고 할 것이다(대판 1987.11.10, 87다카1646).

⑶ **농어촌정비법의 규정에 의한 농업생산기반정비사업시행지구 안에 있는 토지**

환지지역 내 토지평가방법을 준용한다.

기 본예제

아래 토지에 대한 담보취득목적의 감정평가액을 결정하되, 토지단가는 반올림하여 유효숫자 셋째 자리까지 결정한다(기준시점 : 2027년 6월 30일).

자료 1 해당 토지의 내역(토지이용계획확인원)

지번	면적(m²)	지목	용도지역	공법상 제한
C동 442-3	579	전	제2종일반주거지역	○○도시개발사업지구

» 해당 토지는 ○○도시개발사업(환지방식) 내의 토지임.
» 지적도에 의한 결과 종전 토지는 세로(가), 부정형, 평지임.

자료 2 환지예정지증명서

종전토지			환지예정지					
지번	면적(m²)	지목	블록	롯트	권리면적	환지면적	과도면적	부족면적
442-3	579	전	15	10	296.7	309.3	12.6	-

» 환지예정지 토지는 환지예정지증명원 기준으로 제1종일반주거지역의 단독주택부지임.
» 환지예정지 지적도면에 의한 결과 본건은 소로한면, 정방형, 평지임.

자료 3 비교표준지 목록(2027년 1월 1일)

구분	소재지 지번	지목	면적(m²)	용도지역	이용상황	도로 교통	형상 및 지세	공시지가(원/m²)
가	C동 BL-10-1	대	300	1종일주	단독주택	소로 한면	정방형 평지	920,000
나	C동 BL-13-4	대	300	2종일주	단독주택	소로 한면	정방형 평지	1,100,000

» 그 밖의 요인 비교치는 공히 80% 증액보정한다.

자료 4 지가변동률(2027.01.01. ~ 2027.06.30, 주거지역) : 1.679%

자료 5 개별요인 평점
소로한면(100), 세로(가)(90)
정방형(100), 부정형(95)

예시답안

Ⅰ. 평가개요

본건은 환지예정지에 대한 담보취득목적의 감정평가이다(기준시점 : 2027년 6월 30일).

Ⅱ. 비교표준지 선정

환지예정지를 기준으로 제1종일반주거지역의 단독주택부지로서 표준지 가를 선정한다.

Ⅲ. 감정평가액 결정

920,000 × 1.01679 × 1.000(지역) × 1.000(개별*) × 1.80(그 밖) ≒ 1,680,000원/m²(×296.7** = 498,456,000원)
* 환지예정지 상태로서의 개별요인을 기준한다.

✽✽ 평가면적은 권리면적을 기준한다(환지면적 > 권리면적).

4) 택지개발사업시행지구 안에 있는 토지

⑴ 택지개발사업실시계획의 승인고시일 이후에 택지로서의 확정예정지번이 부여된 경우

택지예정지를 기준으로 감정평가하되, 해당 택지의 지정용도 등을 고려하여 감정평가한다.

⑵ 택지로서의 확정예정지번이 부여되기 전인 경우

종전 토지의 이용상황 등을 기준으로 그 공사의 시행정도 등을 고려하여 감정평가하되, 「택지개발촉진법」 제11조 제1항에 따라 용도지역이 변경된 경우에는 변경된 용도지역을 기준으로 한다.

10. 맹지(盲地)의 감정평가 [22]

1) 맹지의 개념

> **감정평가실무기준 610.1.7.12. 맹지**
>
> 지적도상 도로에 접한 부분이 없는 토지(이하 "맹지"라 한다)는 「민법」 제219조에 따라 공로에 출입하기 위한 통로를 개설하기 위해 비용이 발생하는 경우에는 그 비용을 고려하여 감정평가한다. 다만, 다음 각 호의 어느 하나에 해당하는 경우에는 해당 도로에 접한 것으로 보고 감정평가할 수 있다.
>
> 1. 토지소유자가 그 의사에 의하여 타인의 통행을 제한할 수 없는 경우 등 관습상 도로가 있는 경우
>
> 2. 지역권(도로로 사용하기 위한 경우) 등이 설정되어 있는 경우

2) 맹지의 감정평가방법

⑴ **맹지상태대로 평가하는 경우**(도로의 개설이 타당하지 못하거나 토지의 이용상 맹지로 사용하더라도 지장이 없는 경우 ◉ 임야, 일부 전·답 등)

맹지의 이용상황이 농지, 임야, 농가주택에 부속된 텃밭 등인 경우 현재 상태로 이용함에 문제가 없고 그것이 인근지역의 상황으로 보아 최유효이용인 경우, 현황 맹지로서의 이용에 따른 가치로 감정평가하는 방법이다.

이러한 현황평가는 읍·면 지역의 농경지대·산림지대 등에 적용할 때 무리가 없는 방법이며, 이러한 지역은 건축물의 건축 가능성이 상대적으로 낮은 지역일 뿐만 아니라 현재 상태대로 이용하는 것에 문제될 것이 없는 경우이다.

반드시 농경지대·산림지대 등이 아니더라도 진입로 개설이나 인접토지 합병을 전제로 한 접근이 수월하지 않을 경우에 일반적으로 적용할 수 있는 방법이기도 하다. 유의할 점은 관습상 도로의 유무, 향후 도로개설 가능성의 정도 등을 검토하여야 하고, 감가율 결정 시 합리적인 근거자료의 확보가 선행되어야 할 것이다.

⑵ **도로의 개설을 조건으로 하여 평가하는 경우**(도로를 개설해야만 대상토지의 효용가치를 발휘할 수 있는 경우)

도로개설의 가능성이 비교적 높은 경우 진입로 개설을 전제로 자루형 토지를 상정하여 감정평가액을 구한 후, 도로개설비용(진입로 부지 취득원가, 공사부대비용 등)을 공제하여 최종 감정평가액을 결정한다. 진입로 개설에 소송 등으로 인하여 장기간이 소요될 것으로 예상된다면, 진입로 개설 실현시기까지의 기회비용을 감안하여 적정한 할인율로 할인하여 현재가치를 구한다. 그리고 도로개설의 현실성을 고려하여 적정한 감가율로 보정하여 감정평가액을 결정한다. 또한 자루형 토지의 가장 나쁜 조건인 경우와 균형성을 고려하여 감정평가액의 적정성을 검토하여야 할 것이다.

---

22) 감정평가실무기준 해설서(Ⅰ) 총론편, 한국감정평가사협회 등, 2014.02, pp.301~304

$$\frac{(\text{자루형 토지를 상정한 평가액} - \text{도로개설비용})}{(1 + \text{할인율})^n} \times (1 - A)$$

A : 도로개설가능성 등을 감안한 감가율

(3) 인접토지 합병 조건부 감정평가

해당 맹지와 인접한 토지 중 합병의 가능성이 가장 높은 토지를 매수한다고 가정한 후, 해당 맹지와 인접토지를 합한 획지를 기준의 평가액에서 합병 전 인접토지 평가액을 공제하고 적정한 감가율을 적용하여 최종 감정평가액을 결정하는 방법이다.

고도의 도시화가 이루어진 지역에서 진입로 개설에 필요한 여유 토지의 확보가 사실상 곤란할 경우에 적용할 수 있는 방법이기도 하다.

$$(\text{합병 후 맹지와 인접토지 전체 평가액} - \text{합병 전 인접토지 평가액}) \times (1 - B)$$

B : 합병가능성, 합병가치 배분액 등을 감안한 감가율

(4) 만약에 도로에 접한 토지와 대상 맹지의 소유자가 동일하거나 용도상 불가분의 관계로서 일단지인 경우에는 맹지로서의 감가를 하지 않거나 적게 감가할 수 있다. 또는 관습상 도로, 지역권, 임차권 등으로 인하여 정당한 권원에 의거 통로를 확보한 경우에도 정상평가할 수 있다.

Check Point!

▶ 인접토지가 동일인의 소유인 경우의 맹지

해당 토지는 맹지이나 인접토지가 동일인 소유이고, 인접토지를 통하여 출입하며 해당 토지의 사용·수익 등에 제한이 없는 경우에는 일반적인 맹지에 비하여 감가를 적게 함에 유의해야 할 것이다.

이는 토지소유자가 특별한 사정이 없는 한, 경제 합리성에 반하여 해당 맹지만을 저가에 처분하려는 경우는 발생하기 어렵기 때문이다.

기 본예제

A동 101에 대한 감정평가액을 결정하시오(기준시점 : 2027년 6월 30일).

자료 1 토지의 현황

소재지 등	비고	용도지역	지목	이용상황	면적(m²)
A동 100	거래사례	계획관리	장	공업나지	1,050
		거래금액 : 1,050,000,000원 거래대상 : 토지만거래 거래시점 : 2027.01.01.			
A동 101	평가대상	계획관리	장	공업나지	1,000

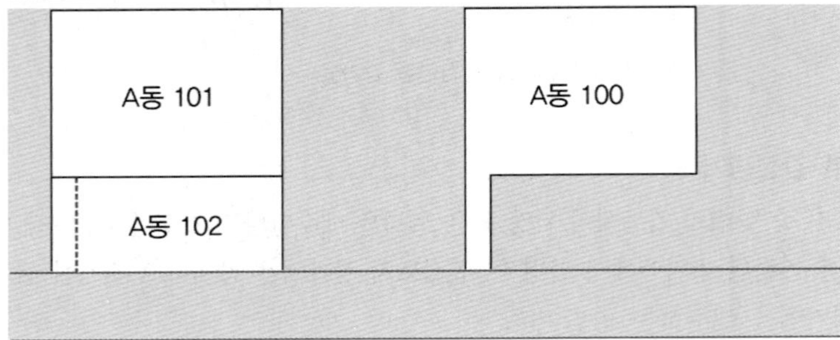

≫ A동 101번지는 A동 102번지 서측의 일부(50m²)를 도로로 매수하여 건축허가를 득해야 함.

자료 3 도로의 개설비용 등

1. 토지의 매입비용 : m²당 2,000,000원 수준에 매입할 예정이다(공사완료 시 지급).
2. 공사비용 : m²당 500,000원이 소요된다(공사완료 시 소요).
3. 해당 도로의 개설에는 1년이 소요될 것으로 보이며, 도로 개설의 불확실성을 고려한 감가율은 20%를 적용한다.
4. 할인율 : 6.0%

자료 4

2027.01.01.~2027.06.30.의 계획관리지역 지가변동률 : 1.242%(이후 보합세임)

자료 5

도로개설 이후의 본건과 A동 100번지는 개별적인 요인이 유사하다.

예시답안

1. **자루형토지를 상정한 평가액**

   거래사례(A동 100)을 기준으로 추정한다(1,050,000,000 ÷ 1,050 = 1,000,000원/m²).

   1,000,000 × 1.000(사정) × 1.01242(시점) × 1.000(인근) × 1.000(개별) = 1,010,000원/m²(× 1,050 = 1,060,500,000원)

2. **맹지상태에서의 감정평가액**

   (1) 도로의 개설비용 등

   2,000,000 × 50 + 500,000 × 50 = 125,000,000원

   (2) 맹지상태에서의 감정평가액

   $$\frac{1,060,500,000 - 125,000,000}{1.06} \times (1 - 0.2) ≒ 706,038,000원(@706,000)$$

---

11. 공공용지의 감정평가

1) 공공용지의 개념

공공용지란 도시기반시설의 설치에 이용하는 토지 및 주민의 생활에 필요한 시설의 설치를 위한 토지이다. 도로 · 공원 · 운동장 · 체육시설 · 철도 · 하천의 부지 등이 있다.

2) 공공용지 감정평가 시 유의사항

(1) 용도의 제한이나 거래제한 등을 고려

공공용지를 감정평가할 때에는 공공용지의 특성에 따라 용도의 제한이나 거래제한 등을 고려하여 감정평가한다.

(2) 용도폐지를 전제로 한 감정평가

공공용지가 다른 용도로 전환하는 것을 전제로 의뢰된 경우에는 전환 이후의 상황을 고려하여 감정평가한다.

(3) 국ㆍ공유지의 처분 제한

「국토계획법」 제97조 제1항에 따라 도시ㆍ군관리계획으로 결정ㆍ고시된 국ㆍ공유지로서 도시ㆍ군관리계획시설사업에 필요한 토지는 그 도시ㆍ군관리계획으로 정하여진 목적 외의 목적으로 매각하거나 양도할 수 없으므로, 감정평가 시 유의하여야 한다.

12. 사도의 감정평가

1) 사도부지와 인근 관련 토지와 함께 의뢰된 경우

사도가 인근 관련 토지와 함께 의뢰된 경우에는 인근 관련 토지와 사도부분의 감정평가액 총액을 전면적에 균등 배분하여 감정평가할 수 있으며 이 경우에는 그 내용을 감정평가서에 기재하여야 한다.

2) 사도부지만 의뢰된 경우

사도만 의뢰된 경우에는 다음의 사항을 고려하여 감정평가할 수 있다.

(1) 해당 토지로 인하여 효용이 증진되는 인접 토지와의 관계

사도만 감정평가 의뢰된 경우에는 해당 토지로 인하여 효용이 증진되는 인접토지와의 관계를 고려하여 감정평가할 수 있다. 사도 자체적인 효용은 낮지만 인접토지는 해당 사도로 인하여 효용이 증진될 수 있는 점을 고려하는 것이다.

(2) 용도의 제한이나 거래제한 등에 따른 적절한 감가율

용도의 제한이나 거래제한 등에 따른 적절한 감가율을 적용하여 감정평가할 수 있다. 「사도법」에 따른 용도제한, 특별한 사정이 없는 한 일반인의 통행을 제한하거나 금지할 수 없는 점 등을 고려하여 감가할 수 있다.

(3) 「공익사업을 위한 토지 등의 취득 및 보상에 관한 법률 시행규칙」 제26조에 따른 도로의 감정평가방법

「토지보상법 시행규칙」 제26조에 따른 도로의 감정평가방법을 고려하여 감정평가할 수 있다.

> ≫ 사도부지에 대해서는 평가목적에 따라 평가외하거나 감가하여 평가한다. 감가율은 토지보상법 시행규칙 제26조를 준용하여 인근토지의 1/3 이내로 평가하거나 현실적인 감가율을 고려하여 평가할 수 있다.

13. 규모가 과대하거나 과소한 토지의 감정평가 [23)

1) 평가의 원칙

토지의 면적이 최유효이용 규모에 초과하거나 미달하는 토지는 대상물건의 면적과 비슷한 규모의 표준지공시지가를 기준으로 감정평가한다. 다만, 그러한 표준지공시지가가 없는 경우에는 규모가 과대하거나 과소한 것에 따른 불리한 정도를 개별요인 비교 시 고려하여 감정평가한다.

2) 규모가 과소한 토지의 경우

(1) 건축이 불가능한 경우

건축법상 최소대지면적 이하인 소규모 토지는 독자적 이용가치가 원칙적으로 없기 때문에 표준적 규모의 토지가격 이하의 가격수준에서 거래되는 것이 일반적이다. 그러나 인접토지의 부속용지로 이용되거나 인접토지와 합병을 통하여 사용될 경우 기여도가 월등히 우세하여 위치적 가치를 갖는 특별한 경우에는 표준적 규모의 토지가격을 상회하는 가격이 될 수도 있다.

(2) 건축이 가능한 경우

도시·군계획시설의 설치 또는 구획정리사업의 시행으로 인하여 해당지역 최소대지 규모에 미달되는 토지는 건축완화 규정이 적용되어 건축허가대상이 될 수 있고, 법령 또는 조례의 제정·개정이나 도시계획의 결정·변동 등으로 인해 해당지역 최소대지 규모에 미달하게 된 토지는 건축허가의 대상이 될 수 있다. 그러나 이러한 경우에도 건축허가의 대상이 될 수 있는 최소기준 면적이 정해져 있으므로 신중한 판단을 하여야 한다.

이러한 소규모 토지에 대한 건축규제의 완화로 건폐율, 용적률 등에서 해당지역의 표준적인 제한보다 유리한 경우 등은 표준적 규모의 토지 가격수준을 상회할 수도 있다.

3) 규모가 과대한 토지의 경우

규모가 과대한 토지는 표준적인 규모의 토지보다 거래하기 쉽지 않다. 따라서 이러한 토지를 거래하기 위하여 주변의 이용방법과 유사한 규모로 분할하는 것을 고려하여 이에 해당되는 감보율 및 분할비용에 상당하는 감가를 할 수 있다.

그러나 표준적 규모보다 현저히 큰 대규모 토지가 인근지역의 지가수준과 무관하게 거래되는 사례도 있을 수 있다. 대규모 이용형태를 갖는 상업용지의 상대적 희소성이 증가되어 이를 취득하기 위한 수요의 강도가 증대되어 표준적 규모의 토지 가격수준을 초과하기도 한다.

따라서 대규모 토지의 감정평가 시에는 토지이용 주체에 따라 변화할 수 있는 여러 가지 용도적 관점을 주의 깊게 살펴야 하고, 최유효이용 방법을 객관성 있게 도출하여야 한다. 대규모 토지는 가치를 형성하는 요인이 다양하므로, 일반적인 토지보다 지역분석이나 개별분석을 면밀히 하여야 할 것이다.

---

23) 감정평가실무기준 해설서(Ⅰ) 총론편, 한국감정평가사협회 등, 2014.02, pp.298~300

제2절 건물의 유형별 감정평가

01 공법상 제한을 받는 건물의 감정평가

1. 개요

일반적으로 건물은 원가법으로 평가되며 공법상 제한으로 인하여 현재의 사용 및 수익이 제한되는 경우가 많지 않기 때문에 건물의 경우에는 공법상 제한으로 인한 감가를 반영하여 평가하지 않는다. 하지만 건물의 경우에도 도시·군계획시설 도로와 같이 향후 구체적인 사업이 예정되어 있는 공법상 제한이 있는 경우에는 토지와 마찬가지로 그 사용·수익·처분상에 큰 영향이 있을 수 있으며, 이런 경우에는 적절하게 공법상 제한을 반영하여 평가하여야 할 것이다.

2. 공법상 제한을 받는 건물의 감정평가

공법상 제한을 받는 건물이 제한을 받는 상태대로의 가격이 형성되어 있을 경우에는 그 가격을 기초로 하여 감정평가해야 한다. 다만, 제한을 받는 상태대로의 가격이 형성되어 있지 아니한 경우에는 제한을 받지 않는 상태를 기준으로 하되 그 제한의 정도를 고려하여 감정평가한다.

한편, 도시·군계획시설에 저촉되는 건물은 벽체나 기둥 등의 보수가 필요한 경우가 있을 수 있다. 이와 같이 건물의 일부가 도시·군계획시설에 저촉되어 저촉되지 않은 잔여부분이 건물로서 효용가치가 없는 경우 등에는 건물 전체가 저촉되는 것으로 감정평가한다. 다만, 잔여부분만으로도 독립건물로서의 가치가 있다고 인정되는 경우에는 그 잔여부분의 벽체나 기둥 등의 보수에 드는 비용 등을 고려하여 감정평가한다.

건물의 경우에도 도시·군계획시설 도로와 같이 향후 구체적인 사업이 예정되어 있는 공법상 제한이 있는 경우에는 토지와 마찬가지로 그 사용·수익·처분상에 큰 영향이 있을 수 있다. 예를 들어 건물의 일부가 도시·군계획시설 도로에 저촉될 경우 해당 도로사업이 시행된다면, 저촉된 부분은 해당 사업으로 인하여 철거가 될 것이며, 소유자는 잔여부분을 사용하게 될 것이다. 이러한 건물의 감정평가 시에는 일반적으로 해당 사업이 예정됨에 따라 지장을 받는 권리의 행사(건물의 증·개축 등)에 대한 감가를 고려하여야 할 것이며, 잔여부분에 대한 보수비 또한 고려되어야 할 것이다. 특히 잔여부분이 그 자체만으로 독립적인 효용이 없을 경우에는 전체가 사업에 편입된 것으로 보아 보수적으로 감정평가하게 되는 경우가 있음에 유의하여야 한다.

3. 공법상 제한을 받는 건물로서 현재의 용도대로 계속 사용할 수 있는 경우

도시·군계획시설 도로 저촉 등 공법상 제한이 있음에도 불구하고 현재 또는 장래에 지속적으로 해당 건물의 사용·수익 등에 영향이 없는 경우에는 이러한 제한을 받는 점에 따른 가치의 변화를 고려하지 아니하고 감정평가한다.

4. 건물의 일부가 도시 · 군계획시설에 저촉된 경우

건물의 일부가 도시 · 군계획시설에 저촉되어 저촉되지 않은 잔여부분이 건물로서 효용가치가 없는 경우(건물의 주요시설이 편입된 경우)에는 건물 전체가 저촉되는 것으로 감정평가하고, 잔여부분만으로도 독립건물로서의 가치가 있다고 인정되는 경우에는 그 잔여부분의 벽체나 기둥 등의 보수에 드는 비용 등을 고려하여 감정평가한다.

기본예제

다음 건물의 감정평가액을 구하시오.

자료

- 소재지 및 건물의 용도 : A시 B동 100, 근린생활시설
- 건물의 면적 : $200m^2$(1층 : $100m^2$, 2층 : $100m^2$)
- 위 건물 중 1층 $30m^2$와 2층 $20m^2$는 도시계획시설도로에 저촉되어 있다.
- 도시계획시설도로 저촉 시 감가율 : 30%
- 잔여건축물 보수비를 고려한 감가율 : 10%
- 건물의 재조달원가 : 1,000,000원/m^2
- 건물의 경과연수 : 5년
- 경제적 내용연수 : 50년

예시답안

1. 저촉부분에 대한 감정평가액

1,000,000 × 45/50 × 0.7 = 630,000원/m^2(×50 = 31,500,000원)

2. 잔여건축물에 대한 감정평가액

1,000,000 × 45/50 × 0.9(보수비 고려) = 810,000원/m^2(×150 = 121,500,000원)

3. 평가액

31,500,000 + 121,500,000 = 153,000,000원

5. 공사중단 건축물등의 감정평가[24]

1) 공사중단 건축물등의 정의

"공사중단 건축물"이란 「건축법」 제21조에 따른 착공신고 후 건축 또는 대수선 중인 건축물이나 「주택법」 제16조 제2항에 따라 공사착수 후 건축 또는 대수선 중인 건축물로서 공사의 중단이 확인된 건축물을 말한다.

"공사중단 건축물등"이란 공사중단 건축물 및 이에 관한 소유권 외의 권리와 공사중단 건축물의 대지, 대지에 정착된 입목, 건물, 그 밖의 물건 및 이에 관한 소유권 외의 권리를 말한다.

---

24) 감정평가실무기준

2) 자료의 수집 및 정리

공사중단 건축물등의 가격자료에는 거래사례, 해당 건축물의 착공시점의 공사비용, 시장자료 등이 있으며, 대상 공사중단 건축물등의 특성에 맞는 적절한 자료를 수집하고 정리한다.

3) 공사중단 건축물등의 감정평가방법

⑴ 공사중단 건축물등의 감정평가 원칙

공사중단 건축물등의 감정평가는 기준시점의 현황을 기준으로 감정평가하되, 의뢰인과 협의하여 다음 각 호의 사항을 제시받아 감정평가하는 것을 원칙으로 한다.

1. 공사중단 건축물등의 목록, 내역 및 관련 자료
2. 공사중단 건축물의 철거, 용도변경, 공사 재개 및 완공 계획 여부
3. 기준시점에서의 공사중단 건축물의 공정률

⑵ 공사중단 건축물등의 감정평가방법

① 공사중단 건축물을 감정평가할 때에는 건축물의 감정평가 방법에 따르되, 다음 각 호의 사항 등을 고려하여 감정평가할 수 있다.

1. 공사중단 건축물의 물리적 감가, 기능적 감가 또는 경제적 감가
2. 공사중단 건축물의 구조, 규모, 공정률, 방치기간
3. 공사중단 건축물의 용도 또는 거래 조건에 따른 제한

② 공사중단 건축물의 대지를 감정평가할 때에는 토지의 감정평가방법을 따르되, 다음 각 호의 사항 등을 고려하여 감정평가할 수 있다.

1. 공사중단 건축물의 대지 위치 · 형상 · 환경 및 이용 상황
2. 공사중단 건축물의 구조, 규모, 공정률, 방치기간
3. 공사중단 건축물의 용도 또는 거래 조건에 따른 제한

③ 「공사중단 장기방치 건축물의 정비 등에 관한 특별조치법」에 따른 공사중단 건축물등에 대한 감정평가는 같은 법 시행령 제9조의2 제3항에 따른다.

> **공사중단 장기방치 건축물의 정비 등에 관한 특별조치법 시행령**
>
> 제9조의2(평가금액의 산정 시기 및 산정 방법)
> ③ 평가금액의 산정 방법은 다음 각 호의 구분에 따른다.
> 1. 공사중단 건축물 : 해당 건축물의 착공 시점의 공사비용을 기준으로 하되, 물리적 감가, 기능적 감가 또는 경제적 감가 등을 고려하여 산정
> 2. 공사중단 건축물의 대지 : 「부동산 가격공시에 관한 법률」 제3조에 따른 표준지공시지가를 기준으로 하되, 공사중단 건축물로 인한 대지의 사용제한 사항 등을 고려하여 산정
> 3. 제1호 및 제2호에 해당하지 아니하는 공사중단 건축물등 : 「공익사업을 위한 토지 등의 취득 및 보상에 관한 법률」 제70조, 제73조부터 제75조까지, 제75조의2 및 제76조를 준용하여 산정

02 기타 유형별 건물의 감정평가

1. 토지와 지상 건물의 소유자가 다른 건물

건물의 소유자와 그 건물이 소재하는 토지의 소유자가 다른 건물은 정상적인 사용·수익이 곤란할 경우에는 그 정도를 고려하여 감정평가한다. 다만, 다음 각 호의 경우에는 이에 따른 제한 등을 고려하지 않고 감정평가할 수 있다.

① 건물의 사용·수익에 지장이 없다고 인정되는 경우
② 사용·수익의 제한이 없는 상태로 감정평가할 것을 요청한 경우

2. 공부상 미등재 건물의 감정평가(제시외 건물)

실지조사 시 의뢰되지 않은 공부상 미등재 건물이 있는 경우에는 의뢰인에게 감정평가 포함 여부를 확인하여 실측면적을 기준으로 감정평가할 수 있다.

구체적인 처리방법은 평가목적별로 상이하므로 "목적별 감정평가"에서 후술한다.

3. 건물 일부가 인접토지상에 있는 건물

(1) 건물의 일부가 인접토지상에 있는 경우의 유형

건축단계부터 소재 지번이 잘못된 경우, 소재 지번의 토지이동(분할, 합병 등) 후 미정리된 경우, 국·공유지를 대부 받아 건물을 건축한 경우 등을 예로 들 수 있다.

(2) 감정평가방법

건물의 일부가 인접토지상에 있는 건물은 그 건물의 사용·수익의 제한을 고려하여 감정평가한다. 다만, 그 건물의 사용·수익에 지장이 없다고 인정되는 경우에는 이에 따른 제한 등을 고려하지 않고 감정평가할 수 있다. 가령 인접 공용도로상에 걸쳐 소재한 건물의 감정평가 시 대상건물의 일부가 인접 공용도로상에 걸쳐 소재하더라도 점용허가기간 내이고 준공검사를 필한 경우라면 제한 등을 고려하지 않고 감정평가할 수 있다.

4. 공부상 지번과 다른 건물

(1) 공부상 지번과 다른 건물의 유형

건물의 실지 지번이 건축물대장상과 다른 경우는 주로 오래된 건물에서 발생하며, 건축단계부터 소재 지번이 잘못된 경우, 소재 지번의 토지이동(분할, 합병 등) 후 미정리된 경우 등이 있다.

(2) 공부상 지번과 실제 지번이 다른 건물의 처리방침

건물의 실제 지번이 건축물대장상이나 제시목록상의 지번과 다를 때에는 감정평가하지 않는 것을 원칙으로 한다.

다만, 아래와 같은 경우로서 해당 건물의 구조·용도·면적 등을 확인하여 건축물대장과의 동일성이 인정되면 감정평가할 수 있다.

① 분할·합병 등으로 인하여 건물이 있는 토지의 지번이 변경되었으나 건축물대장상 지번이 변경되지 아니한 경우

② 건물이 있는 토지가 같은 소유자에 속하는 여러 필지로 구성된 일단지로 이용되고 있는 경우

③ 건축물대장상의 지번을 실제 지번으로 수정이 가능한 경우

5. 녹색건축물의 감정평가

「녹색건축물 조성 지원법」 제2조 제1호에 따른 녹색건축물은 온실가스 배출량 감축설비, 신·재생에너지 활용설비 등 친환경 설비 및 에너지효율화 설비에 따른 가치증가분을 포함하여 감정평가한다.

> **녹색건축물 조성 지원법 제2조**(정의)
>
> 이 법에서 사용하는 용어의 뜻은 다음과 같다.
> 1. "녹색건축물"이란 「기후위기 대응을 위한 탄소중립·녹색성장 기본법」 제31조에 따른 건축물과 환경에 미치는 영향을 최소화하고 동시에 쾌적하고 건강한 거주환경을 제공하는 건축물을 말한다.

제3절　기계기구류 등의 감정평가

01　개념

기계란 동력을 받아 외부의 대상물에 작용을 하는 설비 및 수동식 구조물로 일정한 구속운행에 의하여 작용을 하는 설비를 말한다. 기구란 인력 또는 기계에 의하여 이루어지는 모든 노동을 보조하는 것 또는 작업에 간접적으로 사용되는 물건을 말한다. 장치란 내부에 원료 등을 수용하여 이를 분해, 변형, 운동시키는 설비를 말한다.

02　기계기구의 감정평가방법

> **감정평가에 관한 규칙 제21조**(동산의 감정평가)
> ② 제1항 본문에도 불구하고 기계·기구류를 감정평가할 때에는 원가법을 적용해야 한다.

≫ 종전 기계기구 평가방법에 대한 직접적인 규칙이 「감정평가에 관한 규칙」에 없었으나 2023년 9월 14일 개정에서 해당 부분이 반영되었다.

> **감정평가실무기준 630.1.3 기계기구류의 감정평가**
> ① 기계기구류를 감정평가할 때에는 원가법을 적용하여야 한다.
> ② 제1항에도 불구하고 대상물건과 현상·성능 등이 비슷한 동종물건의 적절한 거래사례를 통해 시중시가를 파악할 수 있는 경우(외국으로부터의 도입기계기구류를 포함한다)에는 거래사례비교법으로 감정평가할 수 있다.

1. 원가법

기계기구류의 감정평가는 그 구조, 규격, 형식, 용량, 수요정도, 경과연수, 잔존내용연수, 현상, 이용관리상태 등을 종합적으로 고려하여 원가법으로 감정평가액을 결정하는 것이 원칙이다.

(1) 기계기구의 재조달원가

기계기구의 기준시점 현재의 구입가격과 설치비, 부대비용, 시운전비 등을 포함한 금액이다(부가가치세는 제외된다).

(2) 기계기구의 감가수정액

① 정률법으로 감가수정하는 것을 원칙으로 한다.
② 현상 및 관리상태 등을 고려하여 관찰감가 등으로 조정하거나 다른 방법에 따라 감가수정할 수 있다.
③ 내용연수는 경제적 내용연수로 한다.
④ 장래보존연수는 대상물건의 내용연수 범위에서 사용·수리의 정도, 관리상태 등을 고려한 장래 사용가능한 기간으로 한다.

2. 거래사례비교법

거래사례비교법을 적용하기 위해서는 기계·기구가 현재 사용 중인 상태로서의 매각시장 등이 존재하여야 한다. 또한 해당 기계·기구의 매각가능가액 및 가치의 변동추이에 대한 확인이 가능해야 한다. 즉, 동종·유사물건의 거래사례 또는 시중 거래시세 등에 대한 포착이 가능한 경우 이를 기초로 하여 거래사례비교법으로 감정평가할 수도 있다. 이 경우에는 거래사례의 적정성 및 객관성 여부, 시중에 공정한 시장이 존재하는가에 대한 판단이 선행되어야 한다.

03 국산기계 감정평가

1. 재조달원가

1) 산정방법

국산기계기구류의 재조달원가는 기준시점 당시 같거나 비슷한 물건을 재취득하는 데에 드는 비용으로 하되, 명칭 및 규격이 같은 물건인 경우에도 제조기술, 제작자, 성능, 부대시설의 유무 등에 따른 가격의 차이가 있는 경우에는 이를 고려한다. 실무에서는 해당 기계의 구입가격(세금계산서 참고)을 기준하는 경우가 많다.

2) 재조달원가 산정 시 유의사항

(1) 진부화, 기술진보 등에 따른 고려

국산기계의 재조달원가 산정 시 단종 및 특수 제작하는 기계의 경우에는 동종 유사 기계의 신조가격을 참고하되, 평가대상 기계의 제작시점과 기준시점 간의 괴리에 따른 진부화, 기술진보 등에 따른 사항을 고려하여야 한다.

(2) 다양한 자료 수집

한편, 현실적으로 대상 기계의 정확한 장부가격을 파악하기 곤란하며, 기계마다 거래사례를 수집하는 데 많은 시간과 노력이 필요하다. 따라서 감정평가실무에서 국산기계의 재조달원가 산정은 「동산시가조사표」(한국부동산원)와 공개적으로 출간되는 각종 물가자료집 등을 활용하여 종합적으로 결정한다.

(3) **제조기술 및 제작자 등의 보정**

이때 기준시점의 차이가 있는 경우 시점수정을 통해 보정하여야 하며, 기계의 명칭과 규격이 동일한 기계라도 제조기술, 제작자, 성능, 부대시설의 유무에 따라 가격의 차이가 발생할 수 있음에 유의하여야 하며, 그 차이에 대한 보정이 가능한 경우에는 재조달원가를 보정할 수 있다.

> Check
> **Point!**
>
> ◉ **설치비의 고려 여부**
> 양도담보[25]성격인 동산으로 취급하여 기계를 평가할 경우(「동산·채권 등의 담보에 관한 법률」에 따라 담보취득 시의 감정평가 시를 포함한다)에는 설치비를 제외하고 기계 자체만을 평가하나, 공장저당법에 의한 일단의 기업용 재산의 일부로 평가하는 경우에는 공장재단의 일부로 보아 설치비를 포함하여 평가한다.

2. 감가수정

정률법 적용을 원칙으로 한다.

04 도입기계의 감정평가

외국으로부터 도입되는 기계류 등은 고도의 기술력을 갖춘 고가의 첨단장비가 많은 비중을 차지하고 있으며, 국내로 도입되는 과정에서 복잡한 절차와 국내 시장여건 등으로 인해 적절한 시장가격을 파악하는 것이 용이하지 않다. 도입기계의 평가는 일반적인 기계류 평가와 유사한 범주로 이해할 수 있으므로, 감정평가방법의 적용도 일반적인 기계류 감정평가방법과 유사하다고 할 수 있다. 다만, 도입기계의 감정평가와 관련하여 수출입 과정에서 발생되는 제반 절차 등이 도입기계 감정평가에 직·간접적인 영향을 미칠 수 있다.

1. 재조달원가

1) 산정기준

(1) **재조달원가 결정의 원칙**

도입기계의 재조달원가는 수입가격(도입가격)에 적정한 부대비용을 포함한 금액으로 한다.

(2) **수입가격이 부적정하다고 판단되는 경우**

수입시차가 상당하여 수입가격(도입가격)을 기준한 방법에 따라 산정된 재조달원가가 부적정하다고 판단될 때에는 대상물건과 제작자·형식·성능 등이 같거나 비슷한 물건의 최근 수입가격에 적정한 부대비용을 더한 금액으로 한다.

---

25) 양도담보란 채권담보를 위한 신탁적 양도를 말하며 그 등기에 있어서는 등기원인을 "담보를 위한 것"이라고 기재됨이 옳으나, 일반적으로는 매매를 원인으로 하는 이전등기의 형식으로 이루어지고 있다.

(3) 기타방법

수입가격 및 유사물건의 최근 수입가격을 통한 방법에 따라 재조달원가를 산정하는 것이 불합리하거나 불가능한 경우에는 같은 제작국의 동종기계기구류로서 가치형성요인이 비슷한 물건의 최근 수입가격 또는 해당 기계기구류의 도입 당시 수입가격 등을 기준으로 추정한 수입가격에 적정한 부대비용을 더하여 산정할 수 있다.

2) 도입가격

(1) CIF가격과 FOB가격[26]

① CIF[Cost Insurance(보험료) and Freight(운송료)]가격

CIF(Cost Insurance and Freight)가격을 기준으로 한 재조달원가의 산정은 현행 운임 및 보험료의 파악이 곤란하거나 불합리하여 FOB가격의 적용이 어려운 경우에 활용되고 있다. CIF가격은 도착지가격이라고도 하며, FOB가격에 운임, 보험료를 포함하는 가격으로 하기 때문에 FOB가격에 비해 과세가격이 커서 관세부담(관세수입)이 크다. 따라서 FOB가격에 비해 근거리 수입을 촉진하는 효과가 있다. 한국, 일본, EU 등에서 많이 사용한다.

$$C = P_i \times M_r \times R + A$$

C : 재조달원가 　　　　P_i : 도입 당시의 CIF 원산지 외화가격
M_r : 기계가격보정지수 　　R : 기준시점의 외화환산율
A : 적정부대비용

② FOB(Free On Board, 본선인도)가격

도입 당시의 FOB(Free On Board)가격이 확인되고 기준시점의 운임과 보험료의 파악이 가능한 경우에는 FOB가격을 기준으로 평가대상 기계의 재조달원가를 산정한다. FOB가격은 발송지가격이라고도 하며 과세가격을 CIF가격에 운임, 보험료를 포함하지 아니하는 가격으로 하는 것을 말한다.

FOB가격은 CIF가격에 비해 과세가격이 적어 관세부담(관세수입)이 적다. 따라서 CIF가격에 비해 국내 소비자가격을 하락시키는 효과가 있다. FOB가격은 주로 미국, 캐나다, 호주, 뉴질랜드 등에서 사용하고 있다.

$$C = P_f \times M_r \times R + F + I + A$$

C : 재조달원가 　　　　P_f : 도입 당시의 FOB 원산지 외화가격
M_r : 기계가격보정지수 　　R : 기준시점의 외화환산율
F : 기준시점의 운임 　　　I : 기준시점의 보험료
A : 적정부대비용

---

26) 감정평가실무기준 해설서(Ⅰ), 총론편, 한국감정평가사협회 등, pp.408~410

③ FOB 가격 기준 및 CIF가격 기준의 감정평가실무상 적용

감정평가업계에서는 도입기계의 재조달원가 산정 시 CIF가격을 기준으로 감정평가하는 경우가 많다. 이는 통관실무에서 CIF가격 기준이 과세기준가격으로 적용하기 간편함을 이유로 널리 활용되고 있고, FOB가격 기준에 따라 감정평가를 진행할 경우 운임, 보험료 등의 자료 수집 및 산정에 시간과 비용이 많이 소요되어 이를 적용하는 것이 불합리한 경우가 있기 때문이다. FOB가격 기준으로 도입기계를 감정평가할 경우 수입기계의 도입금액에 현행 운임 및 보험료를 가산하여 산정하고, CIF가격 기준의 경우 이미 도입가격에 운임 및 보험료가 포함되어 있으므로, 도입시점과 기준시점 간의 시점수정만으로 감정평가를 하게 된다.

현행 운임과 보험료를 적용한다는 측면에서 FOB가격 기준의 감정평가가 합리적이나, 현행 운임 및 보험료를 정확히 산정하는 것은 어려우므로, 감정평가실무상 CIF가격을 기준으로 산정하게 된다. 이 경우 CIF가격에 포함된 운임 및 보험료의 적정성 여부를 검토해야 한다. 동일 기계라 하더라도 운송수단 및 기간에 따라 보험료 및 운임이 달라지기 때문이다.

(2) 기계가격 보정지수의 적용

감정평가 대상 기계제조국에 대한 연도별 기계가격지수를 직접 구할 수 있는 경우 기계가격보정지수는 일반기계 및 전기기계를 구분하여 적용한다. 일반기계 보정지수는 전기기계를 제외한 모든 기계에 적용할 수 있다. 전기기계 보정지수는 전기설비와 기계기구의 주요 구성부분이 전동기, 전열장치 등의 전기기구로 이루어진 기계기구에 적용한다.

연도별 기계가격보정지수는 다음 산식에 따라 산정하며, 기계가격지수는 도입국의 기계가격지수 또는 생산자물가지수를 참고하여 산정한다.

$$기계가격보정지수 = \frac{기준시점(연도)의\ 기계가격지수}{도입시점(연도)의\ 기계가격지수}$$

기계가격지수가 발표되는 미국, 영국, 일본, 독일, 싱가포르는 직접방식에 의하여 산정하였으며, 기계가격지수의 조사가 어려운 기타 국가(상기 5개국을 제외한 15개국)는 미국, 일본, 독일, 영국, 싱가포르의 기계가격 보정지수와 생산자물가 보정지수를 비교하여 산정한 5개국 평균 접근율에 기타 국가의 생산자물가 보정지수를 곱하는 간접방식에 의하여 산정하였다.

: 적용예시

도입기계(일반), 미국에서 수입 도입시점 : 2018.01.15. 기준시점 : 2027.05.05.	〈한국부동산연구원 기계가격 보정지수〉	
	연도	미국(일반기계)
	2018	1.3477
	…	…
	2027	1.0000

도입국의 연도별 기계가격보정지수를 이용하여 계산하며, 거래시점 또는 기준시점이 속하는 연도의 지수로 비교하되, 해당 연도의 지수가 발표되지 않은 경우에는 가장 가까운 연도의 지수를 비교한다.

(3) **외화환산율**

도입기계의 감정평가 시 기준시점 당시의 외화환산율 산정에 대하여는 감정평가업계의 실무상 처리방법은 통일되어 있지 않다. 다만, 한국감정평가사협회의 「감정평가실무매뉴얼(담보평가편)」에서는 가격시점 이전 최근 15일 평균을 적용하되, 환율변동이 심한 경우 가격시점 이전 최근 3월 평균 기준환율 또는 재정환율을 적용하도록 되어 있다.

(4) **환적국을 거쳐서 도입되는 경우**(원산지의 환율과 결제된 환율이 다른 경우)

제조국의 화폐로 환산하여 기계가격보정지수를 고려한다. 최종적으로 평가하고자 하는 화폐단위로 환산한다.

> 도입가격 = [$ → 제조국] × 제조국 기계가격보정지수(Mr) × [제조국 → ₩]
>   [도입(신고) 당시 환율]   [기준시점 환율]

예 도입가격 산정방법
- 기호(1): 원산지가 일본이면서 도입 당시 수입가격(CIF)이 $431,138으로 표시되어 있는 경우
- 기호(2): 원산지가 독일이면서 도입 당시 수입가격(CIF)이 $221,080으로 표시되어 있는 경우

기호(1) 원산지 일본	기호(2) 원산지 독일
❶ 제조국의 화폐로 환산 도입(신고)시점 당시의 대미화 환산율 (1$ = 109.63¥)을 적용한다. CIF$431,138 × 109.63¥/$ ≒ ¥47,265,659(JPY)	❶ 제조국의 화폐로 환산 도입(신고)시점 당시의 대미화 환산율 (1$ = 0.8549€)을 적용한다. CIF$221,080 × 0.8549€/$ ≒ €189,001(EURO)
↓	↓
❷ 기계가격 보정지수 적용 제조국(일본)의 도입(신고)시점 당시의 기계가격 보정지수(1.07010)를 적용한다.	❷ 기계가격 보정지수 적용 제조국(독일)의 도입(신고)시점 당시의 기계가격 보정지수(1.08151)를 적용한다.
↓	↓
❸ 기준시점 원화 환율 적용 기준시점 당시의 원화 환율 (100¥ = 932₩)을 적용한다. [CIF$431,138 × 109.63¥/$] × 1.07010 × [932₩/100¥] ≒ 471,396,109₩	❸ 기준시점 환율 적용 기준시점 당시의 원화 환율 (1€ = 1,709₩)을 적용한다. [CIF$221,080 × 0.8549€/$] × 1.08151 × [1,709₩/1€] ≒ 349,331,200₩

3) 부대비용

(1) **부대비용의 종류**

L/C 개설비(신용장 개설비용)[27] 등과 설치비, 소요자금이자, 감독비, 관세, 농어촌특별세 등이 있다.

(2) L/C 개설비 등

L/C 개설비, 하역료, 통관비, 창고료, 육상수송비 등으로 통상 수입가격의 3% 이내에서 적정하게 고려하여 반영한다.

(3) 관세

관세는 원칙적으로 수입신고필증상의 세번 및 부호에 해당하는 현행관세율표상의 세율을 적용한다. 단, 기본세율의 우선하여 적용되는 관세율(잠정세율, 일반특혜관세, 조정관세, 덤핑방지관세 등)이 있는 경우 그 세율을 적용한다.

$$관세 = 기준시점CIF \times 현행관세율 \times (1 - 현행감면율)$$

관세를 분할 납부하기로 된 품목에 대하여는 현행 관세율 전체를 적용하되 관세미납액을 평가명세표 비고란에 기재하고 그 총액을 평가의견란에 기재한다.

관세를 감면받은 품목으로 사후관리기간이 경과되지 아니한 현행 관세감면 품목은 현행 관세율과 현행 감면율을 적용한다.

관세를 감면받은 품목으로 사후관리기간이 경과되지 아니한 것 중에서 현행 관세감면 품목이 아닌 것과 사후관리기간이 경과한 것에 대하여는 현행 관세율을 적용한다.

(4) 농어촌 특별세

기계의 경우는 관세법에 의해 관세감면을 받는 품목에 한하여 적용하되, 감면받은 관세의 20%를 적용한다.

$$농어촌특별세 = 기준시점CIF \times 관세율 \times 감면율 \times 20\%$$

(5) 설치비 및 시운전비

자주식 기계인 경우와 기계만의 담보평가 시(양도담보 및 동산담보평가)에는 설치비를 반영하지 아니하나, 사업체로 평가의뢰된 경우(공장재단으로 평가)에는 설치비를 반영하여 평가한다. 일반적으로 수입가격의 1.5% 이내를 적용하되, 대상물건의 규모 또는 종류에 따라 별도로 사정할 수 있다. 즉, 실험기기 및 이동성 기기류의 경우에는 별도의 설치비용이 소요되지 않으므로, 현장조사 시 설비의 규모, 설치현황 등에 따라 설치비의 포함 여부를 결정하여야 한다. 별도의 설치공사항목의 기계장치의 취득원가에 포함되어 있다면, 도입가격의 산정 시 설치비 항목은 고려치 않는다.

(6) 재조달원가

도입가격에 관세, 부대비용, 농어촌특별세, 설치비 등을 고려한 가격으로 결정한다.

---

27) 신용장(Letter of Credit)이란 은행이 거래선의 요청으로 신용을 보증하기 위하여 발행하는 증서를 말한다. 수입업자는 거래은행에 의뢰하여 자신의 신용을 보증하는 증서를 작성하게 하고 이를 상대국 수출업자에게 보내어 그것에 의거 어음을 발행하게 하면 신용장발행은행이 수입업자의 신용을 보증하고 있으므로 수출국의 은행이 안심하고 어음을 매입할 수 있게 된다. 또한 수출업자는 수입업자의 신용상태를 직접 조사·확인하지 않더라도 확실하게 대금을 받을 수 있게 된다.

2. 감가수정

1) 감가상각의 방법

기계기구류는 정률법으로 감가수정하는 것을 원칙으로 한다. 다만, 정률법으로 감가수정하는 것이 적정하지 않은 경우에는 정액법 또는 다른 방법에 따라 감가수정할 수 있다. 한편, 감가상각의 기산일은 도입기계의 경우 수입신고일이다. 신고일자를 기준으로 평가하는 이유는 물품의 수입 시 신고자가 신고요건을 갖추어 수입신고를 하게 되면 세관장은 신고사항을 확인하여 일정한 요건을 갖춘 경우 신고를 수리하고 수입신고필증을 발행하게 되며, 원칙적으로 신고시점에서 과세대상이 확정되고 신고가격이 과세가격으로 인정된다. 신고일자를 기준으로 해당 물품의 수입액 및 과세액이 결정되므로 평가 역시 신고일자를 기준으로 이루어진다.

2) 경제적 내용연수 등

감정평가실무에서 적용되는 내용연수는 경제적 내용연수로서 물리적 내구연한의 범위 내에서 결정된다. 감정평가실무상 특정 설비의 내용연수를 객관적으로 정할 수는 없으나, 개념상 해당 설비의 유지보수 비용이 해당 기계로부터 얻어지는 효용치와 같아질 때까지의 기간을 내용연수로 본다. 다만, 현상 및 관리상태 등을 고려하여 관찰감가 등으로 조정할 수 있으며, 장래보존연수는 대상물건의 내용연수 범위에서 사용·수리의 정도, 관리상태 등을 고려한 장래 사용가능한 기간으로 한다.

기계기구류의 내용연수 조정은 설비의 특성에 따라 감정평가실무에서는 「유형고정자산 내용연수표」(한국부동산원 발간)를 참고하여 감가수정한다. 이 내용연수에 없는 기계기구류는 유사기계기구류 내용연수 또는 대상 기계가 속하는 업종별 내용연수 등을 참작하여 그 이내로 조정할 수 있다.

통상적인 기계기구류의 감가수정은 만년감가에 의하며, 특별히 내용연수가 짧거나 감모의 주기가 빠른 기계기구류의 경우 개월감가를 실시하기도 한다. 경과연수의 조정은 만년으로 하며, 조정기준일은 해당 기계의 제작일자로 함을 원칙으로 하되, 취득 또는 사용개시일자와 시차가 있을 때는 취득일자를 기준으로 할 수 있다.

3) 중고도입기계의 내용연수 조정

(1) 신규기계가격을 알 수 있는 경우

신규기계가격으로 재조달원가를 산정하고 최초 사용시점부터 경과연수를 산정하여 감가수정을 행하여 평가한다.

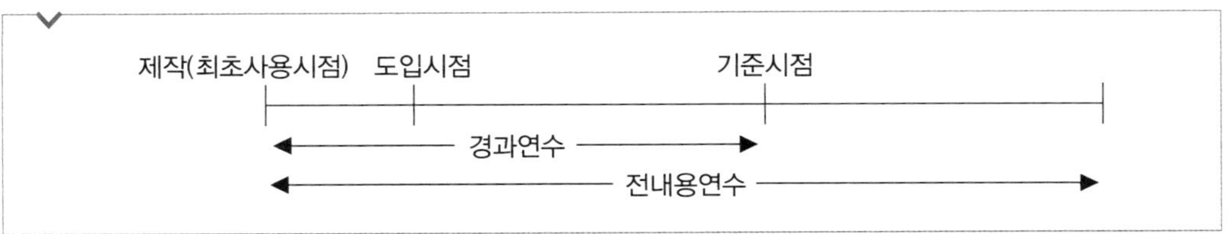

(2) 신규기계가격을 알 수 없는 경우

도입 당시 제조된 것으로 간주하고 내용연수를 조정하여 평가한다.

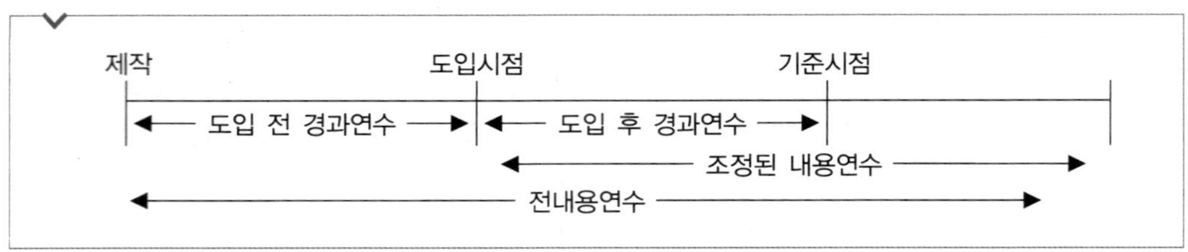

3. 실무상 도입기계의 감정평가방법 예시

도입기계 감정평가 시 기계기구의 가격산출기초표 및 외화환산율 기초표에 의하여 적용환산율을 산정하여 처리한다. 아래는 산출기초표에 대한 예시이다.

1) 도입기계기구 및 공작물 가격산출기초표

일련 번호	도입가격 (CIF, $)	기계가격 보정지수	적용 환산율	재조달원가	감가수정 (잔존가치율)	적산가격	비고
1	431,138×109.63	1.0000	11.24	531,266,000	15/15(1.000)	531,266,000	JAPAN 2026.06.
2	221,080×0.8549	1.0127	1,405	268,919,000	14/15(0.858)	230,732,000	Germany 2025.06.

» 도입가격은 $기준의 CIF를 원산지 환율로 보정한 것이다.

» 적용환산율은 관세 등 부대비용과 기준시점에서의 원화로의 환산을 한 수치이며, 아래의 외화환산율 기초표에 근거한다.

2) 외화환산율기초표

일련 번호	환율 단위	환율 환율	도입부대비 부대비	설치비	관세	농특세	기타	합계	환산율	적용환산율
1	JPY	9.9961	3.0%	1.5%	8.0%	–	–	12.5%	11.246	11.24
2	EUR	1,285.25	3.0%	1.5%	4.0%	0.8%	–	9.3%	1,404.778	1,405

» 일련번호(2) : 관세 4%(8% 관세, 감면율 50%), 농특세 0.80%(8% × 50% × 20% = 0.80%)

수 입 신 고 필 증

UNI-PAS

(갑지)
※ 처리기간 : 3일

① 신고번호	② 신고일	③ 세관.과	⑥ 입항일	⑦ 전자인보이스 제출번호
41241-13-	2013/01/07	030-	2013/01/06	
④ B/L(AWB)번호	⑤ 화물관리번호		⑧ 반입일	⑨ 징수형태
131421	13YMLU00041-		2013/01/06	11

⑩ 신 고 인 대한관세법인부산사무소   외2
⑪ 수 입 자 (주)   판지(판지-1-87-10-1-7 A)
⑫ 납세의무자 (판지-1-87-10-1-7 / 127-81-10350)
　 (주소) 경기 포천 :   _ 359-1 (487)
　 (상호) (주) 판지
　 (성명) 류.
⑬ 운송주선인
⑭ 해외거래처   TUDE MACHINERY CORP (TW) /
　 .TITU0001X

⑮ 통관계획	F	⑲ 원산지증명서 유무	N	㉑ 총중량	87,145 KG
도착후부두직반출					
⑯ 신고구분	A	⑳ 가격신고서 유무	Y	㉒ 총포장갯수	26 GT
일반P/L신고					
⑰ 거래구분	11	㉓ 국내도착항 KRPUS		㉔ 운송형태	10-FC
일반형태수입		부산항			
⑱ 종류	K	㉕ 적출국 TW TAIWAN			
일반수입(내수용)		㉖ 선기명 YM PORTLAND			LR
㉗ MASTER B/L번호	YMLU1202252578	㉘ 운수기관부호			

㉙ 검사(반입)장소   03012226-13000I071A(세방부산터미널(주)감만CY)

● 품명 · 규격 (란번호/총란수 : 001/001)

⑳ 품 명 PRINTING MACHINE
㉛ 거래품명 PRINTING MACHINE
㉜ 상표 LMC

㉝ 모델 · 규격1	㉞ 성분	㉟ 수량	㊱ 단가(USD)	㊲ 금액(USD)
(NO. 01) FOUR COLOR FLEXO FOLDER GLUERWITH DIE CUTTER, (TOP-PRINT/BOTTOM VACUUM TRANSFER/		1 UN	123,500	123,500

1란 을지　　계속

㊳ 세번부호	8443.39-	㊵ 순중량	82,720 KG	㊸ C/S검사	S	정CS검사생략	㊺ 사후확인기관	
㊴ 과세가격(CIF)	$ 1,301,346	㊶ 수량	13 U	㊹ 검사변경				
	₩ 1,402,825,385	㊷ 환급물량	13 PC	원산지	TW-C-Y-B	㊻ 특수세액	0.00	

㊼ 수입요건확인
　(발급서류명)

㊽ 세종	㊾ 세율(구분)	㊿ 감면율	세액	감면분납부호	감면액	*내국세종부호
관	8.00 (A기가)	0.00	112,226,030		0	
부	10.00 (A)	0.00	151,505,141		0	

결제금액(인도조건-통화종류-금액-결제방법)	CIF-USD-1,300,000-TT	환 율	1,077.9800

총과세가격	$ 1,301,346	운 임	0	가산금액	1,451,385	납부번호	030-17-13-1-003318-5
	₩ 1,402,825,385	보험료	0	공제금액	0	부가가치세과표	1,515,051,415

세 종	세 액	※신고인기재란	세관기재란
관 세	112,226,030	CONT	
개별소비세	0	NO:BM0U2260890TCKU4725510/YMLU2B353	
교 통 세	0	84YMLU2925425/YMLU8294820YMLU838995	
주 세	0	2업태 = 제조업종목 = 판지,골판지달	
교 육 세	0	러환율 = 1,077.9800	
농 특 세	0		
부 가 세	151,505,140		
신고지연가산세	0		
미신고가산세	0		
총세액합계	263,731,170	담당자 홍 812304	접수일시 2013/01/07 10:22	수리일자 2013/01/07

세관기재란: -이 물품을 수입신고수리... 단순가공하여 날개·산물·분할 또는 ...하여 판매하거나 ...할 경우, 관련 법령에 ...원산지표시를 하여야 ...양도(양수자의 재양도·포함)하고자 하는 양수인에게 이 의무를 서면으로 통보하여야 하며, 이를 위반시에는 대외무역법 제276조 및 대외무역법...에 의해 처벌을 받게 됩니다. -이 물품은 ...심사결과에 따라 적용...이 변경 될 수 있습니다.

발 행 번 호 : 2013149387293(2013.01.07)　　　세관.과 : 030-17 신고번호 : 41241-13-200024U　Page : 1/5

※ 수입신고서상 주요 조사사항[28]

번호	항목	내용	비고
2	신고일	신고일자	해당 기계기구의 수입신고일자를 기재
10	신고인	신고인 상호와 대표자 성명	관세사, 자가통관업체 등
12	납세의무자	관세 납세의무가 있는 자	도입기계 소유권 여부를 추정할 수 있으며, 신고인과 다를 수 있음에 유의하여야 함
25	적출국	신고물품의 적출국 부호 기재	적출국이란 해당 제품을 수출한 국가를 말하며, 엄밀하게는 원산지와는 다를 수 있음에 유의한다. 또한 환적국은 운송수단을 변경한 국가로서 이 역시 원산지와는 다를 수 있음에 유의한다.
30	품명	해당 물품을 나타내는 관세율표상의 품명을 영문으로 기재	수입신고서상의 내용과 관련서류, 실제 해당 품목에 기재되어 있는 사항을 비교하여 물건의 동일성 여부를 파악한다.
31	거래품명	실제 상거래 시 송품장 등 무역서류에 기재되는 품명	〃
33	모델·규격	해당 품목의 세부모델 및 규격	〃
35	수량	해당 품목의 모델·규격별 수량	〃
36	단가	해당 품목의 모델·규격별 단가를 결제 통화 단위로 기재	
37	금액	해당 품목의 모델·규격별 금액을 기재	
39	과세가격	해당 품목의 과세가격	과세가격은 통상 CIF($) 기준이다.
46	원산지표시	해당 품목의 원산국 국가부호, 원산지 표시유무, 원산지 표시 방법 등 기재	46항목을 근거로 해당 품목의 원산지를 판단한다. 원산국이 적출국 또는 환적국과 다를 수 있음에 유의한다.
50	세율	세종에 해당하는 세율구분과 세율을 기재	해당 품목에 적용되는 세율을 파악하되, 도입시점이 아닌 기준 시점의 세율을 파악함에 유의한다.
51	감면율	해당 세목의 감면율을 기재	해당 품목이 관세감면 대상인지 여부를 확인하며, 도입 당시가 아닌 기준시점 현재의 감면여부를 확인함에 유의하며 감면세액에 대하여 농특세가 부과됨에 유의한다.
53	감면분납부호	감면분납부호 및 감면액을 기재	해당 품목의 관세감면부호를 파악하여 기준시점 현재 감면대상인지 또는 분납대상 여부를 파악한다.
54	결제금액	송품장 등에 내용에 근거하여 인도조건, 통화종류, 결제금액, 결제방법 순으로 기재	해당 품목의 인도조건 및 결제통화 등에 대하여 조사하되, 결제금액은 단순히 송품장 등의 내용에 기초하여 작성되므로 결제금액의 적정성 여부를 조사하여야 한다.

---

28) 도입기계평가, 한국부동산원, 2018년

기 본예제

다음 기계기구의 감정평가액을 구하되, 만원 단위까지 절사하여 결정한다.

자료

1. 기계기구 목록

구분	수량	구입가격 (1대당)	최종 잔가율	현재경과연수/ 내용연수	매입/ 신고시점	비고
국산기계 #1	1대	12,000,000	10%	3/15	2024.5.1.	
국산기계 #2	1대	30,000,000 (중고품가격)	15%	5/15 (매입 당시 2/15였음)	2024.5.1.	중고품 매입
도입기계	1대	EUR 30,000	20%	2/10	2025.1.1.	원산지 : 독일

» 상기 기계들은 현시점의 신품조달 시세가 존재하지 않는다.

2. 기계가격지수

(1) 국산기계(생산자물가지수)

구분	2024.4.	2027.4.
가격지수	112.6	131.5

(2) 기계가격 보정률(독일)

매입(신고)시점	기계가격 보정률
2025.1.1.	1.08151

3. 환율(KRW/EUR)

(1) 2025.1.1. : 1,429.2

(2) 2027.5.1. : 1,532.6

4. 도입기계의 관세 및 부대비용 등 : 도입가격의 5%

5. 기준시점 : 2027.5.1.

예시답안

Ⅰ. **평가개요**

본건은 국산기계 및 도입기계에 대한 감정평가로서 기준시점은 2027년 5월 1일이다.

Ⅱ. **국산기계 #1**

$12,000,000 \times 131.5/112.6 \times 0.1^{3/15} \fallingdotseq 8,840,000$원

Ⅲ. **국산기계 #2**

$30,000,000 \times 131.5/112.6 \times 0.15^{3/13} \fallingdotseq 22,610,000$원

Ⅳ. **도입기계**

$(EUR\ 30,000 \times 1.08151 \times 1,532.6) \times 1.05 \times 0.2^{2/10} \fallingdotseq 37,840,000$원

제4절 공장재단 및 광업재단 등의 감정평가

01 공장재단 및 광업재단의 감정평가

> **감정평가에 관한 규칙 제19조**(공장재단 및 광업재단의 감정평가)
>
> ① 감정평가법인등은 공장재단을 감정평가할 때에 공장재단을 구성하는 개별 물건의 감정평가액을 합산하여 감정평가해야 한다. 다만, 계속적인 수익이 예상되는 경우 등 제7조 제2항에 따라 일괄하여 감정평가하는 경우에는 수익환원법을 적용할 수 있다.
> ② 감정평가법인등은 광업재단을 감정평가할 때에 수익환원법을 적용해야 한다.

02 공장재단의 감정평가 [29]

1. 「공장 및 광업재단 저당법」의 통합

일반적으로 재단저당제도는 기업경영에 필요한 토지, 건물 및 기계기구 등의 물건과 지상권·전세권·임차권 및 지식재산권 등의 권리를 일괄하여 1개의 재단으로 구성하고, 이에 저당권을 설정하는 제도를 말한다.

종전에 재단저당의 대상이 되는 것으로는 「공장저당법」상의 공장과 공장재단 및 「광업재단저당법」상의 광업재단이 있었으나, 2009년 3월 25일 현행 「민법」의 체계와 부합되도록 정비하고, 법률관계의 간명화 측면에서 「공장 및 광업재단 저당법」으로 통합되었다. 즉, 기업의 재산 일체를 하나의 담보물로 허용하는 공통의 목적을 가지고 있던 종전의 2개 법률을 하나의 법률로 통합하여 기업담보에 관한 기본법의 기틀을 마련하기 위한 것이라 할 수 있다.

2. 공장 및 공장재단의 정의

(1) 공장의 의의

'공장'은 영업을 하기 위하여 물품의 제조·가공, 인쇄, 촬영, 방송 또는 전기나 가스의 공급 목적에 사용하는 장소를 말한다(공장 및 광업재단 저당법 제2조 제1호). 그러나 그 외의 목적이라 할지라도 기업용 재산으로서 사회통념상 공장으로 간주할 수 있는 것은 공장으로 취급한다.

공장의 구성요소는 일반적으로 부동산으로 취급되는 토지, 지상의 건물 및 정착물, 기계기구 등의 유형자산과 지식재산권 등의 무형자산으로 결합되어 있다. 그리고 공장 내에 설치되어 있는 기계, 기구, 장치 등의 동산은 「공장 및 광업재단 저당법」에 따라 토지 또는 건물과 일체로 등기의 목적으로 할 수 있다.

공장은 감정평가 시 의뢰사항(의뢰목적, 의뢰시점 등) 및 감정평가조건 등에 따라 일부 항목이 추가되거나 제외될 수 있는바, 의뢰목록 확정과 확인에 유의해야 한다.

---

29) 감정평가실무기준 해설서(Ⅰ) 총론편, 한국감정평가사협회 등, 2014.02, pp.391~393

⑵ 공장재단의 의의

'공장재단'은 공장에 속하는 일정한 기업용 재산으로 구성되는 일단의 기업재산으로서 소유권과 저당권의 목적이 되는 것을 말한다(동법 제2조 제2호). 공장재단저당권은 공장에 속하는 유무형의 재산으로 구성되는 공장재단을 목적으로 하는 저당권을 말한다.

공장재단의 구성물이 될 수 있는 것은 ⅰ) 공장에 속하는 토지, 건물, 그 밖의 공작물, ⅱ) 기계, 기구, 전봇대, 전선, 배관, 레일, 그 밖의 부속물, ⅲ) 항공기, 선박, 자동차 등 등기나 등록이 가능한 동산, ⅳ) 지상권 및 전세권, ⅴ) 임대인이 동의한 경우에는 물건의 임차권, ⅵ) 지식재산권을 대상으로 한다(동법 제13조 제1항). 여기서 기계, 기구는 반드시 공장에 속하는 토지 또는 건물에 직접 부가되거나 설치된 것일 필요는 없다.

공장재단은 공장재단등기부에 소유권보존등기를 통하여 설정되며(동법 제11조 제1항), 이 공장재단 목록은 공장재단을 구성하는 물건 또는 권리의 표시를 기재한 것으로서, 공장재단이 어떠한 것들로 구성되는 것인가를 명확히 하기 위하여 작성되는 것이다. 또한 소유권보존등기에 따라 성립된 공장재단은 독립한 1개의 부동산으로 간주된다(동법 제12조 제1항).

3. 조사·확인사항

1) 사전조사

공장을 감정평가할 때에는 실지조사를 하기 전에 토지·건물의 공부 등을 통해 다음 각 호의 사항을 조사한다.
① 소재지, 지번, 지목, 면적
② 관련 법령에 의한 사용·처분 등의 제한 또는 그 해제
③ 그 밖의 참고사항

2) 실지조사

사전조사가 끝난 후에 대상 공장이 위치한 곳에서 다음 각 호의 사항을 조사·확인한다.

⑴ 사업의 적부조사

사업체의 개요, 원료의 수급관계, 제품의 시장성, 생산능력 및 규모의 적정성, 생산공정의 적부, 생산실적 및 예상, 입지조건, 경영 및 기술능력, 그 밖의 참고사항

⑵ 토지·건물 등의 실지조사

① 토지·건물 등은 해당 물건의 실지조사 규정을 준용한다.
② **기계기구 및 공작물에 대한 조사**: 명칭(종류), 규격·용량·형식·능력, 제작자·제작번호· 제작연월일이나 취득연월일, 용도 및 배치상황 등
③ 선박·차량·중기·항공기·어업권·염전·산림 그 밖의 재산이 해당 사업체와 일단의 재산으로 의뢰된 경우에는 각각 해당 물건의 실지조사규정을 준용한다.

⑶ 그 밖의 참고사항

4. 자료의 수집 및 정리

공장의 가격자료는 다음과 같다.
① 토지, 건물, 기계·기구 등 공장을 구성하는 자산은 해당 물건의 자료의 수집 및 정리 규정을 준용한다.
② **수익자료**: 재무제표, 수익률, 성장률, 현금흐름추정자료 등
③ **시장자료**: 경제성장률, 물가상승률, 금리, 환율 등
④ 그 밖에 감정평가액 결정에 참고가 되는 자료

5. 공장의 감정평가 원칙

(1) **물건별 감정평가 원칙**(개별평가)

공장을 감정평가할 때에는 공장을 구성하는 개별 물건(토지, 건물, 기계기구, 무형고정자산)의 감정평가액을 합산하여 감정평가해야 한다.

(2) **예외적인 일괄평가 시 감정평가방법**

공장의 계속적인 수익이 예상되는 경우 등은 일괄하여 감정평가할 수 있으며, 일괄하여 감정평가할 때에는 수익환원법을 적용하여야 한다. 공장의 감정평가 시 수익환원법 적용이 어려운 이유는 공장의 수익은 해당 사업체의 개별성에 따라 편차가 심하여 수익의 객관성이 부족하고, 수익이 포착된다고 하더라도 해당 사업체의 위험을 반영한 할인율을 결정하기 어렵기 때문이다.

6. 물건별 감정평가

1) 유형자산

(1) **토지 및 건물의 감정평가**[30]

토지와 건물의 일반 감정평가 논리와 동일하다. 단, 공장과 관련 없는 토지(유휴토지 및 미조성지 등) 및 건물(근린생활시설 등 공장과 무관한 건물)에 대한 판단이 중요하다.

① **공장토지 감정평가 시 유의사항**

일반적으로 공장의 토지는 여러 지목으로 된 다수의 필지가 공업용 등 하나의 현실적인 이용상황으로 이용되는 경우가 대부분으로, 각각의 지목들과 현실적인 이용상황 사이에는 차이가 발생할 수 있다(예 지목상 농경지 또는 임야이나 실제로는 공장부지이거나 야적장 또는 주차장 등의 부지로 이용되는 경우). 이 같은 경우에 현실적인 이용상황의 판단과 관련해서 적법성과 합리성 여부 및 전환 가능성 등을 고려하는 것이 중요한 문제이며, 해당 법률 규정과 함께 사회적 타당성을 가질 수 있는 감정평가가 필요하다. 또한 공장의 적합한 부지의 규모 여부와 일단으로 이용 중인 일단지 판단의 적정성 여부 등도 충분히 고려하여 감정평가해야 한다.

---

30) 감정평가실무기준 해설서(Ⅰ) 총론편, 한국감정평가사협회 등, 2014.02, pp.398~399

② 공장건물 감정평가 시 유의사항

공장 또한 일반적인 건물의 평가방법을 준용하되, 공장건물로서의 특성에 따른 가치형성요인 및 그 격차 등을 고려하여야 한다. 동일한 구조의 건물이라 하더라도 생산공정의 특성에 따라 건물 규모, 배치, 부대설비 등이 달라질 수 있으므로 이를 감정평가 시에 반영하여야 한다. 특히 철골조 건물의 경우 재조달원가 산정 시 연면적 또는 각 층별 면적보다는 건물의 층고 및 바닥면적과의 연관성이 크므로 이에 주의하여야 한다.

또한 통상적으로 구조가 같은 건물의 경우 층고가 증가하면 단가는 상승하며, 바닥면적이 증가하면 단가는 하락하게 된다. 면적이 과다하게 큰 건물의 경우 단순히 구조에 따른 재조달원가를 적용하기보다는 공장건물의 특성과 규모에 따른 시공자재의 종류 및 규격, 주기둥의 크기, 높이 및 간격 등 건물에 대한 종합적인 사항을 고려하여야 한다.

(2) 기계기구의 감정평가[31]

① 기계기구의 감정평가 방법에 따른다.

② 과잉유휴시설의 감정평가

㉠ **개념 및 판단방법** : 공장 내의 시설 중 감정평가 당시 정상으로 가동치 않고 있으며, 또한 장래 가동할 전망이 없어 사실상 해당 공장에 필요치 않은 시설을 의미한다.

감정평가실무상 해당 공장이 과잉유휴시설에 해당하는지를 파악하기는 쉽지가 않다. 내부 사정상 설비를 가동치 않을 경우도 있으며, 시장 외부상황에 의하여 가동을 중단하는 경우도 있을 수 있다. 따라서 실지조사 당시의 가동 여부보다는 시장상황, 업체의 경영사항 등에 대한 전반적 검토를 통하여 유휴시설의 여부를 결정하여야 한다.

㉡ **평가방법**

ⓐ **다른 사업으로의 전용이 가능한 시설 등의 감정평가** : 다른 사업으로의 전용이 가능하다고 판단되고 전용에 따른 비용 등을 확인할 수 있는 경우에는 해당 시설을 감정평가할 수 있으며, 이때 전환에 소요되는 비용과 시간 등은 고려되어야 한다.

ⓑ **다른 사업으로의 전용이 불가능한 시설 등의 감정평가** : 다른 사업으로의 전용이 불가능한 경우에는 해체처분이 가능한 가액으로 감정평가하되, 다만 해체·철거 및 운반 등에 소요되는 비용은 고려하여 감정평가할 수 있다. 여기서 해체처분가능가액이란 대상 물건을 본래의 이용 목적으로 사용할 것을 전제로 하지 않고, 각 구성부분을 해체하여 처분할 것을 상정한 가액을 말한다.

ⓒ **평가목적에 따른 분류(평가 여부)**

- 경매평가, 보험료 산정용 평가, 기업가치 평가(청산가치) : 타용도로 전용가능 여부를 참작하거나 해체처분 등을 고려하여 평가한다.
- 담보평가, 임대료산정을 위한 평가, 계속기업가치로 평가 시에는 평가 외로 한다.

---

31) 감정평가실무기준 해설서(Ⅰ) 총론편, 한국감정평가사협회 등, 2014.02, pp.400~403

③ 리스물건

「여신전문금융업법」에 의한 시설대여업자가 대여한 리스물건은 시설대여업의 소유물건으로 보아 감정평가하지 않는 것이 원칙이나, 실무적으로는 리스물건인지 여부에 대한 판별이 어렵다는 문제가 있다. 따라서 기계기구 등에 부착된 명판 또는 표지판에 대한 확인을 통해 우선 확인한 후, 해당 공장 장부서류 등을 검토하거나 매도자, 의뢰인 등을 통해 관련 사항을 확인할 필요가 있다.

(3) 구축물의 감정평가

구축물은 주로 토지에 정착된 정착물이 대부분으로 자체로서 거래가 되거나 자체로서의 수익발생이 이루어지지 않으므로, 대부분 원가법을 적용하여 감정평가한다.

구축물이 주된 물건의 부속물로 이용 중인 경우에는 주된 물건에 대한 기여도 및 상관관계 등을 고려하여 주된 물건에 포함하여 감정평가할 수 있는데, 예를 들어 구축물 중 별도의 효용을 지니지 않고 토지의 Improvement(옹벽, 석축, 배수로 등) 또는 건물의 부속설비로 이루어진 경우, 토지 또는 건물의 가치에 포함하여 감정평가해야 할 것이다. 이를 별도로 평가하여야 할 필요가 있을 경우 효용을 받는 토지, 건물 등의 감정평가 시 이를 고려하여 해당하는 금액을 차감하여야 한다.

구축물은 경우에 따라 지하에 매립되어 있는 등 실지조사가 불가능한 경우가 있으며, 이 경우에 의뢰인과 협의하여야 한다. 의뢰인이 관련 준공도면, 준공내역서 등 설치상태를 확인할 수 있는 도면 등 객관적으로 신뢰할 수 있는 자료를 제시하고 이를 통해 감정평가가 가능하다고 판단되는 경우에 한해서 실지조사를 생략하고 감정평가할 수 있다.

2) 무형자산

무형자산(영업권, 지식재산권 등)의 감정평가는 무형고정자산의 감정평가방법에 따르되, 평가목적에 따라 평가에 포함될 수도 있고 평가에서 제외될 수도 있다.

현재까지 감정평가실무에서는 공장의 감정평가 시 공장을 구성하는 유형자산의 감정평가액을 합산하여 이루어졌으나, 원칙적으로 공장의 개별 물건을 구성하는 자산에는 유형자산과 함께 무형자산도 존재한다. 다만, 현실적으로 무형자산에 대한 감정평가는 그리 중요성이 크지 않았으나, 산업과 경제사회가 발전함에 따라 점차 특허권 등의 무형자산에 대한 인식이 크게 증대되고 그 가치 또한 증가하는 추세이다.

무형자산은 공장재단 내 유형자산과 같이 개별자산별로 감정평가되어 합산한다. 다만, 무형자산만 단독으로 감정평가 의뢰되는 경우에는 해당 무형자산이 독립적·배타적 권리인지의 여부, 해당 무형자산으로부터 발생하는 현금흐름이 사업체 전체의 현금흐름에서 분리가 가능한지, 전체의 수익가격에서 해당 무형자산으로의 배분이 가능한지에 대한 판단 등이 선행되어야 한다.

7. 수익환원법

공장에서 발생하는 수익을 환원하거나 할인하여 수익가치를 산정하며, 기업가치의 감정평가방법을 준용한다. 다만, 과잉유휴시설이나 비영업용자산가액은 별도로 가산하여야 한다.

(1) 유의사항

공장을 수익환원법으로 평가한 후 물건별 평가액과 시산조정하는 경우 물건별 평가액의 비교대상을 정확하게 해야 한다. 즉, 과잉유휴시설이나 공장의 수익을 창출하는 데 필요하지 않은 대상이나 비영업용자산이 물건별 평가에 포함되어 있다면 이를 제외하고 수익가액과 시산조정해야 한다.

토지(공장)	↔	시산 조정	↔	공장의 수익가액	→	공장의 감정평가액 (적정부분)		
건물(공장)								
기계기구(적정기계)								
토지(과잉, 유휴), 비영업용							→	총 감정평가액
건물(과잉, 유휴), 비영업용		–		–	→	과잉유휴부분 및 비영업용 자산의 감정평가액		
기계기구(과잉, 유휴), 비영업용								

03 광업재단의 감정평가 [32]

1. 광산 및 광업재단의 개념

(1) 광산의 개념

'광산'이란 광업권을 기본으로 하여 광업경영을 목적으로 하는 일체의 기본재산으로서 재단을 조성한 것 또는 조성할 수 있는 것을 말한다. 따라서 광산은 광업권을 기반으로 전개되는 사업이고, 그 가치는 광업권의 가치가 중심이 된다.

여기서 "광업권"이란 등록을 한 일정한 토지의 구역(광구)에서 등록을 한 광물과 동일광상 중에 부존하는 다른 광물을 채굴 및 취득하는 권리를 말한다. 광업권은 물권이며 「광업법」에 의한 허가와 등록으로서 성립된 배타적·독점적 권리이다.

(2) 광업재단의 개념

"광업재단"이란 광업권과 광업권에 기하여 광물을 채굴·취득하기 위한 각종 설비 및 이에 부속하는 사업의 설비로 구성되는 일단의 기업재산으로서 소유권과 저당권의 목적이 되는 것을 말한다(공장 및 광업재단 저당법 제2조 제3호). 한편, 광업권자는 저당권의 목적으로 하기 위하여 광업재단을 설정할 수 있으며, 원칙적으로 광업권의 내용은 채취에 한하고 토지를 이용하는 권한은 포함

---

32) 감정평가실무기준 해설서(Ⅰ) 총론편, 한국감정평가사협회 등, 2014.02, pp.417~424

되어 있지 않으나, 필요한 경우에는 토지를 이용, 수용할 수 있는 권리가 인정된다. 광업재단의 구성물이 될 수 있는 것은 ⅰ) 토지, 건물, 그 밖의 공작물, ⅱ) 기계, 기구, 그 밖의 부속물, ⅲ) 항공기, 선박, 자동차 등 등기 또는 등록이 가능한 동산, ⅳ) 지상권이나 그 밖의 토지사용권, ⅴ) 임대인이 동의하는 경우에는 물건의 임차권, ⅵ) 지식재산권을 대상으로 한다(동법 제53조).

2. 조사·확인사항

(1) 사전조사를 위한 서류

광업원부, 광업재단등기부, 위치도, 광산소재지, 등록번호, 면적, 위치, 교통, 광산 부근의 지질·지형, 광산의 상황, 갱내외의 설비, 수도시설, 동력관계 등의 설명서, 광구도, 지형도, 광산부근의 지질도, 갱내도, 갱외시설배치도, 종업원 수 및 평균임금, 광량계산서, 인부 1인당 채굴량, 선광방법 및 설비능력, 제련방법 등에 관한 자료, 그 밖의 참고자료

(2) 사전조사

토지 및 건물에 대한 소재지·용도·구조·면적 등, 기계·기구, 차량, 선박, 그 밖에 부속물에 대한 용도·용량·규격 등, 광종, 광구면적, 등록번호, 등록연월일, 광업권의 존속기간 및 부대조건, 지상권, 토지의 사용권 등

(3) 실지조사

입지조건(위치, 교통상황, 공업용수, 동력, 노동력 등), 지질 및 광상(암층, 구조, 노두, 광상의 형태, 광물품위, 매장량 등), 채광 및 선광(채굴방법, 선광방법, 지주, 배수, 통기, 운반방법, 갱도현황 등), 설비(채광, 선광, 제련, 운반, 배수, 통기 등에 관한 설비의 정도), 기술 및 그 밖의 참고사항

3. 자료의 수집 및 정리(광산의 가격자료)

① 토지, 건물, 기계·기구 등 광산을 구성하는 자산은 해당 물건의 자료의 수집 및 정리 규정을 준용한다.
② **수익자료** : 재무제표, 최근 생산판매실적표, 자금계획서, 연간순수익예상표 등
③ **비용자료** : 조성비용·원가계산서 등
④ **시장자료** : 광물의 시장성에 관한 자료, 금리 등
⑤ 그 밖에 감정평가액 결정에 참고가 되는 자료

4. 광산의 감정평가방법

1) 광산 감정평가의 특수성

광산은 광물의 집합체인 광상의 확실성이나 광량, 품등 및 그 부존상태 등에 대한 실태파악이 어려우며, 아래의 특성을 가지고 있다.

① 광업은 지하자원을 채취하는 산업이므로 유한성을 갖고 있으므로, 광산은 그 자산적 가치가 점차 감모하는 소모성 자산이다.

② 광업은 주로 지하갱내에서 지하자원을 캐내는 것이므로, 낙반・발파 등에 따른 갱내사고의 위험성이 많아 높은 부담을 감안한 투자이익이 보장되어야 한다.

③ 광업은 광업권의 존속기간 중에서 투하자본을 회수해야 하며, 다른 산업과는 달리 생산의 조절이 용이하지 않고 또한 확대재생산을 통한 투자가 불가능하다.

2) 광산의 감정평가방법

광산을 감정평가할 때에는 수익환원법에 의한다.

수익환원법을 적용할 때에는 다음의 산식에 따라 대상 광산의 생산규모와 생산시설을 전제로 한 가행연수 동안의 순수익을 환원한 금액에서 장래 소요될 기업비를 현가화한 총액을 공제하여 광산의 감정평가액을 산정한다(Hoskold법 사용).

$$\text{광산의 감정평가액} = a \times \cfrac{1}{S + \cfrac{i}{(1+i)^n - 1}} - E(+R)$$

a: 상각전 연간 순수익   S: 배당이율(상각후 환원이율)

i: 축적이율(안전율)   n: 가행연수

E: 장래소요기업비의 현가화 총액   R: 가행연수 말 파악되는 잔존유형자산의 가치 현가

(1) 상각전 연간 순수익

$$\text{상각전 연간 순수익} = \text{사업수익} - \text{소요경비}$$

① 사업수익

3년 이상의 수익실적을 기초로 생산여건, 시장성, 장래 월간생산량, 연간가행월수 등을 고려하여 결정한다. 이 경우, 광물의 가격은 최근 1년 이상의 가격추세를 고려하여 결정한다.

② 소요비용

소요경비는 채광비, 선광비, 제련비, 일반관리비 및 판매비, 운영자금이자(운영자금이자를 제외한 비용의 3월분의 정기예금금리를 고려한 이자) 등을 고려한다.

(2) 상각후 환원이율이 제시되지 않은 경우

배당이율(S)은 다음 산식에 따라 산정하되, 관련기관에서 공시하는 자료를 적용할 수 있다.

$$\text{배당이율(S)} = \frac{s}{1-x}$$

s: 배당률(광업관련 산업부문의 상장법인 시가배당률을 고려하여 산정)

x: 세율(법인세 등)

(3) 축적이율

광산의 자원 고갈 등을 감안하여 다른 사업으로 재투자를 가정한 1년 만기 정기예금금리를 적용한다. 안전율(Safety Rate)로 제시가 될 수도 있다.

축적이율은 순수이율을 참작하여 결정한다. 일반적으로 환원율과 축적이율의 관계는 축적이율이 잔존내용연수 만료 시까지 매년 상각액을 비축하기 위한 더욱 안전한 이율이므로 환원율보다 낮은 것이 보통이다. 즉, 축적이율은 순이자율과는 비할 수 없는 저수익을 얻는 고급 유가증권·정기예금 등에 투하하여야 한다. 따라서 축적이율은 부동산투자로서의 위험성까지를 반영하는 종합환원율보다는 낮은 이율을 채택하여야 한다.

(4) 가행연수

> 가행연수 = 확정 및 추정 가채매장량 / 연간채광가능 매장량

이 경우 매장량 산정과 관련된 평균품등과 산정근거를 기재한 계산표와 도면을 감정평가서에 첨부하여야 한다.

>> 산출된 가행연수는 특성상 연도의 성격이므로 내림하여 활용한다(**예** 12.4년 → 12년).

(5) 장래소요기업비

적정생산량을 가행 최종연도까지 유지하기 위하여 장차 소요될 광산설비 투자소요액의 현가액을 합산하여 산정한다.

장래소요기업비는 적정생산량을 가행 최종연도까지 유지하기 위하여 장래 소요될 광산설비 총투자액의 현가액을 말한다. 여기서 기업비는 시설능력의 증진, 능률향상을 위한 지출을 의미한다. 따라서 기업비는 상각전 연간순이익 산정 시 소요경비와는 다른 지출이라 할 수 있으므로, 기업비 계산 시 그 한계를 구분하여야 한다.

기업비에 포함되는 지출로는 ⅰ) 채광, 탐광, 배수, 통기, 조명설비, ⅱ) 갱도의 연장, 확장 또는 신굴착, ⅲ) 갱내외 운반설비, 육해수송설비, ⅳ) 선광, 제련, 분석, 연구설비, ⅴ) 동력, 용수설비, ⅵ) 건물, 보건후생설비 등을 들 수 있다.

04 어장의 감정평가

1. 개념

어업은 법적절차에 따라 면허어업·허가어업·신고어업으로 분류하며, 어장에 따라서는 내수면어업(하천, 호소어업)과 해양어업(연안, 근해, 원양어업)으로 분류하기도 한다. 그리고 어업권이란 수산업법 제8조 또는 내수면어업법 제6조의 규정에 의거, 면허를 받은 법정시설 및 방법에 의한 어업으로 제3자를 배척하고 자기만이 독점적으로 어업을 경영할 수 있는 배타적 권리를 말한다.

2. 어장의 감정평가방법

수익환원법에 의한다. 어장의 평가는 어장이 장래 산출할 것으로 예상되는 순수익을 환원하여 평가할 수 있는데 환원방법으로는 광산과 달리 재투자의 위험이 낮다는 점에 착안하는 Inwood법이 주로 활용된다.

$$P = \frac{a}{r + \dfrac{r}{(1+r)^n - 1}} - E = a \times \frac{(1+r)^n - 1}{r \times (1+r)^n} - E(+R)$$

P: 어장평가액
r: (상각후·세공제전) 환원이율
E: 장래소요기업비현가액

a: (상각전) 순수익
n: 어업권 존속기간[33]
R: 가행연수 말 파악되는 잔존유형자산의 가치 현가

---

33) 어업권의 유효기간은 보통 10년이며 10년의 범위 안에서 유효기간을 연장할 수 있다. 따라서 잔존내용연수(어업권 존속기간)는 어업권의 유효기간인 10년의 범위 내에서 결정하여야 할 것이다.

제5절　무형자산(광업권 및 어업권)의 감정평가

01　무형자산의 감정평가

1. 무형자산의 감정평가

> **감정평가에 관한 규칙 제23조**(무형자산의 감정평가)
>
> ① 감정평가법인등은 광업권을 감정평가할 때에 제19조 제2항에 따른 광업재단의 감정평가액에서 해당 광산의 현존시설 가액을 빼고 감정평가해야 한다. 이 경우 광산의 현존시설 가액은 적정 생산규모와 가행조건(稼行條件) 등을 고려하여 산정하되 과잉유휴시설을 포함하여 산정하지 않는다.
>
> ② 감정평가법인등은 어업권을 감정평가할 때에 어장 전체를 수익환원법에 따라 감정평가한 가액에서 해당 어장의 현존시설 가액을 빼고 감정평가해야 한다. 이 경우 어장의 현존시설 가액은 적정 생산규모와 어업권 존속기간 등을 고려하여 산정하되 과잉유휴시설을 포함하여 산정하지 않는다.
>
> ③ 감정평가법인등은 영업권, 특허권, 실용신안권, 디자인권, 상표권, 저작권, 전용측선이용권(專用側線利用權), 그 밖의 무형자산을 감정평가할 때에 수익환원법을 적용해야 한다.

2. 광업권의 감정평가

(1) 광업권 등의 개념

> **광업법 제3조**(정의)
>
> 2. "광업"이란 광물의 탐사(探査) 및 채굴과 이에 따르는 선광(選鑛)·제련 또는 그 밖의 사업을 말한다.
>
> 3. "광업권"이란 탐사권과 채굴권을 말한다.
>
> 3의2. "탐사권"이란 등록을 한 일정한 토지의 구역(이하 "광구"라 한다)에서 등록을 한 광물과 이와 같은 광상(鑛床)에 묻혀 있는 다른 광물을 탐사하는 권리를 말한다.
>
> 3의3. "채굴권"이란 광구에서 등록을 한 광물과 이와 같은 광상에 묻혀 있는 다른 광물을 채굴하고 취득하는 권리를 말한다.
>
> 4. "조광권"(租鑛權)이란 설정행위에 의하여 타인의 광구에서 채굴권의 목적이 되어 있는 광물을 채굴하고 취득하는 권리를 말한다.

(2) 감정평가방법

광산의 감정평가액은 광업권 및 시설의 가액이 포함된 것이다. 따라서 광업권의 감정평가액을 구하기 위해서는 광산의 현존시설의 가액을 빼고 감정평가해야 한다.

$$\text{광업권의 감정평가액} = \text{광산의 감정평가액} - \text{유형자산의 가치}$$

(3) 현존시설가액

① 적정생산규모와 가행조건 등을 고려하되, 과잉유휴시설은 포함하지 아니한다.

② **광업권의 존속기간**

「광업법」 제12조의 존속기간에 따르면 광업권 중 탐사권의 존속기간은 7년을 넘을 수 없으며, 채굴권의 존속기간은 20년을 넘을 수 없다. 채굴권자는 채굴권의 존속기간이 끝나기 전에 산업통상부장관의 허가를 받아 채굴권의 존속기간을 연장할 수 있는데, 이 경우에도 연장할 때마다 그 연장기간은 20년을 넘을 수 없다.

③ 광산의 내용연수에 따라 현존시설의 감가수정 시 미래수명을 보정하여 활용할 수 있다.

>> **이전·전용이 불가능한 건축물 및 구축물에 대한 미래수명보정**
경제적 내용연수 = 경과연수 + 잔존가행연수(미래수명법)

기 본예제

高평가사는 어떤 석탄광산에 대한 감정평가의뢰를 받고 다음 자료를 수집하였다. 대상광산의 감정평가가격 및 광업권의 감정평가가격을 구하시오.

풀이영상

자료 1 **광산의 연간 수지사항(단위 : 천원)**
대상광산의 연간수지는 다음과 같으며, 장래에도 지속될 것으로 예상된다.

수입		지출	
정광 판매량	연간 300,000톤	채광비	4,610,000
		선광비	2,100,000
		일반관리비	4,000,000
		감가상각비	150,000
		정상운전자금이자	별도 산정

>> 정광 판매단가는 톤당 42,000원이다.

자료 2 **매장광량 및 가채광량**

1. 매장광량
   (1) 확정광량 : 4,000,000톤
   (2) 추정광량 : 2,000,000톤
2. 가채광량 : 월간 가채광량은 25,000톤이며, 해당 광산의 총가채광량은 확정광량의 80%와 추정광량의 20%의 합계액이다.

자료 3 **자산의 상태**
기준시점 현재 시장가치로 인정되는 자산별 가격은 다음과 같다.

1. 건물 : 810,000,000원
2. 기계기구 : 1,624,000,000원
3. 기타자산 : 38,000,000원
4. 합계 : 2,472,000,000원

자료 4 **장래소요기업비**
생산을 계속 유지하고 정상가동을 하기 위하여는 매월 17,350,000원을 기업비로 지출해야 된다.

자료 5 **기타**

1. 광산의 환원이율(상각후) : 35%
2. 축적이율 : 17%
3. 복리현가에 적용할 할인율 : 12%
4. 정기예금금리 : 3.0%

예시답안

Ⅰ. 평가개요

본건은 기준시점 현재를 기준한 광산 및 광업권 평가이다.

Ⅱ. 광산의 평가액

1. 광산의 수익가액

(1) 순수익의 산정

1) 정광판매수입 : 300,000 × 42,000 = 12,600,000,000원

2) 소요비용(감가상각비 제외) : (4,610,000,000 + 2,100,000,000 + 4,000,000,000) × (1 + 0.03 × 3/12)
= 10,790,325,000원

3) 순수익 : 1,809,675,000원

(2) 가행연수 : n = (4,000,000톤 × 0.8 + 2,000,000톤 × 0.2) ÷ (25,000톤 × 12월) ≒ 12년(절사)

(3) 광산의 수익가액 : $P = 1,809,675,000 \times \dfrac{1}{0.35 + \dfrac{0.17}{1.17^{12}-1}} ≒ 4,756,475,000$원

2. 장래소요기업비의 현가액

$(17,350,000 \times 12월) \times \dfrac{1.12^{12}-1}{0.12 \times 1.12^{12}} ≒ 1,289,669,000$원

3. 광산의 감정평가가격

4,756,475,000 − 1,289,669,000 ≒ 3,466,806,000원

Ⅲ. 광업권의 평가액

3,466,806,000 − 2,472,000,000 ≒ 994,806,000원

---

3. 어업권의 감정평가

(1) 개념

「수산업법」 제2조 제9호(「내수면어업법」 제7조 제1항에서는 "제6조의 규정에 의하여 어업의 면허를 받은 자는 「수산업법」 제17조 제1항의 규정에 의한 어업권원부에 등록함으로써 어업권을 취득한다."라고 규정하고 있다)에서 면허를 받아 어업을 경영할 수 있는 권리를 "어업권"으로 정의하고 있으므로, 허가어업 및 신고어업은 제외하고 면허어업에 대한 권리만을 "어업권"으로 정의하였다.

(2) 조사·확인사항

① 사전조사

소재지, 면허번호, 어업권의 종류, 존속기간 및 연장 여부, 어업권에 부가된 조건 및 제한사항

② 실지조사

사업체의 개요, 어종 및 어기(면허받은 양식생물의 종류, 어업의 준법 여부 등), 어장의 입지 및 해당 지역 어업실태, 어장의 수심, 저질(底質), 조류의 방향 및 세기 등, 어장의 시설현황, 어획고와 판로(어업생산량, 판매단가 등), 어업의 경영현황, 어업권의 연장 가능 여부, 그 밖에 어업권에 관련된 사항

(3) 자료의 수집 및 정리(어업권의 가격자료)

① 거래사례

어업권의 거래가격 등

② 수익자료

생산량, 판매량, 순수익, 어업경비 등 어장경영에 관한 자료

③ 시장자료

판매가격, 금리 등

④ 그 밖에 감정평가액 결정에 참고가 되는 자료

(4) 어업권의 감정평가방법

① 어업권의 감정평가 원칙

㉠ 어업권의 감정평가할 때에는 수익환원법을 적용하여야 한다.

㉡ 수익환원법으로 감정평가하는 것이 곤란하거나 적절하지 아니한 경우에는 거래사례비교법으로 감정평가할 수 있다.

② 수익환원법의 적용

어장 전체를 수익환원법으로 감정평가한 가액에서 해당 어장의 적정시설가액을 뺀 금액으로 감정평가한다.

> 어업권의 감정평가액 = 어장의 감정평가액 − 현존시설가액

㉠ 순수익 : 장기간의 자료에 근거한 순수익을 산정하여야 한다.

㉡ 어업권의 존속기간 : 어업권의 존속기간은 10년 이내로 규정하고 있으나, 10년의 범위 내에서 연장이 가능(총 20년 이내)하고, 유효기간이 만료된 경우에는 특별한 사정이 없는 한 우선순위에 의하여 기존의 어업권자가 다시 재면허를 받을 수 있으므로, 면허의 연장이 가능한지, 재면허를 받을 수 있는지 등을 충분히 검토하여 기간을 산정하여야 한다. 거래가격 측면에서도 잔존 유효기간의 장·단에 따라 큰 영향을 받지 않는 것이 현실이다.

㉢ 현존시설의 가액 : 생산규모와 어업권 존속기간 등을 고려하여 감정평가하되, 과잉유휴시설은 제외한다.

③ 거래사례비교법의 적용

㉠ 어장은 위치에 따라 어업생산성이 매우 크게 차이가 날 수 있으므로, 거래사례비교법으로 감정평가할 때에는 어업방법, 어종, 어장의 규모, 존속기간 등이 비슷한 인근의 어업권 거래사례를 기준으로 하되, 대상 어업생물과 수질, 수심, 수온, 유속, 저질상태, 시설물 상태, 가용시설규모 등 어장환경의 적합성 등과 비교대상 어장의 것을 비교하여 개별요인 비교 시에 반영하여야 한다.

ⓒ 어업권만의 거래사례는 희박하며, 대부분이 어업권과 시설물을 포함한 어장 전체를 거래의 대상으로 하는 경우가 대부분이다. 따라서 어업권의 가격은 어장 전체의 가격에서 적정 시설물 규모에 해당하는 시설물가격을 공제하여 사례 어업권의 가치를 산정한 후 대상 어업권과 비교하여 감정평가해야 한다.

기 본예제

감정평가사인 당신은 면허를 취득하여 내수면에서 어업을 행하고 있는 李 씨로부터 해당 어장에 관련된 어업권 평가를 의뢰받았다. 다음 자료를 이용하여 대상어장을 평가하고 어업권가치를 산정하시오.

자료 1 대상어장의 내역

1. 해당 어장은 2023년 1월 1일자로 면허를 받은 것으로, 대상 어업권의 면허기간은 10년이다(수산업법 및 최초면허기간 고려 시 금번 면허가 종료되면 추가연장은 불가함).
2. 평가목적 : 일반거래
3. 기준시점 : 2027년 1월 1일
4. 대상어장에서의 수익자료는 다음과 같다.

기간	어획량(kg)	판매단가(원/kg)	영업경비
2023	2,000	120,000	100,000,000
2024	2,200	123,000	102,600,000
2025	2,500	125,000	114,260,000
2026	2,900	127,000	126,400,000

자료 2 대상 어장시설의 시장가치

1. 양식장시설의 재조달원가 : 200,000,000원(내용연수 : 40년)
2. 부대시설의 재조달원가 : 100,000,000원(내용연수 : 25년)
3. 위 양식장시설 및 부대시설은 2023년 1월 1일 설치되었으며, 정액법으로 만년감가(최종잔가율 : 10%)하는 것이 타당하다고 판단된다.
4. 장래 투하될 소요기업비는 연간 45,000,000원으로 예상된다.
5. 면허기간 종료 후 양식장시설 및 부대시설의 잔존가치는 시장가치의 10%이다.

자료 3 기타자료

1. 어장의 상각후 환원이율 : 25%/년
2. 할인율 : 15%/년
3. 장래기업소요비, 어장의 잔존내용연수 및 기간계산은 연단위로 계산한다.
4. 기준시점에서의 순수익은 최근 3년치를 평균하여 추정한다.
5. 모든 현금흐름은 반올림하여 천원 단위까지 표시한다.

예시답안

Ⅰ. 평가개요

본건은 어업권에 대한 평가로 기준시점은 2027년 1월 1일이다.

Ⅱ. 어장평가액

1. 순수익 산정

(1) 2024년 : $2,200 \times 123,000 - 102,600,000 = 168,000,000$원

(2) 2025년 : $2,500 \times 125,000 - 114,260,000 = 198,240,000$원

(3) 2026년 : $2,900 \times 127,000 - 126,400,000 = 241,900,000$원

(4) 순수익 산정 : $\dfrac{168,000,000 + 198,240,000 + 241,900,000}{3} ≒ 202,713,000$원

2. 장래소요기업비현가액

$45,000,000 \times \dfrac{1.15^6 - 1}{0.15 \times 1.15^6} ≒ 170,302,000$원

3. 유형자산가치

(1) 양식장 : $200,000,000 \times (1 - 0.9 \times \dfrac{4}{40}) ≒ 182,000,000$원

(2) 부대시설 : $100,000,000 \times (1 - 0.9 \times \dfrac{4}{25}) ≒ 85,600,000$원

(3) 유형자산가치 합계 : $182,000,000 + 85,600,000 = 267,600,000$원

4. 어장평가액

$202,713,000 \div \left(0.25 + \dfrac{0.25}{1.25^6 - 1}\right) - 170,302,000 + 267,600,000 \times 0.1 \times \dfrac{1}{1.15^6}$ [34] $≒ 439,559,000$원

Ⅲ. 어업권 평가액

$439,559,000 - 267,600,000 = 171,959,000$원

---

34) 광업재단(광산) 및 어장은 수익환원법으로 평가하되, 광산의 경우 재투자가 어렵기 때문에 안정적인 축적이율을 활용하는 Hoskold 법을 활용하고 어장의 경우 Inwood법에 따라 자본을 회수한다. 다만, Inwood법 및 Hoskold법은 소득모델의 일종이므로 가행연수 말 잔존가치를 알 수 있다면 그 잔존가치를 반영해야 한다. 소득모델이란, 소득흐름의 현재가치를 구하고, 별도로 복귀가치 또는 처분정리비의 현가를 가산하거나 차감하여 부동산가치를 구하는 방법이므로 복귀가치가 존재하거나 파악이 가능하다면 대상 부동산의 현재가치를 산정하기 위해서는 소득흐름에 포함되어 있지 않은 복귀가치를 산정하여 소득흐름의 현재가치에 합산하여야 한다.

제6절 **기업가치의 감정평가**

1. 기업가치의 개념

기업가치란 해당 기업체가 보유하고 있는 유·무형의 자산의 가치를 말하며, 자기자본가치와 타인자본가치로 구성된다. 또한, 기업체의 유무형의 자산가치는 영업관련 기업가치와 비영업용 자산의 가치로 구분할 수 있다.

기업가치평가는 개별자산 평가액의 단순한 합계가 해당 기업의 가치가 아니므로, 대상업체가 가지고 있는 유·무형의 가치를 포함하는 기업 전체의 일괄가치를 구하는 일련의 감정평가 과정이다. 단순한 개별자산의 합계가 아닌 이유는 재무제표상에 열거되어 있는 자산 등의 가치는 할인과 프리미엄 등에 의하여 다르게 영향을 받기 때문이다.

기업가치평가는 기본적으로 재무제표의 분석에서 출발을 하지만, 기업체의 진정한 경제적 재무상태와 영업성과를 반영하고, 시장가치에 접근하기 위한 기초로 삼기 위해서는 감가상각, 재고자산, 무형자산, 유형자산 등에 대한 조정을 함으로써 경제적 재무제표로 변환하여야 한다.

한편, 실무상 기업가치와 영업가치를 구분하지 않고 사용하고 있으나 정확한 의미에서 기업가치와 영업가치는 다르며, 기업가치는 영업현금흐름을 현가화한 영업가치와 영업현금흐름에 기여하지 않는 자산인 비사업용자산의 합으로 구성된다.

> 기업가치 = 영업관련 기업가치(영업현금흐름) + 비영업용 자산의 가치(특별현금흐름, 영업외수익)

2. 기업가치(영업가치)의 감정평가방법

1) 감정평가의 원칙

기업의 본질적인 가치는 기업이 향후 창출할 수 있는 미래현금흐름의 현재가치라는 측면에서 수익환원법을 적용한다.

다만, 기업가치를 감정평가할 경우에도 어느 한 가지의 감정평가방법에 의존하는 것은 바람직하지 않다. 기업가치를 감정평가할 때 특별한 이유가 없는 한 수익환원법, 원가법, 거래사례비교법의 3가지 방법을 모두 고려하여야 적정한 기업가치를 산출할 수 있다. 따라서 여러 방법을 병용하고, 합리성의 검토 과정을 통하여 전문가적인 판단을 사용하여 대상기업의 특성 등을 고려하여 가장 적합하다고 판단되는 하나 또는 둘 이상의 평가방법을 사용하여 적정한 기업가치를 산출하여야 할 것이다.

2) 수익환원법의 적용 [35]

(1) 할인현금수지분석법

할인현금흐름분석법을 적용할 때에는 대상 기업의 현금흐름을 기준으로 한 단계별 예측기간의 영업가치와 예측기간 후의 영구영업가치를 합산하여 전체 영업가치를 산정한 후, 비영업용 자산가치를 더하여 기업가치를 산정한다.

① FCF(Free Cash Flow)의 결정

㉠ FCFF(Free Cash Flow to the Firms) : 자기자본과 타인자본에 귀속되는 현금흐름의 성격이다.

> • FCFF = EBIT(1 − 법인세율) + 감가상각비 − 자본적 지출 ± 순운전자본 변동분
> • FCFF = EBITDA(1 − 법인세율) + 감가상각비 × 법인세율 − 자본적 지출
>   ± 순운전자본 변동분

EBIT(Earnings Before Interest and Taxes)는 영업이익에 상응하는 개념으로서 매출액에서 매출원가와 판매관리비를 공제하여 산정한다.

ⓐ 매출액의 추정

감정평가의 기준이 되는 시점으로부터 향후에 추정되는 매출액을 추정해야 하며, 매출액을 추정하는 방법은 아래와 같다.

• 대상 업체의 과거 추세를 기초로 한 추정으로서 과거 매출액의 평균치를 사용하거나 뚜렷한 추세가 있는 경우에는 매출액 성장률을 고려하여 추정한다.

기본예제

아래 기업에 대한 1기 매출액을 결정하시오.

자료

구분	5년 전	4년 전	3년 전	2년 전	1년 전
기업 A	100,000	105,000	110,250	115,763	121,551
기업 B	95,000	102,000	103,000	99,000	101,000

예시답안

• 기업 A의 경우 과거 매출액의 평균적인 상승률이 5.0% 수준으로서 추정매출액을 아래와 같이 결정한다.
121,551 × 1.05 ≒ 127,629
• 기업 B의 경우 매출액의 상승세가 있지 않은 경우로서 과거 매출액의 평균치를 추정매출액으로 결정한다.
(100,000)

• 제시된 사업계획을 기초로 한 추정하는 방법으로서 대규모 자본투하가 필요하여 현재 시점에는 현금흐름이 마이너스(−) 혹은 거의 없으나 향후에 매출액이 발생할 것

---

35) 감정평가실무기준 해설서(Ⅰ) 총론편, 한국감정평가사협회 등, 2014.02, pp.523~525 참조

으로 예상되는 사업에 적합한 방법이다. 이 경우 사업계획의 실현가능성에 대한 검토가 필요하다(**예** 통신망 설치 사업 등).
- 유사 동종 업계의 통계치를 기초로 추정하는 방법으로서 시장을 몇 개 업체가 과점하는 시장의 경우 적합한 방법이다. 전체 시장규모를 기준으로 하여 해당 시장의 성장성과 평가대상 기업의 점유율을 추정하여 매출액을 추정하는 방법이다(**예** 영화관 산업, 통신사, 정유회사 등).

ⓑ 원가(율)의 추정

원가율의 경우에도 매출액과 같이 향후에 적정 수준의 원가(율)을 추정하여 매출총이익을 산정하여야 한다. 대상업체의 과거 추세를 기초로 한 추정이나 제시된 사업계획을 기초로 추정하는 방법, 유사 동종 업계의 통계치를 기초로 추정하는 방법을 사용한다. 특히, 제조업이나 도매업 등 원가율이 높은 업종의 경우 원가율의 판단에 따른 기업가치의 편차가 크게 나타나기 때문에 적정한 원가율의 결정은 매우 중요하다.

기 본예제

아래 기업에 대한 적정한 원가율을 추정하시오.

자료

구분(기업 A)	5년전	4년전	3년전	2년전	1년전
매출액	100,000	105,000	110,250	115,763	121,551
매출원가	59,000	63,000	67,253	69,458	72,931

예시답안

매출원가율이 과거 5년간 59%~61% 수준에서 형성되어 있으며 평균적인 수준인 60%으로 결정한다.

ⓒ 판매관리비의 추정

판매관리비는 고정경비와 변동경비로 구성되어 있으며, 고정경비는 물가상승률 등을 고려하여 추정하며, 변동경비는 추정되는 생산량을 기준으로 추정한다. 생산량이 증가할수록 판매관리비율은 줄어드는 경향을 보인다. 구체적인 판매관리비 판단 시에 유의하여야 할 사항은 아래와 같다.
- 인건비

개인사업자의 경우 제시받은 과거 회계자료상에 사업주 본인의 인건비(자가노력비)가 미반영되어 있으나 실질적으로 사업주가 영업활동에 기여하고 있으면서 미래의 현금흐름 창출에도 사업주의 기여 또는 대체인력의 투입이 필요한 경우에는 제시받은 판관비에 대표자의 급여 등이 추가되어야 한다. 대표자 개인의 급여는 관리자급 직원의 급여수준으로 추정한다.[36]

---

36) 한국은행 경제통계시스템의 해당 연도 「직종별평균임금 관리자」의 통계자료를 기준으로 판단할 수 있다.

- 지급임차료 등

  제시 자료상의 임차료 수준의 적정성 여부 및 향후 사업계획의 매출 목표 등에 상응하는 임차료 수준을 확인할 필요가 있다.

ⓓ **세금**

법인의 경우는 법인세를 적용하며, 개인사업자의 경우 소득세를 적용한다. 개인사업자의 법인전환을 위한 현물출자 목적의 감정평가 시에는 이미 개인사업자로서 형성된 영업권을 평가하는 개념이기 때문에 소득세를 적용하는 것이 타당할 것이다.

ⓔ **감가상각비(Depreciation) 및 자본적 지출(Capital Expenditure)**

감가상각비는 현금유출이 없는 비용으로서 이미 판매관리비 및 제조경비에 계상된 부분을 현금유출이 없는 비용으로서 가산하여 반영하여야 한다.

기업이 성장하기 위해서는 영업현금흐름 중 일부 또는 전부를 기존자산을 유지하거나 새로운 자산을 구입하는 곳에 재투자해야 한다. 따라서 자본적 지출만큼 차감한다. 자본적 지출은 사업계획서상의 내용을 검토하여 반영하며 매출추정과 연계하여 판단할 필요가 있다. 자본적 지출의 세부내역으로서는 ㉠ 기존설비의 유지·보수 충당분(기본설비의 감가에 상응), ㉡ 기존에 투입된 자본적 지출의 유지·보수 충당분(신규투자 감가에 상응), ㉢ 해당 연도에 발생할 것으로 예상되는 지출발생분으로 나누어 볼 수 있다. 기업체가 지속적으로 성장하는 경우에는 자본적 지출이 감가상각비보다 큰 경우가 많으며, 성장이 물가상승 정도로서 보합인 경우에는 감가상각비와 자본적 지출을 서로 상쇄되는 것으로 보는 경우도 많다. 계약이나 특허기간 등으로 인하여 유한한 기간 동안에만 영업을 하는 기업에는 예외적으로 자본적 지출보다 감가상각비가 더 큰 경우도 있을 수 있다.

ⓕ **추가운전자본(Incremental Net Working Capital)**

운전자본이란 영업활동과정에서 매출채권, 매입채무, 재고자산을 보유함으로써 소요되는 자금으로서, 유동자산에서 유동부채를 차감한 잔액으로 정의될 수 있다(매출채권 + 재고자산 - 매입채무로도 산정할 수 있음).

운전자본은 기업의 영업활동과 관련하여 묶여있는 자본이므로 추가적으로 소요되는 운전자본은 현금유출(-)로, 감소되는 운전자본은 현금유입(+)으로 처리한다(일반적으로 기업이 계속 성장 시 지속적으로 증가하므로 (-)로 처리되는 것이 대부분이다).

운전자본소요율은 아래의 산식에 의하여 결정되기도 한다.

> - 순운전자본소요율(%) = $\dfrac{1}{\text{매출채권회전율}} + \dfrac{1}{\text{재고자산회전율}} - \dfrac{1}{\text{매입채무회전율}}$
> - 순운전자본 = 매출액 × 순운전자본소요율(%)

기 본예제

아래 기업의 추가운전자본에 대하여 결정하시오.

자료

- 작년도 매출액 : 100,000,000원
- 매출액 성장률 : 10%
- 매출채권회전율 : 8
- 재고자산회전율 : 10
- 매입채무회전율 : 20

예시답안

운전자본소요율 = 1/8 + 1/10 - 1/20 = 17.5%
순운전자본변동분 = 100,000,000 × 0.1 × 0.175 = 1,750,000원

ⓛ FCFE(Free Cash Flow to the Equity) : 자기자본에 귀속되는 현금흐름의 성격이다.

$$\text{FCFE(보통주자본으로만 귀속되는 소득)} = \text{FCFF} - \text{이자} \times (1 - t\%) - \text{우선주배당금} - \text{원금상환분} + \text{신규부채발행}$$

Check Point!

● **우선주(Preferred Stock)의 성격**

1. **자기자본의 성격**
   세공제대상이 아니다(부채는 세공제대상).

2. **부채의 성격**
   우선순위 배당

② **할인율의 결정**

㉠ **자기자본비용(Cost of Equity)**

자기자본비용은 자기자본의 제공자인 주주의 입장에서 기대하는 요구수익률로서 자본자산가격결정모형(CAPM)에 의하여 산정한다. 다만, 자본자산가격결정모형에 의하여 산정하는 것이 적절하지 아니한 경우에는 자본자산가격결정모형에 별도의 위험을 반영하거나 다른 방법으로 산정할 수 있다.

$$K_e = R_f + [E(R_m) - R_f] \times \beta_{\text{해당산업}} + \text{해당 기업의 Risk premium}$$
$$\text{(규모, 설립시기 등 고려)}$$

K_e : 자기자본비용 R_f : 무위험이자율
$E(R_m)$: 시장기대수익률 $\beta_{\text{해당산업}}$: 해당 기업이 속한 산업의 체계적 위험

ⓐ 무위험이자율

무위험이자율은 투자에 있어서 위험이 전혀 고려되지 않은 투자의 기대수익률이라 할
수 있고, 일반적으로 국고채수익률과 유사한 개념으로 인식된다.

ⓑ 시장수익률

시장의 전형적인 포트폴리오 수익률을 기준으로 하며, 주가수익률(5~15년간 KOSPI
연도별 종가지수 기준 산출), 회사채(❹ 장외 3년, BBB-등급) 금리 등 시장수익률 지표
를 주로 사용한다.

ⓒ 베타계수(β)

베타계수란 시장전체의 위험을 1로 보았을 때 개별기업주식이 갖는 위험의 크기를 의
미하며, 이것은 시장위험의 변화에 대한 개별기업주식 또는 해당 기업이 속한 산업의
민감도를 나타내는 계수로 베타계수는 주식수익률 회귀모형에 의하여 산출한다.

ⓓ 자기자본비용 산정예시

구분	무위험률	베타계수	시장수익률	규모위험프리미엄
내용	2.00%	0.86	10.40%	2.38%
비고	국고채금리 (3년, 5년)	유사기업 무부채 베타계수로부터 본건 베타계수 산출	종합주가지수 변동률(평균)	비상장(소기업)
자기자본비용	2.00% + 0.86 × (10.40% − 2.00%) + 2.38% ≒ 11.6%			

ⓔ 베타계수를 결정하는 방법(예시) : 일반적으로 베타는 사례기업을 통하여 산정하는 경
우가 많다. 하지만 사례기업의 베타는 해당 기업의 자본구조가 반영된 베타(Levered
Beta, $\beta_{L(사례)}$)이기 때문에 ⅰ) 일단 해당 베타(Levered Beta)를 무부채베타(Unlevered
Beta, $\beta_{U(사례)}$)로 수정하고 ⅱ) 이를 조정하여 대상기업에 적용가능한 무부채베타(Unlevered
Beta, $\beta_{U(본건)}$)를 결정하고 ⅲ) 마지막으로 본 기업의 자본구조를 반영하여 최종 베타
(Levered Beta, $\beta_{L(본건)}$)를 구한다. 세부적인 산식은 다음과 같다.

Step 1. 사례기업의 무부채베타($\beta_{U(사례)}$) 산정한다.

$$\beta_{Unlevered(사례)} = \frac{\beta_{Levered(사례)}}{1 + (1 - Tax\ rate) \times (Debt / Equity)}$$

Step 2. 대상기업에 적용가능한 무부채베타(Unlevered Beta, $\beta_{U(본건)}$)를 결정하되, 산술
평균 등의 방법을 활용한다.

Step 3. 본 기업의 자본구조를 반영하여 최종 베타 결정한다.

$$\beta_{Levered(본건)} = \beta_{Unlevered(본건)} \times [1 + (1 - Tax\ rate) \times (Debt / Equity)]$$

⦁ 결정예시

구분	β계수	부채비율	무부채β계수*(=βu)
사례기업 1	1.42	139.5%	0.68
사례기업 2	1.00	49.8%	0.72
사례기업 3	1.33	96.2%	0.76
대상기업	–	25%	–
적용무부채β계수	0.72(사례기업 무부채 β평균)		
적용β계수**(= βL)	0.86		

* 무부채베타계수(βu) = βL / [1 + (1 − Tax rate) × (Debt / Equity)]
** 적용베타계수(βL) = βu × [1 + (1 − Tax rate) × (Debt / Equity)]

유사기업의 무부채베타	자본구조		Tax rate (지방소득세 포함)	적용베타계수
	Debt	Equity		
0.72	20%	80%	22%	0.86

ⓛ 타인자본비용(Cost of Debt) : 타인자본비용은 사업에 투자하기 위해서 조달한 부채에 대해 지급하는 자본비용이다.

$$k_d = \frac{\text{이자비용} - \text{절세효과}}{\text{타인자본}} \times 100 = i \times (1-t)$$

k_d : 세후타인자본비용 $\qquad i$: 이자율 $\qquad t$: 법인세율

ⓒ **자본구조**

가중평균자본비용(WACC) 산정에서 자기자본비용과 타인자본비용에 적용되는 자본의 구성비율은 장부가치가 아닌 시장가치 또는 목표자본구조를 이용하여 산출한다. 즉, 가중평균자본비용은 각 자금의 원천에 대한 기회비용을 시장가치 또는 목표자본구조를 가중치로 평균한 것을 의미한다.

또한, 가중평균자본비용에서의 타인자본은 회계상 부채가 아닌 영업부채를 공제한 이자지급부부채로 구성된 타인자본임에 유의할 필요가 있다.

ⓔ **가중평균자본비용(Weighted Average Cost of Capital)**

$$WACC = k_e \times \frac{S}{S+B} + k_d \times \frac{B}{S+B}$$

k_e : 자기자본비용 $\qquad k_d$: 타인자본비용

S : 자기자본총액 $\qquad$ B : 이자지급부채총액

S+B : 투하자본

기본예제

아래 재무상태표상의 기업에 대한 가중평균자본비용을 결정하되, 백분율 기준 소수점 둘째자리까지 결정한다.[37]

자료

유동자산	현금예금	300	유동부채	외상매입금	400
	외상매출금	100		단기차입금	100
	재고자산	100	비유동부채	장기차입금	100
비유동자산	기계기구	200	자본	자본	400
	건물	300			
자산소계		1,000	부채 및 자본소계		1,000

1. 자기자본비용 : 15.0%
2. 타인자본비용(세후) : 6.0%

예시답안

1. 자기자본비율 : $\dfrac{400(자본)}{100(단기차입)+100(장기차입)+400(자본)} ≒ 67\%$
2. 타인자본비율 : $1 - 67\% = 33\%$
3. 가중평균자본비용 : $0.67 \times 15.0 + 0.33 \times 6.0 = 12.03\%$

---

③ 영구성장률 및 추정기간[38]

㉠ 영구성장률

영구성장률은 기업이나 자신의 미래 현금흐름이 영구히 성장할 것으로 가정하는 일정한 비율을 의미한다. 영구성장률을 추정하는 방법으로는 i) 유사기업의 과거 잉여현금흐름 또는 세후영업이익 분석을 통해 평가대상 기업의 장기적인 영구성장률을 추정하는 방법, ii) 기업의 성장은 계속적으로 이루어지거나, 거시경제 성장률보다는 낮은 성장률을 보일 것이라는 가정하에 소비자물가상승률 등을 고려하여 영구성장률은 2~3% 내외로 설정하는 방법, iii) 영구성장률을 0%로 가정하는 방법이 있다.

기업의 영구성장률은 사업 내 기업의 경쟁구조, 기업의 성장 전망, 기업이 제공하는 제품 및 용역 등의 특성과 수명주기, 거시경제 지표 등을 종합고려하여 결정함이 바람직하다. 실무적으로 영구성장률은 3% 이상으로 추정하지 않으며, 대체로 0~2% 수준의 안정성장률을 적용하고 있다.

---

37) 기업가치와 영업권 평가 실무(심사평가사 역량강화를 위한 전문교육), 한국감정평가사협회(김영돈 간사), 2020.10.
38) 감정평가 실무매뉴얼 무형자산(영업권, 지식재산권) 감정평가편, 한국감정평가사협회, 2025.08.

ⓛ 추정기간

계속기업을 전제하므로 기업의 수익 실현기간인 추정기간은 영구적 기간을 전제로 한다. 그러나 우리나라 기업들의 평균 생존기간이나 사업 또는 제품의 수명주기의 유한성, 프로젝트 사업이나 프로젝트 기업은 존속기간이 확정되어 있으므로 존속기간이 유한해야 한다는 의견도 있다.

따라서 추정기간은 평가목적, 업종유형, 규모, 기업의 초과이익 창출기간 및 관련업종의 평균 수명기간, 제품 수명주기 등을 근거로 검토하여야 한다.

④ **기업가치의 평가**

㉠ 안정성장기업의 가치평가

$$기업가치 = \frac{FCFF_1}{WACC - g_n}$$

$FCFF_1$: 다음 연도 기대 FCFF　　　　WACC: 가중평균자본비용　　　　g_n: FCFF의 영구성장률

㉡ 2단계성장기업의 가치평가

$$기업가치 = \sum_{t=1}^{n} \frac{FCFF_t}{(1+WACC)^t} + \frac{FCFF_{n+1}/(WACC_n - g_n)}{(1+WACC)^n}$$

WACC: 고속성장기의 자본비용　　　　　　$WACC_n$: 안정성장기의 자본비용
$FCFF_{n+1}$: 고속성장 후 안정성장 1기의 FCFF　　　g_n: 고속성장기 이후의 성장률(안정성장률)

㉢ 주주잉여현금흐름(FCFE) 적용 시 기업가치 평가

$$자기자본가치 = \frac{FCFE_1}{K_e - g_n}$$

$FCFE_1$: 다음 연도 기대 FCFE　　　　k_e: 자기자본비용　　　　g_n: FCFE의 영구성장률

자기자본가치에 부채가치를 가산하여 기업가치를 평가한다.

(2) **직접환원법**[39]

직접환원법은 기업의 한 개 연도의 기업잉여현금흐름을 추정하거나 여러 해의 기업잉여현금흐름의 평균액을 추정하여 환원함으로써 기업가치를 평가한다. 직접환원법은 할인현금수지분석법에 비하여 비교적 간단한 방법이나 안정화된 소득으로서 한 개 연도의 안정화된 기업잉여현금흐름을 추정하기가 쉽지 않다.

---

39) 감정평가실무매뉴얼 무형자산(영업권, 지식재산권) 감정평가편, 한국감정평가사협회, 2025.08.

(3) **옵션평가모형**[40)]

옵션평가모형은 경영자의 의사결정 상황에 따라 변동되는 미래의 현금흐름과 투자에 따른 비용을 감안하여 기업의 가치를 평가하는 모형이다. 환경변화에 따른 의사결정의 불확실성을 감정평가시 고려할 수 있다는 장점이 있으나, 각 의사결정 상황이 합리성, 합법성하에서 이루어졌는지가 우선 검토되어야 하며, 의사결정의 주체나 방법에 따라 여러 개의 감정평가 금액이 발생할 수 있다는 한계점이 있다.

(4) **수익환원법에 의한 기업가치 평가 시 유의사항**

현금흐름을 추정할 때 예측기간은 5년 이상 충분히 길게 하여야 하며, 과거 장기간의 추세분석을 바탕으로 기업이 속한 산업의 경기순환주기를 결정하는 경우 경기순환주기상 중간점에서의 이익 수준에 근거하여 영구가치를 산출하여야 한다. 또한 영구가치 산출 시 적용하는 영구성장률은 과거 5년치 평균성장률을 넘지 않도록 추정한다.

환원율이나 할인율은 감정평가 대상으로부터 기대되는 현금흐름이 발생되는 시점, 위험요소, 성장성 및 화폐의 시간가치 등을 종합적으로 고려하여 결정하여야 한다. 자본환원율이나 할인율은 감정평가에 사용되는 이익 또는 현금흐름의 정의와 일관성이 있어야 한다. 예를 들어 세전이익에는 세전 환원율을 적용하여야 하며, 세후이익에는 세후 환원율을 적용하여야 한다. 또한 주주에 귀속되는 잉여현금흐름이나 배당금에는 자기자본비용을, 기업전체에 귀속되는 잉여현금흐름은 가중평균자본비용을 사용하여 할인하여야 한다.

기 본예제

다음 기업의 계속기업가치를 평가하시오(기준시점 : 2026.12.31.).

자료 1 ▶ 매출액 등 영업관련 사항

1. 매출액 : 6,000,000,000원(2026년 결산)
2. 매출원가율 및 판관비 비율 : 매출액대비 각각 60%, 20%
3. 법인세율 : 22%
4. 감가상각비와 자본적 지출은 서로 상쇄되는 것으로 본다.
5. 해당 기업의 순운전자본은 매출액대비 5% 수준이며, 매출액의 변동에 따라 연동한다.

자료 2 ▶ 시장자료

1. 무위험률 : 연 3.0%
2. 유사기업의 베타 : 1.50(부채비율 : 150%)
3. 당사의 기업고유위험 프리미엄(알파) : 10.0%
4. 해당 기업의 평균차입금리 : 4.5%
5. KOSPI지수의 장기평균수익률 : 6.0%

자료 3 ▶ 해당 기업의 자본구조 등

1. 당사의 자본구조는 현재 자기자본과 타인자본의 비율이 1 : 2이다(부채비율 : 200%).
2. 해당 기업의 매출액은 영구적으로 3%씩 증가할 것을 가정한다.

---

40) 감정평가실무매뉴얼 무형자산(영업권, 지식재산권) 감정평가편, 한국감정평가사협회, 2025.08.

3. 기타 현재의 상황 및 예측이 일반적으로 지속된다고 가정하며, 예측 불가능한 비정상적인 시장의 변화는 없는 것으로 전제한다.

4. 가중평균자본비용은 백분율로 소수점 첫째자리까지 산정하며, 기업가치는 반올림하여 억 단위까지 표시한다.

◢예시답안

1. 1기 FCFF

(1) EBIT : $6{,}000{,}000{,}000 \times 1.03 \times (1 - 0.6 - 0.2) = 1{,}236{,}000{,}000$원

(2) 1기 FCFF : $1{,}236{,}000{,}000 \times (1 - 0.22) - 6{,}000{,}000{,}000 \times 0.05 \times 0.03 = 955{,}080{,}000$원

2. WACC

(1) 자기자본비용

① 해당 기업의 베타

㉠ 무부채베타 : $1.50 \div (1 + (1 - 0.22) \times 1.50) \fallingdotseq 0.691$

㉡ 해당 기업의 베타 : $0.691 \times (1 + (1 - 0.22) \times 2.00) \fallingdotseq 1.769$

② 자기자본비용 : $3.0 + 1.769 \times (6.0 - 3.0) + 10.0 = 18.3\%$

(2) 타인자본비용 : $4.50 \times (1 - 0.22) = 3.5\%$

(3) WACC : $18.3\% \times 1/3 + 3.5\% \times 2/3 \fallingdotseq 8.4\%$

3. 기업가치 결정

$955{,}080{,}000 \div (0.084 - 0.03) \fallingdotseq 17{,}700{,}000{,}000$원

---

3) 거래사례비교법의 적용 [41)

⑴ 유사기업이용법

① **개념** : 대상 기업과 비슷한 상장기업들의 주가를 기초로 산정된 시장배수를 이용하여 대상 기업의 가치를 감정평가하는 방법을 말한다.

② **사례기업의 선정**

㉠ 사업의 유형이 비슷할 것

㉡ 규모 및 성장률이 비슷할 것

㉢ 자료의 양이 풍부하고 검증 가능할 것

㉣ 시장점유율, 경쟁관계, 판매처 및 구매처와의 관계 등 영업환경이 비슷할 것

㉤ 영업이익률·부채비율 등 재무지표가 비슷할 것

③ **시장배수의 성격 및 적용**

㉠ 시장배수의 적용 : 시장배수는 시장배수별 특성 등을 고려하여 가장 적절한 둘 이상의 것을 선정하여 산정하되, 기간별로 시장배수의 차이가 클 경우에는 기간별 시장배수에 적절한 가중치를 부여하여 산정할 수 있다.

㉡ 시장배수의 종류

ⓐ 현재의 주식가격이 주당이익의 몇 배로 형성되어 있는지를 나타내는 주가이익비율(PER)

---

41) 감정평가실무기준 해설서(Ⅰ) 총론편, 한국감정평가사협회 등, 2014.02, pp.526~529

ⓑ 현재의 주식가격이 주당순자산가치의 몇 배로 형성되어 있는지를 나타내는 주가순자산비율(PBR)

ⓒ 현재의 주식가격을 주당매출액으로 나눈 주가매출액비율(PSR)

ⓓ 현재의 주식가격이 기업의 주당 영업활동 현금흐름의 몇 배로 형성되어 있는가를 나타내는 주가현금흐름비율(PCR)

ⓔ 주식의 시가총액과 순차입금의 합계에서 비영업용 자산을 차감한 기업 전체의 사업가치(Enterprise Value)가 이자비용·법인세·감가상각비·무형자산상각비 차감전이익의 몇 배인가를 나타내는 사업가치에 대한 이자비용 등 차감전이익비율(EV/EBITDA)

기업가치를 산정할 때 참고가 되는 여러 주요 재무비율 [42)]

1. 주가이익비율(PER · Price/Earning Ratio)

주가이익비율은 기대성장률, 배당성향, 위험과 연관되어 있다. 고든의 모형을 이용한 안정기업의 PER를 구하면 다음과 같다.

$$\frac{P_0}{EPS_0} = PER = \frac{배당성향}{r - g_n}$$

P_0: 주식의 가치 　　　　　　DPS_1: 다음기(1년 후)의 기대배당금

r: 자기자본의 요구수익률(자기자본비용) 　g_n: 배당금의 영구적 기대성장률

2. 주가순자산비율(PBR · Price/Book value Ratio)

고든의 모형을 이용한 안정기업의 PBR를 구하면 다음과 같다.

$$\frac{P_0}{BV_0} = PBR = \frac{ROE \times 배당성향 \times (1+g_n)}{r - g_n} = \frac{ROE - g_n}{r - g_n}$$

P_0: 주식의 가치 　　　　　　BV_0: 주식 1주의 장부가치

ROE: 자기자본순이익률 　　　r: 자기자본의 요구수익률(자기자본비용)

g_n: 배당금의 영구적 기대성장률

3. 주가매출액비율(PSR · Price/Sales Ratio)

고든의 모형을 이용한 안정기업의 PSR를 구하면 다음과 같다.

$$\frac{P_0}{Sales_0} = PSR = \frac{ROS \times 배당성향 \times (1+g_n)}{r - g_n} = \frac{ROS \times 배당성향}{r - g_n}$$

P_0: 주식의 가치 　　　　　　$Sales_0$: 주식 1주당 매출액

ROS: 매출액순이익률 　　　　r: 자기자본의 요구수익률(자기자본비용)

g_n: 배당금의 영구적 기대성장률

4. 주가현금흐름비율(PCR · Price/Cash-flow Ratio)

주식회사의 재무상태표에 나타난 사내유보금과 사외로 유출되지 않는 비용인 감가상각비의 합계를 그 회사의 현금흐름이라 한다(Cash Flow). 이를 발행된 주식수로 나눈 것을 주당현금흐름이라 하고, 특정 시점의 주가를 주당 현금흐름으로 나누어 백분율로 표시한 것이 주가현금흐름비율이다.

주가현금흐름비율 값이 작을수록 주가가 상대적으로 저평가되었다는 것을 의미한다. PCR은 개별기업의 최대 자금동원능력 등 위기상황에 대한 대처능력을 내포하고 있어 경기침체 또는 시중자금난이 심화되었을 때 기업의 안정성을 나타내는 투자지표로 활용된다.

> 주당현금흐름유보이익과 사외로 유출되지 않는 비용(감가상각비 등)의 합계를 현금흐름
> (Cash Flow)이라고 하며, 그 총액을 기발행 총주식수로 나눈 것을 1주당 현금흐름이라고 한다.

④ **대상기업과 비교기업 간의 조정**

시장배수를 산정하는 경우에는 대상 기업과 비교 기업 간에 다음의 차이 등을 분석하여 적절한
검토와 조정을 하여야 한다.

㉠ 비영업용 순자산의 포함 여부

㉡ 비경상적 항목의 포함 여부

㉢ 재고자산·감가상각·리스 등에 관한 회계처리방식의 차이

㉣ 비교대상 해외기업을 선정한 경우 국가 간 회계기준의 차이

⑤ **가격의 결정**

㉠ 둘 이상의 시장배수를 각각 적용하여 산정된 결과를 단순평균하거나 가중평균하여 결정
한다.

㉡ 시장배수 산정 시 비교대상 기업의 비영업용 순자산을 제거한 후 적용한 경우에는 대상
기업에 시장배수를 적용한 후 대상기업의 비영업용 순자산을 더하여야 한다.

》 해당 기업의 상황 및 실 평가목적에 맞도록 통제권(Controllability), 유동성(Liquidity), 시장성
(Marketability)을 조정해서 결정해야 한다.

(2) **유사거래이용법**

유사거래이용법은 대상기업과 비슷한 기업들의 지분이 기업인수 및 합병거래시장에서 거래된 가격을
기초로 시장배수를 산정하여 대상기업의 가치를 감정평가하는 방법을 말한다. 따라서 이 경우 비교
가 된 기업의 배경과 매매금액을 문서로 확인하고, 이를 보정하여 대상기업에 적용을 하여 감정평
가하게 되는데, 인수 및 합병의 거래구조와 배경, 거래조건 등에 대한 검토와 조정을 하여야 한다.

(3) **과거거래이용법**

과거거래이용법은 대상기업 지분의 과거 거래가격을 기초로 시장배수를 산정하여 대상기업의 가
치를 감정평가하는 방법을 말한다. 과거거래이용법으로 감정평가할 때에는 해당 거래가 이루어진
이후 기간에 발생한 상황변화에 대한 검토와 조정을 하여야 한다.

과거거래이용법은 대상기업의 과거 매매사례를 적용하는 것이므로, 가장 안정적이고 편리한 방법
으로 볼 수가 있다. 그러나 과거의 매매환경과 가격시점현재의 매매환경은 유사할 수가 없는데,
이를 보정하는 지수와 과거의 가치를 현재가치로 변형하는 것에 어려움이 있다.

(4) **거래사례비교법에 의한 기업가치 평가 시 유의사항**

거래사례비교법을 적용할 경우 감정평가과정에서 비교기준의 역할을 충실히 할 수 있는 비교대상의
선정이 가장 핵심이다. 거래사례비교법을 적용할 때 사용되는 유사기업은 대상기업과 동일한 산

---

42) 감정평가실무기준 해설서(Ⅰ) 총론편, 한국감정평가사협회 등, 2014.02, p.528

업에 속하거나, 동일한 경제요인에 의해 영향을 받는 산업에 속해야 한다. 유사기업의 선정을 위해서는 합리적인 기준이 설정되어야 하며, 선정과정에서 고려해야 할 요소들은 다음과 같다.

① 사업특성상의 정성적·정량적 유사성

② 유사기업에 대하여 입수 가능한 자료의 양과 검증가능성

③ 유사기업의 가격이 독립적인 거래를 반영하는지 여부

기 본예제

아래 기업의 기업가치를 거래사례비교법(시장배수)에 의하여 감정평가하시오.

자료 1 ▶ 유사업종의 주가 등 분석자료

본 기업을 포함한 도료시장의 과점적 지위를 가지고 있는 기업들의 분석자료이다.

구분	X 기업	Y 기업	Z 기업	해당 기업
상장 여부	상장	상장	비상장	비상장
거래가격(원/주)	42,500	26,250	32,620	−
주당이익(EPS · Earning per share)	3,500	1,520	2,900	4,100

≫ Z기업의 경우 거래가격은 최근 거래된 금액을 조사한 자료이다.

자료 2 ▶

1. 유동성 프리미엄은 30%임.
2. 각 기업의 PER은 산술평균하여 산정하되, 소수점 둘째자리까지 산정한다.
3. 해당 기업의 부채가액은 20억원임.
4. 발행주식수는 200,000주임.
5. 주당 주식가치는 반올림하여 원 단위까지 산정한다.

예시답안

Ⅰ. 평가개요

유사기업의 사례를 기준으로 PER을 추정하여 적용하되, 유동성 프리미엄(상장기업)을 조정하여 적용한다.

Ⅱ. 유사기업의 PER분석 및 결정

1. 유사기업의 PER

구분	X기업	Y기업	Z기업
PER	$\frac{42,500}{1.3} \div 3,500 ≒ 9.34$	$\frac{26,250}{1.3} \div 1,520 ≒ 13.28$	$32,620 \div 2,900 ≒ 11.25$

2. 적용 PER 결정

위 지수의 산술평균치를 기준으로 11.29를 적용한다.

Ⅲ. 해당 기업의 자기자본가치

$4,100 \times 11.29 ≒ 46,289$원/주($\times 200,000$주 $= 9,257,800,000$원)

Ⅳ. 기업가치 결정

$9,257,800,000 + 2,000,000,000$(부채) $= 11,257,800,000$원

4) 원가법의 적용

⑴ 평가방법

대상기업의 유·무형의 개별자산의 가치를 합산하여 감정평가한다. 이때 모든 자산은 기준시점에서의 공정가치로 측정되어야 한다. 만약 매각을 전제로 한 감정평가인 경우에는 매각과 관련된 비용이 고려되어야 한다.

⑵ 원가법 적용 시 유의사항

① 원가법은 대상기업이 영업활동을 수행하지 않고 부동산이나 타 회사의 지분을 보유함으로써 이익을 얻는 지주회사이거나 청산을 전제로 한 기업인 경우에 적절한 감정평가방법이다.

② 계속기업을 전제로 하여 감정평가를 할 때에는 원가법만을 적용하여 감정평가해서는 아니 된다. 다만, 원가법 외의 방법을 적용하기 곤란한 경우에 한정하여 원가법만으로 감정평가할 수 있으며, 이 경우 정당한 근거를 감정평가서에 기재하여야 한다.

제7절　무형자산(영업권 및 지식재산권)의 감정평가

1. 영업권의 감정평가

1) 개념

영업권(Goodwill)은 경영상의 유리한 관계 등 사회적 실질가치를 가지는 자산을 의미한다. 영업권은 타 업체와 차별적인 우수한 경영능력, 효율적 인적 구성, 대외적 신인도, 입지적 우위 등으로 결정되며 실질적으로 사업체를 구성하는 기타의 자산과 구분하여 개별적으로 식별할 수는 없다. 기업회계상으로는 자가창설영업권은 인정되지 않고 있으며, 외부에서 유상으로 매입한 매입영업권에 대하여만 무형자산으로 인식되고 있다. 영업권은 시장에서 거래의 객체로 인정되고는 있으나, 법률적인 보호는 없음에 유의하여야 한다.

영업권은 특정기업이 동종 산업에 종사하는 타 기업과 비교하여 정상적인 투자수익률 이상의 이윤을 획득할 수 있는 초과이윤 창출능력, 즉 초과이익력을 화폐가치로 표시한 것이다.

일반적으로 영업권(Goodwill)은 식별할 수 없는 무형자산으로서 ⅰ) 기업이 다른 기업을 취득·합병·인수할 경우 원가(매입가액)가 취득한 순자산의 공정시장가치를 초과한 초과액, ⅱ) 기업이 동종의 다른 기업보다 초과 수익력을 갖고 있는 경우 이를 자본화하여 계산한 것으로 볼 수 있다.

참고로, 감정평가상의 영업권은 사업결합 시 취득자가 지급한 대가가 취득한 순자산의 공정가치를 초과하는 금액으로 정의되는 회계상의 영업권과 구분되며, 인수 또는 합병 시에만 발생하는 회계상의 영업권과 다르게 실제 거래가 없더라도 사업체의 수익력이 존재 시 평가가 가능하다.

2) 감정평가대상으로서의 영업권

(1) 초과수익의 발생원인

- 해당 기업의 상호 또는 상표가 다년간의 신용에 의하여 지명도가 크고 기존의 고객을 끌 수 있는 고객 흡수력이 있을 것
- 소질이 우수한 영업자나 종업원을 확보하고 있어 그 경험 또는 교육훈련이 잘 되어 있는 등 인재가 동업자에 비해 상대적으로 우수할 것
- 공장 또는 영업소의 입지조건이 동업자에 비하여 상대적으로 우위에 있을 것
- 제조, 판매기술 등에 대한 영업상의 비결을 갖고 있을 것
- 영업 또는 점포배치의 면허제 또는 행정지도가 있는 것과 기득권이 있는 것 등 유리한 조건을 가질 것

(2) 초과수익의 계속성

영업권 가치의 결정에는 초과수익력이 장래에 얼마나 계속될 것인가를 고려할 필요가 있다. 초과수익이 크고 영속할수록 영업권의 가치는 크지만 반면에 초과수익이 클수록 경쟁을 일으키기 쉬워 어느 시점에 가면 초과수익은 소멸하게 된다.

(3) 초과수익의 이전성

초과수익의 이전성이란 영업권을 계승한 자에게 초과수익력이 옮겨가는 정도를 말하며, 영업권의 가격을 결정하는데 기준이 되는 초과수익력은 양도 후의 초과수익력을 말한다. 초과수익의 이전성이 높을수록 영업권의 가치는 높아진다. 예를 들어 영업자 본인의 평판이나 특수한 이력 등으로 인한 초과수익은 해당 영업자가 없을 경우 지속하기 힘든 형태의 초과수익이므로 이전성이 떨어진다고 볼 수 있다.

3) 조사 · 확인사항

같은 업종의 현황 및 장래성, 해당 기업의 장래성 및 위험성, 기준시점 현재 총재산의 감정평가액, 초과수익의 발생원인, 초과수익의 장래수요성 · 지속성 및 이전성의 정도, 등록된 제 권리 및 각종 계약에 관한 증빙서류를 통한 권리별 상관관계, 그 밖에 영업권에 관련된 사항

4) 자료의 수집 및 정리(영업권의 가격자료)

① 기업이 보유한 자산의 경우에는 해당 물건의 자료의 수집 및 정리 규정을 준용한다.
② **거래사례**: 기업전체의 거래가격, 영업권만의 거래가격 등
③ **수익자료**: 재무제표 · 수익률 · 초과이익추정자료 등
④ **시장자료**: 동종유사기업의 수익자료, 주식가격, 시중 금리 등
⑤ 그 밖에 감정평가액 결정에 참고가 되는 자료

5) 영업권의 감정평가방법

(1) 영업권 감정평가의 원칙

영업권은 정의상 정상적인 수익을 초과하는 초과수익에 대한 경제적 권리를 의미하므로, 사업체의 수익가격에서 순자산가치를 차감하거나 초과수익을 할인 또는 환원하는 수익환원법에 의한 감정평가가 가장 적절하다. 거래사례비교법의 경우 사업체 또는 영업권 자체의 거래에 대한 품등비교가 실질적으로 어렵다는 점, 유가증권 시장 등에서의 주당가격에 의할 경우 사업체 이외의 외부요인에 의한 보정이 어려운 점 등의 이유로 적용에 문제가 있다.

영업권의 개념을 초과수익의 현재가치나 잔여가치 개념에서 파악하는 것이 일반적이므로, 이러한 영업권의 정의에 따르면 수익방식이 이론적으로 가장 우수하다. 뿐만 아니라 실무적으로도 법률적 근거나 감정평가방법 적용의 어려움 때문에 비교방식이나 원가방식을 적용하는 경우는 거의 없고, 수익방식이 가장 많이 적용되고 있다.

(2) 수익환원법의 적용

① 대상기업의 영업관련 기업가치에서 투하자본을 차감하는 방법

㉠ 평가방법 및 산식

> 영업권 = 영업관련 기업가치 − 투하자본

ⓐ 영업관련 기업가치

기업의 영업가치(비사업용가치는 제외)로서 기업가치 감정평가에서 이미 설명하였다.

ⓑ 투하자본[43]

투하자본은 영업자산에서 영업부채를 차감하는 방식으로 산정하거나(실무기준상 방법), 자본금액에 이자지급부부채를 가산하는 방식으로 산정한다. 영업자산은 기업의 영업에 소요되는 모든 자산을 의미(비사업용자산은 제외)하며, 영업자산은 현물자산(비유동자산)과 유동자산으로 구성된다. 비사업용 자산은 기업의 영업에 사용되지 않는 모든 자산을 의미(초과보유 현금, 영업과 관련 없는 자산 등)하며, 비사업용 자산의 판단은 계정과목의 실제 성격을 파악하여 제외해야 한다.

영업부채는 유동부채, 비유동부채의 개념과는 관계가 없으며, 영업활동에 따라 발생하는 외상매입금, 미지급금 등의 비이자부부채를 의미한다.

영업부채는 영업자산 중 일부 자산(주로 외상매출금, 재고자산 등)을 조달하는데 사용되는 것으로 영업부채를 통하여 조달된 영업자산은 영업부채 만큼 조달비용(자본수익률, 이자율)의 부담 없이 조달이 가능하기 때문에 영업자산의 총계에서 영업부채만큼을 차감하여 투하자본을 산정한다.

---

43) 기업가치와 영업권 평가 실무(심사평가사 역량강화를 위한 전문교육), 한국감정평가사협회(김영돈 간사), 2020.10.

> ❷ **영업부채(비이자부부채)와 재무부채(이자부채, 금융부채)의 비교**
> 재무부채는 영업부채의 상대개념으로 유동부채, 비유동부채의 개념과는 관계가 없으며, 자산을 조달하기 위하여 조달비용(이자비용)을 부담하고 외부에서 차입된 금원을 의미한다(장·단기 차입금, 리스미지급금 등).

ⓒ 투하자본의 산정방법

주식회사 A의 투하자본을 아래의 방식으로 결정한다. 아래는 주식회사 A의 재무상태표이다.

유동자산	현금예금	300	유동부채	외상매입금	400
	외상매출금	100		단기차입금	100
	재고자산	100	비유동부채	장기차입금	100
비유동자산	기계기구	200	자본	자본	400
	건물	300			
자산소계		1,000	부채 및 자본소계		1,000

- 재무적 접근(자금의 조달관점)방식으로 파악하는 방법

  "투하자본 = 자본총계 + 외부차입금 합계(장·단기 불문 이자부부채)"를 기준으로 하며, 주식회사 A의 경우 투하자본은 자본 400과 차입금 200인 총 600이다.

- 자산접근(자금의 사용관점) 방식으로 파악하는 방법(실무기준)

  "투하자본 = 영업자산총계(비사업용자산제외) - 영업부채(비이자부부채)"를 기준으로 하며, 주식회사 A의 투하자본은 영업자산 1,000에서 영업부채(외상매입금) 400을 공제한 600이다.

ⓓ 비사업용 자산이 존재하는 경우 투하자본의 산정

주식회사 B의 투하자본을 아래의 방식으로 결정한다. 아래는 주식회사 B의 재무상태표이다.

유동자산	현금예금	300	유동부채	외상매입금	400
	외상매출금	100		단기차입금	100
	재고자산	100	비유동부채	장기차입금	100
비유동자산	투자유가증권 (비사업용)	200			
	기계기구	200	자본	자본	600
	건물	300			
자산소계		1,200	부채 및 자본소계		1,200

- 재무적접근(자금의 조달관점) 방식으로 파악하는 방법

  주식회사 B의 영업투하자본은 자본과 차입금의 합계(800 = 자본금 600 + 차입금합계 200)에서 비사업용자산의 조달에 사용된 부분(투자유가증권 200)을 차감하여 산정하여 800－200으로서 600이다.

- 자산접근(자금의 사용관점) 방식으로 파악하는 방법

  투하자본(영업투하자본)은 영업자산(비사업자산 제외) 1,000－영업부채(외상매입금) 400인 600이다.

ⓔ 적정 운전자본의 판단문제

개인사업자의 경우 해당 사업체에서 영업이익 내지 본인의 근로소득에 해당하는 부분을 임의로 인출하는 경우가 많다. 이 경우 향후 영업부채의 상환에 소요될 부분까지 과다하게 인출하는 경우나 과소하게 인출하여 영업에 소요될 운전자본을 초과하여 보유하는 경우 이를 적절하게 판단하여 투하자본을 산정해야 한다.

따라서 현금예금을 과다하게 인출하여 현금 등 자산이 부족한 경우에는 업무가지급금(인출금) 성격으로 자산을 인식하여 적정운전자본을 처리할 필요가 있으며, 초과현금을 보유한 경우에는 적정 운전자본을 초과하는 부분에 대해서는 비영업자산으로 인식하여 투하자본에서 배제하여 처리해야 한다.

ⓕ 투하자본의 현재가치 판단

감정평가 시 적용되어야 할 투하자본은 궁극적으로 제시받은 재무상태표상의 계정 합계액이 아니라 평가시점의 현재가치가 되어야 한다. 비유동자산의 현재가치가 적정하게 반영되지 않으면 유형자산(⑩ 토지, 건물 등)의 가치변동분이 영업권가액으로 이전되는 결과가 발생하게 된다. 따라서 제시받은 자료상의 비유동자산의 현재가치와 장부가액의 차이가 있다고 판단되는 경우에는 현재가치를 반영하여 투하자본을 산정하여야 한다.

ⓛ 영업권 평가의 요약

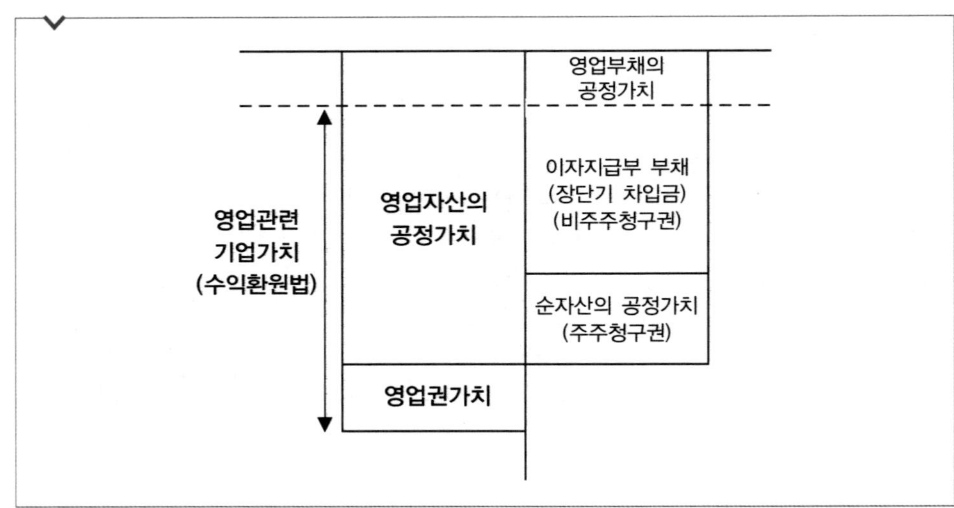

ⓒ 영업권 평가의 절차

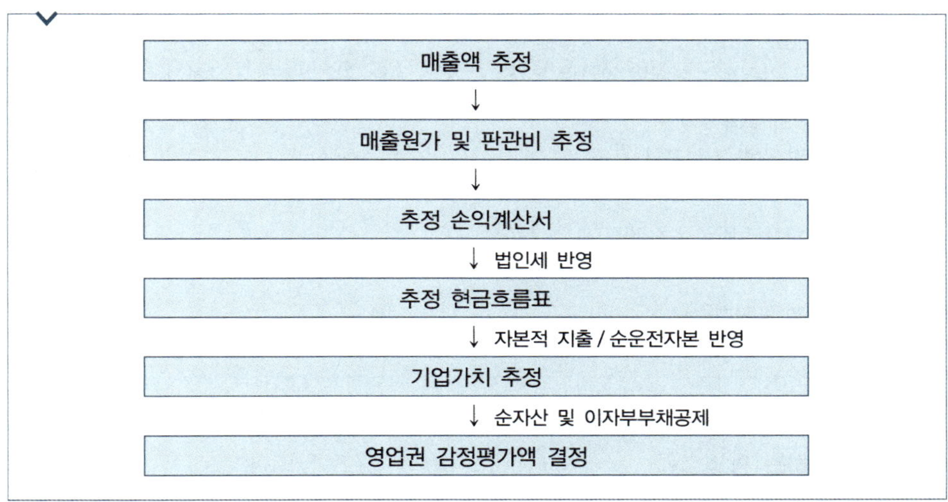

ⓓ 영업권 평가 예시

= 영업가치(기업가치)	670,061,301	
− 비주주청구권	119,666,670	장기차입금
− 주주청구권	276,496,543	
공정자산가치	477,607,393	
공정부채가치	201,110,850	
영업권 감정평가액	270,000,000원	

기본예제

아래의 자료를 활용하여 주식회사 SLA의 영업권을 평가하라.

자료 1

현재 영업 관련 기업가치 : 1,000,000,000원

자료 2 투하자본 관련 자료

1. 토지 : 300,000,000원
2. 건물 : 150,000,000원
3. 집합건물(비업무용) : 100,000,000원
4. 기계기구 : 50,000,000원
5. 매출채권 및 재고자산 : 200,000,000원
6. 이자부부채 : 200,000,000원
7. 매입채무 : 150,000,000원

예시답안

Ⅰ. 평가개요

본건은 기준시점 현재의 영업권 평가로서 영업 관련 기업가치에서 투하자본을 차감하여 결정한다.

Ⅱ. 영업권의 평가

1. 영업 관련 기업가치

1,000,000,000원

2. 투하자본(비업무용 제외)

$(300,000,000 + 150,000,000 + 50,000,000 + 200,000,000) - 150,000,000 = 550,000,000$원

3. 영업권 가치

$1,000,000,000 - 550,000,000 = 450,000,000$원

---

② 대상기업이 달성할 것으로 예상되는 지속가능기간의 초과수익을 현재가치로 할인하거나 환원하는 방법

초과이익을 환원하여 영업권을 산정하는 방식은 영업권이 동종 기업의 정상적 이익을 초과하는 이익의 현재가치라는 정의에 부합하는 평가방법이다. 이 방법은 영업권만을 단독으로 감정평가할 때 기업가치와 영업권을 제외한 자산의 가치를 모두 산정해야 하는 잔여방식을 활용한 방식에 비해 상대적으로 간단하다는 장점이 있다.

다만, 해당 기업의 초과수익을 측정하는 과정에서 개별기업의 특성에 따른 정상수익률 산정이 어렵고 그 초과수익의 지속기간 판단에 주관이 많이 개입되어 이 방식을 많이 사용하지 않는다. 초과이익은 유사한 자산 규모를 가진 통상의 기업의 정상이익을 상회하는 이익을 뜻한다. 이때 초과이익이란 매출의 증가뿐만 아니라 비용의 감소 또는 투자의 감소 등을 모두 포괄하는 개념이다. 또한 영업권과 그 밖의 무형자산을 포괄하여 가치를 산정하는 경우에는 초과이익의 발생원인을 사용, 소유, 소유로 인한 비용의 미지출 등으로 세분하여 분석하고 초과이익의 정도를 파악하여야 한다. 초과이익의 결정을 위한 정상이익률로는 i) 해당기업이 속한 산업의 유사기업의 평균이익률, ii) 해당기업이 속한 산업의 평균이익률, iii) 투자자 관점에서 (최소)요구수익률인 해당 기업의 자기자본비용을 이용하여 산정하는 것을 고려할 수 있다.

㉠ 초과수익의 산정

> 대상영업이익 − 투하자본(공정가치, 비업무용 자산 제외) × 동종업계 정상수익률

㉡ 환원 및 할인방법

> • 영구순이익 환원법
>
> 영업권의 가치 $= \dfrac{\text{평균순이익} - (\text{순자산의 공정가치} \times \text{정상순이익률})}{\text{초과순이익률}}$
>
> • 유기환원법 : 영업권가치 $=$ 초과순이익 $\times$ PVAF(r%, 지속연수)

기 본예제

감정평가사 A는 ㈜프라임의 영업권 감정평가를 의뢰받고 초과이익할인방식을 통해서 감정평가하고자 한다. 아래 제시된 정보를 통하여 감정평가를 진행하시오(기준시점 : 2027년 1월 1일).

자료 1 ㈜프라임의 연간 매출추이(단위 : 백만원)

연도	2024	2025	2026
매출액	4,000	4,200	4,410
전년대비 상승률	5.0%	5.0%	5.0%

풀이영상

자료 2 매출원가 및 영업경비율 : 합산하여 매출액 대비 80%가 소요됨.

자료 3 재무상태표(단위 : 백만원)

구분		금액	구분		금액
유동자산	현금	200	유동부채	외상매입금	200
	외상매출금	500		단기차입금	500
	재고자산	1,000	비유동부채	장기차입금	2,000
비유동자산	토지, 건물	2,000	자본	자본금	1,000
	기계기구	500		이익잉여금	500
합계		4,200	합계		4,200

>> 상기자산 및 부채는 모두 영업용임.

자료 4 그 밖의 사항

1. 정상적인 영업이익률은 투하자본대비 20%이다.
2. 할인율은 15%를 적용한다.
3. 초과수익은 5년간 지속될 것으로 보인다.
4. 영업권 평가액은 반올림하여 백만원단위까지 표시한다.

예시답안

1. 평가개요

본건은 ㈜프라임의 영업권에 대한 감정평가로서 초과수익환원법에 의한다.

2. ㈜프라임의 추정 영업이익

⑴ 추정매출액(매출액은 매년 5% 상승됨) : 4,410,000,000 × 1.05 = 4,630,500,000원

⑵ 추정영업이익 : 4,630,500,000 × (1 − 0.8) = 926,100,000원

3. 초과수익

⑴ 투하자본 : 4,200,000,000(영업자산) − 200,000,000(영업부채) = 4,000,000,000원

⑵ 정상영업이익 : 4,000,000,000 × 0.2 = 800,000,000원

⑶ 초과수익 : 926,100,000 − 800,000,000 = 126,100,000원

4. 영업권 평가액

$$126,100,000 \times \frac{1 - (\frac{1.05}{1.15})^5}{0.15 - 0.05} \fallingdotseq 461,000,000원$$

③ 대상 영업권의 수익에 근거하여 합리적으로 감정평가할 수 있는 다른 방법이 있는 경우에는 그에 따라 감정평가할 수 있다.

(3) 거래사례비교법

① 영업권이 다른 자산과 독립하여 거래되는 관행이 있는 경우에는 같거나 비슷한 업종의 영업권만의 거래사례를 이용하여 대상 영업권과 비교하는 방법
② 같거나 비슷한 업종의 기업 전체 거래가격에서 영업권을 제외한 순자산 가치(투하자본)를 차감한 가치를 영업권의 거래사례 가격으로 보아 대상 영업권과 비교하는 방법
③ 대상 기업이 유가증권시장이나 코스닥시장에 상장되어 있는 경우에는 발행주식수에 발행주식의 주당 가격을 곱한 가치에서 영업권을 제외한 순자산가치를 차감하는 방법

> 영업권 가치 = 발행주식수 × 주식시가 - (영업권을 제외한 자산평가액 - 부채합계액)

≫ 발행주식수에 주식시가를 곱한 금액은 해당 기업의 시가총액이 될 것이다.

(4) 원가법

① 원가법의 적용방법

㉠ 기준시점에서 새로 취득하기 위해 필요한 예상비용에서 감가요인을 파악하고 그에 해당하는 금액을 공제하는 방법

> 영업권 가치 = 기업매수를 위해 지급한 총금액 - 확인가능한 순자산의 공정가치

㉡ 대상 무형자산의 취득에 든 비용을 물가변동률 등에 의해 기준시점으로 수정하는 방법
㉢ 대상 영업권의 원가에 근거하여 합리적으로 감정평가할 수 있는 다른 방법이 있는 경우에는 그에 따라 감정평가할 수 있다.

② 원가법 적용 시 유의사항

재생산비용을 원본의 재연으로 설정할 것인지, 원본 효용의 재연으로 할 것인지에 대한 결정이 필요하다. 또한 원가법 적용의 경우 기업활동의 노하우 및 효율성, 경영 능력 등에 의하여 발생하는 영업권에 대하여 취득비용을 감안한다는 논리적 모순이 있으며, 초과수익이 발생하는 한 영속적으로 존재하는 영업권에 대하여 감가수정의 적용에 문제가 있을 수 있다.

2. 지식재산권의 감정평가

1) 정의

지식재산권	특허권·실용신안권·디자인권·상표권 등 산업재산권 또는 저작권 등 지적창작물에 부여된 재산권에 준하는 권리
특허권	「특허법」에 따라 발명 등에 관하여 독점적으로 이용할 수 있는 권리
실용신안권	「실용신안법」에 따라 실용적인 고안 등에 관하여 독점적으로 이용할 수 있는 권리

디자인권	「디자인보호법」에 따라 디자인 등에 관하여 독점적으로 이용할 수 있는 권리
상표권	「상표법」에 따라 지정상품에 등록된 상표를 독점적으로 사용할 수 있는 권리
저작권	「저작권법」 제4조의 저작물에 대하여 저작자가 가지는 권리

2) 조사 · 확인사항

구분	조사 및 확인사항
특허권	① 등록특허공보를 통한 특허권의 내용 ② 특허의 기술적 유효성과 경제적 유효성 ③ 특허권자, 특허권의 존속기간, 존속기간 연장 여부 ④ 특허권의 효력 및 계약관계 ⑤ 특허권의 수용 여부 및 질권설정 여부 ⑥ 특허권에 관한 심판 · 소송 여부 ⑦ 재무상태표상 특허권의 장부가치
상표권	① 상표등록증을 통한 상표권의 내용 ② 상표권자, 출원인, 상표권의 존속기간, 존속기간 갱신 여부 ③ 상표권의 효력, 계약관계 및 등록상표 등의 보호범위 ④ 상표권의 소송 여부 및 질권설정 여부 ⑤ 재무상태표상 상표권의 장부가치
저작권	① 저작자의 실명 · 이명 · 국적 · 주소 · 거소 ② 저작물의 제호 · 종류 · 창작연월일 ③ 저작물 공표 여부 · 공표연월일 · 공표된 국가 ④ 저작인격권(공표권 · 성명표시권 · 동일성유지권) ⑤ 저작재산권(복제권 · 공연권 · 공중송신권 · 전시권 · 배포권 · 대여권) ⑥ 실연자의 권리(복제권 · 배포권 · 대여권 · 공연권 · 방송권 · 전송권 등) ⑦ 음반제작자의 권리(복제권 · 배포권 · 대여권 · 전송권 등) ⑧ 방송사업자의 권리(복제권 · 동시중계방송권) ⑨ 저작재산권의 양도, 질권의 행사, 권리변동

3) 자료의 수집 및 정리

각 권리의 거래사례자료, 비용자료, 수익자료, 시장자료, 그 밖에 감정평가액 결정에 참고가 되는 자료를 수집한다.

4) 지식재산권의 감정평가방법

(1) 감정평가의 원칙

① 지식재산권을 감정평가할 때에는 수익환원법을 적용하여야 한다.

② 수익환원법으로 감정평가하는 것이 곤란하거나 적절하지 아니한 경우에는 거래사례비교법이나 원가법으로 감정평가할 수 있다.

(2) 수익환원법의 적용

① 해당 지식재산권으로 인한 현금흐름을 현재가치로 할인하거나 환원하여 산정하는 방법

기업이나 개인이 창출하는 전체 현금흐름에서 지식재산권만의 현금흐름이 파악되고, 이에 대한 할인율과 환원율을 구할 수 있는 경우에 적용하는 감정평가방법이다. 여기서 중요한 것은 지식재산권의 현금흐름을 파악하는 것으로 다음과 같은 방법이 적용될 수 있다.

㉠ 해당 지식재산권으로 인해 절감 가능한 사용료를 기준으로 산정하는 방법

㉡ 해당 지식재산권으로 인해 증가된 현금흐름을 기준으로 산정하는 방법

㉢ 기업의 총이익 중에서 해당 지식재산권에 일정비율을 배분하여 현금흐름을 산정하는 방법

　　[현금흐름 = 영업이익 − 투하자산귀속 현금흐름(투하자산가액 × 귀속할인율(%)]

⁝ 기술의 경제적 수명에 대한 판단

> 해당 기술이 경쟁우위를 유지할 수 있는 기간으로서 아래의 예시와 같이 결정한다.

(예시) 대상기술 : 고강도 합금강 제조방법

① 대상기술의 TCT지수(년)

IPC	기술명	평균	Q1	Q2	Q3
C21B	철 또는 강의 제조	9.45	5	8	14
C22C	합금의 처리	10.89	4	8	15
산출값(산술평균)		10.17	4.5	8	14.5

② 기술수명 영향요인

구분	세부 영향요인	평점				
		−2	−1	0	1	2
기술/권리 요인	우월성		■			
	기술경쟁강도		■			
	대체가능성				■	
	모방난이도			■		
	권리보호강도			■		
시장/사업 요인	시장진입 가능성				■	
	시장경쟁강도				■	
	시장경쟁의 변화			■		
	신제품 출현가능성			■		
	예상 시장점유율			■		
수명영향요인 평점 합계		2점				

③ 기술의 경제적 수명

> • 대상기술의 경제적 수명 $= Q_2 + (Q_3 - Q_2) \times (\dfrac{평점합계}{20})$, If 평점합계 ≥ 0
>
> $\qquad = 8 + (14.5 - 8) \times (\dfrac{2}{20}) = 8.7년 ≒ 9년$

④ 기술의 경제적 수명 결정
- 대상기술의 경제적 수명(9년) < 법적 잔존권리기간(15년)
  ∴ 기술의 경제적 수명은 9년
⑤ 현금흐름 추정기간 결정(사업화 준비기간 1년)

> - 현금흐름 추정기간 = 사업화 준비기간(1년) + 기술의 경제적 수명(9년) = 10년

기 본예제

다음 제시된 기업이 보유한 특허권에 대한 시장가치를 감정평가하시오.

자료

1. 특허권 전체 유효 경제적 수명 : 8년
2. 등록시점 이후 경과연수 : 5년
3. 로열티율 : 매출액대비 3.5%
4. 1차년도 매출액 : 20억원(향후 3%씩 증가)
5. 가중평균자본비용 : 20%
6. 특허권 감정평가액은 반올림하여 십만원 단위까지 표시
7. 세율 : 20%

예시답안

1. 잔존 경제적 수명 : 3년

2. 특허권 가치

$$2,000,000,000 \times (1-0.2) \times 0.035 \times \frac{1-\left(\dfrac{1.03}{1.20}\right)^{3}}{0.20-0.03} \fallingdotseq 121,100,000원$$

② **기업 전체에 대한 영업가치**(영업권의 평가방법 준용)**에 해당 지식재산권의 기술기여도를 곱하여 산정하는 방법**

기업 전체에 대한 영업가치를 산정하고, 산정된 영업가치를 기준으로 해당 지식재산권의 기술기여도를 곱하여 산정하는 방법을 말한다. 여기서 기술기여도는 기업의 경제적 이익 창출에 기여한 유·무형의 기업 자산 중에서 해당 지식재산권이 차지하는 상대적인 비율을 말한다. 즉, 이 방법에서는 기술기여도를 측정하는 것이 무엇보다 중요하며, 산정방법은 다음과 같다.

㉠ 비슷한 지식재산권의 기술기여도를 해당 지식재산권에 적용하는 방법
㉡ 산업기술요소·개별기술강도·기술비중 등을 고려한 기술요소법

◦ 기술기여도의 산출방법

> 기술기여도(%) = 산업기술요소 × 기술의 비중 × 개별기술강도

- 산업기술요소
  - 산업기술요소는 산업별로 기업가치에서 무형자산을 분리한 후 무형자산 중에서 기술자산을 분리하여 산출한 값임(기업가치에서 기술자산이 차지하는 비율).
  - 산업기술요소 = 최대 실현 무형자산가치비율 × 평균기술자산비율
  - 산업기술요소(예시)

표준산업분류 코드		최대무형자산 가치비율	기술자산비율	산업기술요소
C21	의료용 물질 및 의약품 제조업	88.01%	96.89%	85.28%

  - 무형자산가치 = 기업시장가치(시가총액) − 순자산가치
  - 순자산가치 = 자산총액 − 부채총액
  - 무형자산가치비율 = 무형자산가치 / 기업시장가치(시가총액)
  - 기술자산비율 = 연구개발비 / (연구개발비 + 광고선전비 + 교육훈련비)

- 개별기술강도

  기술성은 기술과 권리적 측면에서 대상기술의 유용성 및 경쟁성 수준을 통해 사업가치에 기여한 정도를 평가하는 것이며, 사업성은 시장과 사업적인 측면에서 대상기술 제품의 사업적 경쟁우위를 통해 사업가치에 기여한 정도를 평가한 것이다.

- 개별기술강도 결정
  - 기술성 평가에 의한 개별기술의 기술성 강도비율 결정
  - 사업성 평가에 의한 개별기술의 사업성 강도비율 결정
  - 개별기술강도 : 기술성 강도비율 및 사업성 강도비율을 합산하여 개별기술강도 비율 결정

구분	기술성	사업성
개별기술특성점수	35점	37점
개별기술강도 비율 (기술성 및 사업성 강도의 합산)	72%	

  - 기술의 비중

    대상기술 제품(서비스)을 구성하는 전체 기술 중에서 대상 기술이 차지하는 비중을 말한다. 예를 들어 타 기술의 비중이 45%이면, 해당 기술의 비중은 55%일 것이다.

  - 기술기여도 결정

    기술기여도 = 산업기술요소 × 개별기술강도 × 기술의 비중

    기술기여도 = 85.28% × 72% × 55% ≒ 33.8%

기 본예제

다음 제시된 기업이 보유한 특허권에 대한 시장가치를 감정평가하되, 평가액은 반올림하여 천원 단위까지 결정한다.

자료

1. 1기 FCFF : 1,000,000,000
2. 할인율(WACC) : 20%
3. 특허권의 경제적 수명 : 10년
4. 특허권의 등록시점 : 2019.12.31.
5. 기준시점 : 2025.12.31.
6. 산업기술요소 : 70%
7. 개별기술강도 : 60%

예시답안

1. 잔존 경제적 수명 : 4년

2. 기술기여도
$70\% \times 60\% = 42\%$

3. 특허권 가치

$$\left(1{,}000{,}000{,}000 \times \frac{1.2^4 - 1}{0.2 \times 1.2^4}\right) \times 0.42 \fallingdotseq 1{,}087{,}269{,}000원$$

③ 대상 지식재산권이 창출할 것으로 기대되는 적정 수익에 근거하여 합리적으로 감정평가할 수 있는 다른 방법이 있는 경우에는 그에 따라 감정평가할 수 있다.

⑶ **거래사례비교법의 적용**

① **비슷한 지식재산권의 거래사례와 비교하는 방법**

동종 또는 유사한 지식재산권이 실제 거래된 사례가 있는 경우에는 거래사례비교법을 적용할 수 있다. 다만, 현실적으로 지식재산권은 배타적이고 독점적인 권리이기 때문에 완벽하게 동일한 유사 거래는 존재하지 않을 수 있으나, 비슷하다고 여겨질만한 지식재산권이 존재하고 실제 거래된 경우에는 거래사례비교법은 유용한 감정평가방법이 될 수 있다.

② **매출액이나 영업이익 등에 시장에서 형성되고 있는 실시료율을 곱하여 산정된 현금흐름을 할인하거나 환원하여 산정하는 방법**[44]

매출액이나 영업이익 등에 시장에서 형성되고 있는 실시료율을 곱하여 산정된 현금흐름을 할인하거나 환원하여 산정하는 방법을 말하며, 여기서 실시료율은 지식재산권을 배타적으로 사용하기 위해 제공하는 기술사용료의 산정을 위한 것으로, 사용기업의 매출액이나 영업이익 등에

---

44) 해당 방법은 수익환원법에서의 로열티공제법과 맥을 같이 한다. 로열티공제법은 로열티 수입을 현재가치로 환원하여 가치를 산정하기 때문에 수익방식으로 분류되기도 하고, 시장에서 거래된 사례의 로열티 또는 로열티율을 참조하여 결정할 수 있기 때문에 시장방식으로 분류되기도 한다.

대한 비율을 말한다. 실시료율 산정 시 고려사항은 ⅰ) 지식재산권의 개발비, ⅱ) 지식재산권의 특성, ⅲ) 지식재산권의 예상수익에 대한 기여도, ⅳ) 실시의 난이도, ⅴ) 지식재산권의 사용기간 및 ⅵ) 그 밖에 실시료율에 영향을 미치는 요인 등이다.

⑷ 원가법의 적용

① 기준시점에서 새로 취득하기 위해 필요한 예상비용에서 감가요인을 파악하고 그에 해당하는 금액을 공제하는 방법

② 대상 지식재산권을 제작하거나 취득하는 데에 들어간 비용을 물가변동률 등에 의해 기준시점으로 수정하는 방법

③ 대상 지식재산권의 원가에 근거하여 합리적으로 감정평가할 수 있는 다른 방법이 있는 경우에는 그에 따라 감정평가할 수 있다.

⦂ 영업권과 지식재산권 비교

	영업권	지식재산권
정의	기업의 브랜드 명성, 고객 관계, 조직력 등 동종 업종보다 더 높은 수익을 낼 수 있는 '초과 수익력'	인간의 창조적 활동이나 경험 등으로 창출된 지식, 정보, 기술 등에 부여되는 '법적 권리'
발생원인	기업 활동 전반, 명성, 고객 관계	지식재산처 등록이나 창작 활동 등 법적 절차를 통해 발생
식별가능성	식별불가. 기업 전체와 분리하여 양도하거나 매각할 수 없음	식별가능. 특정 권리(특허, 상표 등)를 개별적으로 분리하여 매매하거나 대여 가능
법적 보호	법적 보호보다는 기업 경쟁력으로 유지	관련 법률(특허법, 상표법 등)에 의해 강력하게 보호됨
회계처리	주로 M&A 시 인식	개별적으로 가치 평가 및 등록

제8절　유가증권(주식 및 채권) 등의 감정평가

1. 유가증권 등의 감정평가

> **감정평가에 관한 규칙 제24조**(유가증권 등의 감정평가)
>
> ① 감정평가법인등은 주식을 감정평가할 때에 다음 각 호의 구분에 따라야 한다.
>   1. 상장주식(「자본시장과 금융투자업에 관한 법률」 제373조의2에 따라 허가를 받은 거래소(이하 "거래소"라 한다)에서 거래가 이루어지는 등 시세가 형성된 주식으로 한정한다) : 거래사례비교법을 적용할 것
>   2. 비상장주식(상장주식으로서 거래소에서 거래가 이루어지지 아니하는 등 형성된 시세가 없는 주식을 포함한다) : 해당 회사의 자산·부채 및 자본 항목을 평가하여 수정재무상태표를 작성한 후 기업체의 유·무형의 자산가치(이하 "기업가치"라 한다)에서 부채의 가치를 빼고 산정한 자기자본의 가치를 발행주식 수로 나눌 것
> ② 감정평가법인등은 채권을 감정평가할 때에 다음 각 호의 구분에 따라야 한다.
>   1. 상장채권(거래소에서 거래가 이루어지는 등 시세가 형성된 채권을 말한다) : 거래사례비교법을 적용할 것
>   2. 비상장채권(거래소에서 거래가 이루어지지 아니하는 등 형성된 시세가 없는 채권을 말한다) : 수익환원법을 적용할 것
> ③ 감정평가법인등은 기업가치를 감정평가할 때에 수익환원법을 적용해야 한다.

2. 주식(Stock)의 감정평가

1) 주식의 의미

주식회사는 주식의 발행을 통하여 자본을 조달하게 되며, 자본을 납입한 주체인 출자자들은 주식이라는 세분화된 비율적 단위로서 그 권리와 의무를 가지게 된다. 주식이란 주식회사의 자본을 구성하는 금액적 의미와 주주의 권리 및 의무의 단위로서의 주주권(株主權)의 의미를 가진다. 주식은 주주 1인이 다량을 보유할 수 있고, 그 보유비율에 따라 권한과 의무의 범위가 결정된다. 주식의 수(數)를 주(株) 단위로 나타내며, 주식의 소유자를 주주(株主)라고 부른다.

2) 한국거래소의 시세가 있는 상장주식(Listed Stock)

(1) 정의

상장(上場)이란 「자본시장과 금융투자업에 관한 법률」에 따른 허가를 받고 개설된 거래소에서 주권을 매매할 수 있도록 인정하는 것을 의미하며, 상장주식(上場株式)이란 상장된 회사의 주식을 말한다. 회사는 상장을 통하여 자금조달능력을 증대시키고, 기업의 홍보효과 및 공신력을 제고하며, 각종 세제상의 혜택과 경영의 합리화를 도모할 수 있게 된다. 다만, 주권의 상장은 해당 주권이 증권시장을 통하여 자유롭게 거래될 수 있도록 허용하는 것을 의미할 뿐, 해당 주권의 가치를 보증받는 것은 아님에 유의하여야 한다.

(2) 조사 · 확인사항

양도방법과 그 제한, 지급기간 미도래의 이익 또는 배당권 부착 여부, 상장일자, 발행일자, 거래상황, 실효 · 위조 · 변조의 여부, 그 밖에 주식에 관련된 사항을 조사 · 확인해야 한다.

> **실지조사의 생략**
>
> 감정평가의 절차 중 조사 · 확인 절차는 사전조사와 실지조사로 구분할 수 있으나, 상장주식의 경우 실물을 확인할 수 없는 경우가 많고 실물을 확인한다 하더라도 그 증권의 물리적인 측면은 감정평가의 고려대상이 아니므로, 대상물건인 상장주식을 확인할 필요가 없다. 「감정평가에 관한 규칙」 제10조 제2항 제2호에서도 "유가증권 등 대상물건의 특성상 실지조사가 불가능하거나 불필요한 경우"에는 실지조사를 생략할 수 있다고 규정하고 있다.
>
> 따라서 「실무기준」에서는 상장주식의 조사 · 확인사항을 규정할 때 사전조사와 실지조사로 구분하고 있지 않다.

(3) 감정평가방법

① 원칙

거래사례비교법을 적용한다. 대상 상장주식의 기준시점 이전 30일간 실제거래가액의 합계액을 30일간 실제 총 거래량으로 나누어 감정평가한다.

$$\text{거래사례비교법에 따른 상장주식의 가액} = \frac{\text{기준시점 이전 30일간 실제거래가액의 합계액}}{\text{30일간 실제 총 거래량}}$$

② 예외

    ㉠ 기준시점 이전 30일간의 기간 중 증자 · 합병 또는 이익이나 이자의 배당 및 잔여재산의 분배청구권 또는 신주인수권에 관하여 「상법」에 따른 기준일의 경과 등의 이유가 발생한 상장주식은 그 이유가 발생한 다음 날부터 기준시점까지의 실제거래가액의 합계액을 해당 기간의 실제 총 거래량으로 나누어 감정평가한다.

    ㉡ 상장주식 중 거래소에서 매매가 이루어지지 않거나, 특정한 이유로 인하여 매매가 정지되어 있는 경우가 있다. 이 경우에는 거래사례비교법을 적용하는 것이 곤란하므로, 비상장주식의 감정평가방법에 따라 감정평가한다.

3) 증권거래소의 시세가 없는 주식과 비상장주식(Unlisted Stock)

(1) 비상장주식의 정의

비상장주식은 「자본시장과 금융투자업에 관한 법률」에서 규정하고 있는 주권상장법인을 제외한 법인의 주권을 의미한다. 즉, 증권시장에 상장된 주권을 발행한 법인 또는 주권과 관련된 증권예탁증권이 증권시장에 상장된 경우 그 주권을 발행한 법인을 제외한 법인의 주권이다. 일반적으로는 거래소에 상장되지 아니한 법인의 주권을 의미한다.

(2) 비상장주식 감정평가의 중요성 등 [45]

자본주의 시장경제에서 기업의 주식가치가 합리적이고 적정하게 결정된다는 것은 매우 중요한 일이다. 주식의 가치가 올바르게 형성되어야 자원의 분배 및 투자를 적정하게 할 수 있기 때문이다. 특히, 비상장주식의 감정평가는 상장주식의 감정평가보다 복잡하고 어렵기 때문에 객관적인 가치 평가에 많은 문제가 발생한다. 거래소에 상장된 주식은 거래된 가격이 객관적으로 이용될 수 있는 데 비해 비상장주식은 이와 같은 객관적 자료가 없기 때문이다.

비상장주식의 감정평가는 ⅰ) 회사 경영권을 매입하는 투자의 경우, ⅱ) 국유주식의 처분, ⅲ) 상장을 위해 공개되는 경우의 공모가격, ⅳ) 상속세 과세를 위한 경우 등에 필요하게 되며, 이러한 경우 투자자, 채권자, 경영자, 정부 등 이해관계인에게는 첨예한 대립이 예상될 수 있다.

경제사회의 발전에 따라 이해관계인 또는 정보이용자는 다양화되고 있는 추세이며, 합리적이고 객관적인 주식가치의 평가의 필요성은 더욱 증대된다고 할 수 있다.

하지만 이러한 비상장주식의 평가는 수익환원법의 경우 수익의 지속성, 할인율의 산정에 있어 벤치마크 선정의 어려움, 거래사례비교법에 있어서는 유사기업자료가 공개되지 않고 상장기업 활용 시 유동성에 대한 조정, 원가법은 계속기업의 가치를 근원적으로 설명하지 못하는 한계점으로 인하여 감정평가에 어려움이 있다.

(3) 조사 · 확인사항

계속기업의 전제 확인(계속기업으로 평가할 수 없는 경우 청산가치로 평가해야 한다), 기업재무제표의 활용, 경제 · 산업 · 기업개요의 파악, 소유지분의 비중에 따른 지배력(Controllability)과 시장성(Marketability), 영업권과 지식재산권 등에 대한 검토절차, 주식양도방법 등의 확인, 그 밖에 자산에 관한 사항 등을 조사 · 확인해야 한다.

(4) 자료의 수집 및 정리

① 가격자료

　㉠ 해당 기업을 구성하는 자산은 해당 물건의 자료의 수집 및 정리 규정을 준용한다.

　㉡ 거래사례 : 해당 기업의 과거 지분 거래가격, 유사기업의 인수 및 합병 시 거래가격 등

　㉢ 수익자료 : 재무제표 · 현금흐름추정자료 등

　㉣ 시장자료 : 경제성장률, 물가상승률, 금리, 환율, KOSDAQ지수, KOSPI지수, 유사기업의 주식가격 등

　㉤ 그 밖에 감정평가액 결정에 참고가 되는 자료

---

45) 감정평가실무기준 해설서(Ⅰ) 총론편, 한국감정평가사협회 등, 2014.02, p.494

② **경제분석자료**(관련 산업이나 기업활동에 영향을 미칠 수 있는 자료)

경제성장 및 고용·임금자료(경제성장률, 국내총투자율, 제조업평균가동률, 명목임금증감률, 실업률 등), 물가자료(생산자물가상승률, 수입물가등락률, 유가등락률 등), 통화와 금융·증권자료(어음부도율, 이자율과 할인율, 종합주가지수 등), 국제수지와 무역·외환자료(경상수지, 환율, 외환보유액, 수출증감률 등)

③ **산업분석자료**(대상기업이 속하는 산업환경에 영향을 미칠 수 있는 자료)

관련 산업의 기술이나 유통과정 또는 재무구조적 특성, 해당 산업의 시장전망과 규모 및 경제적 지위, 제품 및 원재료의 수요·공급에의 영향요인, 경기변동이나 산업수명주기상의 추정단계, 해당 산업에서의 시장진입의 난이도, 예상되는 행정규제 및 지원 등

④ **내부현황분석자료**

㉠ 기업개요사항 : 조직형태, 기업연혁, 계열관계, 주요주주 및 경영진의 약력, 사업개요, 주요 시장 및 고객과 경쟁사현황 등

㉡ 생산·제조활동사항 : 주요제품과 서비스, 생산설비와 생산능력 및 가동률, 생산라인의 기술인력, 시설의 리스와 노후화 및 유지보수 정도 등

㉢ 영업활동사항 : 주요 원재료 및 구입처와 구입현황, 주요 제품별 생산공정 및 매출현황, 주요 거래처별 매출실적과 채권 회수 및 부실현황, 제품개발 및 영업신장계획 등

㉣ 재무·회계관련사항 : 과거 일정기간의 감사보고서, 결산서, 세무신고납부서류, 운영계획 및 예산서, 영업보고서 및 주요 비용분석자료, 차입금 및 담보제공현황, 소송 및 지급보증현황 등

⑸ **비상장주식의 감정평가방법**

① **일반적인 방법**[자기자본가치(순자산가치)법]

해당 회사의 자산, 부채 및 자본항목을 기준시점 현재의 가액으로 평가하여 수정재무상태표를 작성한 후, 자산총계에서 부채총계를 공제한 기업체의 자기자본가치(순자산가치)를 발행주식수로 나누어 비상장주식의 주당가액을 평가하는 방법이다.

즉, 자기자본이란 재무상태표에서 총자산에서 총부채를 차감한 금액을 말하는 것으로, 여기서 총자산과 총부채를 판단함에 있어서는 회계적으로 평가되어 재무제표에 기재되어 있는 가치를 적용하는 것이 아니라, 각각의 자산과 부채에 대하여 기준시점 현재의 공정가치를 평가하고, 이를 토대로 수정재무상태표를 작성하여 여기서의 총자산에서 총부채를 차감하여 평가를 하여야 한다.

$$\text{비상장주식의 가치} = \frac{\text{기준시점에서의 자기자본가치(기업가치} - \text{총부채)}}{\text{발행주식수}}$$

기업가치 감정평가 시에는 기업가치 평가방법을 적용한다.

② **비슷한 주식의 거래가격이나 시세 또는 시장배수가 있는 경우**

비상장주식의 주당가치를 거래가격, 시세, 시장배수 등을 통해서 직접 산정할 수 있다.

기 본예제

다음의 비상장주식을 주어진 자료에 따라 평가하라.

풀이영상

자료 1 기준시점

2026.12.31.

자료 2 평가목적

일반거래

자료 3 해당 기업의 법인 등기사항전부증명서(일부) 등

1주의 금액	금 5,000원	
발행할 주식의 총수	500,000주	
발행주식의 총수와 그 종류 및 각각의 수	자본금의 액	
발행주식의 총수 400,000주 보통주식 400,000주	금 2,000,000,000원	

평가의뢰 주식수 : 300,000주

자료 4 재무상태표

제시된 ○○주식회사의 제34기(2026.1.1.~2026.12.31.) 재무상태표는 다음과 같음.

(단위 : 천원)

차변		대변	
과목	금액	과목	금액
현금과 예금	655,000	외상매입금	300,000
유가증권	50,000	지급어음	700,000
외상매출금	800,000	차입금	1,500,000
받을어음	1,000,000	미지급비용	130,000
재고자산	200,000	손실충당금	20,000
선급비용	95,000	건물감가상각충당금	100,000
부도어음	100,000	기계장치감가상각충당금	1,600,000
토지	500,000	퇴직급여충당금	150,000
건물	700,000	자본금	2,000,000
기계장치	3,400,000	이익준비금	500,000
		당기말미처분이익잉여금	500,000
	7,500,000		7,500,000

자료 5 수정사항

1. 유가증권은 상장주식으로서 ㈜S의 보통주 100주이며, 최종 종가는 @410,000원이며, 최근 30일 거래량 가중 평균 단가는 @400,000원이다.
2. 매출채권(받을어음 포함)잔액에 대하여 2%의 손실충당금을 설정함.
3. 재고자산은 220,000,000원으로 평가함(재고자산 중 제품과 재공품 잔액은 없음).
4. 부도어음은 회수불가능한 채권임.

5. 토지는 1,100,000,000원으로 평가함.
6. 건물은 800,000,000원으로 평가함.
7. 기계장치는 1,650,000,000원으로 평가함.
8. 기준시점 현재 회사내규인 퇴직급여규정에 따라 계산된 퇴직급여충당금 필요설정액은 250,000,000원임.
9. 보험료 미경과분 1,000,000원을 추가함.
10. 급료미지급액 45,000,000원을 추가함.

예시답안

Ⅰ. 평가개요

비상장주식은 기업체의 순자산가치를 발행주식수로 나누어 평가하므로 본건은 주당가격을 산정한 후 주당가격에 주식수를 곱하여 평가한다(기준시점: 2026.12.31.).

Ⅱ. 수정 후 재무상태표 작성(단위: 천원)

계정과목	수정 전	조정내역	수정 후
현금과 예금	655,000	–	655,000
유가증권	50,000	(−)10,000	40,000*
외상매출금	1,800,000	(−)16,000	1,764,000**
받을어음	(20,000)		
재고자산	200,000	+20,000	220,000
선급비용	95,000	+1,000	96,000
부도어음	100,000	−100,000	0
토지	500,000	+600,000	1,100,000
건물	700,000 (100,000)	+200,000	800,000
기계장치	3,400,000 (1,600,000)	−150,000	1,650,000
자산 총액			6,325,000
외상매입금	300,000	–	300,000
지급어음	700,000	–	700,000
차입금	1,500,000	–	1,500,000
미지급비용	130,000	+45,000	175,000
퇴직급여	150,000	+100,000	250,000
부채 총액			2,925,000

* 최근 30일 거래량 가중평균단가 기준(@400,000 × 100주)

** 외상매출금 및 받을 어음: $(1,000,000 + 800,000) \times (1 - 0.02)$

Ⅲ. 순자산가치(단위: 천원)

$6,325,000 - 2,925,000 = 3,400,000$

Ⅳ. 주식평가액

1. 처리방침

발행주식수를 기준으로 주당가치를 산정한다.

2. 비상장주식의 감정평가액

$3,400,000,000 \div 400,000 = 8,500$원/주($\times$ 300,000주 $= 2,550,000,000$원)

3. 채권(Bond)의 감정평가 [46]

1) 개요

(1) 정의

채권은 정부, 지방자치단체, 공공기관, 주식회사 등이 자금을 조달하기 위하여 일정한 기간 동안 정기적으로 약정된 이자를 지급하고, 만기일에 원금을 상환할 것을 약정하여 발행한 일종의 차용증서를 말한다.

일반적으로 채권은 상환기한이 정해져 있는 이자가 확정되어 있다. 또한 다른 유가증권에 비하여 상대적으로 안전한 투자수단이 되기도 하며, 주식과 같이 대규모 자금조달수단으로 이용되는 경우가 많다. 다만, 채권은 타인자본으로서 발행기관의 경영상태와는 독립적으로 이자청구권을 갖게 되며, 의결권의 행사에 따른 경영참가권이 없다는 점에서 주식과 다르다.

(2) 채권의 종류

① 발행주체에 따른 분류

ⓖ **국채**: 국채란 국가가 발행하는 채권으로 국고채권, 국민주택채권, 외국환평형기금채권 등이 있다.

ⓛ **지방채**: 지방채는 지방자치단체에서 발행하는 채권으로 지역개발공채, 도시철도채권(서울시, 부산시), 상수도공채, 도로공채 등이 있다.

ⓒ **특수채**: 특수채는 특별법에 의하여 설립된 특별법인이 발행한 채권으로 토지개발채, 전력공사채 등이 있다.

ⓔ **금융채**: 금융채는 특수채 중 발행주체가 금융기관인 채권으로 통화안정증권, 산업금융채, 국민은행채, 중소기업금융채 등이 있다.

ⓜ **회사채**: 회사채는 주식회사가 발행하는 채권으로 보증사채, 무보증사채, 담보부사채, 전환사채, 신주인수권부사채, 교환사채, 옵션부사채 등이 있다.

② 이자지급방법에 따른 분류

채권은 이자지급방법에 따라 이표채, 할인채, 복리채 등으로 분류할 수 있다.

ⓖ **이표채**: 이표채란 채권의 권면에 이표가 붙어 있어 이자지급일에 이것으로 일정 이자를 지급받는 채권으로, 회사채와 금융채 중 일부가 이에 해당한다.

ⓛ **할인채**: 할인채는 액면금액에서 상환기일까지의 이자를 공제한 금액으로 매출하는 채권으로 통화안정증권, 산업금융채권 등 금융채 중 일부가 이에 해당한다.

ⓒ **복리채**: 복리채는 이자가 단위기간 수만큼 복리로 재투자되어 만기 시에 원금과 이자가 지급되는 채권으로서 국민주택채권, 지역개발공채, 금융채 중 일부가 이에 해당한다.

③ 상환기간에 따른 분류

채권은 상환기간에 따라 단기채, 중기채, 장기채 등으로 분류할 수 있다.

---

46) 감정평가실무기준 해설서(Ⅰ) 총론편, 한국감정평가사협회 등, 2014.02, pp.504~507

㉠ **단기채** : 단기채는 상환기간이 1년 이하인 채권으로 통화안정증권 등이 있다.

㉡ **중기채** : 중기채란 상환기간이 1년에서 5년 미만인 채권으로 국고채권, 외국환평형기금채권, 회사채가 있다.

㉢ **장기채** : 장기채는 상환기간이 5년 이상인 채권으로 국민주택채권, 도시철도채권이 있다.

》 참고로 미국의 경우 장기채라 하면 10년 또는 20년 이상의 것을 말한다.

④ **기타분류**

모집방법에 따라 사모채, 공모채 등으로 분류할 수 있으며, 정부 및 금융기관 등에 의한 보증 유무에 따라 분류할 수도 있다. 한편, 지급이자율의 변동여부에 따라 확정금리부채권(Straight Bond)과 금리연동부채권(Floating Rate Bond)으로 나눌 수 있다.

2) 조사 · 확인사항

발행인, 상장여부 및 상장일자, 거래상황, 매출일자나 발행일자, 상환일자, 상환조건(거치기간 등), 이율이나 이자율 및 그 지급방법, 채권의 양도방법과 그 제한, 미도래의 이표 부착 여부, 실효 · 위조 · 변조의 유무, 그 밖에 채권에 관련된 사항

3) 자료의 수집 및 정리

① **거래사례** : 채권의 거래가격 등

② **수익자료** : 이율이나 이자율 등

③ **시장자료** : 거래량, 동종채권 및 유사채권의 평균수익률 등

④ 그 밖에 감정평가액 결정에 참고가 되는 자료

4) 채권의 감정평가방법

(1) 상장채권

상장채권이란 발행된 채권에 대하여 거래소가 개설한 채권시장에서 매매될 수 있는 자격이 부여된 채권을 말하며, 거래소는 채권의 원활한 유통과 투자자 보호를 위하여 일정한 요건을 갖춘 채권에 한하여 상장을 허용하고 있다.

상장채권은 상장주식의 경우와 같이 거래사례비교법을 주된 방법으로 함을 원칙으로 한다. 이때 거래사례비교법 적용에 관한 구체적인 방법은 상장주식의 경우와 같다. 다만, 채권시장의 특성상 상장채권이더라도 반드시 거래소에서 거래가 이루어지지는 않고, 장외 거래가 이루어지는 경우가 많다. 따라서 상장채권 중에서 거래사례를 수집할 수 없거나 시세를 알 수 없는 경우에는 수익환원법으로 감정평가할 수 있다.

(2) 비상장채권

비상장채권이란 거래소가 개설한 채권시장에 상장되지 않은 채권을 의미한다. 상장과 비상장에 대한 개념은 주식의 경우와 유사하지만, 주식은 거래소에서 개설된 시장에서의 거래 여부에 따라 상장과 비상장을 구분할 수 있는 반면, 채권의 경우 일반적인 거래관행상 상장채권이 장외 거래가

많이 이루어진다는 점에서 장내 및 장외거래만으로 채권의 상장 및 비상장 여부를 판단할 수는 없다는 점에 유의하여야 한다.

비상장채권은 상장채권과는 달리 거래시장에서 가격이 형성되어 있지 않으므로, 거래사례비교법을 주된 감정평가방법으로 적용하기가 곤란하다. 따라서 대상 채권을 보유함으로써 기대할 수 있는 미래현금흐름을 현재가치를 구하는 수익환원법을 주된 방법으로 적용하게 된다. 다만, 비상장채권을 수익환원법을 적용하는 것이 곤란하거나 부적절한 경우에는 거래사례비교법으로 감정평가할 수 있다.

⑶ 채권평가 시 거래사례비교법의 적용

채권을 거래사례비교법으로 감정평가할 때에는 동종 채권의 기준시점 이전 30일간 실제거래가액의 합계액을 30일간 실제 총 거래량으로 나누어 감정평가한다.

$$\text{거래사례비교법에 따른 상장채권의 가액} = \frac{\text{기준시점 이전 30일간 실제거래가액의 합계액}}{\text{30일간 실제 총 거래량}}$$

⑷ 채권평가 시 수익환원법의 적용

① **지급받을 원금과 이자를 기간에 따라 적정수익률로 할인하는 방법으로 감정평가한다.**

$$\text{수익환원법에 따른 비상장채권의 가액} = \sum_{t=1}^{n} \frac{CF_t}{(1+r)^t}$$

t: 채권을 보유하는 기간 n: 채권의 만기일
r: 적정수익률 CF_t: t시점에서의 현금흐름(이자 또는 배당금)

② **적정수익률의 결정**

적정수익률은 거래소에서 공표하는 동종채권(동종채권이 없을 경우에는 유사종류 채권)의 기준시점 이전 30일간 당일 결제거래 평균수익률의 산술평균치로 한다. 다만, 동기간에 당일 결제거래 평균수익률이 없는 경우에는 보통거래 평균수익률 등 다른 수익률을 적용할 수 있다. 금리연동부 채권의 이자산출 시 적용할 변동금리는 기준시점 당일의 1년 만기 정기예금이자율을 적용한다.

채무증권의 시장가격은 없으나 미래현금흐름을 합리적으로 추정할 수 있고, 공신력 있는 독립된 신용평가기관이 평가한 신용등급이 있는 경우에는 신용평가등급을 적절히 감안한 할인율을 사용하여 평가를 한다.

기 본예제

다음 자료의 채권가격을 산정하되, 반올림하여 백원 단위까지 표시하시오.

자료

1. 액면가 : 100,000원
2. 발행일 : 2023.8.1.
3. 상환조건 : 5년 거치 5년간 매월 원리금 균등상환(거치기간 매월 이자지급)
4. 약정이자율 : 8%/연
5. 적정수익률 : 12%/연
6. 기준시점 : 2027.8.1.

예시답안

1. 거치기간 이자 현가

$$100,000 \times \frac{0.08}{12} \times \frac{1.01^{12}-1}{0.01 \times 1.01^{12}} \fallingdotseq 7,500원$$

2. 원리금상환액 현가

$$100,000 \times \frac{0.08/12 \times (1+0.08/12)^{60}}{(1+0.08/12)^{60}-1} \times \frac{1.01^{60}-1}{0.01 \times 1.01^{60}} \times \frac{1}{1.12} \fallingdotseq 81,400원$$

3. 채권가격

$$7,500 + 81,400 \fallingdotseq 88,900원$$

기 본예제

아래 무담보 정상채권의 경제적 가치를 산정하되, 반올림하여 천원 단위까지 결정하시오.

자료

1. 대출원금 : 1,000,000,000원
2. 연평균이자율 : 20%
3. 만기 : 1차년도 150,000,000원, 2차년도 850,000,000원
4. 연평균 부실률(회수불가)(채권추심비용고려) : 30%(원금 및 이자 모두에 적용)
5. 할인율 : 15%

예시답안

1. 1차년도 현금흐름
대출원금회수 : 150,000,000 × (1 - 0.3) = 105,000,000원
이자수취분 : 1,000,000,000 × 20%× (1 - 0.3) = 140,000,000원
소계 : 245,000,000원

2. 2차년도 현금흐름
대출원금회수 : (1,000,000,000 - 150,000,000) × (1 - 0.3) = 595,000,000원
이자수취분 : (1,000,000,000 - 150,000,000) × 0.2 × (1 - 0.3) = 119,000,000원
소계 : 714,000,000원

3. 현가액

$$\frac{245,000,000}{1.15} + \frac{714,000,000}{1.15^2} \fallingdotseq 752,930,000원(원금대비 75.3\%)$$

PART 01

제9절   의제부동산 및 동산의 감정평가

01 의제부동산의 감정평가

> **감정평가에 관한 규칙 제20조**(자동차 등의 감정평가)
>
> ① 감정평가법인등은 자동차를 감정평가할 때에 거래사례비교법을 적용해야 한다.
> ② 감정평가법인등은 건설기계를 감정평가할 때에 원가법을 적용해야 한다.
> ③ 감정평가법인등은 선박을 감정평가할 때에 선체·기관·의장(艤裝)별로 구분하여 감정평가하되, 각각 원가법을 적용해야 한다.
> ④ 감정평가법인등은 항공기를 감정평가할 때에 원가법을 적용해야 한다.
> ⑤ 감정평가법인등은 제1항부터 제4항까지에도 불구하고 본래 용도의 효용가치가 없는 물건은 해체처분가액으로 감정평가할 수 있다.

1. 자동차의 감정평가

1) 평가대상으로서 자동차의 개념

자동차라 함은 원동기에 의하여 궤도(Rail) 또는 가선에 의하지 아니하고 운전되는 차로서 이동할 목적으로 제작된 용구이며, 이에는 피견인차도 포함된다.

자동차의 구성부분은 크게 차체(Body)와 차대(Chassis)로 나눌 수 있다. 차체(Body)라 함은 승용차의 경우 승객 및 운전사의 좌석이 있는 부분이고, 화물차의 경우에는 운전실과 화물을 적재하기 위하여 만들어 놓은 부분이다. 차대(Chassis)라 함은 완전결합된 자동차에서 차체를 제외한 모든 구성장치 부분을 말하며, 자동차의 기초가 되는 주요부문이다.

자동차의 종류는 승용자동차, 승합자동차, 화물자동차, 특수자동차 및 이륜자동차로 구분한다(자동차관리법 제3조). 한편 자동차의 규모별·유형별 세부기준은 자동차의 크기·구조, 원동기의 종류, 총배기량 또는 정격출력 등에 따라 정하고 있다(자동차관리법 시행규칙 [별표 1] 참조).

2) 조사·확인사항

사전조사 시 확인사항	실지조사 시 확인사항
① 차종과 차적	① 등록번호
② 등록일자와 번호 및 용도	② 연식과 형식
③ 검사의 조건 및 검사예정일자	③ 차대 및 기관번호
④ 면허사항	④ 사용연료와 기통수 및 엔진 출력
⑤ 그 밖의 참고사항	⑤ 정원이나 적재정량
	⑥ 제작자, 제작연월일
	⑦ 자동차의 주행거리 및 현황
	⑧ 그 밖의 참고사항

3) 자료의 수집 및 정리

거래사례(자동차의 거래가격 등), 제조원가(자동차의 생산원가, 신차판매가격 등), 시장자료(중고시장가격, 부품가격 등), 그 밖에 감정평가액 결정에 참고가 되는 자료

4) 감정평가방법

⑴ 감정평가 원칙

자동차의 감정평가는 거래사례비교법을 기준으로 한다. 일반적인 동산과 동일하게 자동차가 거래된 사례 등을 수집 정리하고 유사성이 인정되는 거래사례를 비교 분석하여 감정평가하게 된다. 거래사례비교법으로 감정평가하는 것이 곤란하거나 적절하지 아니한 경우에는 원가법을 적용할 수 있다.

⑵ 원가법 적용 시 유의사항

원가법으로 감정평가할 때에는 정률법으로 감가수정한다. 다만, 필요하다고 인정되는 경우 사용정도·관리상태·수리 여부 등을 고려하여 관찰감가 등으로 조정하거나 다른 방법에 따라 감가수정할 수 있다.

⑶ 효용가치가 없는 경우

해체처분가액으로 감정평가할 수 있다. 특히 이 경우 사업용차량의 감정평가 시 차량에 결부된 각종 무형의 가치(택시면허 등)는 별로 고려치 않으며, 차량의 처분 시 소요되는 제반 비용 및 수리소요비용 등을 고려하여야 한다.

2. 건설기계의 감정평가

1) 정의

건설기계란 건설공사에 사용할 수 있는 기계로서 「건설기계관리법 시행령」 [별표 1]에 해당하는 물건을 말한다(불도저, 굴삭기, 로더, 지게차, 스크레이퍼 등).

2) 조사·확인사항

사전조사 시 확인사항	실지조사 시 확인사항
① 건설기계의 종류·형식	① 건설기계의 종류와 등록번호
② 등록일자와 번호 및 용도	② 사용지와 사용방법
③ 검사의 조건 및 검사예정일자	③ 사용연료의 종류
④ 그 밖의 참고사항	④ 구조·규격·형식·용량
	⑤ 제작자와 제작연월일
	⑥ 사용정도
	⑦ 차량번호 및 기계번호
	⑧ 그 밖의 참고사항

3) 자료의 수집 및 정리

거래사례(건설기계의 거래가격 등), 제조원가(건설기계의 생산원가 등), 시장자료(중고시장가격·부품가격 등), 그 밖에 감정평가액 결정에 참고가 되는 자료

4) 건설기계의 감정평가방법

(1) 원가법에 의한 건설기계의 평가

감정평가실무에서 원가법을 활용하는 경우에는 신품 또는 사용정도가 얼마 되지 않은 건설기계에 주로 해당된다. 또한 감정평가 목적 측면에서 다른 방법을 적용하는 것이 불합리한 경우나 시중에서 거래가 거의 이루어지지 않고 있는 특수건설기계 감정평가에 주로 활용된다.

건설기계의 감정평가는 원가법을 적용하며 이 경우 감가수정은 정률법을 적용하게 된다. 다만, 건설기계의 사용정도·관리상태·수리 여부 등을 고려할 때에는 관찰감가 등으로 감가수정하거나 다른 방법에 따라 감가수정할 수 있다.

(2) 거래사례비교법에 의한 건설기계 평가

건설기계의 거래시장이 형성되어 있어 시장에서 거래되는 가격을 비교적 쉽게 포착할 수 있을 때 건설기계를 거래사례비교법으로 감정평가할 수 있다. 즉, 건설기계는 중고거래시장이 존재하는 바, 감정평가 시 중고거래가격 수준에 대한 검토가 이루어져야 하며, 지역 및 건설경기에 따라 가격수준의 차이가 크므로 이를 고려하여야 한다. 이에 따른 비준가액은 건설기계 시장의 다양한 현상 등을 반영하여 형성된 거래가격을 기준으로 산정하므로, 감정평가실무에서 사용되고 있다. 한편, 거래사례비교법으로 평가하는 경우 건설기계는 건설경기 동향에 따라 가격변동의 폭이 크므로, 가격자료를 시계열적으로 분석하여 감정평가해야 한다.

(3) 효용가치가 없는 경우

감정평가실무에서 해체처분가액으로 감정평가하는 경우는 국가, 지방자치단체 및 공공단체에서 노후화되었거나 용도 폐지된 건설기계를 처분하는 경우에 주로 활용되는 방법이다. 일반적으로 지방자치단체 등에서 처분하기 위하여 감정평가를 의뢰하는 건설기계는 해체된 상태가 아닌 건설기계로서 원형을 갖춘 경우가 대부분이다.

따라서 건설기계를 해체처분가액으로 감정평가하는 경우는 실제 해체상태에 있는 건설기계의 부분품으로서 평가하는 경우와 평가조건에서 해체를 전제로 평가하는 경우이다. 이때 해체 후 전용할 수 있는 부품은 전용가치 등을 고려하여 가격을 결정하여야 한다.

(4) 도입건설기계의 감정평가

원가법으로 감정평가하는 경우 외국산 도입건설기계의 재조달원가는 도입기계 감정평가방법을 준용하여 구한다. 건설기계등록원부상 등록일자는 중고 여부에 관계없이 등록일자를 기재하므로, 감가수정 시 최초등록일자를 조사하여 감가수정하여야 한다.

또한 동종 건설기계의 거래사례가 없어 원가법으로 감정평가하는 경우에도 동년식 유사 건설기계의 거래사례를 파악하여 잔존가치율을 구한 후 평가대상 건설기계의 잔존가치율과 비교·검토해야 한다.

3. 선박의 감정평가

1) 정의

선박이란 「선박법」 제1조의2 제1항에 따른 수상 또는 수중에서 항행용으로 사용하거나 사용할 수 있는 배 종류를 말하며, 그 구분은 다음 각 호와 같다.

① **기선**: 기관(機關)을 사용하여 추진하는 선박과 수면비행선박

② **범선**: 돛을 사용하여 추진하는 선박

③ **부선**: 자력항행능력(自力航行能力)이 없어 다른 선박에 의하여 끌리거나 밀려서 항행되는 선박

2) 조사·확인사항

사전조사 시 확인사항	실지조사 시 확인사항
① 선적 및 국적	① 선체·기관·의장별 규격, 형식, 제작자, 제작연월일
② 선력	② 선종 및 선적량
③ 검사의 내용 및 면허사항	③ 선박의 관리, 운영상황
④ 선급협회가입여부	④ 그 밖의 참고사항
⑤ 그 밖의 참고사항	

3) 자료의 수집 및 정리

거래사례(선박의 거래가격 등), 제조원가(선박의 선체·기관·의장별 생산원가 등), 시장자료(중고시장가격, 부품가격 등), 그 밖에 감정평가액 결정에 참고가 되는 자료

4) 선박의 감정평가방법

(1) 감정평가 원칙

선체·기관·의장별로 구분하여 감정평가하되, 각각 원가법을 적용하여야 한다. 원가법으로 감정평가하는 것이 곤란하거나 적절하지 아니한 경우에는 거래사례비교법으로 감정평가할 수 있다. 선박을 감정평가할 때에는 선체의 크기는 톤수로서 표시하며, 표시방법에는 총톤수, 순톤수, 재화중량톤수, 배수톤수 등이 있으며, 감정평가에서는 일반적으로 총톤수를 기준으로 한다. 기관이란 선박, 즉 선체를 운항시키는 동력이 되며, 기관의 크기는 실마력, 도시마력, 공칭마력 등으로 표시되고 있으며, 감정평가에서는 실마력을 기준으로 평가한다. 한편, 의장품이란 선박에 사용되는 특수한 용어로서 선박이 항행 및 정박하는 데 필요한 일체의 설비로서 선박의 주성능을 완전히 발휘시키는 장치를 말한다. 즉, 선박의 운항에 필요한 항해기구와 구명설비 등을 의장품이라 하며, 이는 크게 선체의장, 기관의장, 전기의장 등으로 구분한다.

> **참고**
>
> **선박의 톤수**
>
> 선박의 톤수는 그 규모를 나타내는 것이므로 톤수가 클수록 톤당 건조비는 체감하나 전체적인 가격은 비싸지고 그만큼 수익도 많아지는 것이 보통이다. 선박톤수를 나타내는 데는 사용목적에 따라 다음과 같이 여러 가지가 있다.
>
> ① **총톤수**(Gross Tonnage, G/T)
>
> 총톤수는 선박 내부의 용적을 표시하는 것으로 법령의 적용에 있어서 선박의 크기를 나타내기 위하여 사용되는 지표이다. 등록세, 도선요금, 입거료, 선박검사료 등의 기준으로 사용되고 있다.
>
> ② **순톤수**(Net Tonnage, N/T)
>
> 순톤수는 여객이나 화물의 운송용으로 제공되는 선박 안의 장소의 크기를 나타내기 위하여 사용되는 용적톤이다. 순톤수는 직접 상행위를 하는 용적이므로 톤세, 항세, 운하통과료, 등대사용료, 항만시설사용료 등의 산정기준이 된다.
>
> ③ **재화중량톤수**(Dead Weight Tonnage, DWT, D/T)
>
> 재화중량톤수는 적재할 수 있는 화물의 중량(최대적재량)을 나타내는 지표로 주로 화물선에서 이용된다.
>
> ④ **배수톤수**(Displacement Tonnage)
>
> 배수톤수는 배가 물위에 떠 있을 때 선체가 밀어내는 배수량의 무게를 나타는 것으로 군함의 크기를 나타내는데 많이 쓰인다.
>
> ⑤ **경하중량**(Light Weight)
>
> 선박 자체가 가지고 있는 무게로서 선체 중량, 주기관, 각종 장비 및 비품의 무게를 합한 것을 말한다.

(2) 원가법에 의한 선박의 평가

일반적인 선박의 감정평가는 선체, 기관, 의장품을 각각 원가법에 의하여 감정평가하고 이를 합산하여 감정평가액으로 결정하게 되는데, 이 경우 반드시 신조선가 추이, 시장에서의 동종 유사 선박의 중고선가 등을 고려하여야 한다. 즉, 선체, 기관, 의장품에 대한 각각의 재조달원가에 감가수정을 통해 감정평가하게 되는데 이 경우 감가수정은 정률법에 의한다.

활황기에는 중고선가가 원가법에 의한 감정평가금액을 상당한 비율로 상회하므로, 이에 따른 감정평가금액의 증액이 일부 필요하다. 또한 선박경기가 좋지 않을 경우 원가법에 의한 감정평가금액이 중고선가를 상회할 수도 있으므로, 기준시점에서의 신조선가 및 중고선가 추이, 운임지수 등 시장 경기상황에 대한 고려가 반드시 이루어져야 한다.

≫ 의장품의 경우 평가목적에 따라 평가 외 처리되는 경우도 있다.

(3) 거래사례비교법에 의한 선박평가

선박의 종류, 구조 등에 따라 G/T당 거래가격추이 및 실거래가격을 분석하며, 유사한 선박의 거래단가를 통하여 본건의 비준가액을 산정할 수 있다.

(4) 효용가치가 없는 경우

선박이 노후화되었거나 용도 폐지가 예정된 경우에는 해체처분(경하중량을 기준으로 함)에 따른 가격 등으로 감정평가할 수 있다. 따라서 선박을 해체처분가액으로 감정평가하는 경우는 실제 해체상태에 있는 선박의 부분품으로서 감정평가하는 경우와 감정평가조건에서 해체를 전제로 감정평가하는 경우이다. 이때 해체 후 전용할 수 있는 부품은 전용가치 등을 고려하여 감정평가하여야 할 것이다.

기 본예제

柳평가사는 李 씨로부터 다음과 같은 선박의 평가를 의뢰받았다. 다음 선박의 감정평가를 하시오 (기준시점: 2027년 8월 1일).

자료 1 선박의 개요

어선번호	1		어선명칭	A호		
어선종류	동력선		선체재질	강		
총톤수	79톤		주요치수(M)	• 길이: 24.51 • 너비: 6.70 • 깊이: 2.65		
무선설비	SSB 1기		어업종류	근해통발어업		
추진기관	디젤기관 1대 (600마력)		형식	제작자		제작년월일
			CAT3412DIT	○○○		2023년 6월
최대승선인원	• 어선원: 12명	• 기타의 자: 0명		• 계: 12명		
선적항	○○시		조선지		○○시	
조선자	××조선(주)		진수연월일		2023년 7월	

자료 2 재조달원가 등

1. ○○시에 소재하는 조선소에 어선의 재조달원가를 조사한 결과 강선은 4,500,000원/ton 수준이었음.
2. 선박의 주기관의 가격조사를 한 결과 평가대상 선박인 1,800rpm의 고속기관은 마력당 200,000원으로 조사되었음.
3. 의장품은 선박건조 시 신품으로 장착하였고 재조달원가는 250,000,000원으로 조사되었음.
4. 감가수정은 정률법으로 만년감가를 행함.

자료 3 내용연수 및 잔존가치율

구분	내용연수(년)	잔존가치율(%)
선체(강선)	25	20
기관	20	10
의장	15	10

예시답안

Ⅰ. 평가개요

　본건은 선박의 감정평가로 기준시점은 2027년 8월 1일이다. 감가의 기산일은 진수일로서 경과연수는 4년이다.

Ⅱ. 선박평가

1. 선체

$$4,500,000 \times 0.2^{4/25} ≒ 3,480,000원/t(\times 79t = 274,920,000)$$

2. 기관

$$200,000 \times 0.1^{4/20} ≒ 130,000원/HP(\times 600HP = 78,000,000)$$

3. 의장

$$250,000,000 \times 0.1^{4/15} ≒ 135,290,000$$

4. 평가액

$$274,920,000 + 78,000,000 + 135,290,000 = 488,210,000원$$

참고 – 선박 감정평가 시 필요한 서류

⦂ 등기사항전부증명서 – 선박

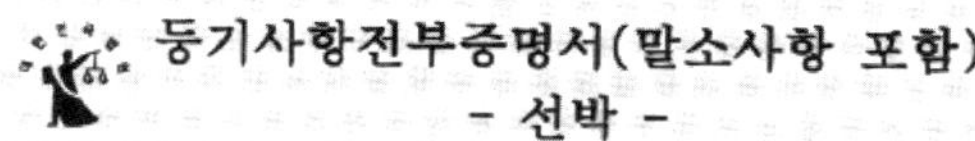

등기사항전부증명서(말소사항 포함)
- 선박 -

고유번호 1801-2022-500010

[선박] 부산광역시 영도구 동력선 ○○호 (59 톤)

【 표 제 부 】		(선박의 표시)	
표시번호	접 수	선박의 표시	등기원인 및 기타사항
1	2022년4월28일	선박의 종류와 명칭 동력선 ○○호 선적항 부산광역시 영도구 선질 에프알피 총톤수 59톤 기관의 종류와 수 디젤기관 508피에스 374케이더블유 1대 추진기의 종류와 수 나선일체식 추진기 1대 진수 연월일 20XX년 4월 27일	

【 갑 구 】		(소유권에 관한 사항)		
순위번호	등기목적	접 수	등기원인	권리자 및 기타사항
1	소유권보존	20XX년4월28일 제459호		공유자 지분 2분의 1 ○○○ 520816-******* 부산광역시 영도구 대교로14번길 17, 104동 708호 (봉래동2가, 미광마린타워) 지분 2분의 1 ○○○ 810326-****** 부산광역시 영도구 태종로 172, 106동 2402호(봉래동4가, 영도센트럴에일린의뜰)

【 을 구 】	(저당권 및 임차권에 관한 사항)
기록사항 없음	

⁝ 선박국적증서

■ 어선법시행규칙 [별지 제35호서식] <개정 2013.10.30>

(앞면)

제2019-0005호

선박국적증서

소유자	성명(법인명)			
	(국) 해양수산부 국립수산과학원			
	주소			
	부산광역시 기장군 기장읍　　　○○로 ○○○			
	（ 전화번호 : 051-720-0000 ）			

어선번호	1909001-6260000		총 톤 수	797.00 톤
어선의 명칭	탐구3호		폐위장소의합계용적	4,115.819 ㎥
호출부호 또는 명칭			상갑판아래의 용적	2,571.459 ㎥
어선의 종류	동력선		상갑판위의 용적	1,544.360 ㎥
선체재질	강		선수루의 용적	716.060 ㎥
선 적 항	부산광역시 기장군		선교루의 용적	
범선의 범장			선미루의 용적	
추진기관	선박용디젤 기관 3476 마력대	용적	갑판실의 용적	666.516 ㎥
추 진 기	가변피치식 추진기 1기		그 밖의 장소의 용적	161.784 ㎥
조 선 지	전라북도 군산시 소룡동 1646번지 4호 혜인		제외장소의합계용적	
조 선 자	(주)삼원중공업		선수루의 용적	
진수연월일	20XX년08월19일		선교루의 용적	
주요치수	길 이	53.48 m	선미루의 용적	
	너 비	10.80 m	갑판실의 용적	
	깊 이	6.75 m	그 밖의 장소의 용적	

위의 사항은 모두 정확하며, 이 선박은 대한민국의 국적을 갖고 있음을 증명합니다.

20XX년 09월 03일

기 장 군 수

210㎜×297㎜[인쇄용지(특급) 120g/㎡]

▲ 선박검사증서

[별지 제5호서식] <개정 2019. 8. 20.>

(앞쪽)

<table>
<tr><td colspan="2">제   호
Certificate No:</td><td colspan="3" align="center">선 박 검 사 증 서
SHIP SURVEY CERTIFICATE</td></tr>
<tr><td>① 선   명
Name of Ship</td><td></td><td>② 선박번호
Official Number</td><td colspan="2"></td></tr>
<tr><td>③ 선   질
Ship's Material</td><td></td><td>④ 총톤수
Gross Tonnage</td><td colspan="2">톤
tons</td></tr>
<tr><td>⑤ 용   도
Type of ship</td><td colspan="4"></td></tr>
<tr><td>⑥ 추진기관
Main Engine</td><td>기관
기관
Type</td><td>[kW]
[kW]
Output</td><td>[PS]
[PS]</td><td>대
Number of Units</td></tr>
<tr><td>⑦ 선박길이
Ship's Length</td><td>미터
m</td><td>⑧ 무선설비
Radio Equipment</td><td colspan="2"></td></tr>
<tr><td>⑨ 항해구역
Navigation Area</td><td colspan="4"></td></tr>
<tr><td>⑩ 최대승선인원
Max. Number of Al
lowable Persons on
board</td><td colspan="4">명(여객: 명, 선원: 명, 임시승선자: 명)
Total   p(Passenger: p, Crew: p, Special Personnel: p)</td></tr>
<tr><td>⑪ 항해와 관련한 조건
Conditions for
Navigation</td><td colspan="4"></td></tr>
<tr><td>⑫ 유효기간
Validity</td><td colspan="4">년   월   일부터   년   월   일까지
This certificate is valid from   .   .   .   until   .   .   .</td></tr>
</table>

    「선박안전법」 제8조제2항 및 같은 법 시행규칙 제13조제1항제1호에 따라 대한민국 정부의 권한으로 이 증서를 발급합니다.

    This certificate is issued in accordance with Article 8.2 of the Ship Safety Act and Article 13.1.1 of the Enforcement Decree of the Ship Safety Act under the authority of the government of the Republic of Korea.

년   월   일
Y   M   D

해양수산부장관   인
Minister of Oceans and Fisheries
(한국해양교통안전공단이사장)
(President of Korea Maritime Transportation Safety Authority)
(선   급   법   인   의   장)
(President of Classification Society)

210㎜ × 297㎜[보존용지(1종) 220g/㎡]

○ 선박원부

[별지 제7호서식] <개정 2010.6.10>　　　　　　　　　　　　　　(앞 쪽)

선 박 원 부

1. 조 선 지			2. 조선자		3. 진수일: 년 월 일	
4.	선 박 번 호					
	I M O 번 호					
5. 호 출 부 호						
6. 선 박 의 　 종 류						
7. 선 박 의 　 명 칭						
8. 선 적 항						
9. 선 질						
10. 범 선 의 　 범 장						
11. 길 이	m	m	m	m	m	
12. 너 비	m	m	m	m	m	
13. 깊 이	m	m	m	m	m	
14. 총 톤 수	톤	톤	톤	톤	톤	
15. 폐위 장소의 합계용적	m³	m³	m³	m³	m³	
16. 상갑판 아래의 용적	m³	m³	m³	m³	m³	
17. 상갑판 위의 용적	m³	m³	m³	m³	m³	
18. 선 수 루 의 용 적	m³	m³	m³	m³	m³	
19. 선 교 루 의 용 적	m³	m³	m³	m³	m³	
20. 선 미 루 의 용 적	m³	m³	m³	m³	m³	
21. 갑 판 실 의 용 적	m³	m³	m³	m³	m³	
22. 그 밖의 장소의 용적	m³	m³	m³	m³	m³	
23. 제외 장소의 합계용적	m³	m³	m³	m³	m³	
24. 선 수 루 의 용 적	m³	m³	m³	m³	m³	
25. 선 교 루 의 용 적	m³	m³	m³	m³	m³	
26. 선 미 루 의 용 적	m³	m³	m³	m³	m³	
27. 갑 판 실 의 용 적	m³	m³	m³	m³	m³	
28. 그 밖의 장소의 용적	m³	m³	m³	m³	m³	
29. 기 관 의 종 류 와 수						
30. 추 진 기 의 종 류 와 수						
31. 등 록 일	년 월 일	년 월 일	년 월 일	년 월 일	년 월 일	
32. 기 사						

210mm×297mm

(보존용지(1종) 70g/m²)

(뒤 쪽)

소 유 자					
성명 (법인명)	주민등록번호 (법인등록번호)	주소		전화번호	비고

공 유 자					
성명 (법인명)	주민등록번호 (법인등록번호)	주소		지분	비고

저 당 권 설 정 등 록 등				
순위	구분	사항란		등록일

4. 항공기의 감정평가

1) 정의

항공기란 비행기, 비행선, 활공기(滑空機), 회전익(回轉翼) 항공기, 그 밖에 항공법 시행령으로 정하는 것으로서 항공에 사용할 수 있는 기기를 말한다.

2) 조사ㆍ확인사항

사전조사 시 확인사항	실지조사 시 확인사항
① 항공기의 국적 및 등록기호 ② 항공기의 종류ㆍ형식 및 등록번호 ③ 항공기 제작일련번호 ④ 운용분류, 감항분류, 감항증명 유효기간 ⑤ 그 밖의 참고사항	① **기체**: 종류, 형식, 제작자, 제작연월일, 제작 후 기준시점까지의 비행시간, 최종 오버홀한 시점부터 기준시점까지의 비행시간 ② **원동기**: 형식, 규격, 제작자, 제작연월일, 일련번호, 최종 오버홀한 시점부터 기준시점까지의 비행시간 ③ **프로펠러**: 형식, 규격, 제작자, 제작연월일, 일련번호, 최종 오버홀한 시점부터 기준시점까지의 비행시간 ④ 부대시설에 대하여 무선시설, 객석, 조종위치, 계기 비행가능 여부 등 ⑤ 그 밖의 참고사항: 항공기의 수리현황, 최대이륙중량, 항공기의 속도, 원동기의 출력, 기종별로 국토교통부령으로 정하는 기체, 원동기, 프로펠러 등의 오버홀 한계시간 및 오버홀 비용, 로그 북 등

3) 자료의 수집 및 정리

거래사례(항공기의 거래가격 등), 제조원가(항공기의 생산원가, 기체ㆍ원동기ㆍ프로펠러의 생산원가 등), 비용자료(기체ㆍ원동기ㆍ프로펠러의 오버홀 비용), 시장자료(중고시장가격ㆍ부품가격 등), 그 밖에 감정평가액 결정에 참고가 되는 자료

4) 항공기의 감정평가방법

⑴ 감정평가 원칙

원가법을 적용하여야 한다. 원가법으로 감정평가하는 것이 곤란하거나 적절하지 아니한 경우에는 거래사례비교법으로 감정평가할 수 있다.

⑵ 원가법에 의한 항공기의 평가

원가법으로 감정평가할 때에는 기체, 원동기, 의장품 등으로 구분하여 평가하며, 정률법으로 감가수정한다. 다만, 필요하다고 인정되는 경우에는 관찰감가 등으로 조정하거나 다른 방법으로 감가수정할 수 있다.

항공기의 정확한 비행시간 및 오버홀 비용을 확인할 수 있는 경우에는 산정된 주요부분별 가격을 합산하여 항공기 전체의 감정평가액을 산정할 수 있다.

비행시간과 오버홀 비용을 확인할 수 있는 경우

항공기의 정확한 비행시간 및 오버홀 비용을 확인할 수 있는 경우에는 다음의 산식에 따라 산정된 주요부분별 가격을 합산하여 항공기 전체의 감정평가액을 산정할 수 있다.

- 기체의 감정평가액 $= (A_1 - C_1) \times (1-r) + C_1 \times \dfrac{T_1 - t_1}{T_1}$

- 원동기의 감정평가액 $= (A_2 - C_2) + C_2 \times \dfrac{T_2 - t_2}{T_2} = A_2 - C_2 \times \dfrac{t_2}{T_2}$

- 프로펠러의 감정평가액 $= A_3 - C_3 \times \dfrac{t_3}{T_3}$

A_1: 기체 재조달원가　　　　　　　　　　A_2: 원동기 재조달원가
A_3: 프로펠라 재조달원가　　　　　　　　C_1: 기체 오버홀 비용
C_2: 원동기 오버홀 비용　　　　　　　　　C_3: 프로펠라 오버홀 비용
T_1: 기체 오버홀 한계시간　　　　　　　　T_2: 원동기 오버홀 한계시간
T_3: 프로펠라 오버홀 한계시간
t_1: 기체의 최종오버홀 이후부터 기준시점까지의 비행시간
t_2: 원동기의 최종오버홀 이후부터 기준시점까지의 비행시간
t_3: 프러펠라의 최종오버홀 이후부터 기준시점까지의 비행시간
r: 경제적 감가율(잔존가치율 10%를 적용한 정률법에 의한다)

(3) 해체처분가액에 의한 감정평가

항공기가 노후화되었거나 용도 폐지가 예정된 경우에는 해체처분에 따른 가격 등으로 감정평가할 수 있다. 따라서 항공기를 해체처분가액으로 감정평가하는 경우는 실제 해체상태에 있는 항공기의 부분품으로서 감정평가하는 경우와 감정평가조건에서 해체를 전제로 감정평가하는 경우이다. 이때 해체 후 전용할 수 있는 부품은 전용가치 등을 고려하여 감정평가하여야 할 것이다.

02 동산의 감정평가

1. 정의

동산은 원칙적으로 부동산이 아닌 것을 말한다. 즉, 부동산인 토지 및 그 정착물은 동산으로 볼 수 없다. 다만, 지상물일지라도 토지에 정착되지 않은 것은 동산이며, 전기 기타 관리할 수 있는 자연력은 모두 동산이다. 자동차, 건설기계, 항공기, 선박은 동산이지만 등록·등기를 통해 의제부동산으로 취급된다.

감정평가 대상으로서의 동산은 모양이나 성질을 변하지 않게 하여 옮길 수 있는 것으로, 토지와 정착물 이외의 모든 유체물로 정의할 수 있다. 이와 같은 동산은 감정평가 시 각각 대상물건이 된다.

> **◉ 동산과 부동산의 차이**

동산은 부동산에 대하여 그 법률적 취급에서 많은 차이가 있다. 동산의 공시방법은 점유 또는 인도에 의하며, 공신의 원칙과 선의취득이 인정되고, 용익물권의 목적은 되지 않으나 질권의 목적이 되고, 취득시효와 환매의 기간이 짧고, 무주물선점과 유실물습득의 적용이 있고 부동산과 부합하는 경우에는 권리가 소멸한다.
「민사집행법」상 강제집행의 대상으로서 말하는 동산은 「민법」상의 동산보다는 훨씬 넓은 의미를 가진다. 거기에는 「민법」상의 동산 이외에 등기할 수 없는 토지의 정착물로서 독립하여 거래의 객체가 될 수 있는 것, 토지에서 분리하기 전의 과실(果實)로서 1월 내에 수확할 수 있는 것, 유가증권으로서 배서(背書)가 금지되지 않은 것을 포함한다(민사집행법 제189조).

2. 조사 · 확인사항

(1) 일반적인 동산 감정평가 시

가격의 변동사항, 계절성의 유무 및 보관의 난이, 변질 또는 처분가능 여부, 수요 및 장래성, 그 밖의 참고사항

(2) 불용품인 동산 감정평가 시

불용품의 발생원인, 불용품의 상태, 불용품의 보관 및 관리상태의 양부, 불용품의 유통과정, 불용품의 가격변동요인, 그 밖의 참고사항

> **참고**
>
> **불용품 매각사업 업무흐름도**
>
> 발생처 → 수집상 → 중간상 → 납품상(제강사 협력업체)
>
> ≫ 1. 발생처 : 불용품이 발생하는 장소(공공기관)
>   2. 수집상 : 발생처로부터 불용품을 매입하여 재판매하는 업자(보훈복지단체)
>   3. 중간상 : 수집상에게 불용품을 매입, 중간 가공하여 납품상에게 재판매하는 업자
>   4. 납품상 : 중간상으로부터 불용품을 매입하여 대량으로 제강사에 납품하는 업자
>   ＊ 감정평가는 '수집상'을 기준으로 해야 한다.

3. 자료의 수집 및 정리

거래사례[거래가격(도매가격 · 소매가격 · 협정가격) 등], 제조원가(생산원가 등), 시장자료(중고시장가격 · 부품가격 등), 그 밖에 감정평가액 결정에 참고가 되는 자료

4. 동산의 감정평가방법

(1) 감정평가의 원칙

> **감정평가에 관한 규칙 제21조**(동산의 감정평가)
>
> ① 감정평가법인등은 동산을 감정평가할 때에는 거래사례비교법을 적용해야 한다. 다만, 본래 용도의 효용가치가 없는 물건은 해체처분가액으로 감정평가할 수 있다.

동산은 원칙적으로 거래사례비교법을 적용하여 감정평가한다. 즉, 유사 동산의 거래사례 등을 파악하고 선택된 사례를 기준으로 비교 분석을 통해 감정평가액을 도출한다.

동산은 거래단계별 가격, 즉 생산원가, 도매가격, 소매가격 등을 시계열적으로 파악하고, 각 단계별 가격차이의 발생요인을 분석하여 감정평가한다. 가격차이의 발생요인은 거래단계에 따른 상하차비, 운반비, 창고보관비, 감손상당액, 업자이윤 등이 있으며, 각 단계마다 이를 면밀히 조사 분석하여 평가한다.

만약 적절한 거래사례가 없거나 거래사례비교법 적용이 불가능한 경우에는 원가법 등을 적용할 수는 있을 것이다.

(2) 본래의 효용가치가 없는 경우

본래의 용도로 사용가능한 물건의 경우 현 상태로의 시장가격이 형성되어 있으며 이를 기초로 한 거래사례비교법에 의한 비준가액으로 감정평가하며, 감정평가 대상물건과 같은 물건이 계속 생산되고 있는 경우에는 적산가액으로 감정평가할 수 있다.

타 용도로의 전환이 가능한 물건의 경우에는 그 전용가치를 기준으로 감정평가하거나 해체하여 부품으로 사용될 수 있는 경우는 해체처분가액으로 감정평가한다.

해체처분가액으로 감정평가할 물건의 경우 부품의 재활용가치도 없는 물건으로서 구성재질별로 중량을 산출하거나 의뢰인으로부터 제시받아 시중 고철시세를 곱한 가격에 해체비용을 감안하여 감정평가한다. 불용품인 동산을 감정평가할 때에는 현 상태대로 시장가치가 형성되어 있는 경우에는 비준가액으로 감정평가하며, 재활용이 불가능한 물건은 해체처분가액으로 감정평가한다. 해체처분가액은 구성재질별 중량을 산출한 후 시중 재생재료 시세를 적용하되, 해체에 따른 철거비, 운반비, 상하차비, 업자이윤 등을 감안하여 감정평가한다.

기 본예제

아래 불용품에 대한 처분감정평가액을 결정하시오.

자료 1 감정평가대상
고철 100,000kg

자료 2 시장자료
1. 해당 고철의 최종 납품단가 : 300원/kg
2. 기업이윤 : 최종납품가의 20%
3. 일반관리비 : 최종납품가의 10%
4. 기타 경비(kg당) : 운송비 30원, 상하차비 10원, 가공비 30원, 폐기물비중은 납품가의 5%, 폐기물처리비 20원,
   리스크비용은 납품가의 2%

예시답안

Ⅰ. 처리방침
   최종납품단가에서 과정에 소요되는 비용을 제외한 가격으로 평가한다.

Ⅱ. 감정평가액
   1. 평가단가
      300(최종납품가) − 60원(기업이윤) − 30원(일반관리비) − 30원(운송비) − 10원(상하차비) − 30원(가공비)
      − 15원(폐기물비중) − 20원(폐기물처리비) − 6원(리스크비용) = 99원/kg

   2. **감정평가액 :** 99 × 100,000 = 9,900,000원

⑶ 「동산·채권 등의 담보에 관한 법률」(이하 "「동산채권담보법」"이라 한다)에 의한 감정평가[47]

① **「동산채권담보법」의 도입 및 창설**

종전의 동산에 대한 대출과 관련한 질권설정, 양도담보 제공, 공장저당권의 설정은 각각 채무자 및 채권자에게 동산을 담보로 자금을 융통하는데 한계가 있었다. 「동산채권담보법」은 이와 같은 한계를 보완하여, 동산·채권을 담보제도로 적극 활용하여 상업이나 기업 활동을 위해 자금이 원활하게 제공될 수 있도록 새로운 담보권을 창설하였다.

「동산채권담보법」의 핵심은 동산·채권담보에 관한 새로운 공시제도(담보등기)를 창설한 것에 있다.

② **감정평가의 의뢰 및 수임**

동산 담보평가 업무협약에 의하여 감정평가의뢰를 할 수 있으며, 개별동산(기계기구 등), 집합동산(재고자산 등), 농축수산물(소, 돼지, 그 밖의 농축수산물 등)이 감정평가의 대상이 된다. 실무상 가장 감정평가를 많이 하는 개별동산(기계기구 등)의 감정평가 의뢰 및 수임 시에는 아래의 사항을 확인한다.

---

47) 감정평가 실무매뉴얼 (동산담보평가편), 한국감정평가사협회, 2021.09.

소재지	(소재지 및 건물별로 각각 작성)						
소유자	(감정평가 이후 소유자가 변경될 예정인 경우에는 그 내용을 적음)						
채무(예정)자	(대상물건의 소유자와 채무자가 다른 경우에는 그 내용을 적음)						
기호	식별번호 (제품번호)	제품명	모델명	제조사	제조연월	용도 (사용목적)	비고 구조/규격/형식/ 용량/취득원가 등

③ **감정평가 방법**

㉠ 담보적격의 판단

금융기관과의 협약사항에 따라 양도가능성(범용기계), 정상적인 가동여부, 이동가능성 등을 고려하여 담보로서의 적격을 확인해야 한다.

⁝ 업무협약서상 동산담보평가 제한 물건(예시)

구분	동산담보평가를 제한한 경우
공통사항	1. 현상이 불량하여 담보가치가 희박하다고 판단되는 물건 2. 용도가 특정업체에 특히 제한된 경우로서 범용성이 없다고 판단되는 물건 3. 담보제공자와 채무자가 동일인이 아닌 것으로 확인되는 경우
개별동산	1. 식별번호, 제품명, 모델명, 제조사, 제조연월의 확인이 사실상 곤란한 물건 》 담보취득 이후 식별내용(식별번호, 차대번호 등)이 훼손 또는 이중부착 등으로 소유권의 확인이 불가한 경우에는 담보권 실행에 제약사항이 발생한다. 따라서 현장조사 시 각인 또는 명판이 아닌 훼손이 쉬운 스티커로 부착이 되어 있는 경우에는 담보취득에 제한이 있는 것으로 보아야 한다. 2. 정상적으로 사용 또는 가동하고 있지 않은 물건 3. 여러 개의 동산이 일체적으로 사용되어 독립성이 결여된 물건 4. 동산 자체의 동력으로 이동할 수 있는 물건
집합동산	1. 보관장소의 특정이 곤란한 경우 》 예를 들어 소위 "카라반"과 같은 물건은 위치이동이 용이하여 무단으로 타 사업장으로 이전하여 사용·수익하는 사례가 있을 수 있다. 2. 같은 보관장소 내에서 같은 종류의 동산으로 특정할 수 없는 경우

㉡ 구체적인 감정평가방법

• 기계기구 : 기계기구 감정평가 방법과 동일하다.

• 집합동산(재고자산 등) : 기준단가 × 기준수량에 의하며, 기준단가의 경우 일정 기간 동안의 가격추이(출하단가) 등을 참작하여 결정하며, 기준수량은 의뢰인이 제시한 수량을 기준으로 하되, 일정 기간 동안의 재고량 추이를 고려하여 결정할 수 있다(⑩ 기준시점 이전 1년 이상의 입출고내역 자료를 확인하여 가장 최저수량의 80% 이내에서 정한다).

• 농축수산물 : 거래사례비교법에 의한다.

동산담보 등기사항전부증명서

[별지 제4-1호 양식]

등기사항전부증명서(현재 유효사항)
– 동산담보 –

등기고유번호 0000-000000 등기일련번호 000000

【 담 보 권 설 정 자 】		(담보권설정자에 관한 사항)		
표시번호	상호 / 명칭	법인등록번호	본점 / 주사무소	등기원인 및 등기일자

【 담 보 권 】		(담보권에 관한 사항)		
순위번호	등 기 목 적	접 수	등 기 원 인	담 보 권 자 및 기 타 사 항

【 담 보 목 적 물 】		(담보목적물에 관한 사항)
일련번호	동산의 종류	보관장소 / 특성 · 기타사항

– 이 하 여 백 –

관할등기소 ○○지방법원 ○○등기소 / 발행등기소 ○○지방법원 ○○등기소
수수료 0,000원 영수함

공장저당권과 동산담보권의 비교

구분	공장저당권 (공장저당권 담보평가)	동산담보권 (동산담보평가)
근거법령	공장저당법	동산채권담보법
부동산(종물 부합물) 포함 여부	포함	불포함
집합동산의 담보권 설정 가능성	불가능	가능
설치비·운반비 반영 여부	반영 가능	원칙적으로 반영하지 않음
일관설비·Line 설비의 담보평가 여부	감정평가 가능	독자적인 물건으로 담보등기 가능하고 시장거래 확인 가능한 경우에는 가능
범용성·시장성이 부족한 물건(용도가 특정 업체에 제한된 물건)의 담보평가 여부	감정평가 가능	권장하고 있지 않으나, 담보등기 가능하고 의뢰인의 요청이 있는 경우 가능
경제적 가치 희박, 현상 불량, 이동·반출·은닉이 비교적 용이한 물건, 가동되지 않을 것으로 추정되는 물건의 담보평가 여부	권장하지 않음	

제10절   구분지상권의 감정평가

01 개념

구분지상권이란 건물 기타 공작물을 소유하기 위하여 다른 사람이 소유한 토지의 지상이나 지하의 공간에 대하여 상하의 범위를 정해 그 공간을 사용하는 지상권을 의미한다.[48]

02 토지의 입체이용(건물 등 이용률, 지하이용률, 그 밖의 이용률)

1. 토지의 입체적 이용

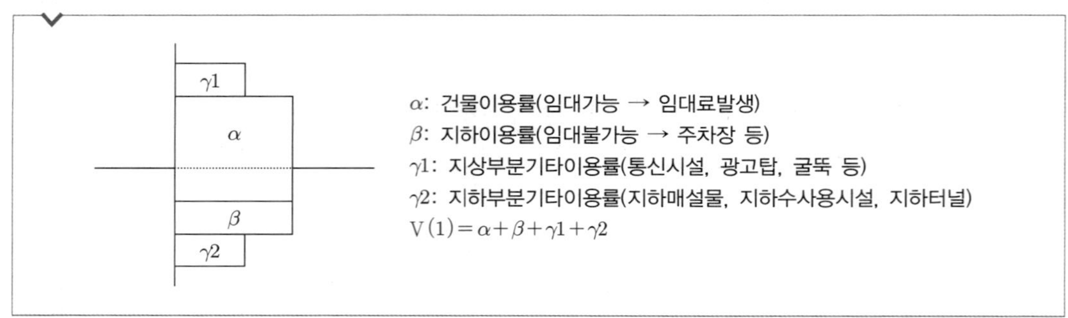

2. 입체이용배분표

해당 지역	고층시가지	중층시가지	저층시가지	주택지	농지·임지
용적률 이용률구분	800% 이상	550~750%	200~500%	100% 내외	100% 이하
건물 등 이용률(α)	0.8	0.75	0.75	0.7	0.8
지하이용률(β)	0.15	0.10	0.10	0.15	0.10
그 밖의 이용률(γ)	0.05	0.15	0.15	0.15	0.10
(γ)의 상하 배분비율	1:1~2:1	1:1~3:1	1:1~3:1	1:1~3:1	1:1~4:1

≫ 1. 이 표의 이용률 및 배분비율은 통상적인 기준을 표시한 것이므로 여건에 따라 약간의 보정을 할 수 있다.
  2. 이용저해심도가 높은 터널 토피 20m 이하의 경우에는 (γ)의 상하배분비율을 최고치를 적용한다.

---

48) 민법 제289의2(구분지상권)

03 입체이용저해율

"입체이용저해율"이란 토지의 지상 또는 지하 공간(이하 "지상공간 등"이라 한다)의 사용으로 인하여 해당 토지의 이용이 저해되는 정도에 따른 적절한 율을 말한다. 즉, 토지의 소유권은 정당한 이익이 미치는 범위 내에서 토지의 상하에 미치므로(민법 제212조), 토지의 이용범위 또한 지표공간에 한정되지 않고 지상 및 지하공간까지를 포함한다. 따라서 사업시행자가 토지의 지상 또는 지하 공간의 일부만을 사용하고 그 외의 공간은 토지소유자가 사용하는 경우 토지의 이용이 저해되는 정도를 입체이용저해율이라고 한다.

> 입체이용저해율 = 건물 등 이용저해율 + 지하부분 이용저해율 + 그 밖의 이용저해율

1. 각 입체이용저해율 산정방법

1) 건물 등 이용저해율

건축물 등의 이용저해율은 토지의 지하 또는 지상공간의 일부를 사용함으로 인하여 토지의 입체적 이용가치를 구성하는 건축물 등의 지상층 또는 지하층 부분의 이용가치가 저해되는 비율을 의미한다. 농지나 임지의 경우 지상 또는 지하 일부의 입체이용을 저해하더라도 건물 등 이용저해가 없다.

⑴ 저해층수의 판정절차

① 최유효층수결정(물리적, 합리적, 합법적, 경제적 측면)
② 건축가능층수판정(지하/공중시설물 설치 후 건축가능층수)
③ 저해층수결정(최유효층수 − 건축가능층수)
④ 건물 등 이용저해율산정

⑵ 건물 등 이용저해율 판단

> $$\text{건축물 등 이용저해율} \fallingdotseq \text{건축물 등 이용률}(\alpha) \times \frac{\text{저해층수의 층별효용비(B) 합계}}{\text{최유효건물층수의 층별효용비(A) 합계}}$$

2) 지하이용저해율

지하부분 이용저해율은 토지의 지하 공간의 일부를 사용함으로 인하여 토지의 입체적 이용가치를 구성하는 지하층 이용가치 또는 지하 이용가치가 저해되는 비율을 의미한다. 토지의 공중부분(지상부분)의 입체이용을 저해하는 경우에는 지하이용저해율은 없다.

> $$\text{지하부분이용저해율} = \text{지하이용률}(\beta) \times \text{심도별 지하이용효율}(P)$$

⬥ 심도별 지하이용저해율표 [49]

한계심도(M)	40m		35m		30m			20m	
체감율(%) 토피심도(m)	P	β×P 0.15×P	P	β×P 0.10×P	P	β×P 0.10×P	0.15×P	P	β×P 0.10×P
0~5 미만	1.000	0.150	1.000	0.100	1.000	0.100	0.150	1.000	0.100
5~10 미만	0.875	0.131	0.857	0.086	0.833	0.083	0.125	0.750	0.075
10~15 미만	0.750	0.113	0.714	0.071	0.667	0.067	0.100	0.500	0.050
15~20 미만	0.625	0.094	0.571	0.057	0.500	0.050	0.075	0.250	0.025
20~25 미만	0.500	0.075	0.429	0.043	0.333	0.033	0.050		
25~30 미만	0.375	0.056	0.286	0.029	0.167	0.017	0.025		
30~35 미만	0.250	0.038	0.143	0.014					
35~40 미만	0.125	0.019							

≫ 1. 지가형성에 잠재적 영향을 미치는 토지이용의 한계심도는 토지이용의 상황, 지질, 지표면하중의 영향 등을 고려하여 40m, 35m, 30m, 20m로 구분한다.
2. 토피심도의 구분은 5m로 하고, 심도별지하이용효율은 일정한 것으로 본다.
3. 지하이용저해율 = 지하이용율(β) × 심도별지하이용효율(P)

3) 그 밖의 이용저해율

(1) 지상·지하부분 쌍방의 그 밖의 이용을 저해하는 경우

그 밖의 이용률(Υ)

(2) 지상·지하부분 어느 한쪽의 그 밖의 이용을 저해하는 경우

① 지상의 그 밖의 이용을 저해하는 경우

Υ × 지상배분비율

② 지하의 그 밖의 이용을 저해하는 경우

Υ × 지하배분비율

≫ 이용저해심도가 높은 터널토피 20m 이하의 경우 적용하는 그 밖의 이용률의 상·하배분비율의 최고치는 1 : 1이다.

> 그 밖의 이용률의 상하배분율 읽는 방법
> 예 상 : 하 = 1 : 1~3 : 1인 경우
> 지상부분의 최대치 : 3/4(3 : 1인 경우)
> 지하부분의 최대치 : 1/2(1 : 1인 경우)

2. 부동산의 현황별 입체이용저해율 산정방법

(1) 나지인 경우(건물이 있으나 철거가 타당한 경우 등 최유효이용 판단결과가 나지인 경우)

> 입체이용저해율 = 건물 등 이용저해율 + 지하이용저해율 + 그 밖의 이용저해율

(2) 최유효이용상태인 건축물이 있는 경우

건물 등 이용저해율 및 지하이용저해율에 대해서 노후율을 고려해야 한다.

> • 입체이용저해율 = (건축물 등의 이용저해율 + 지하부분이용저해율) × 노후율
> $\qquad$ + 그 밖의 이용저해율
> • 노후율 = $\dfrac{\text{해당 건축물의 유효경과연수}}{\text{해당 건축물의 경제적 내용연수}}$

이 경우 해당 건축물의 경제적 내용연수는 "건축물내용연수표"를 기준으로 산정하고, 유효경과연수는 실제경과연수·이용 및 관리상태·그 밖에 수리 및 보수정도 등을 고려하여 산정한다. 최유효이용상태인 건축물이 있는 경우 노후율을 적용하는 이유는 최유효이용의 상태가 건축물의 잔존내용연수 동안 지속될 수 있으므로, 그 범위 내에서는 건축물 및 지하이용저해가 없다고 보기 때문이다. 따라서 노후율은 신축건축물일수록 낮고 오래된 건축물일수록 높게 나타나므로, 동일 조건하에서는 신축건축물일수록 입체이용저해율이 낮아진다.

04 구분지상권 평가방법

1. 구분지상권 신규 설정의 경우 구분지상권 감정평가 평가방법

> **「공익사업을 위한 토지 등의 취득 및 보상에 관한 법률 시행규칙」 제31조**(토지의 지하·지상공간의 사용에 대한 평가)
>
> ① 토지의 지하 또는 지상공간을 사실상 영구적으로 사용하는 경우 당해 공간에 대한 사용료는 제22조의 규정에 의하여 산정한 당해 토지의 가격에 당해 공간을 사용함으로 인하여 토지의 이용이 저해되는 정도에 따른 적정한 비율(이하 이 조에서 "입체이용저해율"이라 한다)을 곱하여 산정한 금액으로 평가한다.
> ② 토지의 지하 또는 지상공간을 일정한 기간동안 사용하는 경우 당해 공간에 대한 사용료는 제30조의 규정에 의하여 산정한 당해 토지의 사용료에 입체이용저해율을 곱하여 산정한 금액으로 평가한다.

(1) 영구적인 사용의 경우(시설물 존속 시까지 사용)

해당 토지의 지상의 건축물 등이 없는 상태의 감정평가액(가액)에 입체이용저해율을 곱하고 해당 설정면적을 반영하여 평가한다.

> 구분지상권 설정대가 = 토지의 감정평가액 × 입체이용저해율 등 × 설정면적

⑵ 한시적인 사용의 경우

해당 토지의 지상의 건축물 등이 없는 상태의 감정평가액(사용료)에 입체이용저해율을 곱하고 해당 설정면적을 반영하여 평가한다.

> 구분지상권 설정대가(연간임대료) = 토지의 연간 사용료 감정평가액 × 입체이용저해율 등
> × 설정면적

다년간의 임대료를 평가하는 경우에는 연간 임대료를 감정평가한 후 합산하여 결정한다.

2. 기 설정된 구분지상권의 감정평가방법

> 「**공익사업을 위한 토지 등의 취득 및 보상에 관한 법률 시행규칙**」 **제28조**(토지에 관한 소유권 외의 권리의 평가)
>
> ① 취득하는 토지에 설정된 소유권 외의 권리에 대하여는 당해 권리의 종류, 존속기간 및 기대이익 등을 종합적으로 고려하여 평가한다. 이 경우 점유는 권리로 보지 아니한다.
> ② 제1항의 규정에 의한 토지에 관한 소유권 외의 권리에 대하여는 거래사례비교법에 의하여 평가함을 원칙으로 하되, 일반적으로 양도성이 없는 경우에는 당해 권리의 유무에 따른 토지의 가격차액 또는 권리설정계약을 기준으로 평가한다.

◦ (참고) 구분지상권 설정등기 예시

순위번호	등기목적	접수	등기원인	권리자 및 기타사항
14	구분지상권 설정	20○○년○○월 ○○일 제○○○○○호	20○○년○○월 ○○일 설정계약	목 적 전기공작물(송전선등)의 건설과 소유 범 위 토지의 북서쪽 송전선이 통과하는 1041m²의 지표면의 상공 50미터에서 70미터까지의 공중공간 존속기간 전기공작물의 존속기간까지 지 료 구분지상권 존속기간 동안의 총지료금액 금48,277,408원 지급시기 일시지급 지상권자 한국전력공사

⑴ 구분지상권 설정사례를 비준하는 방법

본건과 유사하게 설정된 다른 토지의 구분지상권 사례를 비준하여 결정하는 방법이다. 구분지상권 사례가 최근에 설정되었거나, 본건과 구분지상권의 성격이 유사하거나 설정된 토지의 가치형성요인이 유사한 경우에 설득력이 있는 평가방법이다.

$$\text{구분지상권의 감정평가액(원/m}^2\text{) = 구분지상권 설정사례(원/m}^2\text{)} \times \text{사정보정} \times \text{시점수정} \times \text{지역요인비교} \times \text{개별요인비교}$$

(2) 본건의 구분지상권 설정내역을 기준으로 평가하는 방법

본건의 구분지상권의 설정 시 설정된 대가를 기준으로 감정평가하는 방법이다. 본건의 구분지상권이 최근에 설정된 경우에 설득력이 있는 평가방법이다.

$$\text{구분지상권 감정평가액(원/m}^2\text{) = 본건 구분지상권 설정가액} \times \text{(시점수정} \times \text{수정률)}$$

(3) 토지잔여법을 사용하여 감정평가하는 방법

구분지상권 설정 전·후의 순수익의 차이를 환원이나 할인하여 감정평가하는 방법이다.

$$\text{구분지상권 감정평가액 = 차액순수익(구분지상권 설정 전 토지귀속순수익 − 구분지상권 설정 후의 토지귀속 순수익)} \div \text{환원이율 등}$$

(4) 구분지상권을 신규로 설치한다고 가정하고 감정평가하는 방법

본건 구분지상권을 새로 설정하는 것을 기준으로 감정평가하는 방법이다.

$$\text{구분지상권 감정평가액(원/m}^2\text{) = 토지의 감정평가액(원/m}^2\text{)} \times \text{입체이용저해율 등}$$

05 구분지상권이 설정된 토지의 감정평가방법

「**공익사업을 위한 토지 등의 취득 및 보상에 관한 법률 시행규칙**」 제29조(소유권 외의 권리의 목적이 되고 있는 토지의 평가)

취득하는 토지에 설정된 소유권 외의 권리의 목적이 되고 있는 토지에 대하여는 당해 권리가 없는 것으로 하여 제22조 내지 제27조의 규정에 의하여 평가한 금액에서 제28조의 규정에 의하여 평가한 소유권 외의 권리의 가액을 뺀 금액으로 평가한다.

$$\text{구분지상권 설정된 토지의 감정평가액 = 나지상태의 토지 감정평가액 − 구분지상권 감정평가액}$$

06 용어의 정리

1. 용도지역별 최유효이용층수와 한계심도

구분	세부내용	최유효층수	한계심도(m)	예상용적률
고층시가지	16층 이상의 고층건물이 최유효사용으로 판단되는 지역으로서 중심상업지역과 일반상업지역 등을 말한다.	16층 이상	40	800% 이상
중층시가지	11~15층 건물이 최유효이용으로 판단되는 지역으로서 중심상업지역과 일반상업지역·근린상업지역·준주거지역 등을 말한다.	11층~15층	35	550%~750%
저층시가지	4~10층 건물이 최유효이용으로 판단되는 지역으로서 주택, 공장, 상가 등이 혼재된 일반상업지역·근린상업지역·준주거지역·일반주거지역 등을 말한다.	4층~10층	30	200%~500%
주택지	3층 이하 건물이 최유효이용으로 판단되는 지역으로서 일반주거지역·녹지지역·공업지역 등을 말하며, 가까운 장래에 택지화가 예상되는 지역을 포함한다.	3층 이하		100% 내외
농지, 임지	농지·임지가 최유효이용으로 판단되는 지역으로서 사회, 경제 및 행정적 측면에서 가까운 장래에 택지화가 예상되지 아니하는 녹지지역 등을 말한다.	–	20	100% 이하

≫ 주 용적률이 둘 이상의 용도지역에 해당되는 경우에는 최유효층수에 의하여 판단(층이 우선)

2. 그 밖의 용어의 정리

(1) 토피

토피란 도시철도 지하시설물(이하 "지하시설"이라 함) 최상단에서 지표까지의 수직거리를 말한다. 즉, 보호층을 포함하는 개념이다.

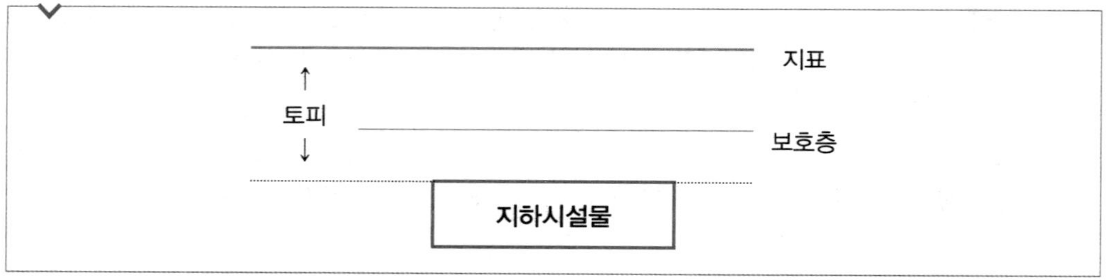

(2) 최소여유폭

천공 기타 행위로부터 지하시설물의 손상을 방지하기 위하여 필요한 시설물과 수평방향으로 최소한의 여유를 말한다.

(3) 보호층

굴착 등 타행위로부터 지하시설물을 보호하기 위하여 필요한 구조물 상·하의 범위를 말한다.

(4) 한계심도

"한계심도"란 토지소유자의 통상적인 이용행위가 예상되지 아니하고 지하시설물을 따로 설치하는 경우에도 일반적인 토지이용에 지장이 없을 것으로 판단되는 깊이를 말한다. 서울특별시의 경우 한계심도는 고층시가지는 40m, 중층시가지는 35m, 저층시가지 및 주택지는 30m, 농지·임지는 20m로 한다(서울특별시 도시철도의 건설을 위한 지하부분토지의 사용에 따른 보상기준에 관한 조례 제8조).

(5) 층별효용비

지상에 건물이 있는 경우 그 가치가 층별로 달라지는바 그 가치를 층별로 표시하는 것으로, 일반적으로 지표에서 멀어질수록 그 가치가 저하된다.

(6) 최유효층수

최유효건축물 층수는 대상토지에 건물을 건축하여 가장 효율적으로 이용할 경우의 층수로서 ⅰ) 인근토지의 이용상황·지가수준·성숙도·잠재력 등을 고려한 경제적인 층수, ⅱ) 토지의 입지조건·형태·지질 등을 고려한 건축가능한 층수, ⅲ)「건축법」또는「국토계획법」등 관련 법령에서 규제하고 있는 범위 내의 층수 등을 고려하여 결정한다.

(7) 건축가능층수

건축가능층수는 대상토지의 지반상태·건축시설물의 구조·형식 그 밖에 공법상으로 건축이 가능한 층수를 말하며, '건축가능층수기준표'에 따른다. 이 경우 지질 및 토피는 사업시행자가 제시한 기준에 따르되, 지질은 토사 또는 암석으로 분류되며, 토피는 지하시설물의 최상단에서 지표까지의 수직거리로 한다.

Check
Point!

● **건축가능층수기준표**(토지보상평가지침 [별표 10])

1. 터널 : 패턴별 구분 판단

(1) 풍화토(PD-2) 패턴
(단위 : 층)

건축구분 \ 토피(m)	10	15	20	25
지상	12	15	18	22
지하	1	2	2	3

(2) 풍화암(PD-3) 패턴
(단위 : 층)

건축구분 \ 토피(m)	10	15	20	25	30
지상	17	19	21	23	25
지하	1	2	2	3	4

(3) 연암(PD-4) 패턴
(단위 : 층)

건축구분 \ 토피(m)	10	15	20	25	30	35
지상	19	24	28	30	30	30
지하	1	2	3	3	4	4

(4) 경암(PD-5) 패턴
(단위 : 층)

건축구분 \ 토피(m)	10	15	20	25	30	35	40
지상	30	30	30	30	30	30	30
지하	1	2	3	4	5	6	7

2. 개착
(단위 : 층)

건축구분 \ 토피(m)	5	10	15	20
지상	7	12	19	19
지하	1	2	2	2

기 본예제

감정평가사 李 씨는 金 씨가 의뢰한 기설정된 구분지상권의 가격을 평가하고자 다음과 같은 자료를 수집하였다. 다음 자료를 기준으로 구분지상권을 평가하되, 평가단가는 반올림하여 유효숫자 3자리까지 결정한다.

자료 1 대상물건

1. 소재지: Y시 K구 K동 ○○번지
2. 토지자료: 대, 면적 300m², 일반상업지역
3. 토지의 감정평가액: 2,110,000원/m²
4. 구분지상권 내용
   (1) 목적: 전기공작물(송전선 등)의 건설과 소유
   (2) 범위: 토지 전체
   (3) 존속기간: 계약체결일(2022.8.10.)부터 송전선로가 존속하는 기간까지
   (4) 지료: 일금 94,950,000원정
   (5) 지급시기: 일시지급
   (6) 지상권자: 한국○○공사
   (7) 도면: 제2022-○○○호
5. 기준시점: 2027년 8월 10일
6. 평가목적: 일반거래

풀이영상

자료 2 지역분석 및 개별분석

1. 대상이 속하는 지역은 저층의 상업지대이다.
2. 인근지역에서는 지하 1층 지상 7층의 상업용 또는 업무용 빌딩을 신축하는 것이 최유효이용으로 판단되나 지상의 구조물로 인하여 지하 1층 지상 5층의 건축만 가능하다.

자료 3 인근지역의 지상권 설정사례

1. 소재지: Y시 K구 K동 ○○-○○번지
2. 토지자료: 대, 면적 300m², 일반상업지역
3. 토지의 감정평가액(기준시점): 1,900,000원/m²
4. 설정시점: 최근
5. 설정면적 및 가액: 토지 전체, 142,500,000원(일시지급)

자료 4 인근의 층별 효용비율

구분＼층별	1	2	3	4	5	6	7	B1	계
층별 효용비	100	70	50	40	35	35	35	40	

자료 5 기타자료

1. 입체이용률배분표: 본문의 자료를 활용할 것
2. 심도별 지하이용저해율표: 본문의 자료를 활용할 것
3. 고도제한이 강하여 기타이용률의 상하배분비율은 최고치를 적용한다.
4. 지상권 설정사례와는 토지의 가치차이의 개별요인 차이를 보이고 있다.

◢예시답안

Ⅰ. 평가개요
본건은 구분지상권에 대한 평가로 기준시점은 2027년 8월 10일이다.

Ⅱ. 입체이용저해율기준

1. 저해층수 산정
지상 6, 7층이 저해된다.

2. 입체이용저해율 산정

(1) 건물 등 이용저해율(저층시가지) : $0.75 \times \dfrac{35+35}{100+70+50+40+35\times3+40} \fallingdotseq 0.1296$

(2) 지하이용저해율 : 공중부분의 지상권 설정이므로 지하이용저해율은 고려하지 않는다.

(3) 그 밖의 이용저해율(최고치 적용) : $0.15 \times \dfrac{3}{4} \fallingdotseq 0.1125$

(4) 입체이용저해율 : $0.1296 + 0.1125 \fallingdotseq 0.2421$

3. 구분지상권 가격
$2,110,000 \times 0.2421 \fallingdotseq 511,000$원/m²($\times\,300 = 153,300,000$원)

Ⅲ. 설정사례 비교방법

1. 설정사례의 구분지상권 가액
$142,500,000 \div 300 = 475,000$원/m²

2. 설정사례 비교방법
$475,000 \times 1.000(\text{사정}) \times 1.00000(\text{시점}) \times 1.000(\text{지역}) \times 1.111^* \fallingdotseq 528,000$원/m²($\times\,300 = 158,400,000$원)

* 개별요인 : $2,110,000 \div 1,900,000$

Ⅳ. 구분지상권 가격결정
입체이용저해율 기준 방법과 설정사례 비교방법과의 합리성이 인정되는바, 입체이용저해율을 기준으로 산정한 가액을 기준으로 결정한다. 511,000원/m²($\times\,300 = 153,300,000$원)

(본건의 설정내역은 5년 전에 설정된 내역으로 현 시점의 감정평가액과 차이가 발생함)

제11절 | 권리금의 감정평가[50)]

01 정의

1. 권리금

권리금이란 임대차 목적물인 상가건물에서 영업을 하는 자 또는 영업을 하려는 자가 영업시설·비품, 거래처, 신용, 영업상의 노하우, 상가건물의 위치에 따른 영업상의 이점 등 유형·무형의 재산적 가치의 양도 또는 이용대가로서 임대인, 임차인에게 보증금과 차임 이외에 지급하는 금전 등의 대가를 말한다.

> **상가건물 임대차보호법 제10조의3**(권리금의 정의 등)
>
> ① 권리금이란 임대차 목적물인 상가건물에서 영업을 하는 자 또는 영업을 하려는 자가 영업시설·비품, 거래처, 신용, 영업상의 노하우, 상가건물의 위치에 따른 영업상의 이점 등 유형·무형의 재산적 가치의 양도 또는 이용대가로서 임대인, 임차인에게 보증금과 차임 이외에 지급하는 금전 등의 대가를 말한다.

2. 권리금의 유형[51)]

권리금은 「상가임대차법」상 유형재산 권리금과 무형재산 권리금으로 구분되고 이론상 종류는 시설권리금, 영업권리금, 바닥권리금(지역권리금), 기타권리금으로 구분[52)]되며, 각각의 개념은 아래와 같다.

구분	상세구분	개념
「상가임대차법」	유형재산권리금	영업시설, 비품, 재고자산 등 물리적·구체적 형태를 갖춘 재산에 대한 대가
	무형재산권리금	거래처, 신용, 영업상의 노하우, 건물의 위치에 따른 영업상의 이점 등 물리적·구체적 형태를 갖추지 않은 재산에 대한 대가
이론상 유형	시설권리금	영업을 위한 건물의 구조변경, 영업장 내부에 고착시킨 인테리어, 집기 및 비품 등 유형물에 대한 대가
	영업권리금	영업을 영위하며 발생하는 영업이익에 대한 무형의 재산가치에 대한 권리금으로 장기간 영업을 하면서 확보된 고객수, 광고나 평판 등으로 쌓은 명성, 신용, 영업상의 노하우 등의 이전에 대한 대가
	바닥권리금 (지역권리금)	영업장소가 위치한 장소적 이점에 관한 대가
	기타권리금	허가권리금(법률, 행정규제, 대리점권 등 새로운 영업자가 진입하지 못함에 대한 대가), 임차권 보장 권리금(상당한 존속기간 보장의 약속 및 이를 전제한 임대차계약에 따른 권리금) 등

---

50) 감정평가실무기준 해설서(Ⅰ) 총론편(추록분), 한국감정평가사협회 등, 2015.09, pp.1~26
51) 2018년 감정평가타상성조사 사례집, 국토교통부, 2018.12.
52) 정주희 양기철, "상가권리금 감정평가방법 연구", 한국감정평가사협회, 2015.10.

3. 권리금과 영업이익의 관계[53]

영업이익은 임대인에게 지불하는 임대료, 투하자본, 임차인의 노동력, 경영, 영업시설 등의 복합적인 기여로 발생되며, 이 중 영업권리금에는 초과 영업이익의 형태로 바닥권리금은 노변의 평균 영업이익의 형태로 나타난다.

권리금	영업이익	생산요소
영업권리금 (기타권리금 포함)	초과 영업이익 (대상상가)	• 임대료 • 투하자본 • 노동(임차인) • 경영
바닥권리금	평균 영업이익 (동일노변)	• 영업시설(상각부분)
시설권리금 (시설물 잔존가치)		• 영업시설(비상각부분)

영업이익 중 권리금으로 귀속되는 이익은 주로 영업권리금 형태로 나타나는 초과 영업이익 이외에도 주로 바닥권리금 형태로 나타나는 평균 영업이익에서도 발생하고 있다.

영업이익	이익의 구성	영업이익	권리금
	초과 영업이익	권리금 귀속이익 임차인 이익	영업권리금
	평균 영업이익 (동일노변)	권리금 귀속이익 임차인 이익	바닥권리금
			시설권리금 (시설물 잔존가치)

02 감정평가의 대상 및 자료의 수집

1. 감정평가의 대상

권리금은 이론상 시설권리금, 지역권리금, 영업권리금(기타권리금 포함)으로 구분된다. 시설권리금이란 영업을 위하여 건물의 구조변경, 영업장 내부에 고착시킨 인테리어, 집기 및 비품 등 유형물에 대한 대가를 말하고, 지역권리금이란 영업장소가 위치한 장소적 이점에 대한 대가를 말하며, 영업권리금이란 영업을 영위하며 발생하는 영업상의 이점에 대한 대가로서 장기간 영업을 하면서 확보된 고객 수, 광고나 평판 등으로 쌓은 명성, 신용, 영업상의 노하우의 이전에 대한 대가를 말한다.

기타권리금이란 허가권리금과 임차권보장권리금 등을 말하며, 통상 영업권리금에 포함하고 있다.

---

53) 2018년 감정평가타당성조사 사례집, 국토교통부, 2018.12.

허가권리금이란 법률이나 행정규제, 대리점권 등으로 새로운 영업자가 진입하지 못하게 됨으로 인하여 기존의 임차인이 향유하는 초과이익에 대한 대가가 금전으로 수수되는 경우로써 주로 유흥주점 등 신규 인·허가를 받기 어려운 업종에서 나타난다.

임차권보장권리금이란 상당한 임차권 존속기간 보장 약정 및 이를 전제로 한 양도계약에서 발생하는 특별한 사정으로 인하여 발생하는 권리금으로 임차인이 임대인에 지급하는 권리금을 말한다.

현실적인 거래관행은 이 3자(시설, 지역, 영업권리금)를 구분하여 거래하지 않을 뿐만 아니라 영업권리금과 지역권리금은 그 구분이 모호하다. 따라서 현실적으로 구분가능한 물리적, 구체적 형태를 갖추었는지 여부에 따라 유형자산과 무형자산으로 구분하여 정의하고 있으며 이를 감정평가의 대상으로 한다.

다만, 권리금의 감정평가의 대상은 영업활동에 사용하거나 장래 사용할 의도가 있는 경우이므로 타인에게 이전되지 않는 무형재산이나 영업활동과 관련 없는 유형자산(유휴시설 등)은 감정평가의 대상에서 제외하여야 한다.

2. 권리금 감정평가에 필요한 자료의 수집

권리금의 가격자료에는 거래사례, 수익자료, 시장자료 등이 있으며, 대상 권리금의 특성에 맞는 적절한 자료를 수집하고 정리한다. 유형재산의 경우에는 해당 물건의 자료를 수집한다.

자료의 종류	구체적인 자료
확인자료	사업자 등록증, 임대차계약서, 해당 상가건물에 대한 공부, 영업시설 등 유형재산 구입내역서, 공사비내역서, 기 지불된 권리금자료, 신규지불예정인 권리금자료 등
요인자료	상가 매출액 및 영업이익, 신용도, 노하우, 거래처관계, 시설상태 및 규모 관련 자료, 상가위치, 상권, 배후지, 업종특성, 경기 동향 및 수요자 특성자료 등
사례자료	동일 또는 유사업종 상가의 권리금 거래사례, 방매사례, 임대사례, 수익자료 및 지역, 상권, 업종별 시장자료 등

03 권리금의 감정평가

1. 감정평가의 원칙

권리금을 감정평가할 때에는 유형·무형의 재산마다 개별로 감정평가하는 것을 원칙으로 한다. 다만, 권리금을 개별로 감정평가하는 것이 곤란하거나 적절하지 아니한 경우에는 일괄하여 감정평가할 수 있다. 이 경우 감정평가액은 합리적인 배분기준에 따라 유형재산가액과 무형재산가액으로 구분하여 표시할 수 있다.

일괄감정평가한 금액에 대하여 의뢰인이 유·무형재산별로 구분하여 표시해줄 것을 요구하는 경우는 거래사례의 유·무형재산 구성비율, 감정평가대상 및 인근의 표준적인 유·무형재산의 구성비율 등 합리적인 배분기준에 따라 구분하여 표시할 수 있다.

2. 유형재산의 감정평가

(1) **유형재산 감정평가의 원칙**

유형재산을 감정평가할 때에는 원가법을 적용하여야 한다. 다만, 원가법을 적용하는 것이 곤란하거나 부적절한 경우에는 거래사례비교법 등으로 감정평가할 수 있다.

(2) **유형재산 감정평가대상의 확정 등**

유형재산은 등기사항전부증명서 및 공적장부에 등기 또는 등록되지 않는 점, 소유권 관계를 객관적으로 확인하기 어려운 점, 임대차계약기간 만료 시 임차인에게 영업시설 등에 대한 원상회복의무를 지우고 있는 점, 「민법」상 임차인의 부속물매수청구권(제646조) 및 임차인의 비용상환청구권(제626조) 등 관련 법률에 의거 분쟁이 발생할 우려가 많은 점을 종합 고려하여 감정평가대상을 의뢰인에게 제시받아야 하고, 감정평가 확정 시 반드시 의뢰인 및 이해관계인의 확인을 거쳐 확정해야 한다. 또한 재고자산이 통상적인 규모를 초과하는 경우에는 재고자산이 실제 권리금계약에 포함되어 있다고 하더라도 이는 권리금의 구성요소가 아니라 별도의 동산 거래로 보아야 하므로 감정평가에서 제외할 수 있다. 다만, 의뢰인이 재고자산 전체를 감정평가해 줄 것을 요청하는 경우에는 감정평가조건을 명기하고 감정평가할 수 있다.

(3) **유형재산의 감정평가방법**

유형자산은 크게 영업시설(인테리어 포함), 비품 및 재고자산 등으로 분류할 수 있다. 유형재산은 통상 시간경과에 따라 그 가치가 일정 정도 하락하는 물건이고, 상가의 개별성에 따라 맞춤형으로 제작, 설치하는 경우가 많으며, 신품가격조사가 용이한 점을 고려하여 원가법 적용을 원칙으로 하고 있다. 다만, 업종전환 등으로 재사용이 불가능한 경우, 유형재산 또는 업종 특성 등에 비추어 원가법을 적용하는 것이 곤란하거나 부적절한 경우 등에는 거래사례비교법 등 다른 감정평가방식을 적용할 수 있다.

거래사례비교법 이외에 동일 또는 유사 중고품의 가격수준 등을 참작하여 감정평가할 수 있으며, 효용가치가 없는 시설의 경우에는 해체처분가액으로 감정평가할 수 있다. 이 경우 효용가치 유무의 판단은 동종 또는 이종업종으로의 변경, 임차인의 의도, 일반적인 상가의 효용정도, 잔존내용연수, 시장성, 대체가능성, 관리상태 및 사회통념 등을 종합적으로 고려하여 결정해야 한다.

3. 무형재산의 감정평가

1) **무형재산 감정평가의 원칙**

무형재산을 감정평가할 때에는 수익환원법을 적용하여야 한다. 다만, 수익환원법을 적용하는 것이 곤란하거나 부적절한 경우에는 거래사례비교법이나 원가법 등으로 감정평가할 수 있다.

감정평가대상 상가가 정상영업 중인 경우 무형재산의 가치는 해당 상가의 과거 매출 자료 등을 기준으로 무형재산으로 인하여 장래 발생할 것으로 예상되는 합리적인 장래 기대 영업이익 등을 산정한 후 이를 현재가치로 할인 또는 환원하여 산정한다.

영업중단, 영업이익이 없거나 인근지역의 표준적인 상가의 영업이익에 비하여 영업이익이 현저히 낮은 경우, 수익의 측정이 불가능한 상가의 경우 등은 인근 동종 또는 유사업종 상가의 평균영업이익 등을 기준하되, 감정평가대상 상가의 개별성을 반영하여 무형자산의 합리적인 장래 기대영업이익을 산정한 후 수익환원법을 적용하여 감정평가할 수 있다.

2) 수익환원법에 의한 무형재산의 감정평가

(1) 수익환원법 모형

수익환원법 모형	비고
• 정상영업 중인 경우 $$V=\left(\sum_{t=1}^{n} \frac{무형재산귀속\ 영업이익\ 또는\ 현금흐름_t}{(1+r)^t}\right)$$ • 영업이 중단된 경우 $$V=\left(\sum_{t=1}^{n} \frac{조정된\ 무형재산귀속\ 영업이익\ 또는\ 현금흐름_t}{(1+r)^t}\right)$$	• V : 무형재산 권리금 • n : 할인기간 • r : 할인율

정상영업 중인 경우에는 무형재산 귀속 영업이익 또는 현금흐름(이하 "영업이익 등"이라 한다)을 할인기간 동안 환원 또는 할인하여 현재가치를 구하며, 영업이 중단되고 있거나 영업이익이 비정상적인 경우에는 동일 용도지대 내 동일 또는 유사업종 상가의 평균 영업이익 등을 고려하되, 감정평가 대상상가의 개별성을 반영한 조정된 영업이익 등을 기준으로 한다.

무형재산 귀속 영업이익 등은 장래 임차인이 장래 영업활동을 통해 발생할 것으로 예상되는 영업이익을 구하는 것으로 감정평가대상 상가의 과거 매출자료 등을 토대로 장래 발생가능할 것으로 예상되는 합리적인 기대영업이익이다.

과거 영업이익의 분석은 과거 3년간의 자료를 분석하는 것을 원칙으로 한다. 다만, 영업활동이 3년 미만이거나 영업시설의 확장 또는 축소 그 밖의 영업환경의 변동 등으로 인하여 과거 3년간의 자료를 분석하는 것이 곤란하거나 현저히 부적정한 경우에는 3년 이하의 자료를 분석하되, 관련 자료 등을 토대로 그 합리성을 검토해야 한다.

(2) 무형재산 귀속 영업이익 등 산정

① 영업이익과 현금흐름

㉠ 영업이익 : 영업이익은 재무제표(손익계산서)상의 상가 전체 영업이익(매출액 − 매출원가 − 판매비 및 일반관리비)에서 무형재산에 귀속하는 영업이익을 환원 또는 할인대상으로 하는 방법이다. 전체 영업이익 산정 시 주의할 점은 유형재산에 대한 "감가상각비"는 영업이익에 대응되는 비용이고, "자가 인건비 상당액"은 임차인의 투하된 노동력에 대한 대가로 응당 지불되어야 하는 비용이므로 양자 모두 비용처리하여야 한다는 것이다. 만약 의뢰인이나 임차인에게 영업이익을 제시받지 못하거나 제시받은 영업이익의 신뢰성 및 객관성이 현저히 떨어진다고 판단되는 경우에는 인근의 평균 영업이익 또는 통계자료 등을 고려하여 산정할 수 있다. 영업을 하지 않았거나 영업이익이 (−)인 경우에는 인근의 평균 영업이익을

고려하되, 상가의 개별성을 반영한 조정된 영업이익 등을 기준으로 감정평가할 수 있다. 이 경우 "인근의 평균 영업이익"은 동일 용도지대 내 동일 또는 유사업종 상가의 평균적인 영업이익을 의미한다. 다만, 현실적으로 평균 영업이익을 구하기 어려운 경우에는 임대료 승수환원법, 거래사례비교법이나 원가법 등을 적용할 수 있다. 영업이익 산정 시 "자가 인건비 상당액"은 업종 및 임차인의 능력 등에 따라 주관적일 수 있으므로 보다 객관적인 자료인 국가데이터처 등 정부기관에서 발표하는 각 업종별, 지역별 전국 표준인건비 통계자료 등을 참고하여 결정할 수 있다.

ⓛ **현금흐름** : 현금흐름은 재무제표(손익계산서)상의 영업이익에 세금 등을 가감한 순현금흐름(매출액 − 매출원가 − 판매비 및 일반관리비 − 세금 + 비현금흐름 − 자본적 지출 ± 순운전자본증감액)에서 무형재산에 귀속하는 현금흐름을 환원 또는 할인하는 방법이다. 세금은 개인일 경우 소득세, 법인일 경우에는 법인세 상당액을 기준하며, 해당 상가(또는 사업장)로 인하여 발생하는 영업이익에 대해 일정세율을 적용하여 추정한다. 자본적 지출은 해당 할인기간 동안 기존자산을 유지하거나 새로운 자산을 구입하는 데 재투자해야 하는 비용으로 자본적 지출만큼 차감해 주어야 한다. 순운전자본이란 유동자산과 유동부채의 차이를 의미하며, 순운전자본 증감액을 반영한다.

ⓒ **유의사항** : 기업형 상가의 경우에는 세금 및 추가적인 자본적 지출 등의 영향을 많이 받으므로 현금흐름을 적용할 수 있고, 소규모 상가의 경우 영업이익을 적용할 수 있다. 다만, 기업형 상가와 소규모 상가의 구분기준은 매출액, 영업형태, 업종, 규모, 브랜드 등을 종합적으로 고려하여 판단하는 것으로 단순히 임차인이 법인이냐 개인이냐에 따라 구분되는 것이 아님에 유의하여야 한다.

또한 매출과 관련된 모든 자료, 즉 재무제표상 손익계산서, 부가가치세 과세표준증명원상 수입금액, 신용카드매출전표집계표상 매출자료, 포스회사에서 확인된 매출자료, 가맹점 정산서(프랜차이즈의 경우), 동종업종의 탐문조사자료, 각종 통계자료 등과의 비교를 통해 정확한 매출액 산정을 해야 한다.

② **무형재산 귀속 영업이익 등의 산정방법**

감정평가대상 상가의 전체 영업이익에서 무형재산 귀속 영업이익 등은 해당 지역, 상권, 업종 특성에 따라 다르게 나타날 것이며, 그 추정방법은 비율추정방식, 비교사례추출방식, 공제방식이 있다.

㉠ **비율추출방식**

　ⓐ **산정방법** : 이 방식은 감정평가대상 상가가 속한 지역의 거래관행 등을 조사하여 전체 영업이익 중 무형재산 귀속 영업이익을 일정비율로 추출해 내는 방법이다.

> 무형재산 귀속 영업이익 = 전체 영업이익(자가 인건비 상당액 공제 후)
> × 무형재산 영업이익 비율

> **[예시 1]** 시장탐문조사 시 감정평가대상이 속한 노변의 권리금이 영업이익(자가 인건비 상당액 공제 후)의 12개월로 조사된다면 이는 「상가건물 임대차보호법」상 보장기간 60개월의 20% 수준으로 추정됨.
>
> 무형재산 귀속영업이익 비율 = 12개월 / 60개월 = 0.2

무형재산 귀속 영업이익 비율은 권리금 거래관행 및 시장 탐문 등에 의해 추정가능하며, 지역별, 상권별, 업종별로 다양하게 나타날 수 있다. 이 방식은 권리금 거래관행을 잘 반영할 수 있고, 시장에서 탐문 등을 통하여 정보수집이 가능하여 현실적으로 유용한 방법이다.

만약 평가대상이 속한 지역이 무형재산이 "자가 인건비 상당액 공제 전 영업이익"을 기준으로 시장탐문 조사되었다면 다음과 같은 방법으로 무형재산 영업이익 비율을 구할 수 있다.

> **[예시 2]** 무형재산 영업이익이 전체 영업이익(자가 인건비 상당액 공제 전)의 12개월, 해당 상가의 영업이익(자가 인건비 상당액 공제 전)이 300만원/월, 자가 인건비 상당액 162만원(국가데이터처 자료사용)으로 조사된다면 이는 「상가건물 임대차보호법」상 보장기간 60개월의 43% 수준으로 무형재산 영업이익 비율을 추정함.
>
> 무형재산 귀속 영업이익 비율 = 26개월/60개월 = 0.43
> $3,000,000 \times 12개월 = (3,000,000원 - 1,620,000원) \times X개월^*$
> $*$ X개월 = 36,000,000원 / 1,380,000원 ≒ 26개월

ⓑ **산정 시 유의사항** : 수익환원법 적용 시 환원대상 영업이익(현금흐름)에는 "자가 인건비 상당액"이 공제된 금액이므로 거래관행조사 시 영업이익이 자가 인건비 상당액 공제 전 또는 공제 후 금액인지 유의해야 한다. 만약 시장 탐문조사된 자료가 공제 전 금액이라면 "자가 인건비 상당액"을 고려하여 [예시 2]의 방법으로 무형재산 귀속 영업이익 비율을 수정해 주어야 한다.

ⓛ **비교사례추출방식** : 이 방식은 감정평가대상 상가가 속한 노변 혹은 동일수급권 내 유사지역의 권리금이 수수되지 않는 상가와 권리금이 수수되고 있는 상가의 영업이익의 차이로 추출해내는 방법이다.

이는 권리금이 "0"인 경우에도 영업이익이 존재한다는 상황을 반영한 방법이지만 권리금이 "0"인 상태의 영업이익을 실무상 측정하기가 곤란하여 적용에 한계가 있는 방법이다.

그러나 이 방법도 권리금 감정평가와 관련된 데이터 축적 및 상가의 영업자료 축적 등에 따라 장래에는 적용 가능한 유용한 방법이 될 수 있다.

ⓒ **공제방식** : 공제방식은 전체 영업이익 중에서 영업이익 형성에 기여하는 권리금 외의 생산요소별 기여분을 공제하고 남은 부분(매출액 − 매출원가 − 판매비 및 일반관리비 − 투하자산 기여이익−임차인 경영이익)을 무형재산 귀속 영업이익으로 추정하는 방법이다.

이 방법은 투하자산 및 임차인 경영이익에 대한 적정이익을 구하기 어렵고, 무형재산에

상응하는 영업이익이 없거나 높은 영업이익이 산출되는 경우 현실 권리금 거래관행과의 괴리를 가져올 수 있다는 한계점이 있다.

ⓔ 각 산정방법 정리 및 비교

- 비율추출방식

  전체 영업이익에 권리금에 귀속하는 영업이익 비율을 곱하여 무형재산에 귀속하는 영업이익을 산출하는 방법이다. 이는 시장관행에 부합하고 실무상 주로 적용하는 방법이나, 권리금과 영업이익, 임대료 등의 상관관계가 범위를 벗어나면 현실권리금 거래관행과 괴리될 가능성이 있다.

- 비교사례추출방식

  전체 영업이익에서 권리금이 "0"인 사례의 영업이익을 공제하여 무형재산의 영업이익을 산출하는 방법이다. 이는 이론적으로 가장 부합하는 방법이나, 권리금이 "0"인 상태의 영업이익의 산정이 어려운 단점이 있다.

- 공제방식

  영업이익 산출에 공헌하는 생산요소별 기여분을 공제하여 권리금에 해당하는 영업이익을 추출하는 방법이다. 이 방법 역시 이론적 측면에 부합하는 방법이나, 매출액에 따라 권리금 대상이익이 지나치게 높거나 낮게 추출되는 문제점이 있으며 현실 거래관행과의 괴리 가능성이 있다.

③ **할인율**

할인율은 적용되는 영업이익 등의 종류와 위험 정도, 할인기간 및 특성 등에 따라 상이하게 나타나는데 요소구성법(= 무위험률 + 위험할증률)과 가중평균 자본비용(WACC) 등을 적용하여 산정할 수 있으며, 다른 무형자산 감정평가 시 사용하는 할인율 등을 참고하여 산정할 수 있다.

구분	요소구성법	가중평균자본비용법
산식	할인율 = 무위험수익률 + 위험할증률	$WACC = (K_e \times \dfrac{E}{E+D} + K_d \times \dfrac{D}{E+D})$ K_e : 대상 상가의 위험프리미엄을 감안한 자기자본비용 K_d : 대상 상가의 위험스프레드를 감안한 타인자본비용 E : 자기자본 총액 D : 이자지급부 부채 총액
비고	• **무위험수익률** : 은행정기예금이자율, 3·5년 만기 국채수익률 등 • **위험할증률** : 대상상가의 영업에 따른 장래 위험프리미엄(입지, 영업 및 상권특성, 시설특성, 경영상의 위험률 등)	• 본건과 동일 또는 유사업종의 WACC를 기준(일부 해당 상가의 위험프리미엄을 가산하기도 함) • 기업형 상가의 경우에 적합

④ **할인기간**

실제 영업기간은 지역별, 업종별, 상가별로 다르게 나타나지만, 권리금은 선불적 의미의 투자액 성격이고, 「상가건물 임대차보호법」상 5년[54]을 보장하고 있으므로 5년을 기준함이 타당하다.

⑤ **기타**

「감정평가실무기준」상 무형재산 감정평가 시 해당 영업이익 등을 환원 또는 할인하는 기간을 명시적으로 규정하지 않은 것은 적정 할인기간의 조정을 통해서도 무형재산을 감정평가할 수 있도록 한 취지이다.

따라서 권리금에 상응하는 적정한 영업이익 등 비율을 구할 수 없거나, 그 비율에 객관성 및 신뢰성이 없다고 판단되는 경우에는 감정평가 대상상가의 전체 영업이익을 기준으로 하되, 적정 할인기간을 조정하여 감정평가할 수도 있다. 이 경우 적정할인기간은 시장관행 및 탐문 등에 의해 지역별, 상권별, 업종별 및 영업특성 등을 고려하여 결정하여야 한다.

3) 거래사례비교법에 의한 무형재산의 감정평가

(1) 거래사례비교법에 의한 무형재산 감정평가방법

① **동일 또는 유사 업종의 무형재산만의 거래사례와 대상의 무형재산을 비교하는 방법**

② **동일 또는 유사 업종의 권리금 일체 거래사례에서 유형의 재산적 가치를 차감한 가액을 대상의 무형재산과 비교하는 방법**

무형재산의 거래사례에 근거하여 합리적으로 감정평가할 수 있는 다른 방법이 있는 경우에는 그에 따라 감정평가할 수 있다.

(2) 산식

$$V = Ps \times C \times T \times Z \times I$$

V : 상가건물의 무형재산 감정평가액 P_s : 무형재산 거래사례금액

C : 사정보정치 T : 시점수정치

Z : 지역요인 비교치 I : 개별요인 비교치(면적 등에 대한 수정치 포함)

(3) 사례의 선정

거래사례비교법의 적용을 위한 거래사례는 동일 또는 유사 업종의 무형재산만의 거래사례(또는 동일 또는 유사업종의 권리금 일체 거래사례에서 유형재산을 차감한 가액)로 일반적인 사례의 선택기준에 따라 선정한다.

본건과 동일 또는 유사업종이란 해당지역의 특성, 상권의 특성 등을 고려할 때 권리금 가치형성요인이 유사하고 비교가능성 및 대체가능성이 높은 업종을 의미한다. 실무상 절대적인 것은 아니지만 「건축법 시행령」 제14조 규정에 의거한 9개의 시설군 분류체계 내의 업종일 경우 유사업종으로 볼 수 있을 것이다.

---

54) 2018년 10월 16일 이후 최초 임대차계약이 되었거나 계약이 갱신된 임대차계약의 경우 보장기간이 120개월(10년)로 늘어났다.

본건과 동일 또는 유사업종의 거래사례를 선정하도록 규정한 취지는 지역특성, 영업특성, 시설특성 및 기타 업종 특성 등에 따라 개별적으로 형성되는 권리금 수준을 반영하기 위한 것이며, 가치형성요인 비교 시 비교가능성을 높여 평가주체의 자의성 개입을 줄이기 위한 것이다.

(4) 가치형성요인 비교

사례와 대상과의 가치형성요인 비교과정은 입지조건, 영업조건, 시설조건, 기타조건에 따라 각 조건별로 비교하여 최종 격차율을 산정한다. 지역요인의 경우 입지, 영업, 기타조건이 해당되며, 개별요인 비교 시 개별상가의 시설조건이 추가된다.

지역요인			개별요인		
조건	항목	세항목	조건	항목	세항목
입지 조건	위치	교통 접근성, 유동인구, 편의시설 정도	입지 조건	위치	역세권, 버스노선, 유동인구, 접면도로상태, 편의시설 정도
	상권	경제기반도, 영업수준, 소비성향도		상권	크기, 주요고객 유형, 유효구매력 수요, 상가적합성
	배후지	배후지의 성격, 규모 등		배후지	위치, 종류, 크기, 세대수, 구성원 등
영업 조건	영업형태	영업의 전문화, 상권의 집단화, 명성 및 트렌드	영업 조건	신용도	고객인지도(브랜드 등), 신용도
				노하우	영업노하우
				거래처관계	업종간 경쟁관계, 고객수준, 영업(업종)난이도
				상가면적 및 건물관리상태 등	건물규모, 관리상태, 임차자 혼합정도, 주차시설 등
				임대차계약 정도 등	초기권리금 수준, 임대차계약 내용(계약기간, 보증금 및 월임대료, 특약 등)
			시설 조건	시설상태, 규모 등	인테리어 정도, 영업시설의 형식 및 상태, 비품구비수준, 경쟁업체와의 시설수준
기타 조건	기타	허가 난이도 및 경기동향 등 그 밖의 사항	기타 조건	기타	허가난이도 및 경기동향 등, 그 밖의 사항

(5) 유의사항

① 방매사례 선정 가능 여부

무형재산의 권리금을 거래사례비교법으로 감정평가하기 위해서는 거래사례 수집이 필수적이다. 그러나 현실은 권리금 시장이 폐쇄성 등으로 인하여 거래사례 포착이 매우 어렵고 탐문에 의해 거래사례를 조사한다 하더라도 증빙자료인 권리금 계약서를 구하기가 매우 어렵다. 이러한 현실을 고려하고 방매가격도 하나의 시장가격의 지표가 될 수 있으므로 권리금 거래사례에 대한 자료가 축적되기 전까지는 제한적으로 거래사례로 사용할 수 있다.

다만, 방매사례를 인근 거래사례로 사용하는 경우에는 유사 상가의 권리금 수준, 다수의 유사

방매사례 수집 등을 통하여 방매가격의 합리성을 검토해야 한다.

또한 방매가격기준 시 시점수정에 대한 논란이 있으나 방매개시시점을 정확하게 파악하기 어렵고 기준시점 현재 시장에 출품된 상태이므로 별도의 시점수정은 불필요한 경우도 있을 것이다.

② 개별요인 비교 시 면적비교

표준적인 상가면적은 업종 및 지역, 상권에 따라 다르게 나타난다. 표준적인 상가면적 이상의 경우에는 단위면적당 권리금이 다소 낮아지는 경향을 보이므로 개별요인 비교 시 면적에 따른 요인 비교치를 고려해야 한다.

가치형성요인 비교 시 기준이 되는 면적은 임대면적, 계약면적, 전유면적 등이 있으나 시장에서 자료수집이 가능하고 신뢰성 있게 비교분석할 수 있는 면적을 선정하는 것이 타당하다.

③ 층별 위치별 권리금 요인치 적용

동일건물 내 상가라도 층별, 위치별 임대료 및 가격수준의 차이가 발생하며 권리금 또한 마찬가지이다. 상층부 또는 지하층 권리금은 통상 1층에 비해 권리금이 낮게 형성되거나 없는 경우도 종종 발생한다.

따라서 층이 다른 상가를 사례로 선정하고자 하는 경우에는 해당 상가건물의 층별, 위치별 비교치를 구할 수 있는 경우에 한하여 적용하여야 한다.

4) 원가법에 의한 무형재산의 감정평가

(1) 원가법에 의한 무형재산의 감정평가

무형재산을 원가법으로 감정평가할 때에는 대상상가의 임대차계약 당시 무형재산의 취득가액을 기준으로 취득 당시와 기준시점 당시의 수익 변화 등을 고려하여 감정평가한다. 다만, 무형재산의 원가에 근거하여 합리적으로 감정평가할 수 있는 다른 방법이 있는 경우에는 그에 따라 감정평가할 수 있다.

(2) 산식

> 무형재산 권리금 = 기 지급한 감정평가 대상상가의 무형재산 권리금 × 시점수정 × 수정률

무형재산 감정평가 시 적용하는 원가법이란 권리금시장에서 권리금을 기 지급한 임차인의 대부분은 신규임차인에게 권리금을 받고 상가를 양도하기 원하며 적어도 기 지급한 권리금 수준 또는 그 이상을 받고자 하는 점을 고려한 감정평가방법이다.

① 기 지불된 무형재산 권리금

임차인이 기 지급한 권리금은 선불적 투자비용 중 하나로서 영업개시 시점에 투입된 비용성격이고, 평가대상은 이 중 무형재산에 상응하는 권리금만 해당된다. 따라서 기 지급한 권리금 중 유형재산에 해당하는 권리금을 차감한 후 적용하여야 한다.

② **시점수정**

기존 권리금 지급시점과 기준시점 간 시간경과에 따라 권리금 가격변화에 대한 보정으로서 권리금과 임대료와의 정의 상관관계가 형성되는 점을 고려하여 한국부동산원에서 매분기 조사·발표하는 매장용 부동산의 임대가격지수, 소비자물가지수 등을 활용할 수 있다.

③ **수정률**

수정률은 권리금의 기 지급시점과 기준시점 간 권리금을 둘러싼 경제사정의 변화, 상권변화, 임차인의 영업활동 변화 등에 따른 보정치로서 감정평가대상 상가 및 동일 용도지대 내 유사 상가의 권리금 거래수준, 상권의 변화정도, 업종 특성, 장래 변화가능성, 경기변동 등을 종합적으로 고려해야 한다.

(3) **유의사항**

종전 임차인은 기 지급한 권리금 수준 또는 그보다 다소 높은 수준의 권리금을 수령하기 원하기 때문에 원가법은 검증방법으로 유용할 수 있다. 다만, 권리금이 거래되는 시장의 불완전성이 크고 당사자 간의 협상력 차이에 의해 결정되는 경우가 많으므로 기 지급한 권리금이 적정한 금액인지 여부는 주변 권리금 수준 등과의 비교·검토하여 판단해야 할 것이다.

5) 시산가액의 조정

(1) **시산가액 조정의 필요성**

권리금은 특정임차인 간의 거래로 관련 정보가 비대칭적이며, 권리금시장의 폐쇄성, 공인된 정보의 부존재 등으로 시장의 불완전성이 심한 점을 고려할 때, 하나의 감정평가방식을 통한 감정평가액 도출에는 한계가 따른다. 따라서 각 상가의 특성, 해당 상권 및 업종의 특성 등을 고려하여 각 감정평가방식에 의해 산정된 시산가액을 비교·검토하여 최종 평가액을 결정할 필요가 있다.

(2) **시산가액 조정방법**

주된 방법에 의하여 산정된 시산가액에 합리성이 없다고 판단되는 경우에는 주된 방법 및 다른 감정평가방법으로 산정한 시산가액을 조정하여 감정평가액을 결정할 수 있다. 이 경우 권리금 감정평가목적, 권리금의 특성, 지역·상권·업종별 특성 및 개별상가의 특성, 수집한 자료의 신뢰성, 시장상황 등을 종합적으로 고려하고 각 시산가액에 적절한 가중치를 부여하여 감정평가액을 결정하여야 한다.

4. 유형재산과 무형재산의 일괄감정평가

(1) **수익환원법 원칙**

유형재산과 무형재산을 일괄하여 감정평가할 때에는 수익환원법을 적용해야 한다. 다만 적용이 곤란하거나 부적절한 경우에는 거래사례비교법 등으로 감정평가할 수 있다.

(2) **거래사례비교법 등**

거래사례비교법 적용 시 거래사례와 감정평가 대상상가와의 유·무형재산의 구성비율 비교 및 유·무형재산의 지역·개별요인 비교항목에 대한 비교 등을 하여야 하며, 원가법 적용 시에도 유·무형재산의 특성을 반영해야 한다.

5. 그 밖의 감정평가방법

(1) **회귀분석법**

권리금을 종속변수로 하고, 권리금에 영향을 미치는 변수를 독립변수로 한 다중 회귀분석을 이용하여 권리금을 감정평가하는 방법이다.

(2) **월임대료승수법**(MRM법·Monthly Rent Multiplier Method)

이 방법은 대상과 동일 또는 유사업종 상가의 임대료와 권리금 간 표준적인 승수에 감정평가대상 상가의 임대료를 곱하여 상가권리금을 감정평가하는 방법이다.

> 상가권리금 = 동일 또는 유사업종 상가의 임대료와 권리금 간 승수 × 감정평가대상 상가임대료
> × 수정률

임대료와 권리금 간 승수는 권리금이 임대료대비 몇 배인지를 나타내는 배수로서 현장조사를 통한 탐문자료, 시장자료, 거래자료, 방매자료 등을 수집, 정리하여 결정해야 한다.
상가의 임대료는 월간 실질임대료를 의미하며, 임차인의 과거 임대차계약에 의한 임대료를 의미하는 것이 아니라 기준시점 현재의 임대료를 의미한다.
수정률은 감정평가대상 상가의 개별성, 임차인의 투하자본과 업종별 특성에 따른 보정치이다.
상기의 방법은 권리금 자료의 수집, 유형재산의 규모·특성 및 영업특성에 따라 달리 형성되는 개별적 권리금 수준을 반영하기 어려운 점은 있으나 현행 권리금 수수관행에 부합하는 방법이며, 감정평가대상 상가 인근의 권리금 수준 등을 파악하는 데 유용한 방법이 될 수 있으므로 다른 방식으로 산정한 권리금의 검증수단으로 용이하다.

기 본예제

아래 권리금에 대한 감정평가액을 결정하시오.

자료 1 의뢰목록 및 유형자산 명세

항목		품명	재조달원가	내용연수
유형재산	영업시설	덕트 외	31,500,000	7
	비품 등	책상 외	700,000	7
무형재산		해당 상가점포의 무형재산		

》 유형자산의 감가상각방법은 정액법이다.

자료 2 권리금 산정의 기초가 되는 해당 부동산의 개요

위치	상호명	전유 면적 (m²)	공용 면적 (m²)	분양 면적 (m²)	토지 (m²)	임대차현황(원)		임대기간
						보증금	월임대료	
1층	○○식당	26.0	11.0	37.0	20.0	20,000,000	1,500,000	2022.5.27. ~2027.5.26.

≫ 현재 ○○식당으로 운영 중이며(대표자 : 홍길동) 사업장은 2022년 5월 27일에 개설하였고 종업원은 본인 1명이다.

자료 3 본 사업장의 영업 관련 현황

1. 영업이익(2026년)

매출액	매출원가	판매관리비	영업이익
240,000,000	88,800,000	70,800,000	80,400,000

≫ 감가상각비와 자가 인건비 상당액은 매출원가 및 판매관리비에 포함되어 있지 않다.

2. 자가인건비 : 21,000,000원(연간)

자료 4 무형자산의 비율 관련 자료

영업이익 대비 무형자산비율(기여도)은 20%이다.

자료 5 기타자료

1. 할인율은 13.85%를 적용한다.
2. 영업이익은 매년 동일하다.
3. 현금흐름 추정기간은 5년이다.
4. 평가액은 반올림하여 천원 단위까지 결정한다.

예시답안

Ⅰ. 평가개요

본건은 상가권리금에 대한 감정평가로서 유형자산 및 무형자산의 합으로 결정하며, 기준시점은 임대차기간 종료일인 2027년 5월 26일이다.

Ⅱ. 유형자산가액

$31,500,000 \times 2/7 + 700,000 \times 2/7 = 9,200,000$원

Ⅲ. 무형자산가액

1. 수정 영업이익(영업이익 - 감가상각비 - 자가노력비)

$80,400,000 - (31,500,000 + 700,000) \times 1/7 - 21,000,000 = 54,800,000$원

2. 무형자산 귀속 영업이익

$54,800,000 \times 0.2 = 10,960,000$원

3. 무형자산가치

$10,960,000 \times \dfrac{1.1385^5 - 1}{0.1385 \times 1.1385^5} \fallingdotseq 37,763,000$원

Ⅳ. 권리금 평가액

$9,200,000 + 37,763,000 = 46,963,000$원

제12절   소음 등으로 인한 대상물건의 가치하락분에 대한 감정평가

01 정의

"소음 등으로 인한 대상물건의 가치하락분"이란 장기간 지속적으로 발생하는 소음·진동·일조침해 또는 환경오염 등(이하 "소음 등"이라 한다)으로 대상물건에 직접적 또는 간접적인 피해가 발생하여 대상물건의 객관적 가치가 하락한 경우 소음 등의 발생 전과 비교한 가치하락분을 말하며, 일시적인 소음 등으로 인한 정신적인 피해 등 주관적 가치하락은 제외한다. 다만, 공사기간 중에 발생하는 소음 등으로 인한 가축 등 생명체에 대한 피해는 포함할 수 있다.

소음 등의 주요 유형

소음	「소음·진동규제법」상 기계·기구·시설 기타 물체의 사용으로 인하여 발생하는 강한 소리로 일상생활에서 발생하는 바람직하지 않은 음을 총칭한다.
진동	「소음·진동규제법」상 기계·기구·시설 기타 물체의 사용으로 인하여 발생하는 강한 흔들림으로 가진력에 의해 어떤 양의 크기가 시간이 경과함에 따라 어떤 기준 값보다 커지거나 작아져서 주기적으로 변동하는 현상을 말한다.
일조침해	일조권(태양광선을 차단당해 받는 불이익을 제거시킬 수 있는 권리)이 침해되는 것을 말한다.
환경오염	쓰레기·연소재·오니·폐유·폐산·폐알카리 등의 토양오염원이 대상토지에 매립되거나, 인근토지에 매립되어 대상토지로 유입되어 경제적 피해가 발생하는 것을 말한다.

02 조사·확인사항

소음 등의 실태(가치하락을 유발한 원인의 종류·특성 등), 소음 등의 관련 법령상 허용기준, 소음 등이 대상물건에 미치는 물리적 영향과 그 정도, 소음 등의 복구 시 책임관계, 가치하락을 유발한 원인으로부터의 복구 가능성 및 복구에 걸리는 기간, 소음 등의 복구 방법과 소요비용, 소음 등의 발생 전·후 대상물건의 물리적·경제적 상황, 소음 등의 발생 후 대상물건에 대한 시장의 인식, 소음 등을 관련 전문가(전문연구기관을 포함한다)에 의해 측정한 경우 그 자문이나 용역의 결과, 그 밖에 소음 등으로 인한 대상물건의 가치하락분의 감정평가에 필요한 사항을 조사한다.

03 자료의 수집 및 정리

소음 등으로 인한 가치하락분에 대한 감정평가에 참고가 되는 자료는 해당 물건의 자료의 수집 및 정리에 관한 규정을 준용하되, 소음 등의 발생 전·후의 가격자료를 모두 수집하여야 한다.

04 소음 등으로 인한 대상물건의 가치하락분에 대한 감정평가방법

> **감정평가에 관한 규칙 제25조**(소음 등으로 인한 대상물건의 가치하락분에 대한 감정평가)
>
> 감정평가법인등은 소음·진동·일조침해 또는 환경오염 등(이하 "소음 등"이라 한다)으로 대상물건에 직접적 또는 간접적인 피해가 발생하여 대상물건의 가치가 하락한 경우 그 가치하락분을 감정평가할 때에 소음 등이 발생하기 전의 대상물건의 가액 및 원상회복비용 등을 고려해야 한다.

1. 감정평가 원칙

> 소음 등으로 인한 토지 등의 가치하락분 = 소음 등이 발생하기 전 대상물건의 가치
> − 소음 등이 발생한 후 대상물건의 가치

소음 등이 발생하기 전의 대상물건의 가액과 소음 등이 발생한 후의 대상물건의 가액 및 원상회복비용 등을 고려하여야 한다. 소음 등이 발생하기 전과 후의 가격은 거래사례비교법이나 수익환원법으로 평가한다.

다만, 소음 등이 발생한 후의 대상물건의 가액의 경우 ⅰ) 비준가액은 대상물건에 영향을 미치고 있는 소음 등과 같거나 비슷한 형태의 소음 등에 의해 가치가 하락한 상태로 거래된 사례를 선정하여 시점수정을 하고 가치형성요인을 비교하여 산정하게 되고, ⅱ) 수익가액은 소음 등이 발생한 후의 순수익을 소음 등으로 인한 위험이 반영된 환원율로 환원하여 산정하게 된다.

2. 폐기물 등이 매립된 경우

1) 가치하락분의 구성요소

> 부동산 가치하락분 = 오염 전 가치 − 오염 후 가치 = 복구비용 및 관리비용 + 스티그마

① 소음 등의 허용기준
② 원상회복비용과 모니터링 비용(계량화 가능한 실재적 위험)
③ 스티그마 효과(무형의 또는 양을 잴 수 없는 불리한 인식)

> **스티그마 효과의 개념 및 특징**[55]
>
> 일반적으로 스티그마는 환경오염의 영향을 받는 부동산에 대해 일반인들이 갖는 '무형의 또는 양을 잴 수 없는 불리한 인식'을 말한다. 즉, 스티그마는 환경오염으로 인해 증가되는 위험(Risk)을 시장참여자들이 인식함으로 인하여 부동산의 가치가 하락되는 부정적인 효과를 의미한다.
>
> 환경오염의 영향을 받는 부동산은 시장참여자들에게 '오염부동산'이란 부정적 낙인이 붙여지고, 이 낙인으로 인해 오염정화가 관련 기준에 부합되게 완료된 후에도 그 가치가 하락된다. 이와 같이 스티그마는 불확실성과 위험할지도 모른다는 인식의 결과로 인해 평가 대상 부동산에 부정적인 영향을 미치는 외부적 감가요인을 말한다.
>
> 스티그마는 무형적이고, 심리적 측면이 강하며, 언제 나타날지 모르는 건강상의 부가적인 위험요소에 대한 대중의 염려·공포에서부터 현재로서는 기술적 한계 등으로 인하여 알려지지 않은 오염피해에 대한 우려까지 부동산의 가치에 영향을 주는 모든 무형의 요인들을 포함한다.
>
> 스티그마를 정성적으로 간주하여 감가의 정도를 검토한 연구결과에 따르면, 스티그마는 다음과 같은 특징이 있다.
>
> 첫째, 오염정화 전의 스티그마 감가는 정화 후의 스티그마보다 크다.
>
> 둘째, 주거·상업·공업용지의 스티그마 감가는 주거용지에서 가장 크고, 공업용지에서 가장 작다.
>
> 셋째, 스티그마 감가는 오염원으로부터 멀어짐에 따라 감소한다.
>
> 넷째, 오염정화 후 남게 되는 스티그마는 시간이 경과함에 따라 감소하고 소멸한다.

2) 감정평가의 유형

(1) 폐기물 등이 매립된 상태의 토지 등을 감정평가하는 경우

- 거래사례비교법

  대상물건에 영향을 미치고 있는 오염 등과 같거나 비슷한 형태의 오염 등에 의해 가치가 하락한 상태로 거래된 사례를 선택하여 시점수정을 하고 가치형성요인을 비교하여 결정한다.

- 수익환원법

  오염 등이 발생한 후의 순수익을 오염 등으로 인한 위험이 반영된 환원이율 또는 할인율로 환원 또는 할인하여 산정한다.

- 원가법

  오염의 상태를 해소하는데 소요되는 비용을 산정하여 오염이 없는 상태의 토지가치에서 차감하여 평가한다.

(2) 폐기물 등의 매립으로 인한 가치하락분을 감정평가하는 경우

- 거래사례비교법

  오염이 된 상태에서 거래된 거래사례와 오염과 무관한 거래사례를 비교하여 차액을 산출한다.

---

55) 감정평가실무기준 해설서(Ⅰ) 총론편, 한국감정평가사협회 등, 2014.02, p.544

- 수익환원법

오염으로 인한 수익의 감소분을 오염 등으로 인한 위험이 반영된 환원이율 또는 할인율로 환원 또는 할인하여 산정한다.

- 원가법

오염의 상태를 해소하는데 소요되는 비용을 기준으로 평가한다.

(3) 감정평가 시 유의사항

가치하락분은 객관적인 가치하락분을 대상으로 한다. 가치하락분에는 관련 법령에 의한 소음 등의 허용기준, 원상회복비용 및 스티그마 등을 고려하되 일시적인 소음 등으로 인한 가치하락 및 정신적인 피해 등 주관적 가치하락은 제외한다.

3. 일조침해로 인한 가치하락분의 감정평가

(1) 일조침해로 인한 가치하락분 감정평가의 방법

- 비교방식

부동산의 시장성에 근거한 평가방식으로 일조권 등 환경가치의 침해가 없는 정상적인 부동산의 가치를 산출하고, 일조권 등 환경가치의 침해로 가치가 하락한 부동산의 사례를 분석하여 환경가치의 침해로 인한 하락률(액)을 산정하는 방법이다.

- 원가방식

부동산의 비용성에 근거한 평가방식으로 일조권 등의 침해로 인한 냉·난방, 조명, 습도, 통풍, 프라이버시 등의 침해로 인해 침해 이전에 비해 추가적인 비용을 발생시키며, 건물의 잔존 내용연수 동안 추가로 발생되는 이러한 비용을 예측하여 현재 시점으로 환원하여 부동산의 하락가치를 산정하는 방법이다.

- 수익방식

부동산의 수익성에 근거한 방식으로 일조 등의 침해로 인한 임대료의 변동이 확인되는 경우, 건물 잔존년수 동안 발생하는 일조권 등 환경가치의 침해로 인하여 하락한 임대료와 정상적인 임대료 차액을 산정 및 총 현가액을 가치하락분으로 산정하는 방식이다.

- 회귀분석방법(특성가격접근법, Hedonic Price Model)

침해가 없는 정상적인 부동산의 가치를 산출 후 평가대상 부동산에 적용할 적정한 가치하락률을 추정하여 일조 등의 침해가 없을 경우를 상정한 대상부동산의 시장가치에 이를 적용하여 가치하락을 산정하는 방법이다. 실무상 가장 많이 사용되는 방식이다.

- 조건부가치접근법(Contingent Valuation Model)

전문가나 일반인들에게 환경오염에 대한 대가를 얼마만큼 지불할지에 대하여 질문하여 평가할 수 있다.

기 본예제

아래 아파트의 일조침해로 인한 손해액을 산정하시오.

- 일조침해 전 아파트 가격 : 1,000,000,000원
- 일조가 아파트 전체 가치에서 차지하는 비율 : 6%
- 가치하락률 = 일조가치비율 × (1 - 총일조시간/240)
- 침해 전 일조시간 : 240분, 침해 후 일조시간 : 180분

예시답안

가치하락률 = 0.06 × (1-180/240) = 1.5%
가치하락액 = 1,000,000,000 × 0.015 = 15,000,000원

(2) 배상 대상이 되는 일조침해에 대한 해석

토지의 소유자 등이 종전부터 향유하던 일조이익이 객관적인 생활이익으로서 가치가 있다고 인정되면 법적인 보호의 대상이 될 수 있는데, 그 인근에서 건물이나 구조물 등이 신축됨으로 인하여 햇빛이 차단되어 생기는 그늘, 즉 일영이 증가함으로써 해당 토지에서 종래 향유하던 일조량이 감소하는 일조방해가 발생한 경우, 그 신축행위가 정당한 권리행사로서의 범위를 벗어나 사법상 위법한 가해행위로 평가되기 위해서는 그 일조방해의 정도가 사회통념상 일반적으로 해당 토지 소유자의 수인한도를 넘어야 하고, 일조 방해행위가 사회통념상 수인한도를 넘었는지 여부는 그 일조방해의 정도, 피해이익의 법적 성질, 가해 건물의 용도, 지역성, 토지이용의 선후관계, 가해방지 및 피해 회피의 가능성, 공법적 규제의 위반 여부, 교섭 경과 등 모든 사정을 종합적으로 고려하여 판단하여야 한다(대법원 2008.4.17. 선고 2006다35865 전원합의체 판결, 대법원 2008.12.24. 선고 2008다41499 판결 등 참조). 그리고 위와 같은 수인한도의 기준에 관하여는, 우리나라 국토의 특수성과 협소성, 대도시 인구의 과밀화 및 토지의 효율적 이용을 위한 건물의 고층화 경향, 일조 등의 확보를 위한 건축물 높이 제한에 관한 건축 관계법령상의 규정 등을 고려할 때, 동짓날을 기준으로 9시부터 15시까지 사이의 6시간 중 일조시간이 연속하여(이하 '연속 일조시간'이라 한다) 2시간 이상 확보되는 경우 또는 8시에서 16시까지 사이의 8시간 중 일조시간이 통틀어서(이하 '총 일조시간'이라 한다) 최소한 4시간 이상 확보되는 경우에는 일단 수인한도를 넘지 않는 것으로, 위 두 가지 중 어느 것에도 속하지 않는 일조방해의 경우에는 일단 수인한도를 넘는 것으로 보는 것이 타당하다(대법원 2004.9.13. 선고 2003다64602 판결 참조).

기 본예제

다음 부동산의 오염 전 부동산 가치와 오염 후 부동산가치를 산정하고 스티그마(Stigma)의 정도를
판정하시오(기준시점 : 2027년 6월 1일).

자료 1 》 대상토지의 개요

1. 서울특별시 A동 100, 공장용지, 3,000m², 준공업지역, 중로한면, 사다리, 평지
2. 대상토지에는 공장운영에 따른 배관 부식과 오염물질 누출로 인한 오염이 진행되었으며, 오염제거를 위해서는
   정화공사가 필요하다.

자료 2 》 인근지역의 거래사례 자료

일련번호	소재지 등	지목/이용상황	면적(m²)	거래가격(천원)	거래시점
A	A동 200	장/공업용	3,000	3,000,000	2025.12.7.
B	A동 300	장/공업용	3,000	6,000,000	2025.12.7.

》 거래사례는 모두 준공업지역이며, 거래사례 A는 오염물질이 기준치 이상으로 발견되었으며, B는 토양오염과
   관련 없는 토지이다.

자료 3 》 기타자료

1. 지가변동률(2025.12.7.~2027.6.1. 공업지역) : 4.151%
2. 오염여부를 제외한 개별요인은 대등한 것으로 본다.
3. 정화비용(토지오염 조사비용, 정화비용, 정화기간 동안 토지임대료 감소분의 현가 등)은 m²당 800,000원이
   소요될 것으로 보인다.

예시답안

1. **오염 후 토지가치(거래사례 A선정, 1,000,000원/m²)**

   $1,000,000 \times 1.000 \times 1.04151 \times 1.000 \times 1.000 ≒ 1,040,000$원/m²

2. **오염 전 토지가치(거래사례 B선정, 2,000,000원/m²)**

   $2,000,000 \times 1.000 \times 1.04151 \times 1.000 \times 1.000 ≒ 2,080,000$원/m²

3. **스티그마의 정도**

   (1) 전체 가치하락분 : $2,080,000 - 1,040,000 = 1,040,000$원/m²

   (2) 정화비용 : 800,000원/m²

   (3) 스티그마 : $1,040,000 - 800,000 = 240,000$원/m²$(\times 3,000 = 720,000,000$원$)$

01 개발부담금의 개념 및 부과기준

개발부담금이란 개발사업의 시행 또는 토지이용계획의 변경 기타 사회·경제적 요인에 의하여 정상지가상승분을 초과하여 개발사업을 시행하는 자 또는 토지소유자에게 귀속되는 토지가액의 증가분 중 「개발이익환수에 관한 법률」에 의거 국가가 부과·징수하는 금액을 말한다.

개발부담금은 택지개발사업, 산업단지개발사업 등의 사업에 부과되며, 일정규모(특별시 또는 광역시 내 도시지역은 660m², 이외 지역의 도시지역은 990m², 도시지역 중 개발제한구역에서 그 구역의 지정 당시부터 토지를 소유한 자가 사업을 시행하는 경우에는 1,650m², 도시지역 외 시행하는 사업에 대해서는 1,650m²) 이상의 사업을 하는 경우에 부과된다.[56]

세부적인 부과기준은 아래와 같다.

> 개발부담금 = 개발이익(종료시점지가 − 개시시점지가 − 정상지가상승분) × 부담률
> (계획입지사업[57] 20%, 개별입지사업[58] 25%)

≫ 다만, 개발제한구역에서 부담금 부과대상 개발사업을 시행하는 경우로서 납부의무자가 개발제한구역으로 지정될 당시부터 토지소유자인 경우에는 부담률 20% 적용(법 제13조)

개발이익 환수에 관한 법률 제5조(대상사업)

① 개발부담금의 부과대상인 개발사업은 다음 각 호의 어느 하나에 해당하는 사업으로 한다.
　　1. 택지개발사업(주택단지조성사업을 포함한다)
　　2. 산업단지개발사업
　　3. 관광단지조성사업(온천 개발사업을 포함한다)
　　4. 도시개발사업, 지역개발사업 및 도시환경정비사업
　　5. 교통시설 및 물류시설 용지조성사업
　　6. 체육시설 부지조성사업(골프장 건설사업 및 경륜장·경정장 설치사업을 포함한다)
　　7. 지목 변경이 수반되는 사업으로서 대통령령으로 정하는 사업
　　8. 그 밖에 제1호부터 제6호까지의 사업과 유사한 사업으로서 대통령령으로 정하는 사업
② 동일인이 연접(連接)한 토지를 대통령령으로 정하는 기간 이내에 사실상 분할하여 개발사업을 시행한 경우에는 전체의 토지에 하나의 개발사업이 시행되는 것으로 본다.
③ 제1항 및 제2항에 따른 개발사업의 범위·규모 및 동일인의 범위 등에 관하여 필요한 사항은 대통령령으로 정한다.

---

56) 개발이익 환수에 관한 법률 제5조(대상사업), 동법 시행령 제4조(대상사업)
57) 계획입지사업 : 선계획 후개발 원칙에 따라 지구단위계획 등을 수립하여 시행하는 대규모 개발사업(법 제5조 제1항 제1호~제6호)
① 택지개발사업(주택단지조성사업 포함), ② 산업단지개발사업, ③ 관광단지조성사업(온천 개발사업 포함), ④ 도시개발사업, 지역개발사업 및 도시환경정비사업, ⑤ 교통시설 및 물류시설 용지조성사업, ⑥ 체육시설부지조성사업(골프장 건설사업 및 경륜장·경정장 설치사업 포함)
58) 개별입지사업 : 지목변경 수반 건축사업 등으로 개별법령에 의하여 사업지구로 지정되거나 지구단위계획이 수립되지 않는 곳에서 시행되는 사업(법 제5조 제1항 제7호 및 제8호)

02 각 지가산정의 기준시점(원칙)

> **개발이익 환수에 관한 법률 제9조**(기준시점)
>
> ① 부과개시시점은 사업시행자가 국가나 지방자치단체로부터 개발사업의 인가 등을 받은 날로 한다. 다만, 다음 각 호의 경우에는 그에 해당하는 날을 부과개시시점으로 한다.
>   1. 인가 등을 받기 전 5년 이내에 대통령령으로 정하는 토지이용계획 등이 변경된 경우로서 그 토지이용계획 등이 변경되기 전에 취득한 토지의 경우에는 취득일. 다만, 그 취득일부터 2년 이상이 지난 후 토지이용계획 등이 변경된 경우 등 대통령령으로 정하는 경우에는 대통령령으로 정하는 날로 한다.
>   2. 인가 등의 변경으로 부과대상토지의 면적이 변경된 경우에는 대통령령으로 정하는 시점
> ② 제1항에 따른 개발사업의 인가 등을 받은 날과 취득일은 대통령령으로 정한다.
> ③ 부과종료시점은 관계법령에 따라 국가나 지방자치단체로부터 개발사업의 준공인가 등을 받은 날로 한다. 다만, 부과대상토지의 전부 또는 일부가 다음 각 호의 어느 하나에 해당하면 해당 토지에 대하여는 다음 각 호의 어느 하나에 해당하게 된 날을 부과종료시점으로 한다.
>   1. 관계법령에 따라 부과대상토지의 일부가 준공된 경우
>   2. 납부의무자가 개발사업의 목적 용도로 사용을 시작하거나 타인에게 분양하는 등 처분하는 경우로서 대통령령으로 정하는 경우
>   3. 그 밖에 대통령령으로 정하는 경우
> ④ 제3항 각 호 외의 부분 본문에 따른 개발사업의 준공인가 등을 받은 날은 대통령령으로 정한다.

(1) **종료시점지가**

관계법령에 따라 국가나 지방자치단체로부터 개발사업의 준공인가 등을 받은 날로 한다.

(2) **개시시점지가**

사업시행자가 국가 또는 지방자치단체로부터 개발사업의 인가 등을 받은 날로 한다.

(3) **부담금 부과 대상 개발사업의 인가 등을 받은 날과 준공인가 등을 받은 날**[59]

사업 종류	근거 법률 및 사업명	인가 등을 받은 날	준공인가 등을 받은 날
1. 택지개발사업(주택단지 조성사업을 포함한다)	가. 삭제 <2016.12.30.>		
	나. 「주택법」에 따른 대지조성사업	사업계획 승인일	사용검사일
	다. 「주택법」에 따른 주택건설사업		
	라. 「택지개발촉진법」에 따른 택지개발사업	택지개발지구 지정일	준공검사일
2. 산업단지개발사업	가. 「산업입지 및 개발에 관한 법률」에 따른 국가산업단지개발사업	실시계획 승인일	준공인가일
	나. 「산업입지 및 개발에 관한 법률」에 따른 일반산업단지개발사업		
	다. 「산업입지 및 개발에 관한 법률」에 따른 도시첨단산업단지개발사업		

---

59) 개발이익 환수에 관한 법률 시행령 별표3

	라. 「산업입지 및 개발에 관한 법률」에 따른 농공단지개발사업		
	마. 「중소기업진흥에 관한 법률」에 따른 협동화사업 단지조성사업	실시계획 승인일	준공인가일
3. 관광단지조성 사업(온천 개 발사업을 포 함한다)	가. 「관광진흥법」에 따른 관광지조성사업	조성계획 승인일	준공검사일 또는 제9조 제3항에 따른 날
	나. 「관광진흥법」에 따른 관광단지조성 사업		
	다. 「국토의 계획 및 이용에 관한 법률」 에 따른 유원지 설치사업	실시계획 인가일	준공검사일
	라. 「도시공원 및 녹지 등에 관한 법률」 에 따른 공원사업	실시계획 인가일	준공검사일
	마. 「온천법」에 따른 굴착사업	굴착허가일	제9조 제3항에 따른 날
	바. 「온천법」에 따른 온천 개발사업	온천개발계획 승인일	온천이용 허가일
	사. 「자연공원법」에 따른 공원사업	사업시행 허가일	제9조 제3항에 따른 날
4. 도시개발사업, 지역개발사 업 및 도시환 경정비사업	가. 「경제자유구역의 지정 및 운영에 관 한 특별법」에 따른 경제자유구역개 발사업	실시계획 승인일	준공검사일
	나. 「도시개발법」에 따른 도시개발사업	실시계획 인가일	준공검사일
	다. 「도시 및 주거환경정비법」에 따른 정 비사업	사업시행 인가일	준공인가일
	라. 「제주특별자치도 설치 및 국제자유 도시 조성을 위한 특별법」에 따른 국제자유도시개발사업	사업계획 승인일	제9조 제3항에 따른 날
	마. 「주한미군기지 이전에 따른 평택시 등 의 지원 등에 관한 특별법」에 따른 평 택시개발사업	사업계획 승인일	제9조 제3항에 따른 날
	바. 「주한미군기지 이전에 따른 평택시 등의 지원 등에 관한 특별법」에 따 른 국제화계획지구 개발사업	개발계획 승인일	제9조 제3항에 따른 날
	사. 「지역 개발 및 지원에 관한 법률」에 따른 지역개발사업	실시계획 승인일	준공인가일
	아. 「규제자유특구 및 지역특화발전특구 에 관한 규제특례법」에 따른 특화사업	특구계획 승인일	제9조 제3항에 따른 날
5. 교통시설 및 물류시설 용 지조성사업	다음 각 목의 어느 하나에 해당하는 사 업을 위한 용지조성사업		
	가. 「국토의 계획 및 이용에 관한 법률」 에 따른 자동차 및 건설기계 운전학 원 설치사업	실시계획 인가일	준공검사일
	나. 「국토의 계획 및 이용에 관한 법률」 에 따른 여객자동차터미널사업		

	다.「국토의 계획 및 이용에 관한 법률」에 따른 유통업무설비 설치사업		
	라.「물류시설의 개발 및 운영에 관한 법률」에 따른 물류단지개발사업	실시계획 승인일	준공인가일
	마.「물류시설의 개발 및 운영에 관한 법률」에 따른 물류터미널사업	공사시행 인가일	건축물 사용승인일
	바.「여객자동차 운수사업법」에 따른 여객자동차터미널사업	공사시행 인가일	시설확인일
6. 체육시설 부지조성사업 (골프장건설사업 및 경륜장·경정장 설치사업을 포함한다)	가.「경륜·경정법」에 따른 경륜장 설치사업	설치허가일	제9조 제3항에 따른 날
	나.「경륜·경정법」에 따른 경정장 설치사업		
	다.「국토의 계획 및 이용에 관한 법률」에 따른 골프장 건설사업	실시계획 인가일	준공검사일
	라.「체육시설의 설치·이용에 관한 법률」에 따른 체육시설업을 위한 부지조성사업	사업계획 승인일	제9조 제3항에 따른 날
7. 지목변경이 수반되는 사업	「건축법」에 따른 건축물(국토교통부령으로 정하는 건축물로 한정한다)의 건축(「건축법」 제19조에 따른 용도변경을 포함한다)으로 사실상 또는 공부상의 지목변경이 수반되는 사업	건축허가(신고), 용도변경허가(신고) 또는 건축물대장 기재내용 변경신청일	건축물 사용승인일 또는 제9조 제3항에 따른 날
8. 그 밖에 제1호부터 제6호까지의 사업과 유사한 사업	가.「건축법」에 따른 창고시설의 설치로 사실상 또는 공부상의 지목변경이 수반되는 사업을 위한 용지조성사업	건축허가 (신고)일	건축물 사용승인일
	나.「국토의 계획 및 이용에 관한 법률」에 따른 창고시설의 설치를 위한 용지조성사업	행위허가일 또는 실시계획 인가일	준공검사일
	다.「중소기업창업 지원법」에 따른 공장용지조성사업	사업계획 승인일	건축물 사용승인일
	라.「산업집적활성화 및 공장설립에 관한 법률」에 따른 산업단지 외의 지역에서의 공장용지조성사업 및 공장설립을 위한 부지조성사업	공장설립 승인일	건축물 사용승인일
	마.「국토의 계획 및 이용에 관한 법률」에 따른 개발행위 허가(신고),「농지법」에 따른 농지전용 허가(신고),「산지관리법」에 따른 산지전용 허가(신고),「초지법」에 따른 초지전용 허가(신고)에 따라 시행하는 사업으로서 다음의 어느 하나에 해당하는 사업		

1) 주택을 건축하기 위한 용도로 토지를 개발하는 사업 등 국토교통부령으로 정하는 사업	개발행위,농지전용,산지전용 또는 초지전용 허가(신고)일	준공검사일,건축물(시설물) 사용승인일 또는 제9조 제3항에 따른 날
2) 사실상 또는 공부상의 지목변경이 수반되는 사업		

03 지가의 산정

개발이익 환수에 관한 법률 제10조(지가의 산정)

① 종료시점지가는 부과 종료 시점 당시의 부과 대상 토지와 이용 상황이 가장 비슷한 표준지의 공시지가를 기준으로 「부동산 가격공시에 관한 법률」 제3조 제7항에 따른 표준지와 지가산정 대상토지의 지가형성 요인에 관한 표준적인 비교표에 따라 산정한 가액(價額)에 해당 연도 1월 1일부터 부과 종료 시점까지의 정상 지가상승분을 합한 가액으로 한다. 이 경우 종료시점지가와 표준지의 공시지가가 균형을 유지하도록 하여야 하며, 개발이익이 발생하지 않을 것이 명백하다고 인정되는 경우 등 대통령령으로 정하는 경우 외에는 종료 시점지가의 적정성에 대하여 감정평가법인등(「감정평가 및 감정평가사에 관한 법률」에 따른 감정평가사 또는 감정평가법인을 말한다)의 검증을 받아야 한다.

② 부과 대상 토지를 분양하는 등 처분할 때에 그 처분 가격에 대하여 국가나 지방자치단체의 인가 등을 받는 경우 등 대통령령으로 정하는 경우에는 제1항에도 불구하고 대통령령으로 정하는 바에 따라 그 처분 가격을 종료시점지가로 할 수 있다.

③ 개시시점지가는 부과 개시 시점이 속한 연도의 부과 대상 토지의 개별공시지가(부과 개시 시점으로부터 가장 최근에 공시된 지가를 말한다)에 그 공시지가의 기준일부터 부과개시시점까지의 정상지가상승분을 합한 가액으로 한다. 다만, 다음 각 호의 어느 하나에 해당하면 그 실제의 매입 가액이나 취득 가액에 그 매입일이나 취득일부터 부과 개시 시점까지의 정상지가상승분을 더하거나 뺀 가액을 개시시점지가로 할 수 있다.

1. 국가·지방자치단체 또는 국토교통부령으로 정하는 기관으로부터 매입한 경우
2. 경매나 입찰로 매입한 경우
3. 지방자치단체나 제7조 제2항 제2호에 따른 공공기관이 매입한 경우
4. 「공익사업을 위한 토지 등의 취득 및 보상에 관한 법률」에 따른 협의 또는 수용(收用)에 의하여 취득한 경우
5. 실제로 매입한 가액이 정상적인 거래 가격이라고 객관적으로 인정되는 경우로서 대통령령으로 정하는 경우

④ 제1항 및 제3항에 따라 종료시점지가와 개시시점지가를 산정할 때 부과 대상 토지에 국가나 지방자치단체에 기부하는 토지나 국공유지가 포함되어 있으면 그 부분은 종료시점지가와 개시시점지가의 산정 면적에서 제외한다.

⑤ 제1항 및 제3항에 따라 종료시점지가와 개시시점지가를 산정할 때 해당 토지의 개별공시지가가 없는 경우 등 대통령령으로 정하는 경우에는 국토교통부령으로 정하는 방법으로 산정한다.

⑥ 개시시점지가에 대하여 제3항 각 호 외의 부분 단서를 적용받으려는 납부 의무자는 같은 항 각 호의 어느 하나에 해당한다는 사실을 증명하는 자료를 국토교통부령으로 정하는 기간에 시장·군수·구청장에게 제출하여야 한다.

⑦ 제1항 후단에 따른 종료시점지가의 검증 절차·방법 등에 필요한 사항은 대통령령으로 정하고, 종료시점지가 검증 수수료 지급 기준은 국토교통부장관이 정하여 고시한다.

1. 종료시점지가

(1) 원칙

종료시점지가는 부과종료시점 당시 부과대상토지와 이용상황이 비슷한 표준지공시지가를 기준으로
아래와 같이 산정한다.

> 종료시점 표준지공시지가 × 비교표(비준표) × 정상지가상승률(시·군·구의 평균지가변동률)

(2) 예외

부과대상토지를 분양하는 등 처분할 때에는 그 처분가격에 대하여 국가나 지방자치단체의 인가를
받은 경우 등에는 그 처분가격을 종료시점지가로 할 수 있다. 다만, 처분가격을 종료시점지가로
산정하는 경우는 매입가격으로 개시시점지가를 산정하는 경우로 한정한다.

2. 개시시점지가

(1) 원칙

개시시점지가는 부과개시시점이 속한 연도의 부과대상토지의 개별공시지가에 정상지가상승분을
합한 가액으로 한다.

> 개시시점 개별공시지가 × 정상지가상승률(시·군·구 평균지가변동률)

(2) 예외

경매나 입찰로 매입하거나 국가나 지방자치단체 등으로부터 관련 규정에 의하여 매입한 경우 등
일부 경우에는 실제의 매입가액이나 취득가액에 정상지가상승분을 더하거나 뺀 금액을 개시시점
지가로 할 수 있다.

3. 지가산정의 특례

(1) 기부토지 및 국공유지의 제외

종료시점지가와 개시시점지가를 산정할 때 부과 대상 토지에 국가 또는 지방자치단체에 기부하는
토지 또는 국공유지가 포함되어 있으면 그 부분은 종료시점지가와 개시시점지가의 산정 면적에서
제외한다(법 제10조 제4항).

(2) 지목변경이 수반되는 개발사업의 예외

지목변경이 수반되는 개발사업(영 별표 1 제7호)의 경우 부담금 부과 대상이 되는 규모는 국가
또는 지방자치단체로부터 인가 등을 받은 토지의 면적 중 사실상 또는 공부상 지목이 변경되는
토지의 면적이 부과대상 면적에 해당되는 경우로 한다. 또한, 시행령 별표 1 제7호에 따른 지목변
경이 수반되는 개발사업의 경우 인가 등을 받은 면적 중 그 사업이 종료된 후 사실상 또는 공부상

지목이 변경된 면적에 한하여 개발이익이 발생한 것으로 본다(영 제4조 제4항, 영 제14조 제2항). 이 경우 개발사업에 대한 부담금을 산정할 때 그 개발비용은 총 지출비용 중 지목이 변경된 부분에 지출된 비용으로 하되, 지목이 변경된 부분에 지출된 비용을 명확하게 구분할 수 없는 경우에는 면적비율에 의한다(영 제14조 제3항).

(3) **개별공시지가가 없는 경우**

종료시점지가 및 개시시점지가를 산정함에 있어 당해 토지의 개별공시지가가 없는 경우 등 다음의 경우에는 「감정평가 및 감정평가사에 관한 법률」에 따른 둘 이상의 감정평가법인 등이 감정평가한 가액을 산술평균한 가액으로 해당 지가를 산정하여야 한다(법 제10조 제5항, 영 제11조 제7항, 규칙 제8조 제2항).
- 개시시점지가 및 종료시점 지가를 산정함에 있어서 부과 대상 토지의 개별공시지가가 없는 경우
- 종료시점지가를 산정함에 있어 법 제10조 제3항 단서에 따라 매입가격으로 개시시점지가를 산정한 경우

4. 개발이익환수법령상 종료시점지가와 개시시점지가의 산정방식[60]

구분		개시시점지가	종료시점지가
원칙	부과대상토지의 개별공시지가가 있는 경우	개별공시지가 +정상지가상승분	개별공시지가(산정) +정상지가상승분
	부과대상토지의 개별공시지가가 없는 경우	감정평가액	감정평가액
허용1	개시시점지가를 매입가격으로 산정 시	매입가격 +정상지가상승분	감정평가액
허용2	처분가격의 제한을 받은 경우 등(개시시점지가를 매입가격으로 산정하는 경우만)	매입가격 +정상지가상승분	처분가격

---

60) 개발부담금 업무편람, 국토교통부, 2025.01.

04 정상지가상승분(인가시점 − 준공시점)

개발이익 환수에 관한 법률 시행령 제2조(정상지가상승분)

① 「개발이익 환수에 관한 법률」(이하 "법"이라 한다) 제2조 제3호에 따른 정상지가상승분은 부과기간 중 각 연도의 정상지가상승분을 합하여 산정하며, 각 연도의 정상지가상승분은 해당 연도 1월 1일 현재의 지가에 해당 연도의 정상지가변동률을 곱하여 산정한다.

② 부과기간이 1년 이내인 경우(연도 중에 부과 개시 시점 또는 부과 종료 시점이 속한 경우를 포함한다)에는 월별 정상지가상승분(각 월의 정상지가상승분은 해당 월 1일 현재의 지가에 그 월의 정상지가변동률을 곱하여 산정한다)을 합하여 산정한 금액을 그 부과기간 중의 정상지가상승분으로 하되, 월 중 일부 기간의 정상지가상승분은 그 월의 정상지가상승분을 일 단위로 나누어 산정한 금액으로 한다.

③ 제1항에 따른 부과기간 중 제2차 연도 이후의 각 연도 1월 1일 현재의 지가는 부과 개시 시점 또는 전년도 1월 1일 현재의 지가에 전년도 부과기간 중의 정상지가상승분을 합한 금액으로 한다.

④ 제1항의 정상지가변동률은 「부동산 거래신고 등에 관한 법률」 제19조에 따라 국토교통부장관이 조사한 연도별 또는 월별 평균지가변동률(해당 개발사업 대상 토지가 속하는 시·군 또는 자치구의 평균지가변동률을 말한다. 이하 같다)로 한다. 다만, 제12조 제1항 제5호 가목 또는 법 제8조 제2호에 따른 정상지가상승분을 산정하는 경우에는 연도별 평균지가변동률(부과기간이 1년 미만인 경우와 연도 중에 부과 개시 시점 또는 부과 종료 시점이 속한 경우에는 해당 연도 내에 속하는 부과기간의 평균지가변동률을 말한다)과 같은 기간의 정기예금 이자율 중 높은 비율로 한다.

⑤ 제4항 단서에 따른 정기예금 이자율은 시중은행의 1년 만기 정기예금 평균 수신금리를 고려하여 국토교통부장관이 매년 결정·고시하는 이자율로 한다.

05 개발비용

개발이익 환수에 관한 법률 시행령 제12조(개발비용의 산정)

① 법 제11조 제1항 각 호에 따른 개발비용의 산정기준은 각각 다음 각 호와 같다.
  1. 순공사비 : 해당 개발사업을 위하여 지출한 재료비·노무비·경비의 합계액
  2. 조사비 : 직접 해당 개발사업의 시행을 위한 다음 각 목의 비용(순공사비에 해당하지 아니하는 비용을 말한다)의 합계액
     가. 해당 개발사업의 시행을 위한 측량비
     나. 관계 법령이나 해당 개발사업의 인가 등의 조건에 따라 의무적으로 실시하여야 하는 각종 영향평가에 드는 비용
     다. 「국가유산영향진단법」 제3조 제9호에 따른 영향진단 및 「매장유산 보호 및 조사에 관한 법률」 제11조 제3항에 따른 매장유산의 발굴에 드는 비용
     라. 개발사업 토지에 대한 지반조사에 드는 비용
  3. 설계비 : 해당 개발사업의 설계를 위하여 지출한 비용의 합계액
  4. 일반관리비 : 해당 개발사업과 관련하여 관리활동 부문에서 발생한 모든 비용의 합계액
  5. 기부채납액 : 납부 의무자가 관계 법령이나 해당 개발사업의 인가 등의 조건에 따라 국가 또는 지방자치단체에 기부하는 토지 또는 공공시설 등의 가액으로서 다음 각 목의 구분에 따라 산정한 가액. 다만, 개

발사업 목적이 타인에게 분양하는 등 처분하는 것으로서 그 처분가격에 기부하는 토지 또는 공공시설 등의 가액이 포함된 경우에는 제11조 제2항에 따라 그 처분가격을 종료시점지가로 산정하는 경우로 한정한다.

　가. 토지의 가액 : 개시시점지가에 부과기간의 정상지가상승분을 합한 금액

　나. 공공시설 등의 가액 : 토지의 가액에 그 시설의 조성원가를 합산한 금액

6. 부담금 납부액 : 관계 법령이나 해당 개발사업의 인가 등의 조건에 따라 국가 또는 지방자치단체에 납부한 부담금의 합계액

7. 토지의 개량비 : 해당 개발사업의 인가 등을 받은 날을 기준으로 그 이전 3년 이내에 부과 대상 토지를 개량하기 위하여 지출한 비용으로서 개시시점지가에 반영되지 아니한 비용

8. 제세공과금 : 해당 개발사업의 시행과 관련하여 국가 또는 지방자치단체에 납부한 제세공과금의 합계액. 다만, 다음 각 목의 어느 하나에 해당하는 금액은 제외한다.

　가. 개발사업 대상 토지의 취득이나 보유로 인하여 납부한 금액. 다만, 지목변경으로 인한 취득세는 제외한다.

　나. 벌금, 과태료, 과징금 또는 가산금 등 각종 법령이나 의무 위반으로 납부한 금액

9. 보상비 : 토지의 가액에 포함되지 않은 개발사업구역의 건축물, 공작물, 입목 및 영업권 등에 대한 보상비. 이 경우 건축물에 대한 보상비를 산정할 때에는 다음 각 목에 따른다.

　가. 개발사업을 시행하기 위하여 매입한 건축물인 경우: 취득세의 과세표준이 된 실제 매입가격

　나. 기존에 소유한 건축물인 경우 : 「지방세법」 제4조에 따른 시가표준액(이하 "시가표준액"이라 한다). 다만, 시가표준액이 없거나 납부 의무자가 원하는 경우에는 시장·군수·구청장이 지정하는 감정평가법인등이 감정평가한 금액으로 한다.

06 부담률

개발이익 환수에 관한 법률 제13조(부담률)

납부의무자가 납부하여야 할 개발부담금은 제8조에 따라 산정된 개발이익에 다음 각 호의 구분에 따른 부담률을 곱하여 산정한다.

1. 제5조 제1항 제1호부터 제6호까지의 개발사업 : 100분의 20

2. 제5조 제1항 제7호 및 제8호의 개발사업 : 100분의 25. 다만, 「국토의 계획 및 이용에 관한 법률」 제38조에 따른 개발제한구역에서 제5조 제1항 제7호 및 제8호의 개발사업을 시행하는 경우로서 납부의무자가 개발제한구역으로 지정될 당시부터 토지소유자인 경우에는 100분의 20으로 한다.

기본예제

아래 토지에 대한 개발부담금 부과를 위한 개시시점 지가 및 종료시점 지가를 각각 산정하되, 각 시점별 평가단가는 반올림하여 천원 단위까지 결정한다.

자료 1 ▶ 토지의 현황

1. 토지의 목록

소재지/지번	지목	면적(m^2)	사업면적(m^2)	용도지역	도로조건/형상
H리 100	전	10,000	6,000	계획관리	세로(가)/부정형

2. 토지의 연도별 공시지가

소재지/지번	2024.01.01.	2025.01.01.	2026.01.01.	2027.01.01.
H리 100	82,500	84,900	87,500	91,200

자료 2 ▶ 개발사업의 현황 및 조사일정 등

1. 사업명 : ◎◎산업단지
2. H리 100번지의 사업면적 중 2,000m^2는 기부채납 대상이다.
3. 산업단지 실시계획승인일 : 2024.06.01.
4. 산업단지 준공인가일 : 2027.06.01.
5. 현장조사일(가격조사완료일) : 2027.07.01.
6. 해당 산업단지사업으로 인하여 종전의 계획관리지역에서 일반공업지역으로 용도지역이 변경되었다.

자료 3 ▶ 표준지공시지가 목록

기호	소재지	용도지역	이용상황	2024.01.01	2025.01.01	2026.01.01	2027.01.01
A	E리 ○○	계획관리	공업용	212,000	234,000	267,000	298,000
B	E리 ○○	계획관리	전	92,600	96,800	101,000	117,000
C	E리 ○○	일반공업	공업용	297,000	319,000	343,000	376,000

≫ 비교표준지의 도로조건은 모두 세로(가)이며, 형상은 모두 부정형이다.

자료 4 ▶ 지가변동률

구분	H시 평균	H시 계관	H시 공업
2024.01.01. ~ 2024.06.01	1.034%	1.436%	1.554%
2027.01.01. ~ 2027.06.01	1.251%	1.117%	1.326%
2027.01.01. ~ 2027.07.04	1.107%	1.231%	1.417%

예시답안

Ⅰ. 평가개요

개발이익 환수법상 개발부담금 부과 대상 토지에 대한 개시시점 및 종료시점 지가의 산정건이다.

환수법 제9조에 의하여 개시시점 지가는 개발사업의 인가일인 2024.06.01. 종료시점 지가는 준공인가일인 2027.06.01.을 기준한다.

Ⅱ. 개시시점 지가 산정

개별공시지가에 정상지가 상승분을 합하여 결정한다.

82,500 × 1.01034* ≒ 83,400원/m^2(× 6,000** = 500,400,000원)

* 2024.01.01. ~ 2024.06.01. H시 평균지가변동률

** 사업제외지 및 기부채납면적 제외

III. 종료시점 지가

표준지공시지가에 비준표 보정 및 정상지가상승분을 합한 가액으로 한다. 표준지 C를 기준한다.

376,000 × 1.000* × .01326** ≒ 381,000원/m²(× 6,000 = 2,286,000,000원)

* 비준표상 개별요인 대등하다(세로(가), 부정형).

** 2027.01.01.~2027.06.01. H시 평균지가변동률

제1절 투자의사결정의 개관

01 감정평가에 관한 규칙 제27조

> **감정평가에 관한 규칙 제27조**(조언·정보 등의 제공)
>
> 감정평가법인등이 법 제10조 제7호에 따른 토지 등의 이용 및 개발 등에 대한 조언이나 정보 등의 제공에 관한 업무를 수행할 때에 이와 관련한 모든 분석은 합리적이어야 하며 객관적인 자료에 근거해야 한다.

02 투자가치와 시장가치

1. 투자가치

부동산 소유로부터 기대되는 미래의 편익이 특정한 의사결정자에게 주는 현재의 편익(요구수익률, 개별적인 수익률을 사용)을 의미한다.

2. 시장가치

공정한 매매를 보장할 수 있는 모든 조건이 충족된 공개경쟁시장에서 성립될 가능성이 가장 많은 가격(기대수익률, 전형적인 수익률을 사용)을 말한다.

3. 투자가치와 시장가치의 관계

투자자는 대상 부동산의 투자가치가 시장가치보다 크면 투자를 하려고 할 것이고, 투자가치가 시장가치보다 작으면 투자를 하려고 하지 않을 것이다. 따라서 경쟁시장이라면 투자가치가 크면 투자가 발생하여 투자가치가 낮아지게 되고 시장가치가 크면 투자를 회피하게 되어 시장가치가 낮아지게 되므로 두 가치가 균형을 이루는 선으로 이동하게 된다.

03 투자안의 종류

1. 독립적 투자(Independent Investment)

어떤 투자안의 선정이나 그 투자안의 현금흐름이 다른 투자안의 선정 여부와 아무런 관련이 없는 경우이다.

2. 종속적 투자(Dependent Investment)

한 투자안을 선정하는 것이 다른 투자안의 선정에 영향을 미치는 경우로, 같은 목적을 달성할 수 있는 투자안들이 여러 개 있을 때, 다른 투자안들은 선정할 수 없는 상호배타적 투자와 한 투자안이 선정될 경우 이와 더불어 다른 투자안이 필연적으로 동반되는 상호인과적 투자로 분류할 수 있다. 상호인과적 투자인 경우에는 관련되어 있는 여러 투자안을 함께 분석하여야 한다는 것에 유의해야 한다.

제2절 투자의사결정방법

---

01 전통적(화폐의 시간가치가 고려되지 않은 개념)인 분석방법

1. 회수기간법(Payback Period Method)

(1) 의의

회수기간이란 투자시점에서 발생한 비용을 회수하는 데 걸리는 기간을 의미하며, 각 투자안의 회수기간($= \dfrac{\text{투자에 소요된 비용}}{\text{투자로부터 발생하는 현금흐름}}$)을 계산하여 보다 짧은 회수기간을 갖는 투자안에 투자결정하는 방법을 회수기간법이라 한다.

(2) 투자의사결정기준

회수기간법에서는 투자비용을 빨리 회수할수록 좋은 투자안이므로 상호배타적인 투자안들이라면 회수기간이 가장 짧은 것을, 상호독립적인 투자안이라면 투자자가 정한 기준기간보다 짧은 투자안 순으로 선정한다.

2. 회계적 이익률법(Average Rate of Return, ARR)

(1) 의의 및 산출방법

회계적 이익률법이란 투자안의 평균이익률($= \dfrac{\text{연평균 순수익}}{\text{연평균 투자액}}$)을 산출하여 투자안의 평가기준으로 삼는 방법으로 평균이익률법이라고도 한다. 연평균 순이익이란 투자기간에 발생한 순이익의 연평균수익($\text{연평균 순이익} = \dfrac{\text{순수익 합}}{\text{투자기간}}$)을, 연평균 투자액이란 감가상각과 잔존가치에 의해 영향을 받는 매년 말 장부가치의 합의 평균($\text{연평균 투자액} = \dfrac{\text{매년 가치의 합}}{\text{투자기간} + 1}$ or $\dfrac{\text{기초가격} + \text{기말가격}}{2}$)을 의미한다. 여기에서 분모에 1을 더하는 이유는 초기투입비용을 고려하기 위해서이다.

(2) 투자의사결정기준

상호 배타적인 투자안들이라면 투자대상의 회계적 이익률이 가장 높은 투자안을 선정하고, 상호 독립적인 투자안이라면 회계적 이익률이 투자자가 정한 기준수익률보다 높은 순으로 선정한다.

기본예제

어느 투자안의 투자금액 및 현금흐름은 아래와 같다. 해당 투자안의 회수기간 및 회계적 이익률(ARR)을 산정하시오.

0기(투자액)	순수익					5년 후 매각가
	1	2	3	4	5	
500	100	110	120	130	140	600

예시답안

1. **회수기간** : 4년 + $\dfrac{40*}{140}$ ≒ 4.29년

    * 4년까지의 순수익의 합계가 460으로서 5년차에는 40을 회수하면 투자액 원금을 회수할 수 있을 것이다.

2. **회계적 이익률**

    • 평균순수익 : $\dfrac{100+110+120+130+140}{5} = 120$

    • 평균투자금액 : $\dfrac{500+600}{2} = 550$

    • 회계적 이익률 : $\dfrac{120}{550}$ ≒ 21.82%

02 할인현금수지분석법

1. 듀레이션(Duration)

(1) 개념

채권투자수입(이자수입 및 원금상환)의 현재가치와 그 현금흐름의 유입시기를 고려하여 산정한 투자원금의 가중평균회수기간을 말한다. 즉, 듀레이션은 각 기간에 들어오는 현금흐름의 현재가치가 전체 현금흐름의 현재가치에 대하여 차지하는 비중에 따라 가중치를 주어 가중평균회수기간을 산정한 것이다.

(2) 산정방법

$$\text{Duration} = 1 \times \frac{\dfrac{C_1}{(1+r)}}{V} + 2 \times \frac{\dfrac{C_2}{(1+r)^2}}{V} + 3 \times \frac{\dfrac{C_3}{(1+r)^3}}{V} + \cdots + n \times \frac{\dfrac{C_n}{(1+r)^n}}{V}$$

$$= \sum_{t=1}^{n} t \times \frac{C_t/(1+r)^t}{V}$$

t: 현금흐름이 있는 각 기간   n: 만기(보유기간)
C_t: t시점에서의 현금흐름   r: 이자율
V: 전체현금흐름의 현재가치(가격)

(3) Duration의 활용

이러한 듀레이션은 이자율변동에 따른 채권가치의 변동폭(듀레이션과 가격탄력성과의 관계)을 측정하는 데 유용하게 활용되고 있으며 이때의 추정식은 다음과 같다. 이는 외부환경변화에 따른 부동산가격 변동을 분석할 때에도 활용할 수 있을 것이다.

- $\dfrac{\Delta V}{V_0} = (-)$듀레이션 $\times \left(\dfrac{\Delta r}{1+r}\right)$

- $\Delta V = (-)$듀레이션 $\times \left(\dfrac{\Delta r}{1+r}\right) \times V_0$

ΔV: 가격변동폭 Δr: 이자율변동폭

기 본예제

다음 두 투자안에 대한 듀레이션(Duration)을 산정하시오(할인율 5%).

구분	1차년도	2차년도	3차년도	4차년도	5차년도
투자안 A	50	50	50	50	1,050
투자안 B	0	0	0	0	1,276

예시답안

투자안 A	1	2	3	4	5	현가합
현금흐름	50	50	50	50	1,050	–
현재가치	47.62	45.35	43.19	41.14	822.7	1,000
현재가치/현가합	0.04762	0.04535	0.04319	0.04114	0.8227	1.00
연도×비율	0.04762	0.0907	0.12957	0.16456	4.1135	4.54595

투자안 B	1	2	3	4	5	현가합
현금흐름	0	0	0	0	1,276	–
현재가치	0	0	0	0	1,000	1,000
현재가치/현가합	0	0	0	0	1.00	1.00
연도×비율	0	0	0	0	5.00	5년(듀레이션)

2. NPV(Net Present Value)법 및 IRR(Internal Rate of Return)법

1) NPV법

(1) 개념

순현가(NPV)란 부동산투자에 투입되는 비용의 현가합과, 창출되는 수익의 현가합의 차이를 의미하고, 순현가법이란 이러한 순현가로 투자의사결정을 하는 투자분석방법이다.

(2) 산식

$$NPV = (-)\,Cash\ Outflow\,(투자액) + \sum_{n=1}^{n} \frac{Cash\ Flow}{(1+r)^n}$$

(3) 의사결정

단일 투자안의 경우 NPV가 0보다 크면 투자타당성이 있는 것으로 판단할 수 있다. 한편, 여러 투자안 중 최적 대안을 선택하는 경우에는 NPV가 가장 큰 투자안을 선택하되, 상호독립적으로 여러 대안을 선택할 수 있는 경우에는 NPV의 순서대로 가용가능한 자금을 고려하여 결정하도록 한다.

2) 내부수익률법(IRR법)

(1) 개념

내부수익률(IRR)이란 투자에 대한 현금수입의 현재가치와, 현금지출의 현재가치를 같도록 하는 할인율, 즉 순현가를 0으로 만드는 수익률을 말한다.

(2) 산식

$$NPV = \sum_{t=1}^{n} \frac{t시점의\ 현금유입액}{(1+IRR)^t} - \sum_{t=1}^{n} \frac{t시점의\ 현금유출액}{(1+IRR)^t} = 0$$

(3) 의사결정

단일 투자안의 경우 IRR이 요구수익률보다 큰 경우 투자타당성이 있는 것으로 판단할 수 있다. 여러 투자안 중 최적 투자안을 결정하는 경우에는 IRR이 큰 투자안을 선택하면 되며, 가용한 투자 자금을 고려하여 여러 대안을 결정할 수 있다.

3) NPV와 IRR의 관계

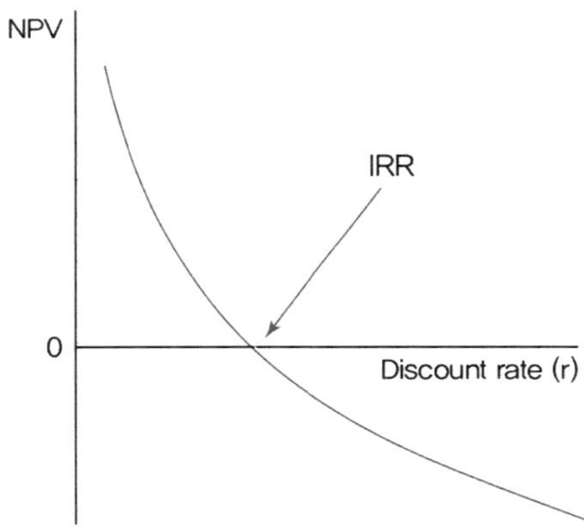

4) NPV와 IRR의 비교

(1) 판단결과가 다르게 나타날 수 있음

둘 이상의 투자안 중 적정 투자안의 결정에 있어 NPV 계산 시 설정된 요구수익률이 양 투자안 간 같은 NPV를 보이는 수익률인 Fisher 수익률보다 낮게 설정되어 있으면 NPV에 의한 결론과 IRR에 의한 결론이 서로 상이하게 결정된다.

(2) NPV의 우수성

① 재투자수익률(Reinvestment Return)에 대한 가정

내부수익률로 재투자한다는 것보다는 기간별 이자율로 재투자한다고 보는 순현가법의 가정이 보다 합리적이다.

투하자본의 운용으로부터 투자기간만료 전에 발생한 이자, 배당 등의 과실수입을 자본의 운용 과정에 투입하는 것을 재투자라고 하며, 그 재투자자본의 운용효율을 재투자수익률이라고 한다. 재투자수익률은 투자시점의 시장상황 및 이자율의 기간구조에 따라 결정이 되나, 내부수익률법에서는 모든 재투자에 대한 수익률을 IRR로 가정하기 때문에 비현실적이다. 반면, NPV는 각 재투자대상의 수익에 대하여 재투자수익률의 합리적인 가정이 가능하다.

② 내부수익률이 없는 경우와 복수로 존재하는 경우가 있다. 현금흐름이 +/-를 반복하거나 편차가 큰 경우에 발생한다.

③ 여러 투자대상을 결합시킨 투자분석을 할 때 순현가법을 이용하면 개별투자안에 대하여 독립적으로 분석하여도 되나, 내부수익률법을 이용하면 개별투자안을 독립적으로 분석하여 투자결정을 할 수 없다.

기 본예제

李 씨는 다음과 같은 현금수지를 보이고 있는 상업용 부동산을 매수하고자 한다. 만약 요구수익률이 12%라면, 당신이 대상 부동산에 부여하는 투자가치는 얼마인가? 5년 후 대상 부동산의 잔재가치는 0이라고 가정한다. 또한 매도자의 요구가격이 1억 5천만원이라고 한다면, 예상되는 회수기간, 순현가, 내부수익률은 얼마인가?

자료

1차년도	2차년도	3차년도	4차년도	5차년도	6차년도
2,500만원	3,200만원	4,000만원	5,000만원	6,300만원	3,000만원

예시답안

Ⅰ. 평가개요

본건은 투자가치 및 내부수익률 산정으로 요구수익률에 의한 투자가치를 산정하고, 내부수익률(IRR)을 산정한다.

Ⅱ. 투자가치 산정

$$\frac{25,000,000}{1.12} + \frac{32,000,000}{1.12^2} + \frac{40,000,000}{1.12^3} + \frac{50,000,000}{1.12^4} + \frac{63,000,000}{1.12^5} + \frac{30,000,000}{1.12^6} ≒ 159,026,000원$$

Ⅲ. 회수기간 산정

4년간 147,000,000원이 회수되고 5년차에 63,000,000원이 회수되므로 회수기간은 5년(4.05년)이다.

Ⅳ. 순현가 산정

159,026,000 - 150,000,000 ≒ 9,026,000원

Ⅴ. IRR 산정

13.90%

3. 수익성지수법(PI · Profitability Index)

(1) 의미

NPV는 화폐의 시간가치가 고려된 수익과 비용의 차이로만 나타나기 때문에 투자규모가 다른 여러 투자안이 있을 때는 각 투자안의 상대적인 비교가 어렵다. 이때 유용한 것이 수익성지수(PI)인데, 수익성지수란 현금유입의 현재가치와 현금유출의 현재가치의 비율로, 투자원금 1단위가 벌어들이는 가치의 크기를 의미한다.

(2) 산식

$$PI = \frac{\sum_{t=1}^{n} \dfrac{t시점의\ 현금유입액}{(1+r)^t}}{\sum_{t=1}^{n} \dfrac{t시점의\ 현금유출액}{(1+r)^t}}$$

(3) 의사결정

PI가 1보다 크다는 것은 NPV가 0보다 크다는 것을 의미하며, 이는 경제성이 있다는 것을 의미한다. 따라서 PI > 1인 상호배타적인 투자안들에 있어서는 PI가 가장 큰 투자안을, 독립적인 투자안들은 PI가 큰 순으로 투자하게 된다.

4. MIRR법(Modified Internal Rate of Return)

NPV법과 IRR법이 서로 다른 평가결과를 보이는 이유는 재투자수익률에 따른 가정이 원인이 된다. 따라서 투자안의 재투자수익률로 요구수익률(자본비용)을 사용해서 내부수익률을 구하면 NPV법과 동일한 결과를 얻을 수 있는데 이를 수정된 내부수익률(MIRR)이라고 한다. 따라서 MIRR이 큰 투자안을 선택하면 NPV법과 평가결과가 동일해진다.

MIRR의 단점은 IRR에서 필요하지 않은 두 가지 변수를 입력해야 한다[재투자수익(Reinvestment rate), 요구수익률(Finance rate)]. 하지만 현금흐름의 특징이 다른 여러 가지의 투자안 간의 비교에 있어서 훨씬 의미 있는 결과를 보여준다.

$$\cdot \sum_{t=1}^{n} \frac{t시점의\ 현금유입액 \times (1+r)^{n-t}}{(1+MIRR)^n} = 초기의\ 현금유출액(Present\ value\ by\ finance\ rate)$$

$$r: 기간별\ 가정된\ 재투자수익률$$

기 본예제

아래의 현금흐름을 보이는 자산에 대하여 IRR과 MIRR을 각각 산정하시오(투자금액은 1,000원이다. 시중금리는 5.0%이다).

자료

1차년도	2차년도	3차년도	4차년도	5차년도(원금회수 포함)
100	100	100	100	1,100

예시답안

1. IRR = 10%

2. MIRR
   (1) 현금흐름의 미래가치(r = 5.0%) ≒ 1,553
   (2) MIRR 산정 : $1,553 = 1,000 \times (1 + MIRR)^5$ ∴ MIRR ≒ 9.2%

제3절 투자위험분석

01 투자의 위험과 불확실성, 위험과 수익의 관계

1. 위험(Risk)의 개념

위험이란 어떤 투자안으로부터 얻어지게 되는 결과에 대해 불확실성이 존재함으로써 발생하는 변동성, 즉 투자수익이 기대치를 벗어날 가능성을 뜻한다. 다만, 위험의 경우 어떤 결과가 일어날지에 대한 정보(시나리오)는 미리 알고 있는 상황이다.

2. 불확실성(Uncertainty)의 개념

불확실성이란 투자수익이 기대치를 벗어날 위험의 가능성이며, 그 벗어날 위험에 대한 시나리오 및 확률분포를 모르는 상황을 의미한다.

3. 위험성과 불확실성의 구분

위험성과 불확실성의 차이는 각각의 결과들이 일어날 수 있는 가능성과 연관된 정보에 있는 것으로 ⅰ) 위험성은 의사결정자가 일어날 만한 각각의 결과에 대한 가능성을 예측하기에 충분한 정보를 가지고 있는 상황이며, ⅱ) 불확실성이란 의사결정자가 발생가능한 결과를 예측할 수 있으나 이의 예측을 위해 필요한 정보가 불충분한 상황을 말한다.

4. 위험과 수익의 관계

일반적으로 위험과 수익은 비례관계를 가지고 있는데, 부담하는 위험이 크면 클수록 요구하는 수익률은 커지는 이 같은 관계를 위험과 수익의 상쇄관계(Risk-return Trade-off)라고 한다.

02 투자위험분석

1. 수익과 위험의 측정

(1) 수익의 측정

소득의 기대치, 수익률의 기댓값으로 측정한다.

(2) 위험의 측정

분산 또는 표준편차, 기대한 값과 실현된 값이 달라지는 정도로 정의된다.

계산기 활용 – 표본통계량 분석(1–variable) ▶ ▶ ▶

Stats menu에서 F2(Calc, Caculation) 기능
LIST 1에 일정한 숫자를 넣고 연산한다. (CALC → 1VAR)

풀이영상

$\overline{x}$: 표본의 평균　　　　　　　　　　$\sum x$: 표본의 합

$\sum x^2$: 표본 제곱의 합　　　　　　　　s_x: 표본의 표준편차

σ_x: 모집단의 표준편차　　　　　　　n: 표본의 수

minX · maxX: 최솟값 및 최댓값　　　Q1 · Q3: 4분위값

Med: 중간값　　　　　　　　　　　Mod: 최빈값

---

(3) 구체적인 산정방법

- 편차 $= (y - \overline{y})$

- 분산 $= \dfrac{\Sigma(y - \overline{y})^2}{n}$

- 표준편차($\sqrt{분산}$) $= \sqrt{\dfrac{\Sigma(y - \overline{y})^2}{n}}$　(표본으로 주어진 경우)

- 표준편차($\sqrt{분산}$) $= \sqrt{\sum P \times (y - \overline{y})^2}$　(확률로 주어진 경우)

　y: 변량(종속변수)　　　$\overline{y}$: 변량(종속변수)의 평균　　　n: 변량의 수(종속변수의 수)　　　P: 확률

2. 평균분산결정법(Mean-Variance Method)

같은 수익에서는 낮은 위험의 것을, 같은 위험에서는 높은 수익의 것을 선택하는 논리로서 가장 기본
적인 의사결정방법이다.

기본예제

감정평가사인 당신은 평가와 관련된 여러 시장자료를 분석하여 다음과 같은 내부수익률(IRR)과 각
시장자료의 수익률 범위를 다음과 같이 측정하였다. 주어진 자료를 토대로 각 부동산의 표준편차
(위험률)를 산정하시오.

자료

	내부수익률(%)	수익률 및 확률의 범위(%)			
사례 1	14.0	확률	75	15	10
		수익률	14.0	12.0	16.0
사례 2	16.0	확률	60	30	10
		수익률	16.0	14.0	18.0
사례 3	13.5	확률	80	10	10
		수익률	13.5	13.0	14.0

예시답안

I. 평가개요

가중평균수익률을 산정하고, 이를 이용하여 표준편차를 산정하여, 위험률을 측정한다.

II. 가중평균수익률

1. 사례 1

$0.75 \times 14.0 + 0.15 \times 12 + 0.10 \times 16 ≒ 13.9\%$

2. 사례 2

$0.60 \times 16.0 + 0.30 \times 14 + 0.10 \times 18 ≒ 15.6\%$

3. 사례 3

$0.80 \times 13.5 + 0.10 \times 13 + 0.10 \times 14 ≒ 13.5\%$

III. 표준편차의 계산(위험률)

1. 사례 1

$[0.75 \times (14.0 - 13.9)^2 + 0.15 \times (12.0 - 13.9)^2 + 0.1 \times (16.0 - 13.9)^2]^{1/2} ≒ 0.995$

2. 사례 2

$[0.60 \times (16.0 - 15.6)^2 + 0.3 \times (14.0 - 15.6)^2 + 0.1 \times (18.0 - 15.6)^2]^{1/2} ≒ 1.20$

3. 사례 3

$[0.8 \times (13.5 - 13.5)^2 + 0.1 \times (13.0 - 13.5)^2 + 0.1 \times (14.0 - 13.5)^2]^{1/2} ≒ 0.224$

3. 타인자본 차입에 따른 분석 – 레버리지 효과

1) 개념

차입금 등 타인 자본을 지렛대로 삼아 자기자본이익률을 높이는 것으로 '지렛대 효과'라고도 한다.

2) 정의 레버리지 효과 및 부의 레버리지 효과

⑴ **정의 레버리지**(Positive Leverage) **효과**

조건 : 차입 전 수익률(Unlevered Return)이 저당 실효이자율보다 높아야 한다. 이 경우에는 차입에 따라 지분수익률이 상승한다.

∴ 지분수익률(Levered Return) > 차입 전 수익률(Unlevered Return) > 저당 실효이자율

⑵ **부의 레버리지**(Negative Leverage) **효과**

조건 : 차입 전 수익률(Unlevered Return)이 저당 실효이자율보다 낮으면 차입에 따라 더 낮은 지분수익률이 실현된다.

∴ 지분수익률 < 차입 전 수익률(Unlevered Return) < 저당 실효이자율

3) 부동산투자 시 레버리지 활용

부동산투자는 전통적으로 레버리지를 통한 고수익을 추구할 수 있는 자산으로 인식되어 왔다. 다만, 고수익을 향유할 수도 있지만 부동산가치 변동에 따른 고위험에도 노출되기 때문에 최적의 자본구조를 수립하는 것이 중요하다.

기 본예제

01 아래 부동산에 대한 ① 차입 전 수익률(Cap. rate) 및 표준편차, ② LTV가 30%인 경우 지분배당률 및 표준편차, ③ LTV가 80%인 경우 지분배당률 및 표준편차를 각각 구하고 분석하시오 (수익률 및 표준편차는 백분율 기준 반올림하여 소수점 둘째자리까지 표시한다).

자료 1

매매가격 : 1,000,000,000원
이자율 : 3.5%(이자지급 후 만기 원금일시상환)

풀이영상

자료 2 시나리오별 순수익

구분	비관적	중립적	낙관적
순수익	30,000,000	50,000,000	80,000,000
확률	30%	60%	10%

예시답안

Ⅰ. 시나리오별 수익률

구분	비관적	중립적	낙관적
차입 전 수익률	3.00%	5.00%	8.00%
LTV = 30%인 경우	2.79%[*]	5.64%	9.93%
LTV = 80%인 경우	1.00%	11.00%	26.00%

[*] 계산예시(LTV 30%, 비관적) : $(30,000,000 - 300,000,000 \times 0.035) \div 700,000,000$

Ⅱ. 차입 전 수익률 및 표준편차

1. 수익률 : $3.0\% \times 30\% + 5.0\% \times 60\% + 8.0\% \times 10\% = 4.70\%$
2. 표준편차 : $[(3.0-4.7)^2 \times 0.3 + (5.0-4.7)^2 \times 0.6 + (8.0-4.7)^2 \times 0.1]^{1/2} \fallingdotseq 1.42\%$

Ⅲ. LTV = 30%인 경우 지분배당률 및 표준편차

1. 지분배당률 : $2.79\% \times 30\% + 5.64\% \times 60\% + 9.93\% \times 10\% \fallingdotseq 5.21\%$
2. 표준편차 : $[(2.79-5.21)^2 \times 0.3 + (5.64-5.21)^2 \times 0.6 + (9.93-5.21)^2 \times 0.1]^{1/2} \fallingdotseq 2.02\%$

Ⅳ. LTV = 80%인 경우 지분배당률 및 표준편차

1. 지분배당률 : $1.00\% \times 30\% + 11.00\% \times 60\% + 26.00\% \times 10\% \fallingdotseq 9.50\%$
2. 표준편차 : $[(1.00-9.50)^2 \times 0.3 + (11.00-9.50)^2 \times 0.6 + (26.00-9.50)^2 \times 0.1]^{1/2} \fallingdotseq 7.09\%$

Ⅴ. 분석

차입 전 수익률 기준으로 cap rate에 비하여 이자율이 낮기 때문에 부채비율 상승 시 정의 레버리지 효과가 발생하며, 차입비율이 늘어날수록 수익률이 상승하지만 그에 따라 위험(표준편차)도 증가한다.

02 아래 부동산에 대한 지분배당률(자기지분환원이율)을 각 사안에 따라 산정하시오.

> • 부동산 매매금액 : 1,000,000,000원
> • 1차연도 순수익 : 50,000,000원
> • 차입금 : 600,000,000원(LTV = 60%)

이자율이 4.0%인 경우와 6.0%인 경우의 지분배당률을 각각 결정하시오.

예시답안

1. 이자율이 4.0%인 경우

지분현금흐름 : $50,000,000 - 600,000,000 \times 0.04 = 26,000,000$

지분배당률 : $26,000,000 \div 400,000,000 = 6.5\%$ (이자율 < Cap. rate으로서 정의 레버리지효과임)

2. 이자율이 6.0%인 경우

지분현금흐름 : $50,000,000 - 600,000,000 \times 0.06 = 14,000,000$

지분배당률 : $14,000,000 \div 400,000,000 = 3.5\%$ (이자율 > Cap. rate으로서 부의 레버리지효과임)

4. 확실성, 위험 및 불확실성하에서의 투자분석

(1) 확실성하에서의 투자분석

미래의 모든 현금흐름의 발생에 있어 가정된 현금흐름이 변동 없이 발생될 것으로 가정한 상태에서 실시하는 투자분석방법으로서 상기의 ARR, 투자회수법, NPV, IRR, PI 등은 모두 확실성하의 투자의사결정방법이다.

(2) 위험하에서의 투자분석

미래 현금흐름의 불확실성이 있으나 시나리오 및 확률이 제시되어 현금흐름의 위험성을 측정할 수 있는 상태에서 실시하는 투자분석방법이다.

(3) 불확실성하에서의 투자분석

미래 현금흐름이 불확실하며, 이에 대한 위험을 계측할 수 없는 상태에서 실시하는 투자분석방법이다.

5. 그 밖의 투자분석기법

(1) 감응도 분석(Sensitivity Analysis)

투자효과에 대한 분석모형의 독립변수 중 하나 또는 그 이상이 변함에 따라 종속 변수가 어떠한 영향을 받는가를 분석하는 투자분석기법이다.

(2) 확률분석

① 투자수익에 영향을 주는 모든 요인에 경험적 또는 주관적 확률을 부여한 후 확률 수(Probability Tree)를 이용하여 내부수익률 등의 모든 가능한 결과와 각각의 확률을 결정하는 기법이다.
② 이 기법은 투자분석기법으로 매우 전진된 것은 아니지만 각각의 요인에 확률을 부여하는 일이 매우 어렵고 독립변수의 수가 많아지거나 독립변수가 취할 수 있는 값의 수가 많아지면 계산이 복잡하다는 단점이 있다.

(3) 실물옵션(동적 DCF)

실물옵션평가방법은 금융옵션이론을 실물자산으로 확대한 개념으로 미래환경의 변동성을 변수로 감안하여 투자를 결정하거나 가치평가를 하는 방법을 의미한다.

기 본예제

아래 부동산은 2,000에 매입되는 부동산으로서 아래의 현금흐름이 발생될 것으로 예상된다. 5년 후에는 10% 상승된 금액인 2,200에 매각이 되는 것을 가정한다. 아래 부동산에 대하여 ① Cap. Rate, ② IRR, ③ 지분환원율(R_E), ④ Levered IRR을 각각 산출하시오. 수익률은 백분율 기준으로 소수점 첫째자리까지 반올림하여 결정한다.

자료 ▶ 현금흐름

1차년도	2차년도	3차년도	4차년도	5차년도
100	103	106	109	112

>> 차입은 매입금액의 60%를 차입하며, 매각시점에 원금을 일시상환한다. 이자율은 4.0%이다.

예시답안

매기 현금흐름

구분	투자금액	1차년도	2차년도	3차년도	4차년도	5차년도
현금흐름	2,000	100	103	106	109	2,312
이자	–	48*	48	48	48	1,248**
지분현금흐름	800	52	55	58	61	1,064

* 대출금액은 매입금액의 60%인 1,200이며, 매기 이자는 1,200 × 4%인 48이다.
** 기말에 상환하는 원금 1,200이 포함된 수치임
① Cap. Rate = 100/2,000 = 5.0%
② IRR = 7.0%
③ 지분환원율 = (100 − 48) / 800 = 6.5%
④ Levered IRR = 11.2%

기 본예제

SLA 씨는 부동산 디벨로퍼로서 나지에 개발을 계획하고 있다. SLA 씨는 이항옵션평가모형을 이용하여 토지를 개발하는 옵션의 가치를 평가하고자 한다. 그는 0%의 할인율을 적용할 것이며, 단일기간 모델을 사용할 예정이다. SLA 씨는 만약에 경제가 불황이면 공사비는 200억원이 소요되고 종료된 프로젝트의 가치는 175억원이 될 것으로 예상하고 있다. 만약에 경제가 호황이면 공사비는 250억원이 소요되고 프로젝트의 가치는 340억원이 될 것으로 예상하고 있다. SLA 씨는 인근의 본 물건과 유사한 부동산으로서 완성된 프로젝트가 208억에 매매된 것을 포착하였으며 이는 대상(예정)과 매우 유사한 상태이다. 해당 부동산을 개발함에 따른 가치의 옵션(사업성이 없는 경우 사업을 포기할 수 있는 옵션임)을 평가하시오(확률은 완성된 프로젝트를 기준으로 완성된 부동산의 현시점의 가치와 기댓값을 일치시키는 확률을 적용한다).

예시답안

1. 확률의 결정
   $208 = 340 \times P(\text{상승}) + 175 \times (1 - P)$
   ∴ $P = 20\%(\text{상승})$, $P' = 80\%(\text{하락})$

2. **시장상황별 프로젝트의 NPV**

(1) 호황 시: 340 − 250 = 90억원

(2) 하락 시: 175 − 200 = (−)25억원

3. **옵션가치의 평가**

가치하락 시 25억원의 옵션가치가 생기며, 호황 시 옵션을 행사할 필요가 없다.

∴ 25 × 0.8 = 20억원

제4절 **매후환대차의 타당성 분석**

1. 개념

매후환대차란 토지 및 건물을 매도한 후에 이를 다시 임대차하여 사용하는 것을 말한다. 매후환대차의 타당성 여부는 ⅰ) 매후환대차하는 경우의 효과(현금수지), ⅱ) 계속보유하는 경우의 효과(현금수지)를 비교하여 현금수지가 큰 대안을 결정하여야 하며, 특히 세금의 고려가 중요하다.

2. 매후환대차 효과분석

(1) **소유자**(토지·건물의 원소유자)

기업의 구조조정목적에 따른 재무구조개선효과, 부동산이 재무제표에 잡히지 않으므로 기업사냥꾼으로부터의 매력상실, 장부상 부동산이 자산으로 잡히지 않을 뿐 실제로는 돈을 빌리는 것과 같은 효과 등을 발생시킨다(Buyback 조건 시). 또한 매도액으로는 새로운 투자, 부채상환 등이 가능하게 된다.

(2) **투자자**(매입 후 환대차를 하는 자)

투자자는 매입 후 새로운 임차자를 구할 필요가 없어 안정적인 임대수입을 향유할 수 있고, buyback 조건을 전제할 경우는 이후 부동산의 하락에 대한 위험도 감소시킬 수 있어 안정적인 투자가 가능하다. 이외에도 여러 옵션에 따라 다양한 효과를 얻을 수 있다.

3. 매후환대차의 타당성 분석

구분	계속 보유사용하는 경우	매후환대차하는 경우
+ 토지와 건물의 가치	보유기간 후 매도가격의 현가	현재매도금액
− 자본이득세	보유기간 말 금액의 현가	현재의 금액
+ 감가상각비의 절세효과	• 매기간 절세효과 • (감가상각비 × 영업소득세율)의 복리 현가액	없음

− 임차료	없음	매기간 임차료의 복리현가액
+ 임차료의 절세효과	없음	• 매기간 절세효과 • (임차료 × 영업소득세율)*의 복리현가액

≫ **(토지만의)Sales−Leaseback의 타당성 여부를 DCF법으로 검토하는 경우**: ① 임대료는 영업경비항목이 아닌 별도의 비용으로 볼 것(BTCF = NOI − 임대료-DS), ② 기간 말 재매도가격(건물만의 가격)을 구하는 환원대상소득은 NOI에서 임대료를 차감한 값이 된다.

* 임차사업장의 임대료는 필요경비로서 임차회사의 법인세를 절감시켜 주므로 이 부분이 반영되어야 한다.

4. 타당성 분석으로서의 매후환대차

Sales-Leaseback 방법도 부동산을 유동화하여 자금을 융통하기 위한 하나의 전략으로서 이와 유사한 현금흐름이 발생하는 대안들(매각 or 담보대출 등)과 비교하여 운용전략을 수립해야 한다.

기 본예제

(주)淸州는 李평가사에게 현재 사옥을 1,250,000원에 매도하고 20년 동안 연 120,000원에 장기임대계약(관리비부담)을 하는 것이 유리한지, 아니면 계속해서 사용하는 것이 유리한 것인지에 대한 컨설팅을 의뢰하였다. 제시된 자료를 토대로 컨설팅에 응하시오.

풀이영상

자료 1 ▶ 매도가격
(주)淸州의 사옥은 기준시점 현재 1,250,000원에 매도할 수 있다.

자료 2 ▶ 기타자료
1. 장부가격: 토지 110,000원, 건물 310,000원
2. 건물의 내용연수는 20년, 감가상각은 정액법을 활용한다. 최종잔가율은 0%이다.
3. 20년 후의 사옥(토지)의 추정가격은 2,000,000원이다.
4. 세율은 28%, 할인율은 10%로 일정하다.

예시답안

1. 매후환대차 시 현금흐름

(1) 매각으로 인한 현금유입 : $1,250,000 − \{(1,250,000 − 420,000) × 0.28\} ≒ 1,017,600$

(2) (−)임대료지급으로 인한 현금유출(절세효과 고려) : $120,000 × (1 − 0.28) × \dfrac{1.1^{20} − 1}{0.1 × 1.1^{20}} ≒ 735,572$

(3) 매후환대차 시 현금흐름 : $1,017,600 − 735,572 = 282,028$

2. 계속보유 시 현금흐름

(1) 기말매각 시(20년 후) 현금유입(자본이득) : $\{2,000,000 − (2,000,000 − 110,000) × 0.28\} × \dfrac{1}{1.1^{20}} ≒ 218,625$

(2) 감가상각으로 인한 절세효과 : $310,000 × \dfrac{1}{20} × 0.28 × \dfrac{1.1^{20} − 1}{0.1 × 1.1^{20}} ≒ 36,949$

(3) 계속보유 시 현금흐름 : $218,625 + 36,949 = 255,574$

3. 타당성 판단(유 · 불리 판단)
매후환대차하는 것이 타당하다.

부동산 평가와 최고최선 이용의 분석

제1절 최고최선 이용의 판단기준

01 개념

공지나 개량 부동산에 대해서 합리적이며 합법적으로 이용가능한 대안 중에서, 물리적으로 채택이 가능하고, 경험적인 자료에 의해서 지지될 수 있고, 경제적으로도 타당성이 있다고 판명된 것으로서 (Best Use) 최고의 가치를 창출하는 이용(Highest Use)이다.

02 판단기준 [1]

1. 물리적 채택가능한 이용

"물리적 가능성(Physically Possible)"이란, 대상 부동산은 토양의 하중이나 지지력, 지형, 지세 등에 적합한 이용이어야 한다는 기준이다. 상·하수도와 같은 공공편익시설의 유용성도 물리적 가능성을 판단하는 중요한 기준이다. 이와 같은 물리적 조건에 따라 개발비용이 과도하게 소요되는 경우도 있으므로 물리적 가능성은 경제적 효율성과 결부되어 있다.

2. 합법적 이용(Legal Use)

"법적 허용성 기준"이란, 대상 부동산은 지역지구제뿐만 아니라 여러 가지 환경기준 등 개발에 대한 각종 법적 규제에 적합한 이용이어야 한다는 기준이다. 만약 대상 부동산에 사법상의 계약이 설정되어 있다면, 최유효이용에 영향을 미칠 수도 있으므로 소유권 외에 용익물권이나 담보물권 등이 설정되어 있는지, 그 계약 내용이 최유효이용에 어떤 영향을 미치는지가 반드시 검토되어야 한다.

3. 합리적 이용(Reasonable Use)

합리적 이용은 인근의 표준적인 이용상황과 조화가 이루어져야 하며, 대상 부동산은 경제적으로 타당한 이용으로서 해당 용도에 대한 소득이나 가치가 총개발비용보다는 커야 한다는 기준이다. 최유효이용은 해당 용도에 대한 충분한 수요가 있음을 의미하므로 토지이용 흡수율 등을 분석할 필요가 있다.

---

1) 감정평가실무기준 해설서(Ⅰ) 총론편, 한국감정평가사협회 등, 2014.02, p.23

4. 최고수익에 대한 경험적 증거(경제적 타당성 분석, 최대수익성)

"최대수익성(Maximally Productive) 기준"이란, 대상 부동산이 앞서 설명한 3가지 조건을 충족하는 잠재적 용도 중에서 최고의 수익을 창출하는 이용이어야 최유효이용에 해당한다는 기준이다. 이는 실제 시장증거에 의해 뒷받침되어야 한다. 최유효이용은 단순히 최고의 수익을 창출하는 잠재적 용도가 아니라 적어도 그 용도에 대한 부동산의 시장수익률과 동등 이상의 수준이 되어야 한다.

03 판단의 절차

1. 채택가능한 대안의 검토

물리적, 합법적, 합리적인 측면에서 타당한 대안을 채택 가능한 대안으로 상정한다.

2. 최고의 가치를 창출하는 대안의 선택(경제적 타당성 분석)

채택가능한 대안 중 최고의 가치를 창출하는 대안을 선택한다(토지 또는 개량물).

제2절 최고최선의 이용분석 및 특수상황에서의 최고최선의 이용

01 최고최선의 이용분석

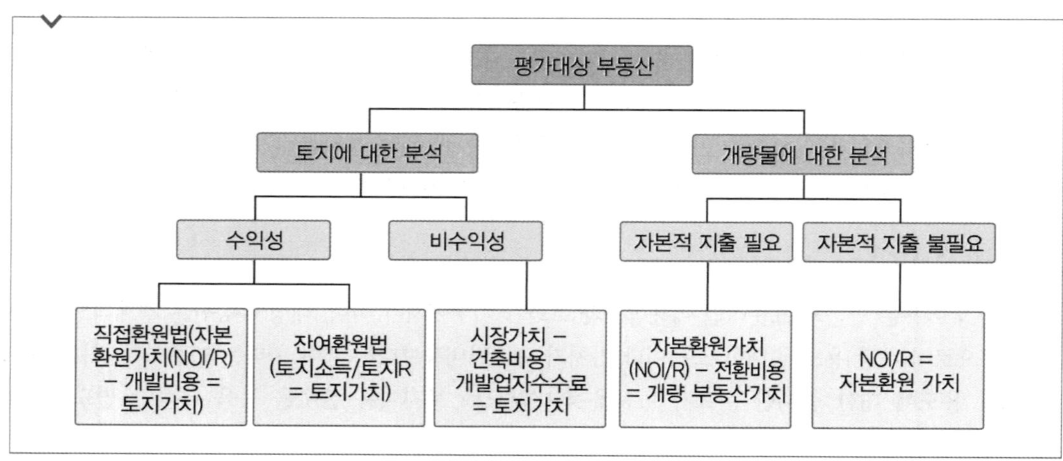

» **토지에 대한 분석**: 토지의 가치를 극대화하는 방안을 모색
» **개량물에 대한 분석**: 개량물의 가치를 극대화하는 방안을 모색

02 토지에 대한 경제적 타당성 분석

1. 개발법(Development Method)을 활용하는 방법

대안별 개발 후의 복합부동산의 가치에서 예상되는 건축비 등 경비를 차감한 값을 토지의 예상가치로 보고 이를 극대화하는 방안을 선택한다. 개발 후의 복합부동산의 가치는 거래사례비교법이나 수익환원법으로 평가하며, 인근의 유사한 부동산의 거래수준이나 수익현황을 기준으로 추계한다.

$$\text{토지가격} = \text{예상 복합부동산의 가치} - \text{예상건축비}$$

2. 잔여환원법(토지잔여법)을 활용하는 방법

대안별 개발 후의 복합부동산의 순수익에서 건물귀속 순수익을 차감하여 토지귀속 순수익을 산정한 후 이를 환원하여 토지가치를 산정한 후 이를 극대화하는 방안을 선택한다.

$$\text{토지가격} = \frac{\text{순수익} - \text{건물귀속 순수익}(= \text{예상건물의 가격} \times \text{건물환원이율})}{\text{토지환원이율}}$$

기 본예제

감정평가사 Y씨는 A신도시에 소재하는 3,000m^{2}의 나대지(3종일반주거지역, 허용용적률 250%, 불허용도 : 다세대주택)에 대한 최유효이용을 분석하고 있다. 제시된 개발대안을 검토하여 해당 토지에 대한 최유효이용을 판정하시오.

자료 1 개발대안

구분	대안 A	대안 B	대안 C	대안 D
용도	상업용	업무용	주거용 (다세대주택)	업무용
연면적(m^2)	10,000	10,000	9,000	12,000
용적률산정용연면적(m^2)	7,500	7,500	6,800	9,000
예상건축비(원/m^2)	2,000,000	1,500,000	2,500,000	1,500,000

자료 2 준공 시 예상가치

상업용의 경우 준공 시 건물 m^{2}당 4,700,000원이 실현가능할 것으로 보이며, 다세대주택은 m^{2}당 6,000,000원, 업무용의 경우 준공 시 건물 m^{2}당 4,500,000원이 실현가능할 것으로 예상된다.

예시답안

Ⅰ. 선정가능 대안

대안 C는 불허용도의 대안으로 선정할 수 없으며, 대안 D는 허용용적률 이상(9,000 / 3,000 = 300%)으로서 선정할 수 없는 대안이다.

Ⅱ. **각 대안별 토지가치**

    1. 대안 A : $(4,700,000 \times 10,000) - (2,000,000 \times 10,000) = 27,000,000,000$원

    2. 대안 B : $(4,500,000 \times 10,000) - (1,500,000 \times 10,000) = 30,000,000,000$원

Ⅲ. **최유효이용의 결정**

    대안 B가 대안 A에 비하여 높은 수익이 예상되는바, 대안 B를 최유효이용으로 결정한다.

---

03 개량물에 대한 경제적 타당성 분석

1. 자본적 지출이 필요 없는 경우

현재의 이용을 포함한 전환 후 가치가 최대가 되는 대안이 최고최선의 이용이 된다.

2. 자본적 지출이 필요한 경우

자본적 지출을 통해 전환된 가치에서 전환비용을 공제한 값이 최대가 되는 대안이 최고최선의 이용이 된다. 개량 부동산의 가치가 최고인 상가건물이 최고최선의 이용이 된다.

04 특수상황에서의 최고최선의 이용

1. 단일이용

주위의 용도와는 전혀 다른데도 최고최선의 이용이 될 수 있는 경우로, 예로는 지역사회의 하나뿐인 쇼핑센터를 들 수 있다.

2. 중도적 이용

가까운 미래에 대상부지나 개량 부동산에 대한 최고최선의 이용이 도래할 것으로 생각될 때, 그 이용을 대기하는 과정상 현재에 할당되는 이용(일치성 이용의 원리에 유의해야 한다)을 말한다.

3. 비적법 이용

과거에는 적법하게 설립되었으나 현재는 지역지구제의 규정에 부합되지 않는 이용(개발제한구역 내 건부지 → 토지, 건물가치 + 비적법 이용으로 인한 할증금)을 말한다.

4. 비최고최선의 이용

⑴ 대상부지의 최고최선의 이용과 같은 범주

물리적, 기능적 감가를 요한다.

⑵ 대상부지의 최고최선의 이용과 다른 범주

물리적, 기능적 감가뿐만 아니라, 경제적 감가까지 반영해야 하며, 일치성 이용의 원리(제합사용의 원리)에 유의하여 평가해야 한다.

5. 복합적 이용

동시에 여러 가지의 복합적 이용에 할당되는 경우를 말한다.

6. 특수목적의 이용

특수목적의 부동산이란 호텔, 극장, 대학, 교회, 공공건물 등과 같이 특정한 활동을 위해서 설계되고 운영되는 부동산을 의미하는데, 개량 부동산에 대한 최고최선의 이용분석 시 일반적으로 교환가치가 아닌 사용가치로 평가하여야 한다. 여기서 사용가치는 대상 부동산이 제공하는 서비스의 효율성에 의해 평가한다.

7. 투기적 이용, 초과토지 등

운영보다는 시세차익을 목적으로 토지를 보유하는 것이 투기적 행위에 해당하고 이를 투기적 이용이라 한다.

제3절 부동산의 최고최선 이용과 건부감가

01 복합부동산이 최유효이용하에 있는 경우

복합부동산이 최유효이용하에 있는 것은 나지상태의 토지 위에 최유효이용하의 건축물이 있다는 의미로서, 토지의 가치는 전체 부동산의 가치에서 건물가격을 차감한 값을 귀속적으로 가지게 되므로 토지와 건물가치의 합은 복합부동산 전체의 가치를 가지게 된다.

> 나지상태 토지가격 + 건물가격 = 복합부동산의 가격

02 복합부동산이 최유효이용하에 있지 않은 경우

복합부동산이 최유효이용하에 있지 않은 경우 토지에는 건부감가가 작용한다. 이는 인근의 표준적인 이용하에 있는 토지에 비하여 그 이용상황이 불리하기 때문에(즉, 건물로 인하여) 생기는 감가로서 인근토지의 표준적 이용하의 가격(최유효이용하의 가격 or 나지상정가격)과 건부감가가 발생하는 토지의 가격은 차이를 나타내게 된다.

1. 원가법

> 나지상태 토지가격 ± 건부증/감가 + 건물가격(원가법) = 복합부동산의 가격

2. 거래사례비교법

> 거래사례(본건과 유사한 거래사례) × 사정보정 × 시점수정 × 지역요인 × 개별요인 × 면적비교 × 품등비교(최유효이용 여부 보정) = 복합부동산의 가격

3. 수익환원법

직접환원법이나 할인현금수지분석법을 활용할 수 있다.

>> 수익이 없거나 현저히 노후한 경우에는 수익환원법의 적용이 불합리할 것이다.

03 지상건물의 철거 타당성 분석

1. 개요

지상에 최유효이용에 미달하는 건물이 소재하고 있는 경우 이를 철거하고 개발을 하는 것이 타당한지, 지상의 건물을 유지하는 것이 타당한지를 판단한다.

2. 철거 타당성의 검토

> A. 현상태 유지 시 : 최유효이용에 미달하는 복합부동산의 가치
> B. 지상건물 철거 시 : 나지상태의 토지가격 − 철거비
>
> - A > B인 경우에는 지상의 건물을 존치하되, 이는 임시적인 이용으로서 중도적인 이용상황으로 판단될 수 있다.
> - B > A인 경우에는 지상의 건물을 철거하고 별도의 개발계획을 수립하는 것이 유리하다.

04 건부감가에 대한 논의

1. 개념

건부지란 건축물 및 구축물 등의 용도에 제공되고 있는 토지를 말하는데, 토지상에 소재하는 건물 등이 토지의 최유효이용에 미달되는 경우 최유효이용의 경우보다 부지의 효용이 떨어지게 되는데, 이러한 토지에 대한 감가분을 건부감가라고 한다.

2. 판단기준

① 최유효이용과 현재 이용 간의 차이
② 나지화의 난이도
③ 건물과 부지와의 관련성 및 면적 등

3. 산출방법

① **지상건물의 철거가 타당한 경우**

철거비(폐재가치 고려)가 건부감가액이 된다.

② **지상건물의 유지가 타당한 경우**

현상을 유지한 경우 복합부동산 가치에서 건물가치를 차감한 현상태하의 토지가치와 인근의 나지 상정 토지 가치의 격차로 산출할 수 있다(현상태하의 복합부동산 가격 = 나지상태 토지가격 − 건부감가 + 건물가격).

기 본예제

아래 부동산의 건부감가액을 ① 현 상태를 기준으로 하는 경우와, ② 철거하는 경우로 각각 산정하시오.

자료 1 대상 부동산 현황

1. A시 B구 C동 100번지, 300㎡, 대지(제3종일반주거지역)
2. 위 지상 건물의 현황 : 지상 3층의 400㎡의 다가구주택이 소재함(20년 경과된 건물)

자료 2 시장자료

1. 해당 부동산 인근은 상업용 건물을 신축하고 있으며, 허용용적률은 250%가 가능하다. 기존의 주거용 건물은 대부분 상업용으로 철거 또는 용도변경을 하는 추세이다.
2. 대상 부동산은 현재 상태에서의 매각금액은 3,000,000,000원이며, 인근 나대지의 ㎡당 표준적인 가격은 9,500,000원/㎡이다. 지상 건축물의 가액은 400,000,000원이다. 지상 건축물의 철거비는 ㎡당 200,000원이 소요되는 것으로 조사되었다.

예시답안

Ⅰ. **현 상태를 기준으로 하는 경우의 건부감가**
   1. **현재 상태 기준 토지의 가격** = 3,000,000,000 − 400,000,000 = 2,600,000,000원
   2. **나지를 기준으로 한 해당 토지의 가격** = 9,500,000 × 300 = 2,850,000,000원
   3. **건부감가** = 2,850,000,000 − 2,600,000,000 = 250,000,000원

Ⅱ. **철거하는 경우의 건부감가**
   현재 지상 건물의 철거비가 건부감가가 된다.

   200,000 × 400 = 80,000,000원

기 본예제

최유효이용에 대한 아래의 각 문제에 답하시오.
1. 나지상태를 기준으로 하여 최유효이용을 결정하시오.
2. 최유효이용에 미달하는 현재 상태에서의 부동산가격을 판단하고
   최종 감정평가액을 결정하시오.

풀이영상

자료 1 현재의 이용상황

1. 현재 해당 토지 상에는 경과연수가 30년 정도 되는 주상용 건물이 소재하고 있으며, 인근의 표준적인 건축물 대비 저밀도의 이용상황인 것으로 판단된다.
2. 현재 토지는 제3종일반주거지역으로서 허용용적률은 250%이며, 인근 학교시설로 인하여 유흥업소 등의 개발은 불가능하다. 인근은 상업용 시설이 주로 이용 중에 있으며, 기존의 주거시설은 그 기능을 상실한 것으로 조사된다.

자료 2 ▶ 개발대안

구분	개발대안 A	개발대안 B	개발대안 C	개발대안 D	현재의 이용상황
연면적(m^2)	1,400	1,400	2,000	1,400	500
용적률(%)	250	250	350	250	110
이용상황	근린생활시설 (사무소)	판매시설	근린생활시설 (사무소)	유흥업소	주상용
준공 후 유효총수입	1,600,000,000	1,500,000,000	2,400,000,000	1,900,000,000	500,000,000
운영경비율(%)	55%	50%	50%	40%	30%
준공 부동산에 대한 환원이율	5.0%	6.0%	5.0%	5.5%	4.0%
건축비(m^2 당)	1,700,000	1,500,000	1,800,000	2,100,000	900,000

》 현재 이용상황에 대한 자료는 현 시점을 기준으로 한 수치이다.

자료 3 ▶ 기타사항

현 시점에 개발이 완료되는 것으로 본다.

⌐예시답안

Ⅰ. (물음 1) 나지상태를 기준으로 한 최유효이용 분석

1. 처리방침

개발대안 C는 허용용적률 초과, 개발대안 D는 유흥시설로서 선택을 배제하며, A와 B대안 중 경제적으로 타당한 대안을 검토한다.

2. 개발대안 A의 토지가치

$$\frac{1,600,000,000 \times (1-0.55)}{0.05} - (1,700,000 \times 1,400) ≒ 12,020,000,000원$$

3. 개발대안 B의 토지가치

$$\frac{1,500,000,000 \times (1-0.5)}{0.06} - (1,500,000 \times 1,400) ≒ 10,400,000,000원$$

4. 결정 : 상기 검토결과에 따라 개발대안 A가 최유효이용인 것으로 결정된다.

Ⅱ. (물음 2) 현재 상태의 부동산 가격 및 최종 평가액

1. 현재 상태의 부동산가격

$$\frac{500,000,000 \times (1-0.30)}{0.04} ≒ 8,750,000,000원$$

2. 최종 감정평가액

개발대안에 따른 토지가치가 현재상태의 부동산가격보다 큰 바, 해당 건물을 철거하고 신축하는 것이 더 유리한 것으로 판단된다.

목적별 감정평가

01 담보평가의 의의 및 평가방법

1. 담보평가의 의의

담보평가란 담보를 제공받고 대출 등을 하는 은행·보험회사·신탁회사·일반기업체 등(이하 "금융기관 등"이라 한다)이 대출을 하거나 채무자(담보를 제공하고 대출 등을 받아 채무상환의 의무를 지닌 자를 말한다)가 대출을 받기 위하여 의뢰하는 담보물건(채무자로부터 담보로 제공받는 물건을 말한다)에 대한 감정평가를 말한다.

2. 담보평가의 평가방법

일반 감정평가방법 및 이론에 따른다. 다만, 감정평가법인등은 담보평가의 의뢰와 수임, 절차와 방법, 감정평가서 기재사항 등에 관한 세부사항을 금융기관 등과의 협약을 통하여 따로 정할 수 있으며, 이 경우에도 관계법규 및 이 기준에 어긋나서는 아니 된다.

3. 담보평가의 기준가치 [1]

개정 전 「감정평가에 관한 규칙」은 정상가격주의를 원칙으로 하되, 평가목적의 성격상 정상가격 또는 정상임대료로 평가함이 적정하지 아니한 경우에는 그 목적에 맞는 특정가격 또는 특정임대료로 대상물건에 대한 평가액을 결정할 수 있도록 규정하였다(개정 전 감정평가에 관한 규칙 제5조).

이에 따르면 평가목적에 따라 기준가치가 달라질 수 있으므로, 실무상 담보평가의 기준가치에 대한 논란이 있어 왔으며, 실제로 채권 확보의 안정성을 중시하여 시장가치보다 낮은 가액으로 담보 감정평가액을 결정하는 경우가 많았다.

그러나 2013년 1월 1일 시행된 개정 「감정평가에 관한 규칙」 및 「실무기준」에서는 시장가치기준 원칙을 두고, ⅰ) 법령에 다른 규정이 있는 경우, ⅱ) 감정평가 의뢰인이 요청하는 경우, ⅲ) 감정평가의 목적이나 대상물건의 특성에 비추어 사회통념상 필요하다고 인정되는 경우에만 시장가치 외의 가치를 기준으로 할 수 있도록 규정하여 원칙적으로 감정평가의 목적에 따라 가치기준이 달라지지 않도록 하였고, 담보평가의 가치기준 또한 시장가치기준 원칙에 따르도록 하였다.

---

1) 감정평가실무기준 해설서(Ⅰ) 총론편, 한국감정평가사협회 등, 2014.02, p.554

다만, 담보평가의 경우 그 성격을 고려하여 미실현 개발이익 등의 반영에 주의해야 할 것이며, 범위로 나타나는 시장가치 중 다소 안정적인 가액 결정의 접근이 필요하다.

4. 금융기관 대출 관련 업무절차[2]

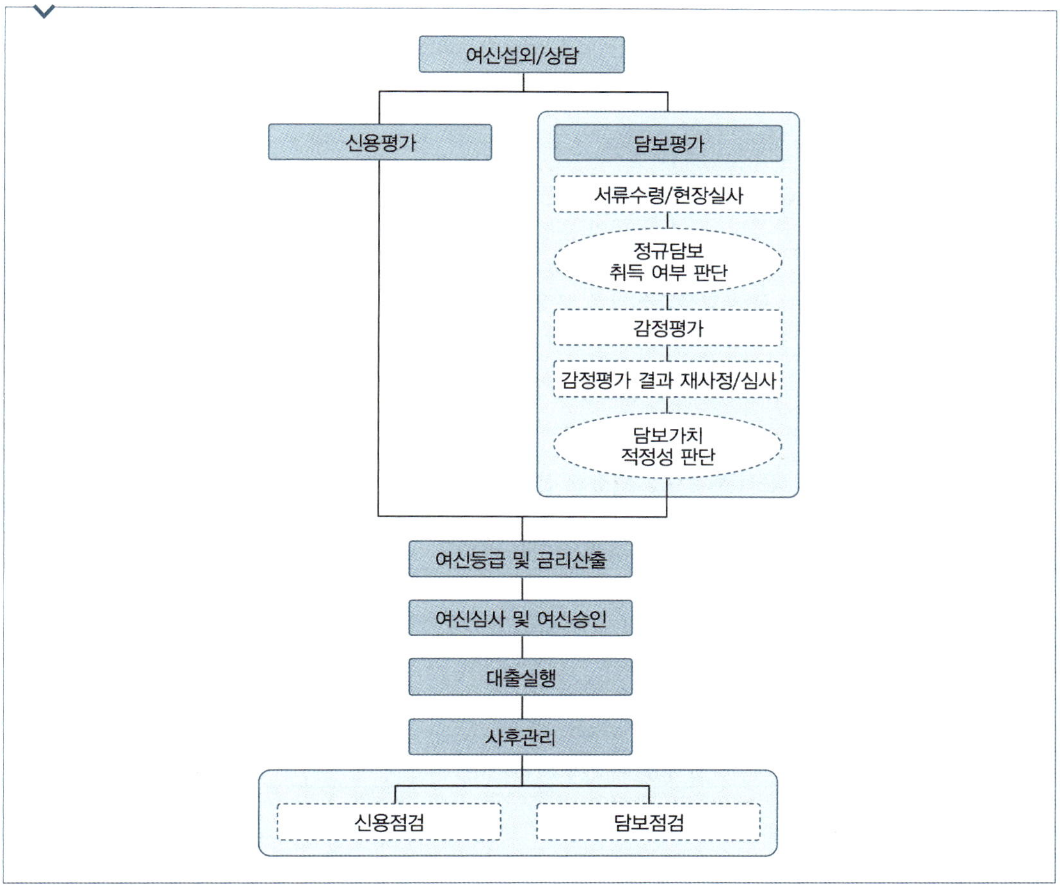

5. 탁상자문(탁상감정)

(1) 탁상자문(탁상감정)의 개념

탁상자문(탁상감정)은 활용 가능한 정보를 이용하여 대상 자산에 대한 경제적 가치를 현장조사 없이 개략적으로 추정하여 수요자에게 제공하는 행위로서, 의뢰인의 감정평가 의뢰 여부 판단을 돕는 의뢰・계약 절차사이의 상담 등의 행위이다.

---

2) 감정평가실무매뉴얼(담보평가편), 한국감정평가사협회, 2015.07.

(2) 탁상자문과 정식감정평가의 비교

구분	탁상자문	감정평가
법적 근거	없음	「감정평가법」, 「감칙」 등
법적 성질	사전검토 행위	감정평가행위
절차 준수 여부	없음 (관행상 「감칙」 제8조의 1. 기본적 사항의 확정 단계 이전)	「감칙」 제8조 7단계의 감정평가 절차
현장조사	×	「감칙」 제10조
평가방법	× (금융기관 제시목록을 기준으로 개략적인 가치 범위 추정)	○ (「감칙」 제11조 원가방식, 비교방식, 수익방식)
가액의 표시	일정범위 문서 탁상감정: 1쪽 분량의 보고서 구두 탁상감정: 전화로 통보	시장가치 기준(원칙)(「감칙」 제5조) 감정평가사의 서명·날인된 감정평가서 제출
소요시간	약 30분~4시간(물건에 따라 차이)	담보평가는 통상 2일~4일 (물건, 평가목적에 따라 차이)
성실의무	△ (문서 탁상감정의 경우 전문가의 가격 제시 행위로 감정평가행위에 해당하는 경우 법적 책임의 발생 가능성 있음)	○ 감정평가법 제25조(성실의무 등)
손해배상책임	△ (문서 탁상감정의 경우 전문가의 가격 제시 행위로 감정평가행위에 해당하는 경우 법적 책임의 발생 가능성 있음)	○ 감정평가법 제28조(손해배상책임)
수수료	대부분 무료로 제공	「감정평가법인등의 보수에 관한 기준」 준수
수행자	감정평가사, 사무직원	감정평가사

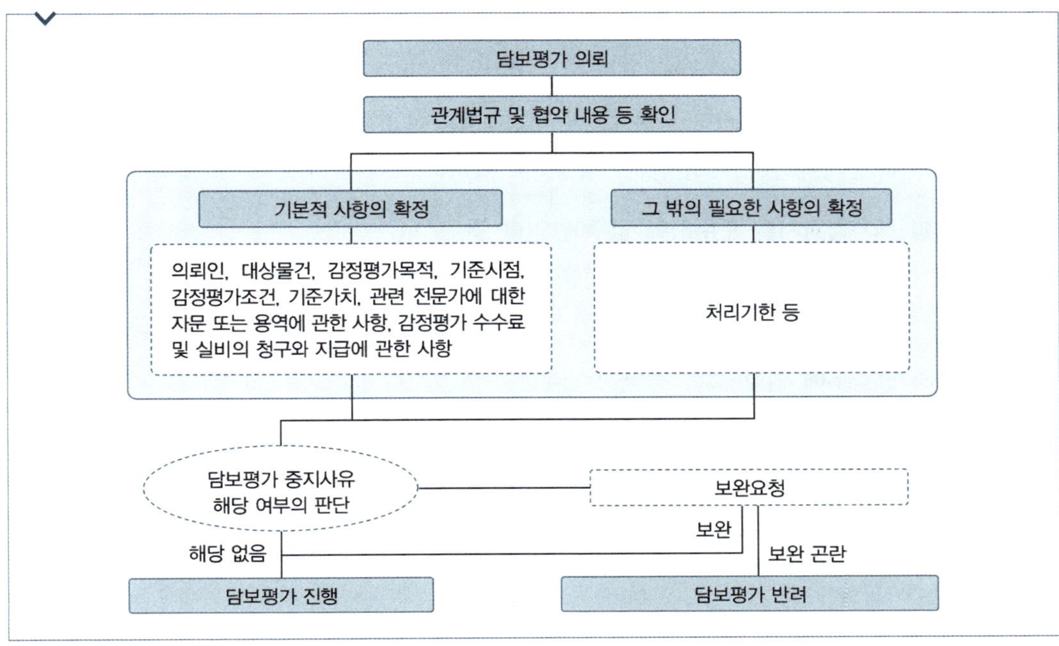

02 담보평가의 원칙 및 준수사항

1. 담보평가의 원칙

(1) 확인주의

담보대상물건에 대한 물적 현황 및 권리관계 등을 반드시 확인해야 되는 것으로 위치, 면적, 건물의 존부 등의 물적확인작업과 제한물권 등의 권리관계를 조사해야 한다.

(2) 보수주의

완전한 채권회수라는 목적을 실현하기 위해 여신기간 동안 미래의 불확실성이 내재된다는 점을 고려해야 한다.

(3) 처분주의(유동화 원칙)

담보감정평가는 채권기간 중 원하는 때에 적정한 금액으로 조기에 환가처분을 할 수 있느냐는 관점에서 접근해야 한다.

(4) 현황주의

공부상의 지목이나 용도에 관계없이 현실적인 이용상태(용도)를 기준으로 판단해야 한다. 다만, 공부와 현황이 불일치할 경우에는 현황이 불법행위에 의하여 이루어진 것이 아닌지 검토해야 한다.

2. 담보평가 시 준수사항[3]

(1) 직업윤리에 따라 업무에 임할 것

감정평가법인등은 의뢰인의 의뢰목적과 의뢰내용을 충분히 이해하고, 의뢰인과 이해관계인들에게 성실하게 응대하며, 감정평가가 적정하고 합리적으로 이루어질 수 있도록 노력한다.

(2) 관계법규와 협약서를 준수하여 업무에 임할 것

① 감정평가법인등은 감정평가관계법규에서 규정한 제반 의무 및 윤리규정을 준수해야 한다.

② 감정평가법인등은 의뢰인과 체결한 협약서를 확인하고 그에 따라 업무를 처리한다.

(3) 공정하게 업무에 임할 것

① 감정평가법인등은 공정하고 성실하게 감정평가를 함으로써 의뢰인이 올바르고 정확하게 업무를 처리할 수 있도록 한다.

② 감정평가법인등은 의뢰인이 금융기관인 경우 담보평가의 의뢰는 영업점이 하지만 감정평가 업무협약의 체결이나 담보평가 관련 정책·제도의 집행은 본점의 소관부서에서 담당한다는 점을 이해해야 한다.

③ 따라서 영업점인 의뢰인이 윤리규정이나 협약서에 위배되는 업무수임을 요구하는 경우에는 의뢰인에게 담보평가를 의뢰하기 전에 먼저 윤리규정이나 협약서를 확인하거나 본점 소관부서의 승인을 받을 것을 안내할 수 있다.

03 세부 판단사항

1. 필요한 서류 및 대상물건의 판단과 처리 등

1) 감정평가 시 필요한 공부서류

물건별	필수서류	필요시 받는 서류
토지	• 토지 등기사항전부증명서 • 토지이용계획확인서 • 지적도 또는 임야도 • 토지(임야)대장 등본	• 공유지분토지위치확인서 • 환지계획, 환지처분 등의 관련서류 • 토지형질변경허가서 사본 • 농지(산림)전용허가서 사본
건물	건물 등기사항전부증명서	건축물관리대장
공장	• 토지 및 건물의 평가에 필요한 서류 • 기계기구 및 구축물 목록	• 건축허가서, 공장등록증, 사업자등록증 • 공장재단등록증 사본 등
자동차 건설기계	• 자동차(건설기계)등록원부 등본 • 자동차(건설기계)등록증 사본	

---

3) 감정평가실무매뉴얼(담보평가편), 한국감정평가사협회, 2015.07.

선박	선박 등기사항전부증명서	
입목	입목등록원부등본 또는 입목등기사항전부증명서 (등록 또는 등기되어 있는 경우)	

≫ 「집합건물의 소유 및 관리에 관한 법률」 제2조의 규정에 의한 구분소유권의 대상이 되는 공동주택 등의 경우에는 제1항에서 정한 서류 중 지적도 또는 토지대장등본 등을 받는 것을 생략할 수 있다.

2) 대상물건의 판단과 처리

① 감정평가법인등은 담보평가를 의뢰받을 때 담보평가의 대상물건이 아니라고 판단하는 경우에는 의뢰인과 협의한 후 업무를 진행한다.

② 감정평가법인등은 담보평가를 의뢰받을 때 담보물의 범위, 해당 담보권의 효력이 미치는 물건인지 여부 등을 파악하기 어려운 경우에는 의뢰인과 협의하여 대상물건을 결정하고 협의한 내용을 감정평가서에 적는다.

3) 물적사항 및 권리관계에 대한 확인

(1) 물적사항에 대한 확인

① 감정평가법인등은 사전조사와 실지조사를 거쳐 대상물건의 물적사항과 관련한 다음 각 호의 사항을 확인한다.

  ㉠ 실지조사에서 확인한 대상물건의 현황이 의뢰내용이나 공부(公簿)의 내용과 부합하는지 여부

  ㉡ 대상물건의 개별적인 상황

  ㉢ 대상물건에 담보권의 효력을 제한할 수 있는 다른 물건이 소재하는지 여부

  ㉣ 제1호부터 제3호 이외에 대상물건의 경제적 가치 및 담보물로서의 가치에 영향을 미치는 사항

② 감정평가법인등은 제1항의 조사 결과, 대상물건에 대하여 실지조사에서 확인한 현황이 의뢰내용이나 공부(公簿)의 내용과 부합하지 않는다고 판단하는 경우(이하 "물적불일치"라 한다)에는 그 내용을 의뢰인에게 알리고 감정평가 진행 여부를 협의해야 한다.

(2) 권리관계에 대한 확인

① 감정평가법인등은 사전조사와 실지조사를 거쳐 대상물건에 대한 소유권 및 그 밖의 소유권 이외의 권리의 존부·내용을 확인한다.

② 의뢰인이 금융기관으로서 협약서상 임대차 조사를 수행하도록 한 경우 감정평가법인등은 협약서에 따라 업무를 처리한다.

4) 담보평가 시 고려해야 할 사항

감정평가법인등은 대상물건의 경제적 가치에 합리적으로 영향을 미칠 것으로 보기 어려운 채무자의 신용도, 자금사정 및 재무상태, 채무상환능력, 기업규모, 평판, 해당 업종 내의 영향력 등을 고려하지 않도록 주의한다.

2. 감정평가서 적정성 검토(감정평가서 발송 전 검토사항)

① 공부의 내용과 현황의 일치 여부
② 적용공시지가 표준지 선정의 적정성
③ 평가가격 산출과정의 적정성
④ 건물 등의 재조달원가 및 내용연수 산정 등의 적정성
⑤ 감정평가서 필수적 기재사항 누락 여부
⑥ 감정평가 수수료 산정의 적정성
⑦ 기타 필요한 사항

3. 공유지분 토지 및 집합건물

공유지분 토지로서 공유자 중 일부의 지분만을 평가하는 경우이다.

(1) 위치확인 여부에 따른 처리방침

① 위치가 확인된 경우

확인된 위치에 따라 평가하되, 이에 대한 사항을 감정평가서에 기록한다.

② 위치확인이 어려운 경우

금융기관과의 협약사항 등을 검토하여 평가할 수 있는지 여부를 판단하며, 평가가 가능한 경우 전체를 평가하여 지분비율별로 감정평가액을 산정한다.

(2) 위치확인 방법

① 위치확인은 공유지분자 전원 또는 인근공유자 2인 이상 동의서를 받아 확인하는 것을 원칙으로 한다.

② 건부지인 경우에는 건축허가도면을 활용할 수 있으며, 집합건물의 경우 관리사무소 또는 상가 번영회에 비치된 위치도면을 이용할 수 있다.

4. 특수용도로 사용되는 토지

① 도로, 구거 등 특수용도 토지는 담보로서 평가하지 않는 것을 원칙으로 한다. 다만, 용도 전환을 전제로 평가할 것을 의뢰받는 경우에는 전환 후 토지가격에서 전환통상비용을 차감하여 평가하되, 이에 대한 내용을 감정평가서에 기록한다.

② 다른 조건이 제시되거나 특수한 목적 수반 시에는 조건이나 특수한 목적이 합법적이며 합리적인지 판단한 후 적정하면 현황을 기준으로 평가할 수 있다.

③ 특수용도에 따른 가격이 형성되어 있으면 그 가격수준을 기초로 평가하며, 가격수준이 형성되어 있지 않다면 인근의 표준적 토지의 가격수준에 특수용도로 사용됨에 따른 감액이나 증액을 하여 평가한다.

>> 일반적으로 담보평가 시 도로나 구거, 하천은 평가외를 하며, 한 필지 안에 현황이 도로나 구거인 경우에는 그 면적을 사정하여 평가외를 한다. 한편, 도로나 구거가 본 담보권 실행에 있어 반드시 필요한 경우에는 공동으로 담보를 설정하여 환가에 지장이 없도록 해야 한다.

참고

담보감정평가에서의 평가외와 평가제외의 차이

구분	근저당권 설정(평가대상 여부)	평가액 입력 여부
평가제외	×	×
평가외	○	×

5. 지상권이 설정된 토지

① 지상권이 설정된 토지는 지상권이 설정된 상태를 기준으로 평가한다. 다만, 금융기관과의 협약사항에 의하여 지상권이 설정된 토지에 대한 감정평가가 금지된 경우에는 평가하지 않는다.

② **감정평가방법**

상기 "유형별 평가"의 지상권 설정토지의 감정평가방법과 동일하다.

③ 지상권가액의 산정이 곤란한 경우, 토지의 나지상태평가액의 70% 이내 수준으로 결정이 가능하다.

>> 다만, 저당권자가 채권확보를 위하여 지상권을 설정한 경우는 정상평가 가능하다(나대지에 설정된 지상권자가 금융기관인 지상권).

6. 지상건축물의 소유자가 다른 토지

① 철거가 예상되지 않는 한 평가하지 않는다(즉, 토지만을 담보취득할 수 없다). 다만, 지상건축물과 함께 의뢰 시 정상평가가 가능하다.

② **철거가 용이하거나 철거전제로 의뢰 시**

해당 지상건축물의 물적불일치가 있는지 현황을 기준으로 판단하되, 나지상태 평가액으로 결정하고 건물은 담보가치희박으로서 평가외하거나 토지가치에서 철거비를 차감하여 평가할 수 있다.

③ **금융기관의뢰로 토지만 평가하는 경우**

토지의 일반 감정평가방법을 준용한다.

7. 제시외 건축물이 있는 토지

1) 제시외 건물의 개념

⑴ 개념 및 법정지상권 확인의 중요성

제시외 건물이란 공적장부(등기사항전부증명서 및 건축물대장)에 있지 않은 건물이나 현황이 존재하는 건물로서 의뢰목록에 제시되지 않은 건물을 의미한다.

우리나라 등기법제상 토지와 건물은 별개의 부동산으로 인정되고 있다. 따라서 지상의 건물을 담보취득하지 않을 경우 향후 담보권 실행에 법정지상권이 성립되어 환가처분이 곤란하거나 환가처분가격이 크게 떨어질 수 있으므로, 토지상에 미등기건물이 소재하는지 여부 및 법정지상권이 성립될 수 있는지 여부를 판정하여야 한다.

(2) 구체적인 사례

① 대장에는 등재되어 있으나 미등기인 건물

소유권에 대한 조사를 행한 후 소유권의 확인이 가능한 경우에는 보존등기를 행함과 동시에 감정평가를 진행할 수 있다(제시외 건축물이 아니다).

② 건축물대장이 없으며 미등기인 건물

무허가건물이므로 담보평가의 대상이 될 수 없음이 원칙이다(제시외 건축물이다).

2) 처리방법

(1) 제시외 건물로 인하여 토지의 사용, 수익, 처분에 영향을 받는 경우(현저한 경우)

현저한 물적불일치로 토지의 경우 담보물로서의 환가성에 지장이 있다고 판단되므로 평가반려함이 타당하다(향후 법정지상권[4]의 문제가 발생할 수 있음). 다만, 의뢰기관에서 제시외 건물로 인한 영향을 고려하지 말아 달라는 조건을 부가한 경우, 그 조건의 합법성, 합리성 등을 검토한 후 정상 평가할 수 있다.

(2) 제시외 건물이 토지의 사용, 수익, 처분에 영향을 주지 않는 경우(경미한 경우)

감정평가서에 해당 제시외 건물의 구조, 면적, 이용상황 등을 기록하고 정상적으로 평가한다.

> **Check Point!**
>
> ● **물적 불일치의 개념 및 처리방법**
>
> **1. 물적 불일치의 개념**
> 실지조사를 통해 확인한 결과와 평가의뢰 시 제시된 사항 및 공부와 차이가 나는 경우를 '물적 불일치'라고 한다.
>
> **2. 대표적인 유형별 물적 불일치의 처리방법**
> (1) 위치 및 경계확인이 곤란하거나 일치하지 않는 경우 의뢰인으로부터 측량도면을 제시받아 처리한다. 다만, 의뢰인과 협의하여 직접 외부용역으로 처리할 수 있다.
> (2) 지목이 일치하지 않는 경우 현황의 지목을 기준으로 평가한다. 다만, 불법으로 변경된 경우에는 개별적 사안에 따라 처리를 달리해야 한다.
> (3) 소재지 및 지번이 일치하지 않는 경우, 행정구역의 개편 등 동일성이 인정되는 경우에는 정상평가할 수 있으나, 그렇지 않은 경우 사유를 보다 세밀하게 확인해야 한다.

---

4) 법정지상권이란 토지와 그 지상건물이 동일인에게 속하고 있었으나, 매매 또는 경매 등 어떤 사정으로 인하여 토지와 그 지상건물의 소유자가 각각 다르게 된 때에 건물소유자에게 그의 건물소유를 위하여 건물을 이용하는 데 필요한 한도 내에서 대지 등을 이용할 권한이 생기는 지상권을 말한다.

(4) 건물 및 정착물의 위치, 면적, 구조 등이 일치하지 않는 경우 등기변경의 가능성, 거래상의 제약 정도 등을 파악하여 사회통념상 동일성을 인정할 수 있는지 판단해야 한다. 내용연수의 불일치는 관찰감가법 등을 적용하여 연장 또는 단축할 수 있을 것이나, 구건물이 멸실된 경우에는 평가가 원칙적으로 불가능하다고 볼 수 있다.

3) 담보평가 시 유형별 제시외 건물에 따른 처리방법

구분(담보평가)	법정지상권 성립 여부	
	성립가능(현저한 제시외 건물)	성립불능(경미한 제시외 건물)
토지평가 여부	평가반려 원칙(단, 의뢰인이 요청 시 이에 대한 사항을 기재한 후 평가할 수 있다.)	정상평가
평가서 기재방법	평가를 진행한다면 지상의 현저한 제시외 건물로 인하여 사용, 수익, 처분에 제한이 있으나 의뢰인 요청에 의하여 이에 구애됨 없이 평가하였다는 취지를 기재하거나 은행의 요청으로 감가하여 평가하였다는 취지를 감정평가서에 기재함.	제시외 건물이 소재하나 본 토지 등에 미치는 영향이 미미하다라는 취지를 기재함.
제시외 물건에 대한 평가 여부	평가하지 않음(단, 양성화되면 평가할 수 있음).	평가하지 않음.

» 법정지상권의 성립 여부는 제시외 건물의 구조, 이용상황, 주 건축물과의 관계[5], 면적, 내구성 등을 기준으로 판정한다.

8. 담보로서 부적절한 물건에 대한 처리방법

1) 처리방법

담보물건으로 적절하지 않은 물건이 의뢰된 경우에는 담보평가를 진행할 의사가 있는지 명확히 확인하여야 한다. 특히 감정평가조건이 부가되어 의뢰된 경우에는 해당 감정평가조건의 합리성, 적법성 및 실현가능성을 면밀히 검토하여야 하며, 해당 감정평가조건에 대한 내용을 감정평가서에 반드시 기재하여야 한다. 또한 감정평가조건의 합리성, 적법성이 결여되거나 실현이 사실상 불가능하다고 판단될 때에는 의뢰를 거부하거나 해당 감정평가 수임을 철회하여야 할 것이다. 한편, 의뢰기관에서 평가를 요청하는 경우(특화 대출상품이 있는 경우 등)에는 평가할 수 있다.

---

[5] 토지상에 미등기건축물(제시외 건물) 이외 건물 유무에 따른 판단
① 토지상에 미등기건물만이 존재하는 경우 : 미등기건물이 건물로서 요건을 갖추고 있다면 당연히 법정지상권이 인정되므로, 먼저 보존등기를 한 후에 저당권을 설정하여야 한다.
② 토지상에 등기된 건물과 미등기건물이 함께 존재하는 경우 : 이 경우 등기건물에 설정한 저당권의 효력이 미등기건물에 미치는지 여부는 미등기건물에 대하여 독립성이 인정되는지 여부에 따라 판단하여야 한다. 독립성이 인정될 경우 법정지상권이 성립할 수 있으므로, 미등기건물에 대하여 보존등기를 한 후에 저당권을 설정하여야 한다. 그러나 독립성이 인정되지 않는 경우에는 등기된 건물의 종된 건물(종물, 부합물)이 되어 등기된 건물에 저당권을 설정하면 미등기건물에도 효력이 미치므로 등기를 하지 않아도 된다.

2) 부적절한 담보물건의 예시

담보물건의 적격요건상 환가성, 유동성, 법적안정성, 물적안정성 등의 측면에서 부적절한 담보물건은 담보평가의 감정평가액을 결정할 때보다 신중을 기하여야 한다. 여기에는 법률에 의해 담보취득이 제한된 물건, 동일성이 인정되지 않는 물건, 담보권을 제한하는 권리가 있는 부동산, 특수용도로 이용되고 있어 환가성이 없는 물건 등이 있다.

(1) **다른 법령에서 담보취득을 금지하는 물건이거나 담보제공을 위하여 주무관청의 허가가 필요한 물건임에도 불구하고 허가를 받지 아니한 물건** [6]

① **법률규정에 의해 담보취득이 금지되는 물건**

담보취득금지 물건	근거법령
사립학교의 교육에 직접 사용되는 재산	「사립학교법」 제28조 제2항, 동법 시행령 제12조
행정재산	「국유재산법」 제27조, 「공유재산 및 물품 관리법」 제19조
보험회사의 소유재산	「보험업감독규정」 제99조
해당 금융기관의 주식 및 다른 주식회사 발행주식의 20/100을 초과하는 주식	「은행법」 제38조
양도 또는 제한물권을 설정하거나 압류·가압류·가처분 등을 할 수 없는 재산	「주택법」 제61조 제3항

② **담보취득 시 주무관청의 허가를 요하는 물건**

담보취득허가 요건 물건	근거법령
사립학교의 교육에 직접 사용되는 재산 이외의 기본재산	「사립학교법」 제28조 제1항
공익법인의 기본재산	「공익법인의 설립·운영에 관한 법률」 제11조 제3항, 동법 시행령 제17조
의료법인의 기본재산	「의료법」 제48조 제3항, 동법 시행령 제21조, 동법 시행규칙 제54조
사회복지법인의 기본재산	「사회복지사업법」 제23조 제3항, 동법 시행규칙 제14조
전통사찰의 재산	「전통사찰보존법」 제9조 제1항, 동법 시행령 제9조
향교재산	「향교재산법」 제4조, 제8조 제1항 제1호
외국투자가 또는 외국인투자기업의 재산	「외국인투자촉진법」 제21조
국가의 지원에 의해 취득한 북한이탈주민의 부동산	「북한이탈주민의 보호 및 정착지원에 관한 법률」 제20조 제2항

---

6) 감정평가실무기준 해설서(Ⅰ) 총론편, 한국감정평가사협회 등, 2014.02, p.556

⑵ **담보권을 제한하는 권리가 있는 부동산**

예고등기, 압류, 가압류, 가처분, 가등기, 경매개시등기 등의 등기가 되어 있는 물건은 관련 법령에 따라 처분이 금지되므로, 해당 물건을 담보취득할 경우 등기권리자에게 대항할 수 없기 때문에 담보의 목적을 실현하지 못할 가능성이 많다.

이 경우에는 담보권을 제한하는 등기를 말소한 후에 저당권을 설정하거나 선순위 설정금액을 확인한 후, 그 설정금액을 공제하고 담보가액을 결정하여 담보취득을 해야 한다.

⑶ **특수한 용도로 이용되고 있는 것으로서 다른 용도로의 전환가능성이 적고 매매의 가능성이나 임대차의 가능성이 희박한 물건**

도로, 구거, 사도, 묘지, 유지, 하천 등의 토지와 교회, 고아원, 양로원 등의 특수용도로 사용되는 부동산은 다른 용도로의 전환가능성이 적고, 매매 또는 임대차의 가능성이 희박하므로, 금융기관으로부터 특수한 감정평가조건이 수반되지 않는 한 적절한 담보물건으로서 취급이 제한되므로 이에 유의하여야 한다.

⑷ **공부상 소재지 · 지번 · 지목 · 면적 등이 실제와 현저히 달라 동일성을 인정하기 어려운 물건**

공부와 현황이 상이한 물건의 경우에는 감정평가 시 신중을 기해야 한다. 동일성이 인정되지 않거나 합법적이지 않은 상태를 기준으로 감정평가를 하는 경우 채권기관의 채권 회수에 문제가 발생할 수 있기 때문이다.

3) 그 밖에 담보물건으로 부적절한 물건

다음의 물건은 환가성이 낮아 채무불이행에 따른 채권회수 가능성이 극히 낮은 물건이다. 이러한 물건의 경우에는 의뢰인에게 담보 취급 여부 등을 알리고 적절한 조치를 취해야 하며, 감정평가를 할 때 담보물건으로서의 적절성 여부, 의뢰인에게 확인한 내용, 감정평가조건 등을 감정평가서에 기재하여야 한다.

① 폐광 · 미채광 상태이거나 장기간 휴광 중인 광산으로서 광상상태가 불분명한 광산, 시설 및 운영이 부적당하여 가행성적이 불량하거나 입지조건 · 광량 · 품질이 극히 불량하여 경영 장래성이 없는 광산 또는 광업권에 한정하여 감정평가가 의뢰된 광산

② 거래실적이 없거나 거래소로부터 거래정지 처분을 받은 주식

③ 시험기구 · 비품 · 집기 등으로서 이동이 용이하여 관리 · 보전이 어려운 물건

④ 환금성과 시장성 등이 매우 낮거나 채권기관과의 특약에 따라 정한 물건

⑤ 그 밖에 손상이나 노후화 등으로 담보가치가 희박하다고 인정되는 물건

9. 건물평가 시 유의사항

1) 경과연수의 기산시점은 준공시점(사용승인일)기준으로 하되, 준공시점과 완공시점의 시차가 1년 이상 시 완공시점기준(보수적인 측면 반영), 연수산정은 만년을 기준한다.

2) 공부상 등재되지 않은 건물(제시외 건물)

① 담보평가 후 근저당권을 설정할 수 없으므로 평가하지 않는다.

② 단, 공부면적을 초과한 부분이 적법하게 건축되어 추가 등재 가능하거나 준공검사필한 건물로 조건이 제시된 경우에는 정상적으로 감정평가할 수 있으며 감정평가서에 이러한 내용을 기재한다 (조건부 평가로서 합리성, 합법성, 실현가능성이 검토되어야 한다).

3) 종물 및 부합물

(1) 종물·부합물 판단의 중요성

「민법」 제358조에 따르면 저당권의 효력의 범위는 법률에 특별한 규정 또는 설정행위에 따른 약정이 있는 경우를 제외하고는 원칙적으로 저당부동산에 부합된 물건과 종물에 미친다. 따라서 대상물건에 종물 및 부합물이 있는지 여부를 면밀히 조사·확인해야 한다.

(2) 종물

물건의 소유자가 그 물건의 상용에 공하기 위하여 자기소유인 다른 물건을 이에 부속하게 할 때 그 물건을 종물이라고 한다(민법 제100조).

종물은 독립된 별개의 물건으로서 사회통념상 계속해서 주된 물건의 상용에 이바지하여야 하며, 장소적으로 어느 정도 부속되어야 한다.

대법원 판례는 종물의 판단기준으로 어느 건물이 주된 건물의 종물이기 위해서는 주물의 상용에 이바지 즉, 주물 그 자체의 경제적 효용을 다하여야 한다고 하였다. 종물의 예로서 주택에 딸린 화장실, 공장에 부속된 경비실 및 창고 등이 있다(대판 1998.8.23, 87다카600).

(3) 부합물

부합물이란 소유자를 달리하는 수 개의 물건이 결합하여 1개의 물건이 될 때, 이러한 부합에 의하여 만들어진 물건을 말한다.

부동산의 소유자는 원칙적으로 부합한 물건의 소유권을 취득한다. 다만, 전세권, 지상권, 임차권 등의 권원에 의하여 부합된 부합물은 부동산 소유자의 소유가 되지 않고 부속시킨 자의 소유가 된다. 대법원 판례는 부합물의 판단기준으로서 부착된 물리적 구조뿐만 아니라 그 용도와 기능면에서 기존건물과 독립된 경제적 효용을 가지고 거래상 별개의 소유권의 객체가 될 수 있는지의 여부 및 증축하여 이를 소유하는 자의 의사 등을 종합하여 판단하여야 한다고 한 바 있다(대판 1975.4.8, 74다1743).

10. 구분건물의 평가

(1) 구분건물 대상물건의 확인

구분소유 부동산을 담보평가할 때 사전조사 및 실지조사를 통해 다음 각 호의 방법으로 해당 구분건물의 위치를 확인한다.

① 건축물현황도가 있는 경우에는 건축물현황도와 현황을 대조하여 확인한다.

② 건축물현황도가 없는 경우에는 관리사무소 등에 비치된 도면과 현황을 대조하여 확인하되, 그 내용을 감정평가서에 적는다.

⑵ 구조상·이용상 독립성이 없는 구분건물

구분소유 부동산이 인접한 부동산과 구조상·이용상 독립성이 없다고 판단하거나 구조상·이용상 독립성이 있는지 여부를 판단하기 어려운 경우에는 이를 의뢰인에게 통지한 후 의뢰인과 협의하여 업무를 진행한다.

⑶ 대지사용권을 수반하지 않은 구분건물

① 구분소유 부동산을 담보평가할 때 대지사용권이 제시되지 않은 경우에는 사전조사, 실지조사 등을 통해 다음 각 호의 사항을 확인한다.
　㉠ 의뢰인이 대지사용권을 제시하지 않은 이유
　㉡ 대상물건이 대지사용권을 수반하고 있는지 여부 및 그 근거
　㉢ 등기사항증명서에 대지사용권이 등재되어 있지 않다면 그 이유
　㉣ 대상물건에 대하여 대지사용권을 수반하지 않은 건물만의 가격이 형성되어 있는지 여부
　㉤ 그 밖에 대상물건을 감정평가하는 데 필요한 사항
② 감정평가법인등은 대지사용권이 제시되지 않은 구분소유 부동산으로서 다음 각 호의 어느 하나에 해당하는 경우에는 의뢰인과 협의하여 대지사용권을 포함한 가액으로 감정평가할 수 있다.
　㉠ 분양계약서 등에 따라 대상물건이 실질적으로 대지사용권을 수반하고 있지만 토지의 분할·합병, 지적미정리 등으로 인하여 기준시점 현재 대지사용권이 등기되어 있지 않은 경우
　㉡ 분양계약서 등에 따라 대상물건이 실질적으로 대지사용권을 수반하고 있지만 등기절차의 지연 등으로 기준시점 현재 대지사용권이 등기되어 있지 않은 경우
　㉢ 그 밖에 대상물건이 실질적으로 대지사용권을 수반하고 있지만 합리적인 사유로 기준시점 현재 대지사용권이 등기되어 있지 않은 경우
③ 대지사용권이 제시되지 않은 구분소유 부동산이 제2항에 해당하지 않는 경우에는 의뢰인과 협의한 후 감정평가를 진행하되 건물만의 가액으로 감정평가한다.

11. 공장의 평가

1) 구조가 복잡하거나 현상이 극히 불량하여 일정기간 동안 그 보존이 어렵다고 인정되는 건물이나 기계·기구 등

⑴ 리스기계

리스기계는 「여신전문금융업법」에 의해 사업자가 리스회사로부터 임대받은 물건으로, 「공장저당법」에 의하여 취득한 담보물을 경매실행 시 복잡한 법률관계가 발생하므로, 통상적으로 담보에서 제외하고 감정평가 시에도 평가하지 않는 것이 원칙이다.

(2) 소유권유보부 기계·기구

대금분할지급매매에는 대금의 완제 전에 목적물을 인도하는 경우가 있는데, 이 경우에 대금의 완제가 있을 때까지 목적물의 소유권을 매도인에게 유보하는 계약을 말한다. 이 경우 공급계약서 등을 확인받아 소유권유보부 기계·기구일 경우 담보로 취급되지 않는다.

2) 과잉유휴시설이거나 단독효용가치가 희박한 부분

(1) 과잉유휴시설

과잉유휴시설이란 해당 공장의 필요 정도를 넘어 설치된 시설과 업종변경 등으로 인하여 가동하지 않고 가까운 장래에도 가동할 전망이 없는 시설을 말한다. 담보평가의 경우 이와 같은 과잉유휴시설은 감정평가에서 제외하여야 한다.

(2) 단독효용가치 희박 부동산

부동산의 가치는 그 부동산이 최유효사용에 있을 때 가장 크다. 부동산이 최유효사용이 되기 위해서는 물리적·법적·경제적인 면에서 조건이 충족되어야 한다. 그러나 부동산은 그 형상·면적·도로저촉 등의 공법상 제한사항 등으로 인하여 일부 또는 전체가 단독으로는 이용될 수 없는데, 이 경우에는 시장에서 거래가 제한되고 가치를 형성하지 못하기 때문에 담보평가에서는 평가 외로 하여야 한다.

3) 기타 평가하지 말아야 할 물건(기계기구)

> ① 구조가 조잡, 노후화로 담보가치가 희박하다고 인정되는 것
> ② 이동이 용이하여 관리·보전이 어려운 것
> ③ 기타 담보가치가 희박하다고 인정되는 것

≫ 상기에도 불구하고 금융기관 등의 특수조건이나 목적수반 시에는 평가가 가능하며, 조건에 대해서는 그 조건의 합법성이나 합리성을 검토해야 한다. 또한 조건을 제시받은 경우에는 그 조건을 기준으로 평가하였다는 점을 감정평가서에 명기해야 한다.

제2절　경매평가

01 ▎경매평가의 의의, 종류 및 주요용어

1. 경매평가의 의의

경매평가란 해당 집행법원(경매사건의 관할 법원을 말한다)이 경매의 대상이 되는 물건의 경매에서 최저매각가격(물건의 매각을 허가하는 최저가격을 말한다)을 결정하기 위해 의뢰하는 감정평가를 말한다. 넓은 의미로서의 경매는 매도인이 다수인 중에서 구두로 매수신청을 하게 하고 최고가격 신청인에게 매도하는 매매방법을 말한다.

> **민사집행법 제97조**(부동산의 평가와 최저매각가격의 결정)
>
> ① 법원은 감정인(鑑定人)에게 부동산을 평가하게 하고 그 평가액을 참작하여 최저매각가격을 정하여야 한다.

경매감정평가란 집행법원이 감정인에게 부동산 시가의 감정평가를 명하는 것으로 경매절차에서 대상 부동산의 시가를 정확히 파악하여 최저매각가격을 결정하기 위한 것이다. 민사집행법이 최저매각가격을 규정하고 있는 것은 부동산의 공정, 타당한 가격을 유지하여 부당하게 염가로 매각되는 것을 방지함과 동시에 목적 부동산의 적정한 가격을 표시하여 매수신고를 하려는 사람에게 기준을 제시함으로써 경매가 공정하게 이루어지도록 하고자 함에 있다(대결 1994.11.30, 94마1673).

2. 경매의 종류[7]

부동산 경매는 집행권원의 필요 여부에 따라 강제경매와 임의경매로 구분하고, 경매기일의 선후에 따라서는 최초매각(최초경매), 새매각(신경매), 재매각(재경매)으로 나눌 수 있다. 그리고 매각방법에 따라 일괄매각과 분할매각 등으로 분류할 수 있다.

1) 강제경매, 임의경매

(1) 강제경매

강제경매란 채무에 대한 집행권원을 가진 채권자의 신청에 의해 채무자 소유의 부동산을 압류, 경매를 통하여 매각하고 그 대금으로 채무자에 대한 경매신청 채권자의 채권을 변제하기 위한 강제집행절차이다. 즉, 채권자가 약속된 날까지 채권을 변제받지 못하면 법원에 소송을 제기하여 판결을 얻은 후 집행문 부여 등의 절차를 거쳐 법원에 경매신청을 하게 되면 법원은 채권자의 경매신청에 의하여 경매개시결정을 내리고 동시에 부동산을 압류한 다음에 경매절차에 의해 부동산을 강제매각하는 것을 말한다.

---

7) 법원감정평가실무, 한국감정평가사협회, 2024.12.

> **민사집행법 제24조**(강제집행과 종국판결)
>
> 강제집행은 확정된 종국판결(終局判決)이나 가집행의 선고가 있는 종국판결에 기초하여 한다.

(2) 임의경매

임의경매란 근저당권 또는 전세권 등의 담보권자가 자신의 담보권실행을 위하여 담보목적물이나 전세목적물을 경매 신청하여 후순위의 권리자들보다 우선하여 경매목적물의 매각대금에서 자기 채권의 만족을 얻는 강제집행절차이다.

(3) 강제경매와 임의경매의 차이점

임의경매와 강제경매는 그 절차가 동일하여 사실상 큰 차이를 보이지 않으나, 양자 간의 중요한 차이점은 다음과 같다.

가. 집행권원의 요부

강제경매에 있어서는 집행권원의 존재를 요한다. 채권자가 채무자를 상대로 소송을 제기한 후 승소한 경우(판결이 확정되거나 가집행의 선고가 있을 때)[8] 판결문이 교부되는데 채권자는 판결문을 제시하고 법원사무관등[9]에게 집행문[10]을 부여받은 후 송달증명원과 확정증명원을 함께 발급받아 판결문에 첨부하면 이로써 집행력 있는 정본이 되며 이것이 곧 집행권원이 되는 것이다. 강제경매의 신청에는 집행력 있는 정본을 첨부하여야 한다. 그러나 임의경매는 담보권에 내재하는 환가권에 기하여 경매의 신청권이 인정되므로 집행권원의 존재를 요하지 아니하여 그 신청에서도 집행력 있는 정본을 요구하지 않으며 담보권의 존재를 증명하는 서류를 첨부하도록 되어 있다.

> **참고**
>
> **집행권원**
>
> 강제집행을 하려면 그 전제로서 채권 즉, 급부청구권이 존재하고 있음이 확실하여야 한다. 채권이 존재하지도 않는데 강제집행을 하면 상대방에게 큰 피해를 주기 때문이다. 그러나 집행에 있어서 집행기관이 일일이 권리의 존부를 심사한다는 것은 집행의 신속·확실을 꾀할 수 없게 한다. 여기서 채권이 존재하고 있음을 확정하고 강제집행의 전제로 될 수 있는 것이 필요하게 되는데, 이것을 『집행권원』이라고 일컫는다. 즉, 일정한 사법상의 이행청구권의 존재 및 범위를 표시하고 법률이 강제집행에 의하여 그 청구권을 실현할 수 있는 집행력을 인정한 공정의 증서를 말한다 하겠다.
>
> 집행권원의 가장 대표적인 것은 법원의 확정판결(이행판결이어야 함)이다. 그 밖에도 가집행선고가 있는 종국판결·확정된 지급명령·화해조서·조정조서·채무자가 강제집행을 승낙한 취지의 기재가 있는 공정증서 등도 집행권원이 된다.

---

8) 「민사집행법」 제30조 제1항

9) 「민사집행법」 제28조(집행력 있는 정본) ② 집행문은 신청에 따라 제1심 법원의 법원서기관·법원사무관·법원주사 또는 법원주사보(이하 "법원사무관등"이라 한다)가 내어 주며, 소송기록이 상급심에 있는 때에는 그 법원의 법원사무관등이 내어 준다.

10) 「민사집행법」 제29조(집행문) ② 집행문에는 "이 정본은 피고 아무개 또는 원고 아무개에 대한 강제집행을 실시하기 위하여 원고 아무개 또는 피고 아무개에게 준다."라고 적고 법원사무관등이 기명날인하여야 한다.

나. 공신적 효과(공신력)의 유무

강제경매는 집행력 있는 정본이 존재하는 경우에 한하여 국가의 강제 집행권의 실행으로서 실시되므로 일단 유효한 집행력 있는 정본에 기하여 경매절차가 완결된 때에는 훗날 그 집행권원에 표상된 실체상의 청구권이 당초부터 부존재·무효 또는 경매절차 완결 시까지 변제 등의 사유로 인하여 소멸되거나 나아가 재심에 의하여 집행권원이 폐기된 경우라 하더라도 유효한 경매절차에 의한 매수인(경락인)은 목적물의 소유권을 취득한다. 즉, 강제경매에는 공신적 효과가 있다.

이에 반하여 임의경매에 있어서는 담보권자의 담보권에 내재하는 환가권의 실행을 국가기관이 대행하는 것에 불과하므로 담보권에 이상이 있으면 그것이 경락의 효력에 영향을 미치게 되어 경매의 공신적 효과는 부정된다. 즉, 임의경매에 있어서는 강제경매의 경우와는 달리 경매법원은 담보권 및 피담보채권의 존부를 심사하여 담보권의 부존재·무효, 피담보채권의 불발생·소멸 등과 같은 실체상의 하자가 있으면 경매개시결정을 할 수 없고 나아가 이러한 사유는 경락불허가사유에 해당하며, 이를 간과하여 경락허가결정이 확정되고 매수인(경락인)이 매각(경락)대금을 완납하고 소유권이전등기를 경료받았다 하더라도 매수인(경락인)은 경락목적물의 소유권을 취득하지 못한다.

다만, 임의경매에 있어서도 다음과 같은 경우에는 예외적으로 경매의 공신적 효과가 인정된다. 즉, 실체상 존재하는 저당권에 기하여 경매개시결정이 있었다면 그 후 저당권이 소멸되었거나(예컨대 저당권설정 계약이 해지된 경우) 변제 등에 의하여 피담보채권이 소멸되었더라도 경매개시결정에 대한 이의 또는 경락허가결정에 대한 항고에 의하여 경매절차가 취소되지 아니한 채 경매절차가 진행된 결과 경락허가결정이 확정되고 경락대금이 완납되었다면 경락인은 적법하게 경락부동산의 소유권을 취득한다(대법원 1971.9.28. 선고 71다1310 판결, 대법원 2022.8.25. 선고 2018다205209 전원합의체 판결).

다. 실체상의 하자가 경매절차에 미치는 영향

강제경매에 있어서는 집행채권의 부존재·소멸·이행기의 연기 등과 같은 실체상의 하자는 청구에 관한 이의의 소로서만 이를 주장할 수 있고, 경매개시결정에 대한 이의사유나 경락허가에 대한 이의사유 및 경락허가결정에 대한 항고사유가 되지 못함에 반하여 임의경매에 있어서는 담보권의 부존재·소멸, 피담보채권의 불발생·소멸·이행기의 연기 등 실체상의 하자도 경매절차에 영향을 미치므로 이해관계인은 절차상의 하자 외에 실체상의 하자를 이유로 경매개시결정에 대한 이의를 할 수 있고, 또한 경락허가에 대한 이의 및 경락허가결정에 대한 항고(대법원 1964.4.13. 자 63마98 결정, 1981.2.10. 자 80마141 결정, 1991.1.21. 자 90마946 결정 등)를 할 수 있다.

▪ 강제경매와 임의경매의 비교

구분	항목	강제경매	임의경매
공통점	채권변제	강제환가	
	환가주체	국가공권력(집행법원)	
	소유권 취득시기	매각대금을 완납한 때	
	효력발생시기	경매신청 등기 시	
차이점	경매대상	채무자의 일반재산 전부	담보설정된 특정재산
	우선변제	채권액에 따른 비율배분	담보권자 우선변제
	집행권원	필요	불필요
	공신적 효과	있음	없음
	이해관계인	압류채권자 배당 요구한 채권자 채무자(채무자 = 소유자) 등기사항증명서상의 권리자 권리를 증명한 자	압류채권자 배당 요구한 채권자 채무자 및 소유자 등기사항증명서상의 권리자 권리를 증명한자
	이의사유	집행권원의 형식적 부존재	집행절차의 하자 담보권의 부존재

» 참조 : 윤영철, "부동산 실무 대백과", 서울 : 중앙 M&B

2) **최초매각**(최초경매), **새매각**(신경매), **재매각**(재경매)

최초매각이란 경매 준비절차가 완료되고 경매절차를 취소할 사유가 없는 경우에 직권으로 매각기일을 정하여 맨 처음 실시하는 경매를 말한다.

새매각이란 적법한 절차를 통해 경매를 실시하였으나 매수인이 결정되지 않은 경우에 새로운 기일을 정하여 실시하는 경매이다. 새매각의 사유로는 유찰되어 허가할 매수신고가 없는 경우, 이해관계인의 이의신청이 정당하여 집행법원이 매각불허가를 한 경우, 매각기일 이후 매각결정기일 사이에 천재지변 기타 최고가매수인이 책임질 수 없는 사유로 목적물의 훼손에 의한 매각불허 신청을 한 경우 등이 있다. 유찰로 인한 새매각의 경우 최저매각가격을 저감하여 경매를 실시하고, 이의신청에 의한 매각불허가의 경우는 최저매각가격을 저감하지 않고 직전 매각기일의 최저매각가격으로 경매를 실시한다.

재매각은 최고가매수인이 대금지급기일까지 대금을 납부하지 않고 차순위 신고도 없는 경우 법원의 직권으로 다시 실시하는 경매를 말한다. 재매각의 경우 최저매각가격과 매각조건은 이전 경매와 같으나 매수보증금은 최저매각가격의 20~30%로 10%인 새매각과는 차이가 있다. 또한, 재매각 기일이 지정 공고되었다 하더라도 이전 매수인이 새로 지정된 매각기일 3일 전까지 매각대금, 지연이자, 재매각 공고 등의 비용을 전부 납부하면 취소하도록 하고 있으므로 재매각기일이 지정되었다 하여 반드시 경매가 실시되는 것은 아니다.

> **참고**
>
> **매각기일, 매각결정기일**
> - 매각기일이란 법원이 부동산을 매각할 경우 매각을 실행하는 날을 말하고, 기간입찰의 방법으로 진행하는 경우에는 입찰기간의 개시일인 입찰기일을 말한다. 법원은 매각기일의 2주 전까지 부동산의 표시, 매각결정기일의 일시 및 장소, 최저매각가격 등을 공고하여야 한다.
> - 매각결정기일이란 경매가 실시되어 최고가 매수인이 있을 때 법원이 출석한 이해관계인의 진술을 듣고 경매절차의 적법여부를 심사하여 매각허가 또는 불허가의 결정을 선고하는 기일을 말한다. 매각결정기일은 매각기일로부터 1주 이내이어야 한다. 매각결정기일을 지정한 때에는 이를 공고한다

3) 일괄매각, 분할매각

일괄매각이란 개별매각을 할 경우 현저한 가치감소가 우려되는 때에 경매신청권자의 신청이나 법원이 직권으로 일괄하여 매수할 수 있게 하는 것을 말한다. 경매에서는 일반적으로 여러 개의 부동산이 담보로 제공된 경우에는 개별매각을 원칙으로 하지만, 개별매각이 불합리한 경우 일괄매각을 인정하고 있는 것이다.

분할매각이란 채권자가 여러 개의 부동산을 경매신청하였을 경우 그중 1개 부동산의 경매로 채권자의 채권을 충족시킬 수 있다면 다른 부동산에 대한 매각을 허가하지 않는 것을 말한다.

> **참고**
>
> **「민사집행법」 제98조(일괄매각결정)**
> ① 법원은 여러 개의 부동산의 위치·형태·이용관계 등을 고려하여 이를 일괄매수하게 하는 것이 알맞다고 인정하는 경우에는 직권으로 또는 이해관계인의 신청에 따라 일괄매각하도록 결정할 수 있다.
> ② 법원은 부동산을 매각할 경우에 그 위치·형태·이용관계 등을 고려하여 다른 종류의 재산(금전채권을 제외한다)을 그 부동산과 함께 일괄매수하게 하는 것이 알맞다고 인정하는 때에는 직권으로 또는 이해관계인의 신청에 따라 일괄매각하도록 결정할 수 있다.
> ③ 제1항 및 제2항의 결정은 그 목적물에 대한 매각기일 이전까지 할 수 있다.

3. 사법상의 매매와 비교한 경매의 성질

1) 매각조건의 법정성

사법상의 매매에 있어서 매매대금의 액수, 지급방법 등 매각조건은 매매당사자 사이의 합의에 의하여 자유로이 정하여지나, 경매의 경우에는 그 매각조건이 법정되어 있으며 법원이 직권으로 매각조건을 변경하는 경우 외에는 이해관계인 전원이 동의하는 경우에만 매각조건을 변경할 수 있다.

2) 매수신청인의 자격

사법상의 매매에 있어서는 「부동산 거래신고 등에 관한 법률」에 의하여 매수인의 자격이 제한되는 것 외에는 달리 매수인 자격에 제한이 없다. 미성년자나 제한능력자로서 가정법원에서 정한 경우(미성년자 등)에는 법정대리인에 의하지 아니하고 직접 매매계약을 체결함에 장애가 없는 경우 법정대리인의 동의가 없으면 계약 성립 후에 매매계약을 취소할 수 있을 뿐이나 경매의 경우에는 미성년자

등은 법정대리인에 의하지 아니하고는 직접 매수신청을 할 수 없다.

그 외에 집행절차상의 요구에 의하여 집행관이나 친족, 집행법원을 구성하는 법관, 담임법원사무관 등
도 매수신청을 할 수 없다고 보아야 할 것이며, 경매부동산을 평가한 감정인 또는 그 친족은 그 부동산
에 관하여 매수신청을 할 수 없으며 재경매에 있어서 전매수인과 채무자도 매수신청을 할 수 없다.

3) 의사표시의 하자가 있는 경우

사법상의 매매에 있어서는 매매계약을 체결하였다 하더라도 그 매매가 착오 등 의사표시의 하자에
의한 것이라면 이를 이유로 매매계약을 취소할 수 있으나, 경매에 있어서는 의사표시의 하자를 이유
로 경매신청 또는 매각을 취소할 수 없다.

4) 소유권 취득의 문제

경매절차에서 매수인이 경매목적물의 소유권을 취득하는 것은 전소유자의 소유권을 승계하는 승계취
득인 점에 있어서는 매매와 다를 바 없다. 따라서 매매와 같이 전소유자가 적법한 소유권자가 아니라
면 매수인도 적법한 소유권을 취득할 수 없다.

그러나 임의경매는 근저당권 등 담보권에 기하여 경매절차가 진행되는 것인 만큼 경매개시결정 당시
근저당권이 존재하지 아니하였다면 비록 등기사항증명서상 근저당권이 설정되어 있는 것으로 등재가
되어 있다 하더라도 해당 경매절차는 무효이고 따라서 매수인이 비록 매각대금을 완납하였다 하더라
도 경매목적물의 소유권을 취득할 수는 없다.

강제경매의 경우에는 경매개시결정 당시 집행권원이 존재하는 한 비록 실질적인 채권이 존재하지 아
니한다거나 소멸하였다 하더라도 강제집행의 원리에 의하여 경매절차는 유효한 것이 되고 매수인은
유효하게 소유권을 취득한다. 소유권 취득의 시기와 관련하여 매매의 경우 매수인이 소유권을 취득하
는 시기는 소유권이전등기를 넘겨받는 때이나 경매의 경우에는 매수인이 매각(낙찰)대금을 완납하는
때이다.

5) 담보책임의 문제

사법상의 매매에 있어서는 매매의 목적물인 재산권의 전부 또는 일부가 매도인에게 속하지 않는 경
우, 타인의 권리에 의하여 제한되어 있어 매수인이 완전한 재산권을 취득할 수 없는 경우, 또는 매매
의 목적물에 하자가 있는 경우 그 내용에 따라 매수인은 대금감액청구권, 해제권, 손해배상청구권을
갖게 되며, 이를 매도인의 하자담보책임이라고 한다. 경매도 사법상의 매매와 같은 성질을 가지므로
하자담보책임이 인정되는데 다만, 경매의 특성에 비추어 사법상의 매매와는 그 내용이 다소 다르다.
구체적으로 물건의 하자에 대하여는 담보책임을 지지 아니하며, 권리에 하자가 있는 경우 즉, 경매된
권리의 전부 또는 일부가 타인에게 속하거나 그 권리가 부족하거나 제한을 받는 경우에 채무자가
하자담보책임을 지게 되어 매수인은 계약의 해제 또는 대금감액을 청구할 수 있으며, 채무자가 무자
력일 때에는 매수인은 대금의 배당을 받은 채권자에 대하여 그 대금의 전부 또는 일부의 반환을 청구
할 수 있다.

6) 명도의 문제

사법상의 매매에 있어서 매매목적물의 명도책임에 관하여는 당사자 간의 계약 내용에 따라 결정되는 것이나, 통상의 경우에는 매도인이 명도책임을 지는 것이 보통이다. 그러나 경매의 경우에는 채무자나 법원이 명도책임을 부담하지 아니한다. 다만, 전술한 바와 같은 인도 명령 제도를 인정함으로써 간접적으로 매수인이 간이한 방법으로 명도를 받는 길이 마련되어 있을 뿐이다.

> **참고**
>
> **명도**(明渡), **인도**(引渡)
> - 명도란 토지·건물 또는 선박을 점유하고 있는 자가 그 점유를 타인의 지배하에 옮기는 것이다.
> - 인도란 동산 물권변동의 효력발생요건으로 점유를 이전하는 것이다.
> - 명도는 주로 부동산의 점유이전에 사용하고, 인도는 동산의 점유이전에 사용되는 것이 원칙이나 오늘날에는 혼용되기도 한다.

7) 부동산상의 부담

> **참고**
>
> 「민사집행법」 제91조(인수주의와 잉여주의의 선택 등)
> ③ 지상권·지역권·전세권 및 등기된 임차권은 저당권·압류채권·가압류채권에 대항할 수 없는 경우에는 매각으로 소멸된다.
> ④ 제3항의 경우 외의 지상권·지역권·전세권 및 등기된 임차권은 매수인이 인수한다. 다만, 그중 전세권의 경우에는 전세권자가 제88조에 따라 배당요구를 하면 매각으로 소멸된다.

부동산상에 각종의 용익물권, 담보물권이 설정되어 있거나 가등기 또는 가압류, 가처분등기가 경료되어 있는 경우 사법상의 매매에 있어서는 그러한 부담은 영향을 받지 않는 것이 원칙이다. 그러나 경매에 있어서는 부동산의 부담 중 담보권(유치권은 제외)과 가압류는 모두 소멸되며, 최선순위 근저당권이나 최선순위 가압류에 대항할 수 없는 용익물권 기타의 부담과 경매개시결정에 대항할 수 없는 부담도 함께 소멸한다. 다만, 전세권은 용익물권이기는 하나 담보물권으로서의 성질도 함께 지니고 있는 점을 고려하여 존속기간의 정함이 없거나 압류등기 후 6월 이내에 그 기간이 만료하는 전세권은 매각으로 인하여 소멸하는 것으로 정하였다. 그러나 전세권의 경우에 2002년 7월 1일 이후 「민사집행법」의 적용을 받는 사건의 경우에는 선순위전세권의 경우에 인수되는 것이 원칙이고 전세권자가 배당요구를 한 경우에는 매각으로 소멸되는 것으로 규정하고 있다(「민사집행법」 제91조 제4항).

> **참고**
>
> **인수주의, 소멸주의**
> - 인수주의란 경매로 인하여 소멸되지 않고 매수인에게 인수되어 부담되는 권리를 말한다. 말소기준권리보다 선순위인 가등기, 가처분, 지상권, 지역권, 임차권, 전세권, 환매등기, 예고등기, 유치권 등은 매수인이 인수해야 한다.
> - 소멸주의는 부동산상의 공시된 권리가 낙찰로 인하여 모두 소멸되는 주의로 배당여부와 관계없이 말소가 된다.

02 경매절차

① 경매신청
② 경매개시결정
③ 채권신고의 최고 및 통지
④ 경매준비절차(집행관에 대한 현황조사명령, 최저가 경매가결정, 입찰기일과 낙찰기일지정)
⑤ 입찰실시
⑥ 낙찰허가결정
⑦ 항고
⑧ 대금납부와 소유권이전등기 촉탁
⑨ 배당실시
⑩ 인도명령 및 명도소송

[감정평가명령서]

○ ○ 지 방 법 원
평 가 명 령

○○감정평가법인(주) ○○○ 귀하

사건 201○타경○○○○○ 부동산임의(강제) 경매
소유자 ○○○

　위 소유자 소유의 별지기재 부동산에 대한 평가를 하여 201○.○○.○○까지 그 평가서를 제출하되(열람, 비치용 사본 1부 첨부), 평가서에는 다음 각 호의 사항을 기재하고, 부동산의 형상 및 그 소재지 주변의 개황을 알 수 있는 도면, 사진 및 토지대장, 건축물대장 등본 등을 첨부하여야 합니다.

1. 사건의 표시
2. 부동산의 표시
3. 부동산의 평가액 및 평가년월일
　　가. 집합건물인 경우에는 건물 및 토지의 배분가액 표시
　　나. 제시외 건물이 있는 경우에는 반드시 그 가액을 평가하고, 제시외 건물이 경매 대상에서 제외되어 그 대지가 소유권 행사를 제한받는 경우에는 그 가액도 평가
　　다. 등기부상 지목과 현황이 다른 토지의 경우는 등기부상 지목 및 현황에 따른 각 평가액을 병기
4. 평가의 목적이 토지인 경우에는 지적(공부상 및 실제 면적), 법령에 따른 규제의 유무 및 그 내용과 공시지가(표준지가 아닌 경우 비교대상 표준지의 공시지가와 함께 붙여야 합니다.), 그 밖에 평가에 참고가 된 사항(토지이용계획확인서 등 첨부)
5. 평가의 목적이 건물인 경우에는 그 종류, 구조, 평면적(공부상 및 실제면적), 추정되는 잔존 내구연수 등 평가에 참고가 된 사항
6. 평가액의 구체적 산출 과정(평가근거를 고려한 요소들에 대한 평가내역을 개별적으로 표시하여야 하고 통합형 설시를 통한 결론만 기재하여서는 아니 됩니다.)
7. 대지권 등기가 되어 있지 아니한 집합건물의 경우에는 분양계약서 내용, 분양대금 납부 여부, 등기되지 아니한 사유
8. 기타 집행법원이 기재를 명한 사항

201○. ○○. ○○
사법보좌관 ○○○

부동산의 표시

201○타경○○○○○

----

1. 충청남도 ○○시 ○○동 100-1, 대, 100m²
2. 1동의 건물의 표시
　　충청남도 ○○시 ○○동 100-1
　　[도로명주소] 충청남도 ○○시 ○○길 28
　　철근콘크리트 슬라브지붕 1층 근린생활시설
　　1층 50.00m²

----

03 경매평가의 범위 및 대상

(1) **경매감정평가의 범위** [11]

① 경매목적부동산 및 매수인이 그 부동산과 함께 취득할 모든 물건 및 권리에 미친다. 매수인이 취득할 물적 범위는 압류의 효력이 미치는 물적 범위와 일치한다. 따라서 경매목적부동산의 구성부분, 천연과실, 종물 등도 평가의 대상이 된다.

② 경매목적부동산은 평가명령에 특정하여 표시되어야 한다.

③ 목적부동산의 현황이 실제와 다른 경우가 종종 있는데 이러한 경우 경매를 위한 평가는 실제의 거래에서 거래되는 가격을 평가하는 것이므로 현황을 기준으로 하여 평가를 하여야 한다.

④ 부동산의 구성부분은 부동산의 일부가 되어 당연히 압류의 효력이 미치므로 이를 평가의 대상으로 삼아야 한다. 다만, 타인의 권원에 의하여 부합시킨 경우에는 그것이 독립의 존재를 가지는 경우에는 그 타인에게 소유권이 있으므로 그것에는 압류의 효력이 미치지 아니하고 따라서 평가의 대상이 되지 아니한다.

⑤ 압류의 효력은 종물에 미치므로 종물도 평가의 대상이 되고, 압류 후의 종물에 관하여도 압류의 효력이 미친다. 다만, 제3자의 소유에 속하는 종물에는 압류의 효력이 미치지 아니한다.

(2) **경매감정평가의 대상**

경매평가의 대상은 평가명령서에서 특정한 경매 부동산의 교환가치이다. 경매목적물의 교환가치라 함은 경매로 인하여 경락인이 취득하게 되는 총 재산적 가치를 말한다. 구체적인 물건별 평가대상은 다음과 같다.

> ① 토지, 건물 : 건물은 항상 토지로부터 독립된 부동산으로 취급되므로 경매의 대상이 된다. 경매개시결정을 하면 촉탁에 의하여 등기공무원이 직권으로 소유권보존등기를 하고 경매개시결정 기입등기를 한다. 채무자 소유의 부동산이 무효의 원인에 의하여 제3자 명의로 등기되어 있는 경우 채무자에 대한 강제집행으로서의 경매의 대상이 되지 아니한다.
> ② 공장재단 및 광업재단
> ③ 광업권 및 어업권(지분은 경매대상이 되지 아니한다.)
> ④ 소유권 보존등기된 입목
> ⑤ 지상권 및 전세권
> ⑥ 자동차, 건설기계 및 항공기 등

≫ 미등기 부동산이라고 하더라도 채무자의 소유이면 강제경매를 할 수 있다.

≫ 토지에 정착된 공작물 중에서 독립된 부동산으로 취급할 수 없는 것(⑩ 담장, 구거 등)과 수목(입목에 관한 법률에 의한 소유권등기가 된 입목은 제외)은 토지와 일체로 되어 하나의 부동산으로 취급되며 독립하여 경매의 대상이 되지 아니한다.

---

11) 법원감정평가실무, 한국감정평가사협회, 2017.11.

04 경매평가방법

1. 평가가액의 성격

경매가격은 집행법원의 최저 경매가격이 되고, 경락자가 없는 경우 경매가격에 해하여 감액하는 특수성이 있고 사업용 부동산은 경매로 인해 원래의 목적을 달성할 수 없는 경우 타용도로의 전환가치를 고려한 평가액을 제시할 필요성이 있는 등 특정가격에 가깝다고 할 수도 있으나 통상 일반평가에 준해서 평가된다.

2. 평가시점의 결정

최저매각가격은 매수신청액을 결정하는 기준이 되므로 평가는 경매의 시점을 기준으로 하여 그때에 있어서의 목적부동산의 가격을 예측하여 행하여져야 할 것이나, 경매의 시점을 평가의 단계에서 예측하는 것은 불가능한 것이고 이를 예측할 수 있다 하여도 장래의 가격의 예측은 극히 곤란한 일이다. 따라서 통상은 평가의 시점을 기준으로 하여 그때의 가격을 평가하면 족하다.

3. 물건의 구체적 사례에 따른 평가방법

1) 토지의 경우

⑴ **제시외 건물 등으로 인하여 법정지상권이 발생할 수 있는 경우**

현행법상 법정지상권은 전세권에 의한 경우(민법 제305조), 저당권에 의한 경우(민법 제366조), 가등기담보권 등에 의한 경우(가등기담보 등에 관한 법률 제10조), 입목에 관한 경우(입목에 관한 법률 제6조)와 관습법상의 법정지상권이 있다. 이는 경매부동산상의 부담으로서의 용익권 가운데 실무상 가장 많이 문제되는 부분이다.

법정지상권은 부동산을 평가할 당시에는 아직 발생하지 않은 것이지만 경락인의 경락으로 인해 토지소유권을 취득할 때에는 그 토지의 부담으로 성립되는 것으로 매수신청가격의 기준을 제시하는 의미를 가지는 최저매각가격의 취지로 미루어 그러한 것도 부동산을 평가할 때 고려하여야 한다. 법정지상권이 성립하는 경우에 토지의 경락인이 지료를 받게 된다는 점과 지상권의 존속기간을 고려하여 법정지상권에 의한 부담을 평가하여 감가한다.

실무적으로는 나지상정으로 정상시가로 표기하고, 제한받는 상태의 감정평가액은 별도로 의견란 등에 표기하고 있다.

> **감정평가서 의견란 및 명세표 기재방법**
> 본건은 감정평가 목적을 고려하여 지상 제시외 건물로 인한 영향에 구애됨 없이 감정평가하였으며, 제시외 건물이 경매의 대상에서 제외되어 대지가 소유권 행사의 제한을 받는 경우의 가액을 비고란에 병기하였으니 경매진행에 참조하시기 바랍니다.

일련 번호	소재지	지번	지목· 용도	용도지역	면적		감정평가액		비고
					공부	사정	단가	금액	
1	△△동	100-1	대	계획관리 지역	100	100	1,000,000	100,000,000	지상권설정 시 700,000원/m²

: 경매평가 시 유형별 제시외 건물에 따른 처리방법

구분(경매평가)	법정지상권 성립 여부*	
	성립가능(현저한 제시외 건물)	성립불능(경미한 제시외 건물)
토지평가방법	나지상태로 평가하되 법정지상권 성립 시 가액을 병기한다.	정상평가
평가서 기재방법	본건은 감정평가 목적을 고려하여 지상 제시외 건물로 인한 영향에 구애됨 없이 감정평가하였으며, 제시외 건물이 경매의 대상에서 제외되어 대지가 소유권 행사의 제한을 받는 경우의 가액을 비고란에 병기하였으니 경매진행에 참조하시기 바랍니다.	제시외 건물이 소재하나 본 토지 등에 미치는 영향이 미미하다라는 취지를 기재한다.
제시외 물건에 대한 평가여부	지상 제시외 건물과 일괄경매가 되는 경우는 평가하며, 그렇지 않은 경우는 평가대상에서 제외하되, 최종판단은 관할법원과 상의하여 결정한다.	평가한다(부합물 및 종물은 주물의 처분에 따른다).

* 법정지상권의 성립 여부는 제시외 건물의 구조, 이용상황, 주 건축물과의 관계, 면적, 내구성 등을 기준으로 판정한다.

> **참고**
>
> **제시외 건물**(현저/경미)**과 담보/경매평가 시 기술방법**
>
> | 구분 | 담보평가 시 | 경매평가 시 |
> |---|---|---|
> | 경미한 제시외 건물 소재 | "본건 지상에 별지 "지적 및 건물개황도"와 "사진용지"와 같이 제시외 물건(샌드위치판넬조, 창고, ○○○m²)이 소재하나 제시외 건물의 구조, 면적, 이용상황 등으로 보아 본 담보물에 미치는 영향은 미미할 것으로 판단됩니다." | "본건 지상에 별지 "지적 및 건물개황도"와 "사진용지"와 같이 제시외 물건(샌드위치판넬조, 창고, ○○○m²)이 소재하나 평가목적을 고려하여 이에 구애됨이 없이 평가하였습니다."
(별도로 기재하지 않아도 무방) |
> | 현저한 제시외 건물 소재 | "본건 지상에 별지 "지적 및 건물개황도"와 "사진용지"와 같이 소유자 미상의 제시외 물건(철근콘크리트조, 상가, ○○○m²)이 소재하며, 구조, 면적, 이용상황 등을 보아 본 토지(담보물)에 미치는 영향이 현저할 것으로 판단되나, 귀행의 요청에 따라 이에 구애됨 없이 평가하였으므로 담보취득 시 참조하시기 바랍니다." | "본건 지상에 별지 "지적 및 건물개황도"와 "사진용지"와 같이 소유자 미상의 제시외 물건(철근콘크리트조, 상가, ○○○m²)이 소재하나 평가목적을 고려하여 이에 구애됨이 없이 평가하였으며, 제시외 물건이 토지에 미치는 영향을 감안하여 평가할 경우의 토지가격을 별지 "토지건물평가명세표"의 비고란에 기재하였으니 경매진행 시 업무에 참고하시기 바랍니다." |

⑵ 유치권이 성립한 경우

유치권이란 물건에 관한 채권이 변제기에 도달할 때 변제를 받을 때까지 물건의 반환을 거부하고 점유할 수 있는 권리(민법 제320조)로서, 경락인은 유치권자에게 그 유치권으로 담보하는 채권을 변제할 책임이 있으므로 피담보채권액만큼 감액하여야 하는바, 구체적인 금액은 유치권자가 주장하는 금액이 아니라 감정인에 의한 피담보채권의 감정평가액이다. 채권변제 책임이 있는 유치권에는 경락인에게 대항할 수 있는 점유자가 갖는 유치권과 압류의 효력 발생 이전에 생긴 유치권은 물론 대항력 없는 점유자의 유치권 및 압류의 효력 발생 이후에 생긴 유치권도 포함된다. 다만 감정평가실무상 유치권의 존부 및 권리파악이 곤란하므로 정상평가한 후 조사내용을 별도로 기재하여 재판부에서 유치권에 대해 처리할 수 있도록 한다.

⑶ 타인점유부분이 있는 경우

점유권원 유무, 점용료 지급 여부 등을 조사하여 권리의 내용에 따라 감액 또는 정상평가하되 조사된 내용을 의견서에 표시한다.

⑷ 건축이 중단된 구축물이 있는 토지

토지의 경매평가 시 교량, 궤도, 갱도, 정원설비 및 기타의 토목설비 또는 공작물 등과 같은 구축물이 토지의 상·하에 존재하는 상태로 의뢰될 수 있다. 만일, 이러한 구축물의 건축이 중단된 상태로 토지의 경매평가가 의뢰된 경우에는 토지만을 정상평가한 뒤에 의견서에 해당 내용을 명기하고, 구축물에 대해서 법원의 구축물 추가 평가명령이 있으면 추가로 감정평가한다.[12]

⑸ 건축 중인 건물이 있는 토지

경매 대상 토지 위에 있는 건축 중인 건물이 비록 미완성이지만 기둥, 주벽 및 천장 등을 갖추어 독립한 건물의 요건을 갖춘 경우에는 위 건축 중인 건물 전체를 토지의 부합물로 볼 수 없으므로 경매목적물에서 제외하고 법정지상권 성립 가능성을 고려하여야 한다(지하층이 위와 같이 기둥, 주벽, 천장슬라브의 구조를 갖추었다면 지상층은 골조공사만 이루어진 상태라고 하더라도 독립된 건물로서 요건을 갖추었다고 본 대법원 2003.5.30, 2002다21592 판결 등 참조).

참고로, 「감정평가 실무기준」[610-7.3.2 공사중단 건축물 등의 감정평가방법]에서는 「건축법」 제21조에 따른 착공신고 후 건축 또는 대수선 중인 건축물이나 「주택법」 제16조 제2항에 따라 공사착수 후 건축 또는 대수선 중인 건축물로서 공사의 중단이 확인된 건축물인 "공사중단건축물"의 대지를 평가하는 경우 토지의 감정평가방법을 따르되, ① 공사중단 건축물의 대지 위치·형상·환경 및 이용상황, ② 공사중단 건축물의 구조, 규모, 공정률, 방치기간, ③ 공사중단 건축물의 용도 또는 거래 조건에 따른 제한을 고려하여 감정평가할 수 있다고 규정하고 있다.

---

12) 건축법상 "건축물"이란 토지에 정착하는 공작물 중 지붕과 기둥 또는 벽이 있는 것과 이에 딸린 시설물, 지하나 고가의 공작물에 설치하는 사무소·공연장·점포·차고·창고 그 밖에 대통령령으로 정하는 것을 말함(건축법 제2조 제2호). 구축물은 교량, 갱도, 궤도 등 토지에 정착된 부동산 중 입목, 건물 및 건물 부속시설 등을 제외한 시설물을 말하며, 건물은 청사, 관사, 아파트 등 건축법상 건축물로서 토지에 정착하는 공작물 중 지붕과 기둥 또는 벽이 있는 것과 부수되는 시설물을 말함(「일반 유형자산과 사회기반시설 회계처리지침」, 재정경제부예규).

(6) 용익권

가. 지상권

지상권의 존재로 인하여 경락인이 경락토지의 사용가치를 향유할 수 없음으로 인한 손해액 상당을 감액한다. 지료는 지상권의 필요적 요소는 아니나 이를 정할 수 있는 것이므로 지료가 정해져 있는 경우에는 그 지료에 의한 이득만큼은 손해액에서 공제하여야 한다.

나. 지역권[13]

경매토지가 인접토지의 지역권을 부담하고 있는 때, 즉 승역지인 경우에는 경락인은 이를 인수하지 않을 수 없으므로 이로 인한 사용가치 감소액 상당의 손해액을 감액한다. 지역권의 대가가 정해져 있는 경우에는 그 이득만큼은 손해액에서 공제하여 감정평가하여야 한다.

다. 전세권

경매부동산의 감정평가는 원칙적으로 감정평가 시를 기준으로 하는 것이므로, 존속기간 만료 후에 전세권자가 경매신청을 한 경우 또는 제3자가 경매신청을 하였더라도 감정평가 시에 이미 전세권의 존속기간이 만료되었다면 전세권의 물적 부담이 없는 부동산 가격을 감정평가하여야 한다. 그리고 존속기간의 정함이 없거나 경매신청의 기입등기 후 6월 이내에 그 기간이 만료되는 전세권도 경락으로 인하여 소멸하므로 그 경우에도 감정평가에 있어서 전세권의 존재를 참작할 필요가 없다. 존속기간이 남아있고 그 잔여기간이 경매신청의 기입등기 시로부터 6월을 초과하는 경우에도 그 전세권이 경매신청기입등기보다 후에 등기된 것이거나, 전세권보다 선순위의 저당권이 설정되어 있는 경우에는 경락으로 인하여 전세권도 소멸하므로 감정평가에 있어서 전세권의 존재를 참작할 필요가 없다.

따라서 전세권을 고려하여 감정평가하는 경우는 선순위의 저당권설정등기(담보가등기 포함) 및 전세권설정등기 전의 압류가 없는 경우로서 경매신청의 기입등기 후 6월을 경과하여 그 존속기간이 만료되는 전세권에 한하게 된다.

라. 대항력 있는 임차권

대항력 있는 임차권으로는 등기된 임차권(「민법」 제621조 제2항), 지상건물의 등기가 된 토지임차권(「민법」 제622조), 주민등록 및 점유를 하고 있는 주택임차권(「주택임대차보호법」 제3조)이 있다.

(7) 분묘기지권이 있는 토지

분묘기지권이란 "타인의 토지 위에 분묘를 설치 또는 보유하기 위한 목적에 한정하여 그 토지를 사용할 수 있는 지상권 유사의 물권"을 의미한다. 분묘기지권이 성립하는 경우는 ① 타인의 토지에 그 토지소유자의 승낙을 얻어 분묘를 설치한 경우, ② 승낙을 얻지 못하더라도 분묘를 설치한 후 20년간 평온·공연하게 점유함으로써 시효로 취득한 경우[14], ③ 자기의 토지에 분묘를 설치한 후 분묘에 관한 별도의 특약 없이 토지만을 타인에게 처분한 경우이다.[15]

---

13) 일정한 목적을 위하여 타인의 토지를 자기토지의 편익에 이용하는 권리
14) 2001.1.13. 「장사 등에 관한 법률」이 전부개정되어, 2001.1.13. 이후에 토지 소유자의 승낙 없이 설치한 분묘의 연고자는 토지 소유자 등에게 토지사용권이나 그 밖에 분묘의 보존을 위한 권리를 주장할 수 없음(시효취득 불인정).
15) 분묘기지권, 「圓設 法律用語辭典」, 2017, 법전출판사

대법원 1995.2.28. 선고 94다37912 판결에서는 타인 소유의 토지에 소유자의 승낙 없이 분묘를 설치한 경우에는 20년간 평온·공연하게 그 분묘의 기지를 점유함으로써 분묘기지권을 시효취득한다고 하였으며, 분묘기지권을 시효취득하는 경우에도 지료를 지급할 필요가 없다고 판시한 바 있다. 그러나 대법원 2021.4.29. 선고 2017다228007 전원합의체 판결에서는 구 「장사 등에 관한 법률」의 시행일인 2001.1.13. 이전에 분묘기지권을 시효로 취득하였더라도, 분묘기지권자는 토지소유자가 분묘기지에 관한 지료를 청구하면 그 청구한 날부터의 지료를 지급할 의무가 있다고 판시하였다. 이처럼, 과거에는 분묘기지권에 대하여 지료를 지급할 의무가 없다고 보았으나, 최근에 대법원 판례가 변경되어 분묘기지권이 성립하고 있는 토지는 해당 토지만의 지료에 대한 감정평가도 가능하며, 분묘기지권이 성립함으로 인하여 토지의 사용, 수익, 처분에 제한을 받는 토지는 그 제한을 고려하여 감정평가할 필요가 있다.

이 경우, 분묘기지권이 미치는 적정 범위는 법령상에서 규정하고 있는 제한면적이 아니라, 권리자가 분묘의 수호 및 제사에 필요한 범위 내에서 분묘기지 주위의 공지를 포함한 지역까지임을 주의할 필요가 있다(대법원 1994.8.26. 선고 94다28970 판결 참조).

⑻ 공부상 지목과 현황이 다른 토지

경매제도는 기본적으로 매매의 성질을 가지고 있다. 따라서 공부상 또는 평가명령상의 경매목적물의 표시와 현황이 다른 경우라 하더라도 그것이 실제 시장에서 거래되는 가격으로 감정평가를 하여야 하고 따라서 그 한도 내에서의 실제 이용상황에 따른 감정평가를 하여야 한다.

따라서 공부상 대지라 하더라도 실제의 이용상황이 도로라면 도로의 가격을 감정평가하여야 할 것이다. 또한, 상가건물의 경우 평가명령상 그 부지의 일정 지분과 전체건물의 일정 지분을 감정평가하도록 되어있다 하더라도 실제의 소유상황 및 이용상황을 파악하여 현황에 맞도록 감정평가하여야 할 것이다.

다만, 공부상 위치와 현황 위치가 부합하지 않는 경우는 감정평가하지 않는 것이 원칙인바 법원에 통보하여 정정 후 감정평가하도록 하고, 면적이 부합하지 않는 경우는 그 내용과 원인을 조사하여 법원에 통보하고 집행법원과 협의하에 감정평가 여부를 결정해야 할 것이다.

⑼ 도로저촉토지

가. 도시·군계획시설도로

경매목적 토지 중의 일부가 도시·군계획시설에 저촉되는 경우에는 사정을 참작하여 감정평가하여야 한다. 따라서 도로개설시기 및 예상 보상가 등을 고려하여 감정평가하여야 한다.

나. 현황도로

현황도로는 사도법에 의한 사도나 사실상의 사도에 해당하는지 판단하여야 하며, 주위토지통행권과 같이 특정인이 사용하여 지료청구가 가능한 도로인지 등을 조사하고, 보상평가의 대상이 될 경우 등을 고려하여 감액평가하여야 할 것이다.

⑽ **도시·군계획시설 녹지와 접도구역 내 토지의 감정평가**

도시·군계획시설 녹지란 도시·군계획시설사업의 시행으로 설치되는 것으로 이에는 완충녹지와 경관녹지 및 연결녹지가 있다. 완충녹지란 대기오염, 소음, 진동, 악취, 그 밖에 이에 준하는 공해와 각종 사고나 자연재해, 그 밖에 이에 준하는 재해 등의 방지를 위하여 설치하는 녹지를 말한다. 경관녹지란 도시 안의 자연적 환경을 보전하거나 이를 개선하고 이미 자연이 훼손된 지역을 복원·개선함으로써 도시경관을 향상시키기 위하여 설치하는 녹지이고 연결녹지란 도시 안의 공원, 하천, 산지 등을 유기적으로 연결하고 도시민에게 산책공간의 역할을 하는 등 여가·휴식을 제공하는 선형(線型)의 녹지를 말한다.[16]

접도구역은 도로 구조의 파손 방지, 미관(美觀)의 훼손 또는 교통에 대한 위험 방지를 위하여 지정한 구역이다. 접도구역은 토지이용계획확인서로 확인할 수 있다.

도시·군계획시설 녹지와 접도구역 내 토지는 일정한 행위제한이 가해지므로 주의를 요한다. 따라서 도시·군계획시설 녹지와 접도구역 내 토지는 이용에 제한을 받는 점을 고려하여 감액평가하여야 할 것이다.

참고로, 도시·군계획시설상의 녹지는 아니지만 서울시 도시계획 조례에서 정의하고 있는 비오톱[17]으로 지정된 토지의 경우, 비오톱 지정으로 인하여 토지에 대한 개발행위가 제한되는 등 토지의 가치 형성에 영향을 미치는 것으로 판단되는 경우에는 제한의 정도를 비교표준지와의 개별요인 비교 시 고려하여야 한다.

⑾ **토지의 부합물**

정원수, 정원석, 석등 등이 있을 수 있으나 대표적인 부합물로는 수목을 들 수 있다. 수목은 「입목에 관한 법률」에 따라 등기된 입목과 명인방법을 갖춘 수목이 아닌 한 부합물로서 감정평가의 대상이 된다(대법원 1998.10.28. 자 98마1817 결정, 대법원 1976.11.24. 자 76마275 결정).

명인방법은 입목 등의 소유권이 누구에게 귀속하고 있다는 것을 제3자로 하여금 명백하게 인식하게 함에 족한 적당한 방법을 통틀어 일컫는 것이다. 입목 등에 관한 명인방법의 통상의 예는 나무의 껍질을 깎아 소유자의 이름을 써넣는다거나 또는 나무의 집단 주위에 새끼를 둘러치는 등의 방법으로 특정한 후 누가 이를 매수하여 소유하고 있다는 뜻을 기재한 표지판을 여러 곳에 세워 제3자가 쉽게 소유자를 알아볼 수 있게 하는 것이다. 토지의 주위에 울타리를 치고 그 안에 수목을 정원수로 심어 가꾸어 온 사실(대법원 1991.4.12. 선고 90다20220 판결), 법원의 검증 당시 시행한 페인트칠과 번호표기(대법원 1990.2.13. 선고 89다카23022 판결), 특정하지 아니하고 매수한 입목에 대하여 그 입목을 특정하지 않은 채 한 명인방법(대법원 1975.11.25. 선고 75다1323 판결)만으로는 명인방법을 갖춘 것으로 보기 어렵다. 반면 집달관의 공시문을 붙인 팻말의 설치(대법원 1989.10.13. 선고 89다카9064 판결)는 입목에 대한 명인방법으로서 유효하다.

---

16) 「도시공원 및 녹지 등에 관한 법률」 제35조
17) 비오톱이란 특정한 식물과 동물이 하나의 생활공동체를 이루어 지표상에서 다른 곳과 명확히 구분되는 생물서식지를 말함(서울특별시 도시계획조례 제24조 관련 별표 1)

교량, 도랑, 돌담, 도로의 포장 등도 부합물로써 감정평가의 대상이 된다. 논둑은 논의 구성부분이므로 감정평가의 대상이 된다(대법원 1964.6.23, 64다120 판결). 지하굴착공사에 의한 콘크리트 구조물은 토지의 구성부분으로 토지의 일부로 간주될 뿐만 아니라 부동산에 건축공사를 시행할 경우에 이를 활용할 수 있는 것으로서 객관적으로 부동산의 가액을 현저히 증가시키는 것이므로 감정평가 시 이를 고려하여야 한다(대법원 1994.4.22. 자 93마719 결정). 지하구조물(1997.12.1. 자 97마2157 결정, 대법원 1995.7.29. 자 95마540 결정)이나 주유소 땅속에 부설된 유류저장탱크는 주유소 토지의 부합물이 되는 경우가 많다(대법원 1995.6.29. 선고 94다6345 판결). 공유수면의 빈지에 옹벽을 쌓고 토사를 다져 넣어 축조한 공작물이 사실상 매립지와 같은 형태를 가지게 된 경우 위 공작물만이 독립한 소유권의 객체로 될 수 없다(대법원 1994.4.12. 선고 93다53801 판결).

토지에 대한 경매절차에서 그 지상건물을 토지의 종물이나 부합물로 보고 경매를 진행하여 경락되었다 하여도 경락인이 건물에 대한 소유권을 취득할 수 없다(대법원 1997.9.26. 선고 97다10314 판결).

⑿ 미분리의 천연과실

물건의 용법에 의하여 수취하는 산출물을 천연과실이라 하며(「민법」 제101조 제1항), 이러한 천연과실은 원물로부터 분리하는 때에는 이를 수취할 권리자에게 속하게 된다(「민법」 제102조 제1항). 부동산의 경매에 관계되는 천연과실에는 과수의 열매, 곡물, 광물, 석재, 토사 등이 있다. 미분리의 천연과실은 원래 토지의 구성부분이므로 명인방법을 갖추어 제3자에게 양도된 경우가 아니면 원칙적으로 감정평가의 대상이 되나 그것이 경락 시까지 성숙기에 달하여 채무자에 의하여 수취될 것이 예상되거나 채굴이 예상되는 경우에는 감정평가의 대상에서 제외된다.

그러나 임의경매의 경우에는 「민법」 제359조가 "저당권의 효력은 저당부동산에 대한 압류가 있은 후에 저당권설정자가 그 부동산으로부터 수취한 과실 또는 수취할 수 있는 과실에 미친다"라고 규정하고 있으므로 천연과실까지 고려하여 감정평가를 하여야 한다.

⒀ 부동산의 공유지분에 관한 감정평가

부동산의 공유지분이 경매의 대상으로 된 경우에는 공유물 전체에 관하여 감정평가한 다음 그 지분비율에 따른 가격을 산출한다.

그러나 각 지분별로 토지상에 위치가 특정되어 있어 확인이 가능한 경우엔 그 위치에 따라 감정평가하여야 한다. 위치확인은 공유지분자 전원 또는 인근 공유지분자 2인 이상의 위치확인동의서를 받아 확인한다. 다만 공유지분 토지가 건물이 있는 토지인 경우에는 ① 합법적인 건축허가도면이나 합법적으로 건축된 건물로 확인하는 방법 또는 ② 상가 · 빌딩 관리사무소나 상가번영회 등에 비치된 위치도면으로 확인하는 방법에 따라 위치확인을 할 수 있으며 감정평가서에 그 내용을 기재한다.

⑭ 구분소유적 공유에 있어서의 감정평가

1필지의 토지를 여러 사람이 전소유자로부터 각각 일부씩을 구분 특정하여 매수하고 등기만은 편의상 매수면적에 해당하는 비율로 공유지분이전등기를 하여 놓은 경우이거나 1필지의 대지를 여러 사람이 각자 특정하여 매수하고 배타적으로 점유하여 왔으나 분필이 되어있지 아니한 탓으로 그 특정부분에 상응하는 지분소유권이전등기만을 경료한 경우에 있어 판례는 그 특정부분 이외의 부분에 관한 등기는 상호명의신탁관계에 있는 이른바 '구분소유적 공유관계'로서 이 경우에는 명의신탁계약의 해지에 의한 소유권이전등기청구권만이 인정될 뿐 공유물분할청구권은 인정되지 않는다. 만일, 명의신탁된 부동산이 대외적으로 구분소유적 공유관계로 표상되지 않고, 수탁자의 소유에 속하는 것으로 표상되는 경우에는 원칙적으로 일반 공유토지와 동일하게 평가될 것이나, 예외적으로 구분소유적 공유관계가 대외적으로 표상되는 경우 경락에 의한 소유권 취득은 구분소유적 공유지분을 그대로 취득한다고 할 수 있다.

따라서 구분소유적 공유관계가 명확히 표상되는 경우에는 구분소유적 공유지분에 대한 입찰을 실시함에 있어서 감정평가의 대상은 특정 구분소유 목적물이므로(대법원 2001.6.15. 자 2000마2633 결정) 집행법원은 평가명령에 있어서 구분소유적 공유임을 명시하여 토지의 지분에 대한 평가가 아닌 특정 구분소유목적물에 대한 평가를 명할 것이고, 감정인은 평가명령서에 이러한 기재가 없을 때에도 감정평가를 위한 조사결과 현황이 구분소유적 공유일 때에는 집행법원에 이를 알리고 필요한 지시를 받아 그에 따라 감정평가할 것이다.

한편, 해당 물건이 구분소유적 공유지분인 것으로 보여지나, 실지조사 시 해당 지분의 위치를 특정하기 곤란한 경우에는 집행법원에 실지조사된 사항과 해당 지분의 위치를 특정하기 곤란한 사유를 제시하면서 "감정신청인으로 하여금 해당 지분의 위치를 도면 등을 통해 구체적으로 특정해 줄 것"을 요청하여 감정평가를 진행하는 것이 바람직할 것이다.

⑮ 공부의 오류가 있는 토지의 감정평가

가. 위치의 불부합

위치가 지적공부와 부합되지 않는 토지는 실제의 위치로 정정하는 것이 원칙이므로, 법원에 통보하여 정정 후 감정평가한다.

나. 면적의 불부합

토지대장, 지적도 등 공부의 오류로 면적이 불부합되는 토지는 불부합 내용을 기재하고 현황을 확인하여 조치 후 감정평가한다.

2) 건물의 경우

⑴ 면적산출 근거의 적시

면적을 측정하는 것은 물적동일성을 확인하기 위한 것으로 공부상의 물건과 실측면적이 동일성을 인정할 수 있는 정도의 오차를 보일 경우 공부면적으로 사정하고, 동일성을 인정하기 어려운 정도의 큰 차이를 보이면 실측면적으로 사정한다. 이 경우 실측임을 비고란에 명시한다.

(2) 제시외 건물의 처리방법

제시외 건물은 구조, 면적, 이용상황 등을 기재하고 그로 인한 대상물건의 평가액 및 환가성에 미치는 영향을 기재해야 한다.

미등기 부동산이라 하여도 채무자소유임이 확인되면 건축물대장 등 채무자의 명의로 등기할 수 있는 서류를 첨부하여 집행법원에 의해 등기촉탁을 할 수 있으며 이런 절차를 거쳐 강제경매할 수 있게 된다.

(3) 건물의 부합물

건물의 증축 또는 개축되는 부분이 독립된 구분소유권의 객체로 거래될 수 없는 것일 때에는 기존 건물에 부합하며(대법원 1981.7.7. 선고 80다2643, 80다2644 판결), 기존건물에 부합 여부는 증축 부분이 기존건물에 부착된 물리적 구조뿐만 아니라, 그 용도와 기능면에서 기존 건물과 독립한 경제적 효용을 가지고 거래상 별개의 소유권의 객체가 될 수 있는지 여부 및 증축하여 이를 소유하는 자의 의사 등을 종합하여 판단하여야 한다(대법원 2002.10.25. 선고 2000다63110 판결, 대법원 1996.6.14. 선고 94다53006 판결, 대법원 1981.12.8. 선고 80다2821 판결).

따라서 증축 부분에 대한 감정평가를 누락한 감정평가액을 최저경매가격으로 정한 것은 잘못이다(대법원 1981.6.15. 81마151 결정). 낡은 가재도구 등의 보관장소로 사용되고 있는 방과 연탄창고 및 공동변소가 본채에서 떨어져 축조되어 있기는 하나 본채의 종물이라고 본 사례가 있고(대법원 1991.5.14. 선고 91다2779 판결), 건물의 임차인이 그 권원에 의하여 벽, 천정에 부착시킨 석재, 합판 등도 부착과 동시에 건물에 부합된다고 본 사례도 있다(대법원 1985.4.23. 선고 84도1549 판결).

다만, 건물의 증축 부분이 축조 당시는 본건물의 구성 부분이 됨으로써 독립한 권리의 객체성을 상실하여 본 건물에 부합되었다고 할지라도 그 후 구조의 변경 등으로 독립한 권리의 객체성을 취득하게 된 때에는 본 건물과 독립하여 거래의 대상이 될 수 있다(대법원 1982.1.26. 선고 81다519 판결).

(4) 다세대주택의 실질은 갖춘 다가구용 단독주택의 공유지분의 평가

구조상·이용상의 독립성을 구비하고 실질적으로 여러 세대가 독립된 주거 생활을 영위하는 다세대용 공동주택에 해당되지만 구분건물등기가 경료되지 못한 다가구용 단독주택의 공유지분등기는 일반등기와 달리 특정부분에 대한 구분소유권을 표창한다고 할 것이다. 따라서 그 공유지분에 대한 감정평가는 「민사집행법」 제139조 제2항에 따라 건물의 전체가격 중 공유지분의 비율에 따른 가격이 아니라 전체건물 중 해당 구분건물이 점유하고 있는 위치를 반영한 가격이어야 할 것이므로 해당 특정부분을 다른 부분의 거래가격을 참작하여 구분건물의 같이 토지건물을 일체로 한 비준가격으로 평가하여야 한다.

(5) 공사중단 건물의 감정평가

경매평가 시 의뢰되는 건축 중인 건물은 건축과정상에 있는 건물로 공사가 중단된 이유 여부를 불문하며, 경매평가 특성상 감정인이 공사의 중단 여부를 명확히 확인하기 어려운 경우가 많다. 다만, 공사중단 건물의 경우 장기간 방치됨에 따른 감가요인등을 평가 시 반영하여야 할 필요가 있으므로 「감정평가 실무기준」에 신설된 공사중단 건축물 등에 대한 평가의 세부기준을 건축 중인 건물 평가 시 참고할 수 있다.[18]

---

18) 2023년 9월 국토교통부 고시 제2023-522호에서 공사중단건축물등에 대한 평가의 세부기준이 신설되었음.

"공사중단 건축물"이란 「건축법」 제21조에 따른 착공신고 후 건축 또는 대수선 중인 건축물이나 「주택법」 제16조 제2항에 따라 공사착수 후 건축 또는 대수선 중인 건축물로서 공사의 중단이 확인된 건축물을 말하며, "공사중단 건축물등"이란 공사중단 건축물 및 이에 관한 소유권 외의 권리와 공사중단 건축물의 대지, 대지에 정착된 입목, 건물, 그 밖의 물건 및 이에 관한 소유권의 권리를 말한다. 공사중단 건축물등의 감정평가는 기준시점의 현황을 기준으로 감정평가하되, 의뢰인과 협의하여 ① 공사중단 건축물등의 목록, 내역 및 관련 자료, ② 공사중단 건축물의 철거, 용도변경, 공사재개 및 완공계획 여부, ③ 기준시점에서의 공사중단 건축물의 공정률 관련 자료를 제시받아 감정평가한다(「감정평가 실무기준」 [610-7.3.1]). 공사중단 건축물을 감정평가할 때에는 건물의 감정평가방법을 따르되, ① 공사중단 건축물의 물리적 감가, 기능적 감가 또는 경제적 감가, ② 공사중단 건축물의 구조, 규모, 공정률, 방치기간, ③ 공사중단 건축물의 용도 또는 거래조건에 따른 제한 등을 고려하여 감정평가할 수 있다.

3) 구분소유건물의 경우

(1) 토지 및 건물가액 배분

법원경매 시 토지와 건물 각각의 후순위자 배당참여에 결정적인 영향을 미치기 때문에 법적인 권리관계를 명확하게 하기 위함이다. 한편, 토지와 건물을 별개의 부동산으로 취급하고 등기부도 각각 별도로 관리하는 우리나라의 제도적 특성이기도 하다. 구체적으로는 토지건물배분비율[19]을 활용한다.

> **참고**
>
> **경매감정평가에서의 구분건물 감정평가 명세표 양식**

			(내) 철근콘크리트구조 4층 402호	179	179	1,990,000,000	비준가격
			1. 소유권 대지권	956.8 ×2/24	79.73		
					토지·건물 토지 : 건물 :	배분내역 1,393,000,000 597,000,000	
	합계					₩1,990,000,000	

---

19) 실무에서는 한국부동산연구원에서 제시한 주거용 및 비주거용의 토지·건물 배분비율을 활용한다.

(2) 대지권이 없는 구분건물의 경우

대지사용권을 수반하지 않은 구분건물의 경우 대지사용권이 제시되지 않은 사유 및 실질적인 대지사용권 수반여부, 대지사용권 등기 시 필요한 내용을 조사하여 대지사용권을 포함한 가액으로 감정평가할 것인지 건물만의 가액으로 감정평가할 것인지를 결정하고 그 사유를 의견란에 기재해 주어야 한다.

대지권등기가 되어 있지 아니한 구분건물에 대하여 경매신청이 있는 경우 대지사용권을 입찰목적물에 포함되는 것으로 보고 그에 대한 감정평가액을 최저매각가격에 포함시킬지 여부가 문제된다. 대지사용권은 원칙적으로 전유부분 건물의 종된 권리이다(종물과는 다름). 「집합건물법」 제20조 제1항은 "구분소유자의 대지사용권은 그가 가지는 전유부분의 처분에 따른다." 제2항은 "구분소유자는 그가 가지는 전유부분과 분리하여 대지사용권을 처분할 수 없다. 다만, 규약으로써 달리 정한 때에는 그러하지 아니하다."라고 규정하고 있으므로 위 제2항에 따라 규약으로써 달리 정한 경우가 아닌 한 대지사용권은 전유부분의 종된 권리에 불과하다고 보아야 한다. 대법원 판례도 이러한 법리를 전제로 하여 판시하고 있다(대법원 1995.8.22. 선고 94다12722 판결, 1992.7.14. 선고 92다527 판결 등). 따라서 임의경매든 강제경매든 구별 없이 「집합건물법」 제20조 제1항에서 규정하고 있는 "구분소유자의 대지사용권은 그가 가지는 전유부분의 처분에 따른다."라는 법문의 취지를 보건대, 전유부분의 소유자가 대지사용권을 취득하고 있다면, 비록 그것이 등기되어 있지 아니하다 할지라도 그 대지사용권은 '대지사용권의 분리처분이 가능하도록 규약으로 정해져 있는 경우가 아닌 한' 종된 권리로서 당연히 경매목적물에 포함이 된다고 할 것이고, 경매개시결정의 효력이 대지사용권에도 미쳐 낙찰자는 당연히 대지사용권을 취득하게 된다. 구분건물에 대지권등기가 경료되지 않게 된 사정은 여러 가지 경우가 있을 수 있으나, 저당권설정 당시에 저당권설정자가 대지사용권을 취득하고 있었으나 대지권등기만을 경료하지 않고 있어 구분건물의 전유부분에만 저당권설정등기가 경료된 경우에 관하여는 대법원 판례 1998.8.22, 94다12722(배당이의사건)가 저당권의 효력이 대지사용권에 미치게 됨을 명백히 밝히고 있다.

그러므로 대지권 등기 없는 구분건물에 대한 경매신청이 있는 경우에 경매법원은 신청채권자에 대한 보정명령이나 감정인에 대한 사실조회 등을 통하여 저당권설정 당시에 저당권설정자가 대지사용권을 취득하고 있었는지 여부를 조사하여 적어도 저당권설정 시에 저당권설정자가 대지사용권을 취득하고 있었다면 저당권의 효력이 대지사용권에도 미치므로 대지사용권을 경매목적물에 포함시켜 그에 대한 감정평가액을 포함하여 최저경매가격을 정하여야 할 것이다(대법원 1997.6.10. 자 97마814 결정). 여기서 저당권설정자가 저당권설정 당시에 대지사용권을 취득하고 있는 경우란, 저당권설정자가 자신 명의로 대지사용권을 취득하여 그에 대한 등기까지 마친 경우뿐만 아니라 저당권설정자가 구분건물의 수분양자인 경우에 그 분양자에게 대지사용권이 있고 수분양자가 대지사용권까지 분양받은 경우를 포함한다고 하여야 할 것이다. 왜냐하면, 구분건물의 분양자에게 대지사용권이 성립되어 있는 경우에 수분양자가 대지사용권까지 분양을 받게 되면 「집합건물법」 제20조 제1항에 의하여 수분양자는 등기 없이도 대지사용권을 취득하게 되는 것이 아니므로 이 경우에도 저당권설정자에게 대지사용권이 있다고 하여야 할 것이기 때문이다.

또한, 판례는 1동의 구분건물에 대하여 구분소유가 성립하기 위하여는 구분건물이 구조상·이용상 독립성을 갖추고, 구분건물을 구분소유권의 객체로 하려는 구분행위가 필요하다고 보았으나, 그 구분행위가 반드시 집합건축물대장의 등록이나 구분건물의 표시에 관한 등기를 요하는 것은 아니라고 하였다. 집합건물의 전유부분과 대지사용권의 일체성에 반하는 대지의 처분행위에 대하여서도 판례는 효력이 없다고 하였다(대법원 2013.1.17. 선고 2010다 71578 전원합의체 판결).

감정인은 평가명령서상 감정평가대상 부동산의 구분건물임에도 대지권의 표시가 없는 경우에도 저당권설정 당시에 저당권설정자가 대지사용권을 취득하고 있었는지 여부를 조사하여 위의 경우는 물론 구분건물의 분양자에게 대지사용권이 있고 수분양자가 대지사용권까지 분양받은 경우 등에는 대지사용권을 감정평가대상에 포함시켜 감정평가하고 이러한 취지를 감정평가서에 기재하여 제출하여야 할 것이다. 또한, 토지에 대한 소유권대지권이 배분되지 않은 원인을 확인 가능한 대로 기재한다(예 신도시 아파트의 경우 지적 미정리, 시영아파트의 경우 분할·합병, 소규모 다세대주택의 경우 토지에 대한 분쟁 등).

> **Check Point!**
>
> ▶ **다세대주택의 실질을 갖춘 다가구용 단독주택의 공유지분의 평가**
>
> 구조상·이용상의 독립성을 구비하고 실질적으로 여러 세대가 독립된 주거생활을 영위하는 다세대용 공동주택에 해당되지만, 구분건물등기가 경료되지 못한 다가구용 단독주택의 공유지분등기는 일반등기와는 달리 특정부분에 대한 구분소유권을 표창한다고 할 것이다. 따라서 그 공유지분에 대한 감정평가는 「민사집행법」 제139조 제2항에 따라 건물의 전체가격 중 공유지분의 비율에 따른 가격이 아니라 전체건물 중 해당 구분건물이 점유하고 있는 위치를 반영한 가격이어야 할 것이므로, 해당 특정부분을 다른 부분의 거래가격을 참작하여 구분건물과 같이 토지·건물을 일체로 한 비준가액으로 감정평가하여야 할 것이다.

(3) **구분건물의 제시외 건물로서 감정평가에 포함되어야 할 주요내용**

경매대상이 구분건물인 경우에도 현장조사 시 제시외 건물로 판단하여 감정평가에 포함되어야 할 주요 물건들이 있다. 일반적으로 최상층에 소재하는 다락방, 지하층에 배분된 전용면적, 구조변경으로 확장된 부분, 계단실 등에 설치된 새시 등이 있다.

4) 공장의 경우

(1) 평가의 대상(공장저당의 효력)

공장이란 영업을 하기 위하여 물품의 제조, 가공 또는 인쇄나 촬영의 목적에 사용하는 장소를 말하며, 영업을 하기 위하여 방송의 목적 또는 전기나 가스의 공급 목적에 사용하는 장소도 공장으로 본다. 또한, 공장재단이란 공장에 속하는 일정한 기업용 재산으로써 구성되는 일단의 기업재산으로서 「공장 및 광업재단 저당법」(이하, "「공장저당법」"이라 한다)에 의하여 소유권과 저당권의 목적이 되는 것을 말한다(「공장저당법」 제2조).

「감정평가에 관한 규칙」 제19조는 공장의 감정평가 시 유형고정자산의 감정평가액과 무형고정자산의 감정평가액을 합산하여 행하도록 하되, 계속적인 수익이 예상되는 경우에는 수익환원법에 의할 수 있도록 규정하고 있다. 이는 공장이라는 것이 단순한 유형적 집합물이 아니며 그 공장의 생산성과 수익력에 영향을 미치는 생산설비와 경영 등 유·무형의 부분을 모두 고려해야 한다는 의미이다.

공장이 경매의 대상이 된 경우에는 기계나 기구 등 유체동산에 대한 집행이 아니라 그 저당권의 목적물인 토지, 건물 등과 함께 부동산에 대한 집행의 방법에 의해 경매를 하여야 하며 대상이 되는 범위는 공장의 토지 또는 건물에 대하여 공장저당권이 설정되어 있는 경우 이에 부가되어 일체를 이루는 물건과「공장저당법」제7조에 의한 기계·기구 목록에 기재된 것이 되므로 저당권이 설정된 토지나 건물 이외에 기계·기구 목록을 반드시 확인하여야 한다.

아울러, 매각부동산이 공장재단의 일부를 구성하고 있을 때는 이에 대한 개별집행은 금지되므로 공장재단 일부에 속함이 드러난 경우 매각절차를 취소해야 할 것이다.

한편, 농지가 공장저당의 목적물이 된 경우에는, 그 농지 위에 공장에 속하는 건물이나 공장의 공용물 등이 설치되어 있지 않으면 단순히 공장저당의 목적물이 되었다는 이유로 해당 농지도 일괄매각할 수 없음에 유의할 필요가 있다(대법원 2004.11.30. 자 2004마796 결정).

(2) 기계기구의 감정평가

공장 감정평가 시에는 사전에 채권자(주로 금융기관)와 연락하여 기계기구의 목록, 감정평가전례 등 자료를 확보하는 것이 중요하다. 현장조사 시 대부분 가동중단 상태일 경우가 많으므로 특히 기계기구의 존부 및 정상작동 가능성 등에 유의하고 필요 시 재판부와 협의하여 각 분야 전문가에게 용역을 의뢰하여 도움을 받는 것이 좋다. 기계기구에 대하여는 명칭(종류), 규격, 용량, 제작연도, 제작자, 제조번호, 개조나 수리 여부, 용도 및 배치상태 등을 목록과 비교하여 현장에서 조사할 필요가 있다.

공장저당의 목적이 된 부동산과 이에 설치된 기계기구 그 밖의 공용물은 임의경매나 강제경매절차에서 이를 일괄경매하여야 하므로 배당관계가 동일한 경우에는 일괄감정평가만으로 족하나 동일하지 않은 경우에는 부동산과 기계기구, 그 밖의 공용물에 대하여 각각 감정평가를 하여야 한다. 공장의 토지 또는 건물에 대하여 공장저당권이 설정되어 있는 경우에 이에 부가되어 일체를 이루는 물건과 기계기구, 그 밖의 공장의 공용물 중 감정평가의 대상이 되는 것은「공장저당법」제7조 소정의 기계기구 목록에 기재된 것에 한정되므로 감정인으로서는 기계기구 목록을 확인하여 정확히 감정평가할 것을 필요로 한다.

(3) 그 밖의 유의사항

가. 급배수설비, 전기설비 등 공장가동을 위한 기본적인 부대설비

공장의 일반적인 효용을 위하여 건물에 당연히 포함되어야 할 부대설비이나 감정평가서에 이에 대하여 포함하여 감정평가하였는지의 내용기재가 미비하여 사실조회 등에 의한 경매절차 지연의 사유가 되고 있으므로 건물의 재조달원가 산정에 포함하였다는 내용을 감정평가서에 기재하여야 할 것이다.

나. 관정·수변전설비

관정이나 수변전설비에 대하여 이를 합산하여 감정평가하였는지 아니면 이를 제외하였는지를 감정평가서에 명시하여 집행법원에서 판단하도록 하는 것이 바람직할 것이다.

덧붙여, 일반적으로 수변전설비의 경우에는 별도의 기계기구 목록으로 제시되어서 감정평가가 이루어지고 있으므로, 실지조사 시, 수변전설비의 용량 등을 확인하여 제시외 기계기구로 보아 감정평가를 한다. 만일, 수변전설비의 용량·사양 등의 확인이 실질적으로 곤란할 경우 집행법원에 수변전설비의 용량·사양 등을 목록으로 확정하여 줄 것을 집행법원에 요청하여[20] 감정평가를 진행하는 것이 타당할 것으로 보인다.

기 본예제

다음 부동산에 대한 담보평가 및 경매평가를 진행하시오.

풀이영상

자료

1. 토지현황 및 시장가치
   (1) A동 100 : 일반상업지역, 대, 200㎡
   (2) A동 100-1 : 일반상업지역, 대, 200㎡
   (3) 토지의 시장가치 : ㎡당 8,000,000원

2. 건축물관리대장 열람 결과

소재지	구조	용도	면적(㎡)	사용승인일
A동 100	목조	주택	40	1967.6.1.
A동 100-1	철골조	상가	100	2001.1.6.

3. 현장조사 결과
   (1) 현황 지적 및 건물개황도

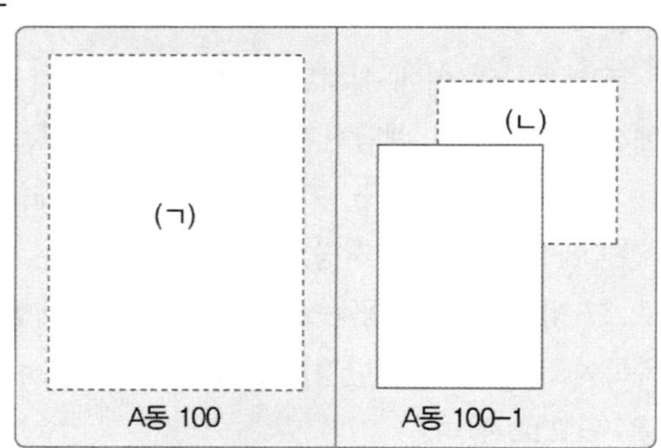

   (2) 현장조사 결과
   ① A동 100 : 현장조사 결과 종전의 단독주택은 철거된 것으로 탐문되었으며, 지상에 별도로 허가를 득하지 않고 2007년 초반에 신축된 것으로 탐문되는 제시외 건물이 소재하고 있었다. 제시외 건물 (ㄱ)은 180㎡ 규모이며, 철골조 구조로서 현재 상가로 이용 중이다.
   ② A동 100-1 : 등기된 100㎡의 철골조 상가와 상가의 부속시설로서 부속시설은 2017년 초반에 샌드위치 판넬지붕 구조를 허가 등이 없이 설치하였으며, 40㎡ 규모이다.

---

20) 감정신청인으로 하여금 목록을 제시하도록 해 줄 것을 집행법원에 요청하는 것이 바람직함.

4. 재조달원가 및 경제적 내용연수
   (1) 철골조 : 40년, 400,000원/m²
   (2) 목조 및 샌드위치 판넬조 : 30년, 300,000원/m²
5. 경매평가 시 제시외 건물이 있는 경우 반드시 그 가액을 평가하고 제시외 건물이 경매의 대상에서 제외되어 그 대지가 소유권 행사를 제한받는 경우에는 그 가액도 평가한다(평가명령서 참조).
6. 기준시점 : 2027년 7월 1일
7. 법정지상권이 설정된 토지는 그렇지 않은 토지에 비하여 30% 감가하여 평가한다.
8. 담보평가 의뢰 금융기관은 현저한 제시외 건물이 소재하는 대지는 평가외 해 줄 것을 요청하였다.

◢예시답안

I. 담보평가 시

1. A동 100
본건 지상에 지적개황도와 같은 제시외 건물이 소재하고 있으며, 구조, 면적, 이용상황 등으로 보아 본 토지(담보물)에 미치는 영향이 현저할 것으로 판단되는바, 평가외 하였다.

2. A동 100-1
(1) 처리방침 : 본건 지상에 지적개황도와 같은 제시외 건물이 소재하고 있으나 본 담보물에 미치는 영향이 미미하다고 판단된다.

(2) 토지 : $8,000,000$원/m²$(\times 200 = 1,600,000,000$원$)$

(3) 건물 : $400,000 \times 14/40 = 140,000(\times 100 = 14,000,000$원$)$

(4) 소계 : $1,614,000,000$원

II. 경매평가 시

1. A동 100
(1) 처리방침 : 본건 지상에 지적개황도와 같은 제시외 건물이 소재하며, 평가목적을 고려하여 이에 구애됨 없이 평가하였으며, 제시외 건물이 토지에 미치는 영향을 감안하여 평가할 경우의 토지가격을 별도로 기재하였으니 경매진행 시 참조하기 바란다.

(2) 토지 : $8,000,000$원/m²$(\times 200 = 1,600,000,000$원$)$
   >> 지상권 설정 시 : $5,600,000$원/m²

(3) 제시외 건물 : $400,000 \times 20/40 = 200,000$원/m²$(\times 180 = 36,000,000$원$)$

(4) 소계 : $1,636,000,000$원

2. A동 100-1
(1) 토지 : $8,000,000$원/m²$(\times 200 = 1,600,000,000$원$)$

(2) 건물 : $400,000 \times 14/40 = 140,000(\times 100 = 14,000,000$원$)$

(3) 제시외 건물 : $300,000 \times 20/30 = 200,000$원/m²$(\times 40 = 8,000,000)$

(4) 소계 : $1,622,000,000$원

5) 자동차 감정평가

「감정평가에 관한 규칙」 제20조는 자동차의 감정평가에 대해 거래사례비교법으로 감정평가할 것을 규정하고 있으며, 자동차로서의 효용가치가 없는 것은 해체처분가액으로 감정평가할 수 있도록 하고 있다.

⑴ 사전조사와 현장조사

가. 사전조사사항

자동차를 감정평가할 경우에 자동차등록원부, 자동차등록증, 자동차검사증, 사업면허증 등의 공부를 통해 차종과 차적, 등록일자, 용도, 검사조건, 면허사항, 검사유효기간 등을 조사한다.

나. 현장조사사항

감정평가대상 자동차를 직접 보고 실제와 공부가 맞는지, 주행거리나 운행시간, 성능, 옵션부착사항 등을 확인한다.

⑵ 자동차 감정평가 시 유의사항

- 자동차 등록원부상의 내용과 실제 현황(자동차의 명칭, 등록번호, 차대일련번호 등)을 대조하며, 차량의 개조 여부 및 파손 여부를 파악하여야 하고, 각종 편의장치의 옵션부착 여부 등에 대한 세밀한 관찰이 필요하다.
- 자동차 키가 없는 경우에는 집행법원과 사전에 협의하여 채권자를 통하여 키를 제작하게 하고, 시동을 걸어 작동상태 등을 확인 후 감정평가하도록 한다.
- 보험개발원에서 제공하는 "중고차 사고 이력정보 보고서"를 조회하여 사고 이력 등을 확인하여 이에 관한 내용을 요약·정리하여 산출의견란에 표시하며, 보고서 전체를 첨부하여 제출하도록 한다.
- 탈착이 가능한 부착물(내비게이션, 블랙박스 등)에 대하여 부착의 견고성 정도와 종물 및 부합물 여부에 관한 의견과 별도의 감정평가가액 등을 표시한다.
- 「자동차관리법」 및 같은 법 시행규칙에서 규정하고 있는 「중고자동차 성능·상태점검기록부」와 「자동차가격 조사·산정서」의 양식을 참조·조사하여 감정평가서에 관련 내용을 기재하도록 한다.

제3절　소송평가

01　소송평가의 의의

소송이란 특정원고가 특정피고를 상대로 법원에 특정한 청구에 관한 판결을 구하는 행위를 말한다. 소송평가는 소송상의 증거자료를 활용하기 위하여 원고 또는 피고의 신청에 의하여 이루어지는 소송 과정에서 소송물인 토지 등의 경제적 가치를 판정하여 그 결과를 가액으로 표시하는 것을 말한다. 즉, 소송평가란 법원에 계속(繫屬) 중인 소송을 위한 토지 등의 감정평가를 말한다.

02　필요성 등

소송에 있어서 감정평가는 부동산, 기타 재산의 시가나 임대료를 산정하여 소송상의 증거자료를 활용하기 위함이다.

법원의 명령에 의하여 "법원이 모르는", "법원을 대신하여" 법규 혹은 경험칙을 구체적 사실에 적용하여 사실 판단하는 것이며, 그 결과인 감정평가서는 법원 판결의 증거자료로 활용된다.

감정평가사는 "감정인"의 지위로 참여하게 되고 판사가 지정하는데, 감정인은 해당 법규 또는 사실판단에 관한 학식과 경험이 있는 자, 지정된 자이며, 지정된 감정인은 출석, 선서, 감정의견 보고 등의 의무를 부담하게 되고 해태하면 부담 또는 과태료의 제재를 받게 되며, 감정업무의 수행에서 내용이 불성실하거나 감정료의 청구액이 현저히 부당한 경우에는 선정에서 제외될 수 있다.

03　소송평가업무 수임절차

1. 감정인 지정 및 선정통지

재판이 신청되면 판사는 등록된 감정인 중에서 감정인을 지정하게 된다.

감정인에게 감정인 지정사실을 우편이나 팩스로 통지한다. 감정인선정통지서에는 사건번호, 원고, 피고, 감정목적물, 감정사항, 감정기일(신문일), 선임 못할 사유가 있는 경우 사유서 제출 내용 등이 포함되어 발송된다.

2. 영수증 및 예상감정료 제시

감정인은 소송에 있어서 증인과 유사한 지위를 갖게 되므로 선서하게 되며, 법원 양식에 의하여 선서서에 자필서명 날인하여 제출하고, 이때 감정인 심문조서가 필요한데, 학력과 경력사항을 함께 제출한다. 법원에 따라 별도로 감정기일에 청문하지 않고, 문서로 감정평가를 촉탁하기도 한다.

3. 감정료 예납

예상감정료를 산정하여 법원에 신청하며, 이는 검증일 이전에 감정평가를 신청한 원고 또는 피고에 의한 비용예납 조치이며, 입금이 되면 감정촉탁이나 감정기일에 참석을 요청하게 된다.

감정인 선정 통지서를 받게 되면 대상물건의 확정이 가능한지, 업무를 처리할 수 있는지 여부를 검토하고 감정사항이 시가, 임대료, 시가 및 임대료인지 소급감정 여부인지 등을 검토한다.

수수료 산정 시 평가기준을 잘 검토하여 적정하게 청구하며, 여비와 자료수집비를 포함하되 추후 추납이 없도록 충분하게 청구한다.

4. 현장검증 및 감정명령

재판장이 참여하는 현장검증은 재판정과 동일하게 적용되며, 재판정과 같이 선서를 하게 되고 판사로부터 감정내용, 감정방법, 감정조건에 대해 지시를 받게 된다. 특별히 현장에서 판별할 사항이 아닌 경우는 예외가 된다.

감정촉탁은 재판기일에 구두로 감정평가를 촉탁하며, 현장에서 구두지시도 서면 명령과 같다. 감정평가 명령 시 의문사항에 대하여 질문을 하거나 의견을 제시하여 감정평가명령에 대하여 정확하게 파악해야 한다(예를 들면 토지의 형질변경의 경우 변경된 상태로 평가해야 하는지, 변경 전 상태로 평가해야 하는지, 공유지분 토지의 평가 시 1필지 토지 전체 평가액의 지분을 평가해야 하는지 특정부분을 평가해야 하는지, 도로로 이용되는 토지를 도로가 아닌 토지로 보고 평가해야 하는지 등).

현장조사 시 건물의 내부에 대하여 조사를 거부하거나 소급감정에서 소유권의 변동으로 현 소유자의 확인이 거부되는 경우, 공유토지 건물의 점유별 평가 시에는 현장조사에 유의를 요한다.

5. 감정평가 및 감정평가서 작성

감정평가 목적물을 확인 후 제반자료를 수집하여 관련법규와 일반적으로 인정되는 감정평가이론에 의거 신의와 성실에 따라 감정평가를 수행한다.

감정평가서의 작성 시에는 기일 내 작성하도록 하며, 단순 서면에 기록하는 경우에는 상식적인 수준에서 작성하되 예상보다 지체되면 사전에 법원과 상의하는 것이 좋다. 평가서에는 사건번호, 사건명, 원고, 피고, 감정목적물, 감정사항, 감정평가액, 물건 확인사항, 감정가격결정에 관한 의견, 가격산정 근거 등 해당 사건에 필요로 하는 사항을 명시해야 하며, 현장사진, 도면 등 필요한 자료를 첨부한다. 판사가 검토 후 필요한 사항의 보완을 필요로 하거나 원고나 피고의 이의제기 사항에 판사가 이를 받아 들여 사실조회를 명령하는 경우에는 감정보충(재감정)을 할 수 있다.

6. 감정평가서 제출 및 수수료 청구

수수료는 대법원예규에 의하고 송금이 가능하도록 소정의 서류를 첨부한다.

04 소송평가 대표적인 케이스별 감정평가

① 소급평가에서의 시가평가
② 거래사례비교법에 의한 토지의 평가
③ 재건축에 따른 매도청구 평가
④ 아파트의 임대료 평가
⑤ 아파트부지의 임대료 평가
⑥ 도로부지의 부당이득금 반환 평가
⑦ 유익비의 평가
⑧ 환매권 상실 손해액 평가
⑨ 선하지의 부당이득금 반환 평가

제4절 국 · 공유재산의 감정평가

01 국공유재산의 분류 및 재산의 성격

국유 및 공유재산은 재산적 가치를 가지는 재화와 권리의 총체로서 국가 혹은 지방자치단체가 소유권을 가지는 재산을 의미한다. 국유 및 공유재산은 부담, 기부채납이나 법령 등에 의거 국가 혹은 지방자치단체의 소유로 된 재산을 말하며, 「국유재산법」 제2조 제1호 및 「공유재산 및 물품 관리법」 제2조 제1호에 정의되어 있다. 국유 및 공유재산의 유형은 토지, 건물, 선박, 항공기, 권리(지상권, 지역권, 전세권 등), 유가증권, 지식재산(특허권, 실용신안권 등) 등 매우 다양한데, 토지가 가장 큰 비중을 차지한다.

국유재산법 제2조(정의)

이 법에서 사용하는 용어의 뜻은 다음과 같다.
1. "국유재산"이란 국가의 부담, 기부채납이나 법령 또는 조약에 따라 국가 소유로 된 제5조 제1항 각 호의 재산을 말한다.

동법 제5조(국유재산의 범위)

공유재산 및 물품 관리법 제2조(정의)

이 법에서 사용하는 용어의 뜻은 다음과 같다.
1. "공유재산"이란 지방자치단체의 부담, 기부채납(寄附採納)이나 법령에 따라 지방자치단체 소유로 된 제4조 제1항 각 호의 재산을 말한다.

국유 및 공유재산은 그 성격에 따라 "행정재산"과 "일반재산"으로 구분된다. 국유 및 공유재산은 위임 및 위탁과정을 통해 관리청에 의해 관리된다. 우선 국유지 가운데 행정재산은 주로 중앙관서의 장에게, 그리고 일반재산은 한국자산관리공사 혹은 지방자치단체에 의해 관리된다. 관리를 위임받은 중앙관서의 장은 관할 국유재산을 산하기관 혹은 지방자치단체에 재위임하거나 위탁하기도 한다. 공유재산은 기본적으로 지방자치단체가 직접 관리하며, 일부는 하위 지방자치단체 혹은 산하기관에 위임/위탁되어 관리된다.

국유재산법 제6조(국유재산의 구분과 종류)

① 국유재산은 그 용도에 따라 행정재산과 일반재산으로 구분한다.
② 행정재산의 종류는 다음 각 호와 같다.
  1. 공용재산: 국가가 직접 사무용·사업용 또는 공무원의 주거용(직무 수행을 위하여 필요한 경우로서 대통령령으로 정하는 경우로 한정한다)으로 사용하거나 대통령령으로 정하는 기한까지 사용하기로 결정한 재산
  2. 공공용 재산: 국가가 직접 공공용으로 사용하거나 대통령령으로 정하는 기한까지 사용하기로 결정한 재산
  3. 기업용 재산: 정부기업이 직접 사무용·사업용 또는 그 기업에 종사하는 직원의 주거용(직무 수행을 위하여 필요한 경우로서 대통령령으로 정하는 경우로 한정한다)으로 사용하거나 대통령령으로 정하는 기한까지 사용하기로 결정한 재산
  4. 보존용 재산: 법령이나 그 밖의 필요에 따라 국가가 보존하는 재산
③ "일반재산"이란 행정재산 외의 모든 국유재산을 말한다.

---

02 행정재산과 일반재산 특성의 비교

1. 처분의 제한

행정재산에 대해서는 "처분 제한"이 적용된다. 여기서 "처분"이란 매각, 교환, 양여, 신탁, 현물출자 등을 통해 소유권이 국가 혹은 지방자치단체에서 그 이외의 자에게 이전되는 것을 말한다(「국유재산법」 제2조 제4호 및 「공유재산 및 물품 관리법」 제2조 제6호). 행정재산은 「국유재산법」 제27조, 「공유재산 및 물품 관리법」 제19조 등에 의거하여 처분이 제한된다. 따라서 행정재산을 처분하기 위해서는 용도를 폐지하여야 하며, 용도폐지하지 않을 경우에는 처분행위가 무효가 된다(대판 2018.11. 29, 2018두51904 등). 일반재산은 원칙적으로 사적 재산과 동일하게 처분에 제약이 없다.

2. 행정재산 사권설정의 제한

행정재산은 원칙적으로 사권설정이 금지된다.

03 국공유재산의 취득 및 처분 관련 감정평가

1. 국공유재산 취득 관련 감정평가

국공유재산에 대한 일반법인 「국유재산법」과 「공유재산 및 물품 관리법」에서는 취득과 관련한 감정평가에 대하여 구체적인 사항을 규정하고 있지 않다. 하지만 유상매입의 경우 개별 법률(「토지보상법」, 「도시 및 주거환경정비법」 등)에서 감정평가를 규정하고 있다. 별도의 법률에 의하여 평가방법이 규정되지 않은 경우에는 「감정평가법」을 적용하여 감정평가한다.

⑴ **매수목적으로 의뢰된 국ㆍ공유지 감정평가 시 유의사항**

공익사업에 편입된 국ㆍ공유지가 시ㆍ군ㆍ구 등의 관리청으로부터 매수(매입) 목적으로 의뢰된 경우에는 「토지보상법」을 적용하여 감정평가할 것인지 여부를 확인한 후 감정평가하고 그 내용을 감정평가서에 기재해야 한다.[21][22]

● **평가실무상 일반적으로 이해되는 평가목적의 구별실익**

평가목적 구분	매수평가	토지보상법상 토지보상감정평가
적용법령	"감정평가 및 감정평가사에 관한 법률"	"공익사업을 위한 토지 등의 취득 및 보상에 관한 법률"
공통기준	공시지가기준평가, 현황평가, 시장가치평가	공시지가기준평가, 현황평가, 적정가격평가
개발이익 배제여부	현실화, 구체화된 개발이익 반영평가	해당 사업으로 인한 개발이익 배제평가
공법상 제한 반영	모든 공법상 제한사항 반영	개별적 제한 미반영
미지급용지	현황평가	공익사업에 편입될 당시의 이용상황기준
잔여지 매입 여부	잔여지 매수 제외	잔여지 매입 가능
건물	취득가액평가, 무허가건축물 매수 제외	이전비 및 취득가격보상, 무허가건축물 보상특례
건물면적	공부기준	현황기준
평가방법	감정평가에 관한 규칙	토지보상법 시행규칙
기타지장물	평가 제외	공작물, 수목 등 별도평가

---

21) 공익사업에 편입된 공유재산은 공익사업의 측면에서는 토지보상법을, 공유재산 관리 측면에서는 공유재산 및 물품 관리법의 적용이 가능하다고 보며, 해당 토지의 매각가격 결정은 적용하는 법령에 따라 해당 법령에서 정한 가격결정 방법에 따라 결정할 사항이다(2011.9.29, 토지정책과-4677). 따라서 공익사업에 편입된 국ㆍ공유지가 시ㆍ군ㆍ구 등의 관리청으로부터 처분목적으로 의뢰된 경우에는 토지보상법을 적용하여 감정평가할 것인지 여부를 확인한 후 감정평가하고 그 내용을 감정평가서에 기재하여야 한다.

22) 감사원(2012년 5월)은 학교용지 평가 시 「학교용지 확보 등에 관한 특례법」(토지보상법 준용 근거가 없음)을 적용하지 아니하고 토지보상법을 적용하여 고가평가한 사례를 교육부에 통보하고 징계 등의 제재방안을 마련하고, 관련 공무원에게 주의를 촉구하는 처분요구가 있었다.

2. 국공유재산의 처분 관련 감정평가

(1) 감정평가 원칙 등

일반재산을 처분할 때에는 시가(時價)를 고려하여 해당 재산의 예정가격을 결정하여야 한다. 따라서 감정평가 일반이론에 따라 일반적 제한, 개별적 제한 모두를 제한받는 상태로 평가하여야 한다. 단, 국·공유재산을 해당 공법상 제한 이외의 목적으로 처분하는 경우에는 제한받지 않은 상태로도 평가한다.

> **국유재산법 제44조**(처분재산의 가격결정)
>
> 일반재산의 처분가격은 대통령령으로 정하는 바에 따라 시가(時價)를 고려하여 결정한다.
>
> **공유재산 및 물품 관리법 제30조**(처분재산의 가격 결정)
>
> 일반재산을 처분할 때 그 가격은 대통령령으로 정하는 바에 따라 시가(時價)를 고려하여 결정한다.

(2) 토지보상법에 따른 공익사업에 필요한 일반재산을 해당 사업의 사업시행자에게 처분하는 경우

시가평가가 원칙이다. 다만, 공익사업에 필요한 일반재산을 해당 사업의 사업시행자에게 처분하는 경우에는 「토지보상법」에 따라 산출한 보상액을 일반재산의 처분가격으로 할 수 있다.[23] 따라서 「토지보상법」이 적용되는 공익사업에 필요한 공유재산을 해당 공익사업의 사업시행자에게 매각할 때에는 「토지보상법」에 따라 감정평가하게 되며, 평가목적을 의뢰인에게 정확하게 제시받아야 할 것이다.

한편 공익사업에 필요한 일반재산 국공유지를 해당 사업의 "사업시행자 이외의 자"에게 처분하는 경우가 있다. 이때는 「토지보상법」에 의한 보상평가액을 처분가격으로 할 수 없고, 「국유재산법」에 의한 매각평가액으로 결정하여야 한다.

⦂ 수용방식 공익사업 편입 국공유지 처분가액 법적 근거

매각대상		사업시행자		사업시행자가 아닌 자
적용법령	국유재산	① 「국유재산법」 시가평가 (원칙)	② 「토지보상법」 보상평가 (예외)	① 「국유재산법」 시가평가 (원칙)
	공유재산	① 「공유재산 및 물품 관리법」 시가평가(원칙)	② 「토지보상법」 보상평가 (예외)	① 「공유재산 및 물품 관리법」 시가평가(원칙)

---

23) 보상액을 처분가격으로 하는 것은 임의규정이다. 2004년 이전에는 보상가액으로 처분가액을 결정하도록 하는 강행규정이었으나 개정으로 임의규정으로 변경되었다.

> **국유재산법 시행령 제42조**(처분재산의 예정가격)
>
> ① 증권을 제외한 일반재산을 처분할 때에는 시기를 고려하여 해당 재산의 예정가격을 결정하여야 한다.
> ⑨ 「공익사업을 위한 토지 등의 취득 및 보상에 관한 법률」에 따른 공익사업에 필요한 일반재산을 해당 사업의 사업시행자에게 처분하는 경우에는 제1항에도 불구하고 해당 법률에 따라 산출한 보상액을 일반재산 처분가격으로 할 수 있다.
>
> **공유재산 및 물품 관리법 시행령 제27조**(일반재산가격의 평정 등)
>
> ① 법 제30조에 따라 일반재산을 매각하거나 교환하는 경우의 해당 재산의 예정가격은 지방자치단체의 장이 시가로 결정하고 공개하여야 한다. 이 경우 시가는 2인 이상의 감정평가업자에게 의뢰하여 평가한 감정평가액을 산술평균한 금액 이상으로 하며, 감정평가나 분할측량에 든 비용을 포함할 수 있다.
> ⑥ 「공익사업을 위한 토지 등의 취득 및 보상에 관한 법률」이 적용되는 공익사업에 필요한 공유재산을 해당 공익사업의 사업시행자에게 매각할 때에는 제1항에도 불구하고 해당 법률에 따라 산정한 보상액을 해당 재산의 매각가격으로 할 수 있다.

3. 개척·매립·간척 또는 조림하거나 그 밖에 정당한 사유로 점유하고 개량한 자에게 해당 재산을 매각하는 경우

감정평가는 개량이 된 현황을 기준으로 평가하되, 매각 당시의 개량한 상태의 가격에서 개량비 상당액을 뺀 금액을 매각대금으로 한다. 단, 개량이 된 국공유재산의 감정평가 시에는 개량된 상태(현황)를 기준으로 평가하도록 하며, 개량비에 대해서는 매수하려는 자의 신청으로 지방자치단체의 장이 심사 및 결정할 사항이다.

> **국유재산법 시행령 제42조**(처분재산의 예정가격)
>
> ⑤ 일반재산을 법 제45조에 따라 개척·매립·간척 또는 조림하거나 그 밖에 정당한 사유로 점유하고 개량한 자에게 해당 재산을 매각하는 경우에는 매각 당시의 개량한 상태의 가격에서 개량비 상당액을 뺀 금액을 매각대금으로 한다. 다만, 매각을 위한 평가일 현재 개량하지 아니한 상태의 가액이 개량비 상당액을 빼고 남은 금액을 초과하는 경우에는 그 가액 이상으로 매각대금을 결정하여야 한다.
>
> **국유재산법 시행규칙 제25조**(개량비의 범위)
>
> ② 영 제42조 제5항 본문 및 같은 조 제6항에 따른 개량비의 범위는 중앙관서의 장등이 승인한 형질 변경, 조림, 부속시설 설치 등에 사용된 인건비, 시설비, 공과금, 그 밖에 해당 국유재산을 개량하기 위하여 지출한 비용으로 한다.
> ③ 제2항의 개량비는 매수하려는 자의 신청을 받아 중앙관서의 장등이 심사·결정한다.

공유재산 및 물품 관리법 시행령 제28조(공유재산 개량 시의 가격평정 등)

① 공유재산을 개척·매립·간척 또는 조림하거나 그 밖에 정당한 사유로 점유하고 개량한 자에게 해당 재산을 매각하는 경우에는 매각 당시의 개량한 상태의 가액에서 개량비에 해당하는 금액을 빼고 남은 금액을 매각대금으로 한다. 다만, 매각을 위한 평가일 현재 개량하지 않은 상태의 가액이 개량한 상태의 가액에서 개량비에 해당하는 금액을 빼고 남은 금액보다 높을 때에는 그 개량하지 않은 상태의 가액 이상으로 매각대금을 결정하여야 한다.

② 제1항에 따른 개량비의 범위는 형질 변경, 조림, 부속시설 설치 등에 드는 인건비·시설비·공과금 및 그 밖에 해당 재산을 개량하기 위하여 실제 지출한 비용으로 한다.

③ 제2항에 따른 개량비는 매수하려는 자의 신청으로 지방자치단체의 장이 심사·결정한다.

④ 개척·매립·간척·조림 또는 그 밖의 정당한 사유로 점유하고 개량한 공유재산을 「공익사업을 위한 토지 등의 취득 및 보상에 관한 법률」이 적용되는 공익사업의 사업시행자에게 매각하는 경우로서 그 사업시행자가 그 재산을 점유하고 개량한 자에게 개량비에 해당하는 금액을 지급한 경우 그 매각 대금에 관하여는 제1항을 준용한다.

4. 국·공유지 처분목적 감정평가 시 기여도의 고려

획지조건이 불량하여 효용이 낮은 국공유지 매각 시 일단으로 이용되는 인접토지의 가치가 증가한 경우 매각대상토지의 위치, 지형, 환경 등 토지의 객관적 가치에 영향을 미치는 개별획지조건과 매수자의 토지와 일단지로 이용될 경우의 기여도 등을 함께 고려하여 평가할 수 있다.

국유재산법 제43조(계약의 방법)

① 일반재산을 처분하는 계약을 체결할 경우에는 그 뜻을 공고하여 일반경쟁에 부쳐야 한다. 다만, 계약의 목적·성질·규모 등을 고려하여 필요하다고 인정되면 대통령령으로 정하는 바에 따라 참가자의 자격을 제한하거나 참가자를 지명하여 경쟁에 부치거나 수의계약으로 할 수 있으며, 증권인 경우에는 대통령령으로 정하는 방법에 따를 수 있다.

국유재산법 시행령 제40조(처분의 방법)

② 일반재산이 다음 각 호의 어느 하나에 해당하는 경우에는 법 제43조 제1항 단서에 따라 제한경쟁이나 지명경쟁의 방법으로 처분할 수 있다.

　1. 토지의 용도 등을 고려할 때 해당 재산에 인접한 토지의 소유자를 지명하여 경쟁에 부칠 필요가 있는 경우

공유재산 및 물품 관리법 제29조(계약의 방법)

① 일반재산을 대부하거나 매각하는 계약을 체결할 때에는 일반입찰에 부쳐야 한다. 다만, 대통령령으로 정하는 경우에는 제한경쟁 또는 지명경쟁에 부치거나 수의계약으로 할 수 있으며, 증권의 경우에는 「자본시장과 금융투자업에 관한 법률」 제9조 제9항에 따른 증권매출의 방법으로 하며, 이 법 제4조 제1항 제2호 및 제3호의 일반재산을 매각하는 경우에는 제76조 제3항을 준용한다.

> **공유재산 및 물품 관리법 시행령 제37조**(지명경쟁으로 매각할 수 있는 경우)
>
> 지방자치단체의 장은 일반재산이 다음 각 호의 어느 하나에 해당하는 경우에는 법 제29조 제1항 단서에 따라 지명경쟁으로 매각할 수 있다.
> 1. 해당 재산에 연접(連接)한 토지의 소유자를 지명하여 입찰에 부칠 필요가 있는 경우

국·공유지가 인접토지의 소유자에게 귀속되는 등 일단의 이용을 고려하여 평가할 필요가 있는 경우 토지 특성은 개별 필지가 아닌 일단지를 기준으로 하여 토지 특성을 판단하고, 각 필지가 가치변화에 기여하는 정도를 객관적으로 고려하여 감정평가에 반영하는 것이 적절할 것이다.

아래의 사례와 같이 상황에 따라 국공유지가 일단 토지에 기여하는 정도가 달라질 수 있다.[24]

개별평가 vs 일단지평가

- (사례 1) 국·공유지 결합이 사유지의 효용가치를 대폭 상향시키는 경우 : 기여도 高

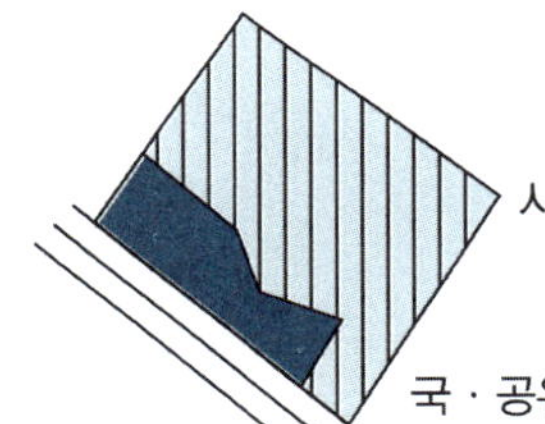

- (사례 2) 국·공유지 결합이 사유지의 효용가치를 소폭 상향시키는 경우 : 기여도 低

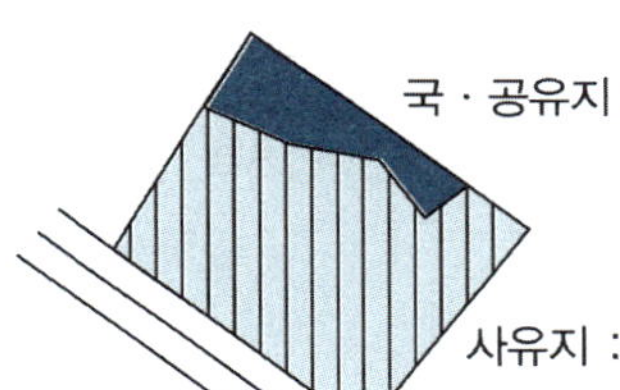

> **질의회신**(질의회신 기획 0100-1151 : 1999.8.20.)
>
> **1. 질의내용**
> 국유재산법 시행령 제37조와 지방재정법 시행령 제96조의 규정에 의하여 국·공유 잡종재산(일반재산)의 매각을 위한 감정평가를 함에 있어 매각대상토지가 매수자의 토지와 일단지로 이용 중이거나 장래 일단지로 이용될 것이 예상되는 경우에 매수자의 토지와 일단지로 보고 전체의 평균단가를 적용하여야 하는지 또는 매수자의 토지와 일단지로 이용되는 상태를 고려하여 평가하되 매각대상토지 자체의 개별획지조건도 고려하여 평가하여야 하는지 여부
>
> **2. 질의회신내용**
> 국·공유 잡종재산의 매각을 위한 감정평가를 함에 있어 매각대상토지가 매수자의 토지와 일단지로 이용 중 이거나 장래 일단지로 이용될 것이 예상되는 경우라면 국유재산법 시행령 제37조 및 지방재정법 시행령 제96조 규정에 의하여 매각 당시의 개량된 상태에 따라 매수자의 토지와 일단지로 이용되는 상태를 고려하여 평가하되, 지가공시 및 토지 등의 평가에 관한 법률 제9조 제2항의 규정에 따라 매각대상토지의 위치, 지형, 환경 등 토지의 객관적 가치에 영향을 미치는 개별획지조건과 매수자의 토지와 일단지로 이용될 경우의 기여도 등을 함께 고려하여 평가하는 것이 타당할 것으로 판단됨.

---

24) 국·공유지의 개발 활용과 감정평가, 감정평가심사 전문가 과정(2022), 박성규(한국부동산연구원)

04 국 · 공유재산 대부계약을 위한 자산가액의 결정 관련 감정평가

1. 사용료 산정방법

사용료(또는 대부료) = 재산가액 × 요율

2. 재산가액 결정

법령에서 특별하게 재산가액 결정방법을 규정한 경우에는 그 방법에 따르되, 별도의 결정방법이 없다면
일반 감정평가이론에 따라 평가한다.

기본예제

감정평가사 A는 B구청으로부터 아래 토지를 인접한 소유자 C에게 매각하는데 있어서 매각가액 결
정을 위한 감정평가를 의뢰받았다. 제시된 정보를 토대로 적정한 감정평가액을 결정하시오.

자료 1 참고 지적도

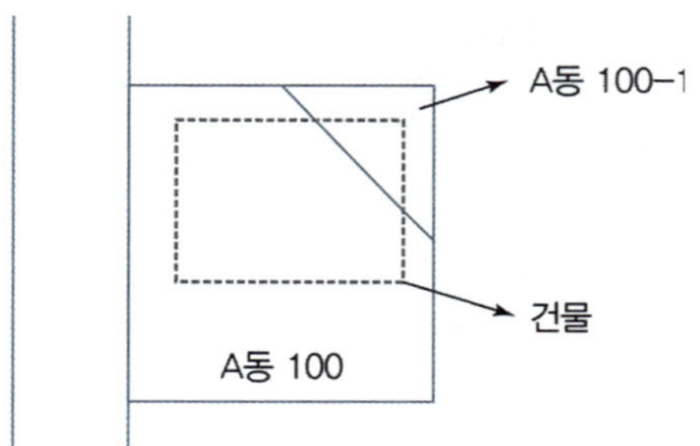

자료 2

1. 평가대상 : A동 100-1번지, 대, 20m²(소유자 : B구청)
2. A동 100번지(280m²) 및 지상건축물 소유자 : C
3. C는 B구청으로부터 A동 100-1번지에 대한 점용허가를 득하여 사용 중에 있으며, C는 10년 전 약 10,000,000
   원의 비용을 들여 A동 100-1번지를 종전의 완경사지에서 평지로 평탄화작업을 시행하였으며, 현재는 양 필
   지 지상의 한동의 건물이 축조되어 있는 상태이다.

자료 3 사안별 감정평가액(토지, 원/m²)

구분	삼각지, 완경사지 기준	정방형, 완경사지 기준	삼각지, 평지 기준	정방형, 평지 기준
토지가액	2,100,000	2,700,000	2,400,000	3,000,000

예시답안

일단의 기여도를 고려하여 감정평가하여야 하며, 개량이 된 현재 상태를 기준으로 평가하여야 한다. 따라서 정
방형, 평지 기준의 감정평가액을 기준하며, 3,000,000원/m²로 결정한다(×20 = 60,000,000원).

제5절

도시정비 감정평가

01 개관

1. 도시정비사업 관련 감정평가 개관

(1) 개요

도시정비사업과 관련한 감정평가는 정비기반시설의 무상귀속·무상양도 협의를 위한 평가, 종전 자산평가, 분양예정자산평가, 국·공유지의 처분평가, 보상감정평가(협의, 수용이의재결) 및 기타 도시정비구역 내 물건의 담보·경매평가 등 상당히 다양하다. 이와 같은 도시정비사업 관련 감정평가를 도시정비구역의 시행절차에 따라 살펴보면 다음과 같다.

(2) 정비기반시설의 무상귀속·무상양도 협의를 위한 평가

먼저 정비구역이 지정되고 조합이 설립되어 사업시행자가 결정되면 사업시행자는 도시정비사업의 시행을 위하여 시장·군수·구청장으로부터 사업시행계획인가를 얻어야 하는데, 사업시행계획인가를 위한 사업시행계획에는 정비기반시설의 무상귀속·무상양도 목적의 감정평가서가 포함하도록 규정(시행령 제47조 제2항 제11호)하고 있으므로 사업시행계획인가 신청 이전에 이를 위한 평가가 선행되어야 한다.

> **도시 및 주거환경정비법 시행령 제47조**(사업시행계획서의 작성)
>
> ② 법 제52조 제1항 제13호에서 "대통령령으로 정하는 바에 따라 시·도조례로 정하는 사항"이란 다음 각 호의 사항 중 시·도조례로 정하는 사항을 말한다.
> 11. 정비사업의 시행으로 법 제97조 제2항에 따라 용도가 폐지되는 정비기반시설의 조서·도면 및 그 정비기반시설에 대한 둘 이상의 감정평가법인등의 감정평가서와 새로 설치할 정비기반시설의 조서·도면 및 그 설치비용 계산서

이는 시행자가 도시정비사업의 시행으로 새로이 설치한 정비기반시설은 그 시설을 관리할 국가 또는 지방자치단체에 무상으로 귀속되고, 도시정비사업의 시행으로 인하여 용도가 폐지되는 국가 또는 지방자치단체 소유의 정비기반시설은 「국유재산법」 및 「공유재산 및 물품 관리법」(이하 "공유재산법")에도 불구하고 그가 새로이 설치한 정비기반시설의 설치비용에 상당하는 범위 안에서 시행자에게 무상으로 양도하도록 하고 있는 규정(법 제97조)에 의한 것이다.

도시 및 주거환경정비법 제96조(정비기반시설의 설치)

사업시행자는 관할 지방자치단체의 장과의 협의를 거쳐 정비구역에 정비기반시설(주거환경개선사업의 경우에는 공동이용시설을 포함한다)을 설치하여야 한다.

동법 제97조(정비기반시설 및 토지 등의 귀속)

① 시장·군수 등 또는 토지주택공사 등이 정비사업의 시행으로 새로 정비기반시설을 설치하거나 기존의 정비기반시설을 대체하는 정비기반시설을 설치한 경우에는 「국유재산법」 및 「공유재산 및 물품 관리법」에도 불구하고 종래의 정비기반시설은 사업시행자에게 무상으로 귀속되고, 새로 설치된 정비기반시설은 그 시설을 관리할 국가 또는 지방자치단체에 무상으로 귀속된다.

② 시장·군수 등 또는 토지주택공사 등이 아닌 사업시행자가 정비사업의 시행으로 새로 설치한 정비기반시설은 그 시설을 관리할 국가 또는 지방자치단체에 무상으로 귀속되고, 정비사업의 시행으로 용도가 폐지되는 국가 또는 지방자치단체 소유의 정비기반시설은 사업시행자가 새로 설치한 정비기반시설의 설치비용에 상당하는 범위에서 그에게 무상으로 양도된다.

③ 제1항 및 제2항의 정비기반시설에 해당하는 도로는 다음 각 호의 어느 하나에 해당하는 도로를 말한다.
  1. 「국토의 계획 및 이용에 관한 법률」 제30조에 따라 도시·군관리계획으로 결정되어 설치된 도로
  2. 「도로법」 제23조에 따라 도로관리청이 관리하는 도로
  3. 「도시개발법」 등 다른 법률에 따라 설치된 국가 또는 지방자치단체 소유의 도로
  4. 그 밖에 「공유재산 및 물품 관리법」에 따른 공유재산 중 일반인의 교통을 위하여 제공되고 있는 부지. 이 경우 부지의 사용 형태, 규모, 기능 등 구체적인 기준은 시·도조례로 정할 수 있다.

④ 시장·군수 등은 제1항부터 제3항까지의 규정에 따른 정비기반시설의 귀속 및 양도에 관한 사항이 포함된 정비사업을 시행하거나 그 시행을 인가하려는 경우에는 미리 그 관리청의 의견을 들어야 한다. 인가받은 사항을 변경하려는 경우에도 또한 같다.

⑤ 사업시행자는 제1항부터 제3항까지의 규정에 따라 관리청에 귀속될 정비기반시설과 사업시행자에게 귀속 또는 양도될 재산의 종류와 세목을 정비사업의 준공 전에 관리청에 통지하여야 하며, 해당 정비기반시설은 그 정비사업이 준공인가되어 관리청에 준공인가통지를 한 때에 국가 또는 지방자치단체에 귀속되거나 사업시행자에게 귀속 또는 양도된 것으로 본다.

⑥ 제5항에 따른 정비기반시설에 대한 등기의 경우 정비사업의 시행인가서와 준공인가서(시장·군수 등이 직접 정비사업을 시행하는 경우에는 제50조 제9항에 따른 사업시행계획인가의 고시와 제83조 제4항에 따른 공사완료의 고시를 말한다)는 「부동산등기법」에 따른 등기원인을 증명하는 서류를 갈음한다.

⑦ 제1항 및 제2항에 따라 정비사업의 시행으로 용도가 폐지되는 국가 또는 지방자치단체 소유의 정비기반시설의 경우 정비사업의 시행 기간 동안 해당 시설의 대부료는 면제된다.

(3) 종전자산 평가

사업시행계획인가고시가 있은 후에는 시행자는 관리처분계획을 수립하여야 하고, 이때 분양대상
자별 종전의 토지 또는 건축물의 명세 및 사업시행계획인가의 고시가 있은 날을 기준으로 한 가격
및 분양예정인 대지 또는 건축물의 추산액을 명시하여야 한다(법 제74조).

도시 및 주거환경정비법 제74조(관리처분계획의 인가 등)

① 사업시행자는 제72조에 따른 분양신청기간이 종료된 때에는 분양신청의 현황을 기초로 다음 각 호의
사항이 포함된 관리처분계획을 수립하여 시장·군수 등의 인가를 받아야 하며, 관리처분계획을 변경·
중지 또는 폐지하려는 경우에도 또한 같다. 다만, 대통령령으로 정하는 경미한 사항을 변경하려는 경우
에는 시장·군수 등에게 신고하여야 한다.
  1. 분양설계
  2. 분양대상자의 주소 및 성명
  3. 분양대상자별 분양예정인 대지 또는 건축물의 추산액(임대관리 위탁주택에 관한 내용을 포함한다)
  4. 다음 각 목에 해당하는 보류지 등의 명세와 추산액 및 처분방법. 다만, 나목의 경우에는 제30조 제1항
    에 따라 선정된 임대사업자의 성명 및 주소(법인인 경우에는 법인의 명칭 및 소재지와 대표자의 성명
    및 주소)를 포함한다.
    가. 일반 분양분
    나. 공공지원민간임대주택
    다. 임대주택
    라. 그 밖에 부대시설·복리시설 등
  5. 분양대상자별 종전의 토지 또는 건축물 명세 및 사업시행계획인가 고시가 있은 날을 기준으로 한
    가격(사업시행계획인가 전에 제81조 제3항에 따라 철거된 건축물은 시장·군수 등에게 허가를 받은
    날을 기준으로 한 가격)
  6. 정비사업비의 추산액(재건축사업의 경우에는 「재건축초과이익 환수에 관한 법률」에 따른 재건축부
    담금에 관한 사항을 포함한다) 및 그에 따른 조합원 분담규모 및 분담시기
  7. 분양대상자의 종전 토지 또는 건축물에 관한 소유권 외의 권리명세
  8. 세입자별 손실보상을 위한 권리명세 및 그 평가액
  9. 그 밖에 정비사업과 관련한 권리 등에 관하여 대통령령으로 정하는 사항
② 시장·군수 등은 제1항 각 호 외의 부분 단서에 따른 신고를 받은 날부터 20일 이내에 신고수리 여부를
  신고인에게 통지하여야 한다.
③ 시장·군수 등이 제2항에서 정한 기간 내에 신고수리 여부 또는 민원 처리 관련 법령에 따른 처리기간
  의 연장을 신고인에게 통지하지 아니하면 그 기간(민원 처리 관련 법령에 따라 처리기간이 연장 또는
  재연장된 경우에는 해당 처리기간을 말한다)이 끝난 날의 다음 날에 신고를 수리한 것으로 본다.

도시정비사업은 다수의 이해가 얽혀 있으며 사회·경제 전반에 미치는 영향이 상당히 크다. 이에
따라 「도시 및 주거환경정비법」에서는 정비구역 내 조합원의 권리배분과 관련하여 가장 중요한
절차인 관리처분계획의 수립에 있어서 종전의 토지 및 건축물의 가격평가와 분양예정인 대지 또
는 건축시설의 추산액 산정은 「감정평가 및 감정평가사에 관한 법률」에 의한 감정평가법인등의
감정평가를 받도록 규정하고 있다(법 제74조 제4항).

도시 및 주거환경정비법 제74조(관리처분계획의 인가 등)

④ 정비사업에서 제1항 제3호·제5호 및 제8호에 따라 재산 또는 권리를 평가할 때에는 다음 각 호의 방법에 따른다.

1. 「감정평가 및 감정평가사에 관한 법률」에 따른 감정평가법인등 중 다음 각 목의 구분에 따른 감정평가법인등이 평가한 금액을 산술평균하여 산정한다. 다만, 관리처분계획을 변경·중지 또는 폐지하려는 경우 분양예정 대상인 대지 또는 건축물의 추산액과 종전의 토지 또는 건축물의 가격은 사업시행자 및 토지등소유자 전원이 합의하여 산정할 수 있다.

　가. 주거환경개선사업 또는 재개발사업: 시장·군수 등이 선정·계약한 2인 이상의 감정평가법인등

　나. 재건축사업: 시장·군수 등이 선정·계약한 1인 이상의 감정평가법인등과 조합총회의 의결로 선정·계약한 1인 이상의 감정평가법인등

2. 시장·군수 등은 제1호에 따라 감정평가법인등을 선정·계약하는 경우 감정평가법인등의 업무수행 능력, 소속 감정평가사의 수, 감정평가 실적, 법규 준수 여부, 평가계획의 적정성 등을 고려하여 객관적이고 투명한 절차에 따라 선정하여야 한다. 이 경우 감정평가법인등의 선정·절차 및 방법 등에 필요한 사항은 시·도조례로 정한다.

3. 사업시행자는 제1호에 따라 감정평가를 하려는 경우 시장·군수 등에게 감정평가법인등의 선정·계약을 요청하고 감정평가에 필요한 비용을 미리 예치하여야 한다. 시장·군수 등은 감정평가가 끝난 경우 예치된 금액에서 감정평가 비용을 직접 지급한 후 나머지 비용을 사업시행자와 정산하여야 한다.

⑤ 조합은 제45조 제1항 제10호의 사항을 의결하기 위한 총회의 개최일부터 1개월 전에 제1항 제3호부터 제6호까지의 규정에 해당하는 사항을 각 조합원에게 문서로 통지하여야 한다.

⑥ 제1항에 따른 관리처분계획의 내용, 관리처분의 방법 등에 필요한 사항은 대통령령으로 정한다.

⑦ 제1항 각 호의 관리처분계획의 내용과 제4항부터 제6항까지의 규정은 시장·군수등이 직접 수립하는 관리처분계획에 준용한다.

종전 토지·건축물의 평가는 사업시행계획인가고시시점을 기준으로 하여 사업착수 전 경제적 가치를 평가하는 것으로 그 평가액은 사업시행 후 관리처분을 위한 기준가격이 된다.[25]

(4) 종후자산 평가(분양예정자산 평가)

「도시 및 주거환경정비법」 제74조 제1항에 따라 재개발사업의 시행을 위한 관리처분계획에는 분양대상자별로 분양예정의 대지 또는 건축시설의 추산액이 포함되어야 하며, 그 추산액은 감정평가법인등 2인 이상이 평가한 금액을 산술평균하여 산정하도록 하고 있다. 이와 같은 분양예정자산의 평가에는 분양예정 공동주택 이외에도 상가 등 복리시설의 평가를 포함한다. 분양예정자산의 평가액 또는 종전자산 평가액과 함께 관리처분을 위한 기준가격이 된다.

조합원에게 분양되고 남은 공동주택 및 상가 등 복리시설은 일반분양되어 사업비로 충당된다. 이 경우 적정한 분양가산정을 위한 감정평가를 하는데 이는 법으로 정하여진 필수적 사항은 아니며 원활한 분양을 위하여 사업시행자의 의뢰에 따라 이루어지는 것이다.

---

25) 실제 분양설계 시에는 "분양기준가액"을 사용한다. 분양기준가액이란 분양의 목적물이 되는 대지 및 건축시설의 분양기준인 종전 토지·건축물의 사정가액을 약칭한 것으로 개인별 토지·건축물 감정평가액에 해당 구역의 비례율을 곱한 가액이다.

(5) 국·공유지 처분평가

정비구역 내에는 불량주택의 형성과정에 따라 차이는 있지만 상당히 많은 국·공유지가 소재하고 있다. 이와 같은 국·공유지의 처분과 관련하여 「도시 및 주거환경정비법」에서는 도시정비사업 외의 목적으로 매각하거나 양도할 수 없고 시행자 또는 점유자 및 사용자에게 타에 우선하여 매각하거나 임대할 수 있도록 하면서 사업시행계획인가고시가 있은 날부터 종전의 용도가 폐지된 것으로 보고 있다(법 제98조 제5항).

또한 국·공유지 매각가격 산정기준에 대해서도 사업시행계획인가고시가 있은 날을 기준으로 평가하되, 사업시행계획인가고시가 있은 날부터 3년 이내에 매각계약이 체결되지 아니한 경우에는 그 가격결정에 있어서는 「국유재산법」 및 「공유물품 및 관리에 관한 법률」의 규정에 따르도록 명시하고 있다(법 제98조 제6항).

도시 및 주거환경정비법 제98조(국유·공유재산의 처분 등)

① 시장·군수 등은 제50조 및 제52조에 따라 인가하려는 사업시행계획 또는 직접 작성하는 사업시행계획서에 국유·공유재산의 처분에 관한 내용이 포함되어 있는 때에는 미리 관리청과 협의하여야 한다. 이 경우 관리청이 불분명한 재산 중 도로·구거(도랑) 등은 국토교통부장관을, 하천은 기후에너지환경부장관을, 그 외의 재산은 재정경제부장관을 관리청으로 본다.

② 제1항에 따라 협의를 받은 관리청은 20일 이내에 의견을 제시하여야 한다.

③ 정비구역의 국유·공유재산은 정비사업 외의 목적으로 매각되거나 양도될 수 없다.

④ 정비구역의 국유·공유재산은 「국유재산법」 제9조 또는 「공유재산 및 물품 관리법」 제10조에 따른 국유재산종합계획 또는 공유재산관리계획과 「국유재산법」 제43조 및 「공유재산 및 물품 관리법」 제29조에 따른 계약의 방법에도 불구하고 사업시행자 또는 점유자 및 사용자에게 다른 사람에 우선하여 수의계약으로 매각 또는 임대될 수 있다.

⑤ 제4항에 따라 다른 사람에 우선하여 매각 또는 임대될 수 있는 국유·공유재산은 「국유재산법」, 「공유재산 및 물품 관리법」 및 그 밖에 국·공유지의 관리와 처분에 관한 관계 법령에도 불구하고 사업시행계획인가의 고시가 있은 날부터 종전의 용도가 폐지된 것으로 본다.

⑥ 제4항에 따라 정비사업을 목적으로 우선하여 매각하는 국·공유지는 사업시행계획인가의 고시가 있은 날을 기준으로 평가하며, 주거환경개선사업의 경우 매각가격은 평가금액의 100분의 80으로 한다. 다만, 사업시행계획인가의 고시가 있은 날부터 3년 이내에 매매계약을 체결하지 아니한 국·공유지는 「국유재산법」 또는 「공유재산 및 물품 관리법」에서 정한다.

---

(6) 미동의자 자산평가

도시정비사업 중 재개발사업과 주거환경개선사업은 이에 동의하지 않은 소유자에 대해서는 강제적으로 수용이 가능하도록 하고 있으며, 수용에 관하여는 「토지보상법」을 준용하도록 하고 있다. 이에 따라 상기 정비사업의 원활한 시행을 위한 공용수용이 이루어지고 있으며, 정당한 보상가격 산정을 위한 감정평가가 수반되고 있다.

도시 및 주거환경정비법 제63조(토지 등의 수용 또는 사용)

사업시행자는 정비구역에서 정비사업(재건축사업의 경우에는 제26조 제1항 제1호 및 제27조 제1항 제1호에 해당하는 사업으로 한정한다)을 시행하기 위하여 「공익사업을 위한 토지 등의 취득 및 보상에 관한 법률」 제3조에 따른 토지·물건 또는 그 밖의 권리를 취득하거나 사용할 수 있다.

동법 제65조(「공익사업을 위한 토지 등의 취득 및 보상에 관한 법률」의 준용)

① 정비구역에서 정비사업의 시행을 위한 토지 또는 건축물의 소유권과 그 밖의 권리에 대한 수용 또는 사용은 이 법에 규정된 사항을 제외하고는 「공익사업을 위한 토지 등의 취득 및 보상에 관한 법률」을 준용한다. 다만, 정비사업의 시행에 따른 손실보상의 기준 및 절차는 대통령령으로 정할 수 있다.
② 제1항에 따라 「공익사업을 위한 토지 등의 취득 및 보상에 관한 법률」을 준용하는 경우 사업시행계획인가 고시(시장·군수 등이 직접 정비사업을 시행하는 경우에는 제50조 제9항에 따른 사업시행계획서의 고시를 말한다. 이하 이 조에서 같다)가 있은 때에는 같은 법 제20조 제1항 및 제22조 제1항에 따른 사업인정 및 그 고시가 있은 것으로 본다.
③ 제1항에 따른 수용 또는 사용에 대한 재결의 신청은 「공익사업을 위한 토지 등의 취득 및 보상에 관한 법률」 제23조 및 같은 법 제28조 제1항에도 불구하고 사업시행계획인가(사업시행계획변경인가를 포함한다)를 할 때 정한 사업시행기간 이내에 하여야 한다.
④ 대지 또는 건축물을 현물보상하는 경우에는 「공익사업을 위한 토지 등의 취득 및 보상에 관한 법률」 제42조에도 불구하고 제83조에 따른 준공인가 이후에도 할 수 있다.

이에 반해 재건축사업의 경우 공익사업으로 인정하지 않기 때문에 법에서 "천재·지변 그 밖의 불가피한 사유로 인하여 긴급히 정비사업을 시행할 필요가 있다고 인정되는 때"(법 제26조 제1호)를 제외하고는 토지 등의 수용·사용권을 부여하지 않고 있으며, 다만 시가금액으로 매도청구권만 행사할 수 있도록 규정(법 제64조)하고 있다.

도시 및 주거환경정비법 제64조(재건축사업에서의 매도청구)

① 재건축사업의 사업시행자는 사업시행계획인가의 고시가 있은 날부터 30일 이내에 다음 각 호의 자에게 조합설립 또는 사업시행자의 지정에 관한 동의 여부를 회답할 것을 서면으로 촉구하여야 한다.
  1. 제35조 제3항부터 제5항까지에 따른 조합설립에 동의하지 아니한 자
  2. 제26조 제1항 및 제27조 제1항에 따라 시장·군수 등, 토지주택공사 등 또는 신탁업자의 사업시행자 지정에 동의하지 아니한 자
② 제1항의 촉구를 받은 토지등소유자는 촉구를 받은 날부터 2개월 이내에 회답하여야 한다.
③ 제2항의 기간 내에 회답하지 아니한 경우 그 토지등소유자는 조합설립 또는 사업시행자의 지정에 동의하지 아니하겠다는 뜻을 회답한 것으로 본다.
④ 제2항의 기간이 지나면 사업시행자는 그 기간이 만료된 때부터 2개월 이내에 조합설립 또는 사업시행자 지정에 동의하지 아니하겠다는 뜻을 회답한 토지등소유자와 건축물 또는 토지만 소유한 자에게 건축물 또는 토지의 소유권과 그 밖의 권리를 매도할 것을 청구할 수 있다.

(7) 소결

이와 같이 도시정비사업과 관련한 감정평가는 다수인의 복잡한 이해관계가 얽혀 있으며, 대규모의 평가로서 사회·경제에 미치는 영향이 상당히 큰 점이 특징이다. 이에 따라 다른 어떠한 감정평가보다도 평가의 적정성이 요구되며, 이를 위해 도시정비사업의 전반적인 과정에 대한 충분한 이해와 이에 부응하는 평가방법의 적용이 중시된다고 하겠다. 그리고 담보, 경매 등의 일반적인 평가에 있어서도 평가대상물건이 도시정비구역 내에 소재하는 경우에는 도시정비사업의 시행단계, 가격형성과정, 개발이익, 권리상태 및 권리보호 등의 제반 사항을 종합 검토하여 적정한 평가가 이루어지도록 하여야 한다.

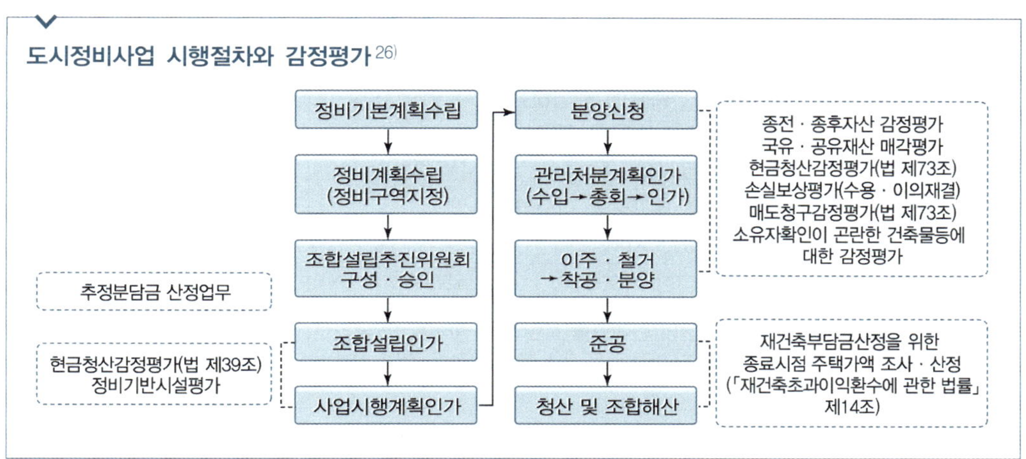

2. 정비사업의 유형과 감정평가

도시정비사업의 유형은 법 제2조에서 정의하고 있는 바와 같다.

도시 및 주거환경정비법 제2조(정의)

이 법에서 사용하는 용어의 뜻은 다음과 같다.

2. "정비사업"이란 이 법에서 정한 절차에 따라 도시기능을 회복하기 위하여 정비구역에서 정비기반시설을 정비하거나 주택 등 건축물을 개량 또는 건설하는 다음 각 목의 사업을 말한다.

   가. 주거환경개선사업: 도시저소득 주민이 집단거주하는 지역으로서 정비기반시설이 극히 열악하고 노후·불량건축물이 과도하게 밀집한 지역의 주거환경을 개선하거나 단독주택 및 다세대주택이 밀집한 지역에서 정비기반시설과 공동이용시설 확충을 통하여 주거환경을 보전·정비·개량하기 위한 사업

   나. 재개발사업: 정비기반시설이 열악하고 노후·불량건축물이 밀집한 지역에서 주거환경을 개선하거나 상업지역·공업지역 등에서 도시기능의 회복 및 상권활성화 등을 위하여 도시환경을 개선하기 위한 사업

   다. 재건축사업: 정비기반시설은 양호하나 노후·불량건축물에 해당하는 공동주택이 밀집한 지역에서 주거환경을 개선하기 위한 사업

---

26) 감정평가 실무매뉴얼(도시정비평가편), 한국감정평가사협회, 2020.12.

● 정비사업의 종류 및 근거법

대상지역		종전	현행 (2018.02~)	근거법
도시저소득 주민이 집단 거주하는 지역으로서 정비기반시설이 극히 열악하고 노후·불량건축물이 과도하게 밀집한 지역		주거환경개선사업	주거환경개선사업	도시 및 주거환경정비법 (도시정비법)
단독주택 및 다세대주택이 밀집한 지역		주거환경개선사업		
정비기반시설이 열악하고 노후·불량건축물이 밀집한 지역		주택재개발사업	재개발사업	
상업지역·공업지역 등에서 도시기능의 회복 및 상권활성화 등이 필요한 지역		도시환경정비사업		
정비기반시설은 양호한 지역	노후·불량건축물에 해당하는 공동주택이 밀집한 지역	주택재건축사업	재건축사업	빈집 및 소규모 주택정비에 관한 특례법 (소규모주택정비법)
	정비기반시설이 소규모로 공동주택을 재건축할 필요가 있는 지역		소규모재건축사업	
노후·불량건축물이 밀집한 가로구역		가로주택정비사업	가로주택정비사업	

>> (그 외 사업) 시장정비법 : 시장의 현대화를 촉진하기 위하여 상업기반시설 및 도시정비법에 따른 정비기반시설을 정비하고, 대규모점포가 포함된 건축물을 건설하기 위하여 전통시장법과 도시정비법 등에서 정하는 바에 따라 시장을 정비하는 사업

「도시정비법」에서는 이들 사업 중 재건축사업을 제외한 재개발사업·주거환경개선사업·도시환경정비사업에 대하여 토지 등의 수용·사용권을 부여함으로써 공익사업임을 인정하고 있다[도시정비법 제63조(토지 등의 수용 또는 사용)]. 한편, 법 제65조에서 토지 등을 수용·사용할 경우 「토지보상법」을 준용하도록 규정하여, 정비사업에 대한 미동의자 소유 재산에 대한 평가 시 보상감정평가에 준하여 평가하도록 하고 있다. 이에 반해 재건축사업의 경우 미동의자 소유 재산에 대해 시가금액으로 매도청구를 할 수 있도록 규정하고 있다. 종전자산의 감정평가에 있어서는 정비사업동의자의 자산에 대하여 형평성 및 가격균형이 유지되어야 한다.[27]

정비사업 종류별로 관련된 감정평가 사항들을 요약하면 다음과 같다.

● 정비사업 종류별 감정평가사항

항목		주거환경개선사업	재개발사업	재건축사업
평가여부		「도시정비법」 제74조에 의한 필수평가	「도시정비법」 제74조에 의한 필수평가	「도시정비법」 제74조에 의한 필수평가
평가의 종류	국·공유지	• 무상귀속·무상양도 평가 • 처분평가	• 무상귀속·무상양도 평가 • 처분평가	• 무상귀속·무상양도 평가 • 처분평가

---

27) 종전자산 평가가 보상감정평가와 동일한지 여부는 후술(後述)하도록 한다.

관리처분계획 관련	• 종전자산 평가 • 종후자산 평가	• 종전자산 평가 • 종후자산 평가	• 종전자산 평가 • 종후자산 평가
(조합설립) 미동의자	• 협의 및 재결 보상감정 평가 • 소송평가	• 협의 및 재결 보상감정 평가 • 소송평가	소송평가(매도청구소송)
청산관련 (분양신청하지 않은 자 등)	협의 및 재결 보상감정평가	협의 및 재결 보상감정평가	시가평가

3. 도시정비사업 감정평가의 성격

부동산의 가격은 정하여진 어떤 하나의 가격만이 존재하는 것이 아니라 상당한 폭을 가지고 일정한 수준으로 형성되며, 이용상황과 법률상 제한·조장에 따라 그리고 시간의 흐름에 따라 계속 변동하는 특징을 갖고 있다. 이러한 부동산 가격의 특징을 고려할 때 감정평가란 존재하는 일정한 가격을 찾는 것이 아니고 각각의 평가목적에 부합하는 합리적, 합목적적인 가격을 구하는 작업이라고 할 수 있다. 그러므로 적정한 평가가격의 산정을 위해서 먼저 '어떠한 목적으로 평가가 의뢰되었는가? 또는 어떠한 이해관계 및 법률관계가 있는가?' 등을 충분히 이해하고 이에 부합하는 가격을 구하여야 한다.

평가목적과 성격에 따라 평가가격이 달라지는 구체적인 예로서, 평가대상토지에 도시관리계획시설 "도로" 등의 공법상 제한이 있는 경우에는 담보목적의 감정평가의 경우에는 대출금의 미상환 시 채권 확보가 중요하므로 공법상 제한의 정도를 감안하여 평가하지만, 보상목적의 감정평가인 경우에는 사유재산권의 보장 및 정당한 보상원칙에 의거 개별적인 공법상 제한이 없는 상태를 기준으로 평가하는 것을 들 수 있다.

도시정비사업과 관련한 감정평가의 경우에는 특수한 법률관계 및 이해관계에 의하여 일반적인 평가와는 다른 성격을 갖고 있다. 도시정비사업과 관련하여 합리적인 가격을 산정하기 위해서는 이러한 도시정비사업 감정평가의 성격을 충분히 이해하고 평가에 임하여야 한다.

도시정비사업과 관련한 종전자산과 분양예정자산 감정평가의 성격을 구체적으로 살펴보면 다음과 같다.

⑴ **관리처분계획수립을 위한 평가이다.**

현행 우리나라의 도시정비사업은 사업시행이전 각 조합원이 소유하고 있는 자산의 가치를 사업시행 이후 새로운 자산(분양예정자산)으로 권리변환하는 방식에 의하고 있다. 이와 같은 관리처분 방식에서는 사업의 시행이전 종전자산의 가치를 확정하고 분양예정자산의 추산액을 판정하는 작업이 필수적으로 선행되어야 한다. 현행 「도시정비법」에서는 도시정비사업의 시행을 위한 관리처분계획의 수립 시 종전자산과 분양예정자산에 대한 감정평가가격을 포함하도록 규정하고 있다. 즉, 정비구역 내 종전자산 및 분양예정자산의 평가는 관리처분계획상 요구되는 것이다. 따라서 종전자산 평가 시 도시정비사업에 따른 개발이익 등을 배제하고 평가하며, 분양예정자산 평가 시에는 인근지역이나 동일수급권 안의 유사지역에 있는 유사물건의 분양사례·거래사례·평가선례 및 수요성 등과 해당 사업에 드는 총 사업비 등 원가를 고려한다. 다만, 시·도의 조례에 별도의 규정이 있을 때에는 그에 따른다. 이와 같은 가격은 실거래가격과는 괴리될 수도 있다.

(2) 법률에 근거한 평가

도시정비사업은 기본적으로 조합의 사적관계나 사업전반에 관하여 국가가 관여하여 관리하도록 하고 있으며 사업의 시행에 있어서 중요한 자산가치의 판단에 있어서는 전문가인 감정평가법인등으로 하여금 평가하도록 「도시정비법」에 규정함으로써 개개인의 이해관계를 조정하고 원활한 사업의 시행이 이루어질 수 있도록 하고 있다.

(3) 이해관계의 절충을 위한 사적성격의 평가

법률에 근거한 평가이기는 하나 평가성격은 국가와의 관계가 아니고 기본적으로는 도시정비사업의 시행에 따른 각 개개인의 이해관계의 절충, 개발이익의 분배 등과 관계되는 사적평가의 성격이 강하다. 따라서 상대적 가격이 중시되는 평가이기도 하다. 도시정비사업의 조합원은 수백 명에서 많게는 수천 명에 이르며 그 권리관계 또한 매우 복잡하다. 일반적으로 담보, 경매, 보상목적 등의 감정평가는 쌍방당사자의 이해관계 절충을 위한 목적으로 이루어지는 것이 보통이며, 이러한 쌍방관계의 이해절충을 위한 평가의 경우 일반적으로 절대적 가격이 중시된다. 그러나 종전자산 평가액은 각 조합원의 권리변환의 기준이 되는 것으로서 절대적 가격수준의 문제보다는 상대적 가격, 즉 조합원 간의 형평성이 더 중시된다. 따라서 정비구역 내 종전자산의 평가에 있어서는 비례율, 실거래 가격수준, 개발이익분배 등이 충분히 고려되어야 하며, 평가대상 물건의 종류별·규모별·위치별 간의 적정한 가격균형이 유지되도록 하는 것이 중요하다.

02 재개발사업과 감정평가

1. 관리처분계획의 수립을 위한 종전자산 감정평가

1) 종전자산 감정평가의 근거 및 대상

(1) 종전자산 감정평가의 근거

도시정비사업의 관리처분계획에는 분양대상자별로 종전의 토지 및 건축물의 명세와 사업시행고시가 있은 날을 기준으로 한 가격이 반드시 포함되어야 하며(법 제74조 제1항 제5호), 재개발사업의 경우 종전자산의 가격은 「감정평가 및 감정평가사에 관한 법률」에 의한 감정평가법인등 2인 이상이 평가한 금액을 산술평균하여 산정하도록 규정하고 있다.

(2) 종전자산 감정평가의 대상

도시정비평가는 사업시행자가 제시한 의뢰목록(토지나 건물 등에 관한 권리자 및 그 권리의 명세)에 기초하여 수행하여야 한다. 도시정비사업과 관련하여 다수의 이해관계인이 존재하는바, 각각의 재산권 및 권리관계에 따른 평가대상이 확정되어야 하며, 이는 사업시행자가 결정하는 바에 따른다. 최초 감정평가 시 의뢰목록을 받아 감정평가를 수행하는 중에도 종종 구역면적, 특정무허가건물 면적, 용도지역, 정비기반시설 등의 변경 등의 사유로 사업시행(변경)인가가 나는 경우가 있다. 이 경우에는 최초 의뢰목록으로 현장조사를 하였더라도, 조합 등 사업시행자로부터 변경된 목록을 제시받게 되므로, 변경사항을 재확인하여 그에 따라 감정평가해야 한다.

2) 종전자산 감정평가의 기준[28]

⑴ 기준시점

① 기준시점 판단의 원칙

㉠ 도시 및 주거환경정비법

종전자산감정평가의 법정 명칭은 '분양대상자별 종전의 토지 또는 건축물의 명세 및 사업시행계획인가의 고시가 있은 날을 기준으로 한 가격(사업시행계획인가 전에 제81조 제3항에 따라 철거된 건축물은 시장·군수등에게 허가를 받은 날을 기준으로 한 가격)'인 바, 그 기준시점은(법 제81조 제3항에 해당하는 경우를 제외하고는) '사업시행계획인가의 고시가 있은 날'이다.

도시정비법은 인가권자(시장·군수등)가 정비사업시행계획을 인가(시장·군수등이 사업시행계획서를 작성한 경우를 포함한다)하거나 정비사업을 변경·중지 또는 폐지하는 경우에는 국토교통부령으로 정하는 방법 및 절차에 따라 그 내용을 해당 지방자치단체의 공보(公報)에 고시하여야 한다고 규정하고 있다(법 제50조 제7항).

따라서 종전자산감정평가의 기준시점인 '사업시행계획인가의 고시가 있은 날'은 원칙적으로 해당 사업시행계획인가 고시문이 수록된 사업시행계획인가권자가 속한 지방자치단체의 공보(公報)가 발행된 날을 기준으로 판단한다.

㉡ 빈집 및 소규모주택 정비에 관한 특례법

소규모주택정비법 제28조(분양공고 및 분양신청)에 의하여 가로주택정비사업 또는 소규모재건축사업의 사업시행자는 제26조(건축심의)에 따른 심의 결과를 통지받은 날로부터 90일 이내에 분양대상자별 종전의 토지 또는 건축물의 명세 및 제26조(건축심의)에 따른 심의 결과를 통지받은 날을 기준으로 한 가격(제26조(건축심의)에 따른 심의 전에 제37조 제3항에 따라 철거된 건축물은 시장·군수에게 허가를 받은 날을 기준으로 한 가격) 등을 토지등소유자에게 통지하고, 분양의 대상이 되는 대지 또는 건축물의 내역 등 대통령령으로 정하는 사항을 해당지역에서 발간하는 일간신문에 공고하여야 한다.

따라서 소규모주택정비법에 의한 종전자산의 감정평가 시 기준시점은 건축심의 결과 통지서를 수령한 날짜를 기준으로 한다.

② 사업시행계획'변경'인가의 고시가 있은 경우의 종전자산감정평가 기준시점

사업시행계획변경인가의 고시가 있는 경우의 종전자산감정평가의 기준시점은 매우 복잡다기하고 전문적인 법률적 판단이 개입되므로 감정평가법인등이 임의로 결정하여서는 아니 되고 반드시 사업시행자 또는 관리처분계획 인가권자로부터 서면으로 제시받아야 한다.

---

28) 감정평가 실무매뉴얼(도시정비평가편), 한국감정평가사협회, 2020.12.

(2) 종전자산 감정평가의 일반적인 기준

① 적용 및 준용되는 감정평가기준

우리나라 도시정비사업의 연혁을 감안하면 재개발사업에서 종전자산감정평가는 손실보상평가의 성격을 가지는 것으로 출발하였으나, 재건축사업의 등장, 정비사업 법제의 개정 연혁, 관련 판례 등을 종합적으로 고려할 때 이제는 정당보상을 위한 보상평가로서의 성격보다는 조합원 현물출자자산의 지분비율 결정 및 (종후자산감정평가와 함께) 청산금 산정의 기준가액 결정이라는 성격이 더 강하게 작용한다고 볼 수 있다. 따라서 감칙 및 실무기준이 감정평가의 원칙·기준으로 적용된다.[29]

② 해당 정비구역 지정에 따른 공법상 제한을 받지 아니한 상태 기준 감정평가

해당 정비구역 지정에 따른 도시계획시설의 저촉, 정비구역 지정으로 인한 행위제한 등을 감안하지 않고 감정평가한다. 그러나 이 규정이 보상평가에서 공법상 제한 중 개별적 제한에 대한 취급처럼 마치 정비구역이 지정되지 아니한 상태를 기준으로 감정평가액을 결정하여야 한다거나 감정평가액 수준 판단에 있어 정비구역이 지정되지 아니한 상태를 기준으로 한다는 의미는 아니다.

③ 해당 정비사업의 시행을 직접 목적으로 하는 공법상 제한의 변경 배제

해당 정비사업의 시행을 직접 목적으로 공법상 제한이 변경된 경우에는 이를 배제하고 감정평가한다. 이 기준은 보상평가기준 중 '해당 공익사업으로 인한 가격의 변동 배제'와 유사하나 보상평가는 헌법의 정당보상원칙을 구현하기 위한 것인 반면, 종전자산감정평가는 해당 정비사업으로 인한 가격의 변동을 합리적이고 균형 있게 배분하기 위한 것이라는 점에서 차이가 있다.

(3) 종전자산감정평가 시 고려하여야 할 사항

① 상대적인 가격균형을 고려한 감정평가

종전자산감정평가는 관리처분계획수립을 위한 것이고 관리처분계획은 해당 사업으로 인한 개발이익(손실 포함)을 분양대상자들에게 형평성 있게 배분하는데 그 주안점이 있다. 따라서 절대적인 감정평가액 수준과 함께 대상물건의 유형·위치·규모 등에 따른 상대적 가격균형 유지 여부가 매우 중요하다.

② 해당 정비사업으로 인한 가격변동의 반영여부

정비사업은 토지의 고도이용을 촉진하는 사업으로 이에 따라 용적률 등의 개발밀도가 높아지고 용도지역 등의 변화가 수반되는 경우가 많으므로 사업계획 또는 시행의 공고·고시 및 이후의 사업진행에 따라 상당한 정도의 개발이익이 발생하는 경우가 많다. 정비사업은 토지등소유자 또는 조합이 시행하는 것이 일반적이므로 이로 인한 개발이익은 사업시행자인 토지등소유자 또는 조합이 향유할 수 있다는 점에서 헌법 제23조 제3항의 정당보상을 목적으로 하는 보상평가와 달리 해당 사업 시행에 따른 개발이익을 적정한 수준에서 반영하여 감정평가할

---

[29] 다만, 종전자산감정평가는 해당 정비사업의 시행을 직접 목적으로 하는 용도지역 등의 변경을 배제하고 감정평가하여야 하므로 이러한 점에서는 감칙 및 실무기준의 감정평가기준 중 '현황기준 원칙'의 예외가 된다.

수 있다. 다만 이렇게 적정 개발이익을 반영하여 감정평가할 때 그 개발이익이 합리적이고 균형있게 배분되어야 한다.

종전자산 감정평가 시 개발이익 고려 여부[30]

1. 종전자산 감정평가 시 개발이익 반영 여부

정비사업은 토지의 고도이용을 촉진하는 사업으로 이에 따라 용적률 등의 완화 및 용도지역 등의 조정 등이 수반되므로, 사업계획 또는 시행의 공고 · 고시 및 이후의 사업진행에 따라 상당한 개발이익이 발생하게 된다. 정비사업은 토지등소유자 또는 조합이 시행하는 사업이므로, 이로 인한 개발이익은 사업시행자인 토지소유자 또는 조합이 향유하여야 한다는 점에서 헌법이 정당보상 목적으로 하는 보상감정평가와 달리, 상대적 가치 비율의 합리적 산정을 목적으로 하는 종전자산 감정평가에서는 개발이익을 반영하여 평가할 수 있다. 다만, 이 경우에도 개발이익을 반영하여 감정평가할 때 개발이익이 합리적이고 균형성 있게 배분되어야 할 것이다.

특히, 문제가 되는 것이 대지지분은 소규모인 집합건물이다. 일반적으로 정비사업 등의 개발사업 시행이 없는 경우에도 집합건물부지는 집합건물이 아닌 일반 단독 · 다가구주택 및 근린생활시설 부지에 비해 토지를 집약적으로 활용함으로써 최유효이용에 좀 더 근접하였다는 측면에서 높은 가격수준을 형성한다.

그러나 정비사업이 시행되는 경우에는 이러한 정상적인 가격격차에 더하여 (주거용 집합건물의 경우) 1필지의 토지에 부여되는 수분양권이 증가함에 따라 이에 따른 예상 기대이익(이른바 '분양권 프리미엄')을 목적으로 하는 거래가 증가하게 된다.[31] 따라서 현실에서 형성되는 가격수준을 기초로 한 집합건물부지의 가격에 자연히 이러한 '분양권 프리미엄'이 반영된다.

이러한 '분양권 프리미엄'은 ⅰ) 추후의 단계적 사업진행에 따라 구체화되는 개발이익을 거래시점 당시 미리 선취(先取)하려는 투기적 거래라는 점, ⅱ) 해당 정비사업의 시행으로 인해 가격균형이 왜곡되는 전형적인 사례라는 점에서 이를 감정평가액에 반영할 수는 없을 것이다.[32]

따라서 이러한 경우에는 대상 정비구역뿐 아니라 인근의 정비구역이 아닌 지역의 비교가능성[33] 있는 집합건물의 정상적 거래사례를 기준으로 감정평가하여야 할 것이며, 또한 해당 정비구역 내 집합건물부지가 아닌 일반 토지가격과의 균형 등을 종합적으로 고려하여야 할 것이다.

2. 해당 사업으로 인한 공법상 제한 배제 평가

종전자산의 감정평가 시 정비구역의 지정은 그 공법상 제한이 해당 공익사업의 시행을 직접 목적으로 하여 가하여진 개별적 제한사항에 해당되므로, 그 공법상 제한을 받지 아니하는 상태를 기준으로 하여 감정평가해야 한다. 다만, "해당 정비구역 지정에 따른 공법상 제한"이라 함은 해당 정비계획 결정 · 고시로 인한 도시 · 군계획시설의 저촉, 정비구역지정으로 인한 행위제한(도시정비법 제19조) 등을 말하는 것으로서, 종전자산 감정평가 시 이러한 저촉 등을 고려하지 않는다는 의미로 이해하여야 할 것이다. 이를 보상감정평가의 개별적 계획제한으로 보아 마치 정비구역이 지정되지 아니한 상태를 기준으로 가격(수준)을 감정평가한다는 의미는 아님에 유의해야 한다.

---

30) 감정평가실무기준 해설서(Ⅰ) 총론편, 한국감정평가사협회 등, 2014.02, p.575

31) 소규모 대지지분 집합건물의 거래가 활성화되는 이유는 이외에도 거래가액 규모가 소규모여서 자금조달이 용이하다는 점도 있다.

32) 이러한 면에서는 분양대상자격이 주어지는 주거용 무허가건축물(서울특별시 도시 및 주거환경정비조례 제2조 제1호의 '특정 무허가건축물' 등)의 거래, 소유자의 권리가액 증가를 목적으로 한 도로부지 거래 등도 역시 마찬가지라 할 것이다.

33) 특히 감정평가대상과 매매사례의 대지지분의 규모, 건물의 사용승인연도, 건물의 최고층 및 해당 층, 자체 주차장 구비 여부 등을 고려하여야 할 것이다.

⑷ 공시지가기준법 적용 시 고려하여야 할 사항

① 적용공시지가 선정 관련

사업시행인가고시일이 기준시점이므로 '기준시점 이전 시점을 공시기준일로 하는 공시지가로서 기준시점에 가장 가까운 시점에 공시된 공시지가'라는 적용공시지가 결정기준에 따른다.

② 비교표준지 선정 관련

> **실무기준 [730-3.1] 종전자산의 감정평가**
>
> ② 비교표준지는 해당 정비구역 안에 있는 표준지 중에서 [610-1.5.2.1]의 비교표준지 선정기준에 적합한 표준지를 선정하는 것을 원칙으로 한다. 다만, 해당 정비구역 안에 적절한 표준지가 없거나 해당 정비구역 안 표준지를 선정하는 것이 적절하지 아니한 경우에는 해당 정비구역 밖의 표준지를 선정할 수 있다.
>
> ③ 적용 공시지가의 선택은 해당 정비구역의 사업시행인가고시일 이전 시점을 공시기준일로 하는 공시지가로서 사업시행인가고시일에 가장 가까운 시점에 공시된 공시지가를 기준으로 한다.

③ 해당 정비사업의 시행을 직접 목적으로 한 용도지역등 변경의 배제

해당 정비사업의 시행을 직접 목적으로 한 용도지역의 변경은 그 변경 전의 용도지역 등을 기준으로 감정평가한다.

④ 정비구역 내 표준지공시지가가 도시계획시설에 저촉된 경우 행정적 조건의 비교

정비구역이 지정됨과 동시에 기존의 도시계획시설은 폐지되고 해당 정비사업의 시행을 위한 도시계획시설이 이를 대체하게 된다. 그러나 표준지공시지가 조사·평가 시 토지수용 및 환지 방식의 개발사업지 내에서 확정예정지번(블록·롯트 포함)이 부여되기 이전과 관리처분방식의 개발사업지 내에서 착공신고 후 실공사 착공 이전에는 도시계획시설에 의한 감가요인을 반영하지 않기 때문에[34], 정비구역 내 표준지공시지가가 이러한 도시계획시설에 저촉되었다고 하여 이를 이유로 저촉되지 않은 상태에 비해 감액되어 공시되는 것은 아니다. 따라서 정비구역 내에 소재한 표준지를 비교표준지로 선정한 경우 그 표준지공시지가가 도시계획시설에 저촉된다고 하여 이를 행정적 조건으로 보정(증액보정)하여서는 아니 된다.

> **참고**
>
> **정비사업구역 내 도시계획시설 저촉 토지 평가 시 유의사항**
>
> 평가목적이나 대상을 불문하고 정비구역 내 지정된 도시계획시설은 향후 정비사업이 완성될 때 필요한 기반시설이라는 점에서 개별적인 공익사업을 통해 수용권을 갖는 도시계획시설과 그 성격이 다르고 정비구역 내 다른 토지와 차별적인 손실이 발생하지 않으므로 감가하여 평가하지 않는다.

---

34) 『표준지공시지가 조사·평가 업무요령』, 국토교통부

종전자산 감정평가 시 주된 감정평가방법에 의한 시산가액과 다른 감정평가방법에 의한 시산가액과의 시산가액 조정이 허용되는지 여부

종전자산감정평가에서 주된 감정평가방법은 토지는 공시지가기준법, 건물은 원가법, 집합건물은 거래사례비교법이다. 이 중 건물과 집합건물의 경우 그 물건의 특성상 주방식 외 다른 부방식의 적용이 어렵다는 점에 별다른 이견이 없으나 토지의 경우 거래사례비교법을 주된 감정평가방법으로 채택할 수 있는지 및 시산가액 조정여부에 대한 검토가 필요하다. 정비구역 내 토지라는 대상물건의 특성상[35) 거래가격의 추이와 동향을 파악하는 차원을 넘어 거래사례비교법을 주된 감정평가방법으로 채택하거나 공시지가기준법과 거래사례비교법 간의 시산가액 조정을 통한 감정평가액 결정을 인정하기는 어렵다.

즉, 종전자산감정평가에서 거래사례비교법은 구역 내·외 거래사례 비교분석을 통해 주된 감정평가방법인 공시지가기준법의 정확도를 높이고 검증하는 역할을 하는 것이므로, 용도지역·이용상황 등 주요 가치형성요인을 대표할 수 있는 표준적이고 대표성이 있는 토지에 대한 거래사례비교법 적용 등을 통해 공시지가기준법의 합리성을 검토할 수 있다.

(5) 특수한 상황에서의 감정평가 시 유의사항

① 일부 편입의 경우

정비구역에 일부만 편입되는 경우는 그 편입부분만이 종전자산감정평가의 목적물이며 잔여부분(잔여지 및 잔여건축물) 및 잔여부분의 보수비·가격감소액 등은 종전자산감정평가의 목적물이 아니므로 이러한 취지를 감정평가서에 기재한다.

또한 일부만 편입되는 경우 감정평가면적은 편입부분만을 기준으로 하지만 그 단가 결정은 분할되지 않은 경우 비(非)편입부분을 포함한 1개의 물건(필지 및 1동의 건축물 전체) 전체를 기준으로, 해당 정비사업의 시행을 직접 목적으로 하여 분할된 경우에는 분할 전 상태를 기준으로 한다. 다만, 가치가 서로 다른 부분으로 구성된 1필지의 토지 중 일부만이 편입되고 그 편입된 부분과 비(非)편입부분의 가치가 서로 다른 경우에는 이를 구분하여 감정평가할 수 있다.

② 구분소유적 공유인 경우

㉠ 구분소유적 공유의 개념 등

'구분소유적 공유'란 토지 중 일부를 특정하여 내부적으로는 그 특정된 위치를 배타적으로 점유·사용하지만 등기는 편의상 토지 전체에 대한 공유지분등기로 경료하는 경우를 말하는 것으로서 판례에 의해 인정된 개념이다. 공유지분 토지의 감정평가에 대해 실무기준은 "대상토지 전체의 가액에 지분비율을 적용하여 감정평가한다. 다만, 대상지분의 위치가 확인되는 경우에는 그 위치에 따라 감정평가할 수 있다."라고 규정하면서 위치확인 방법을

---

35) 정비구역 지정 전부터 장래 기대이익으로 인해 상당한 정도의 가격이 상승하는 경우가 많은 점, 해당 정비사업의 진행정도 및 사업성 등에 대한 시장참여자들의 인식과 판단수준·검토능력·정보력의 차이에 따라 거래가격 편차가 큰 점, 정비구역 내 종전자산감정평가가 상대적 가격균형이 매우 중요한 감정평가인 점 등

따로 규정하고 있다. 그러나 분양대상자의 청산금 산정, 즉 분양대상자 사이의 이해관계 조절을 목적으로 하는 관리처분계획의 성격을 고려하면 종전자산감정평가 시에는 좀 더 특별한 주의가 필요하다.

ⓛ **구분소유적 공유 토지의 위치별 구분감정평가 여부**

종전자산 감정평가에서 구분소유적 공유관계에 있는 토지 및 건물은 그 구분소유하는 위치별로 구분감정평가한다. 대법원 판례는 구분소유적 공유관계인 토지의 관리처분계획수립을 위한 종전자산감정평가가 문제된 사안에서 구분소유하는 위치별 구분 감정평가를 인정한 바 있다(대판 2007.2.8, 2004두7658 관리처분계획취소 판결 및 원심인 서울고등법원 2004.6.11, 2003누11959 참조).

ⓒ **위치확인 방법**

실무기준은 위치확인 방법으로 위치확인동의서를 원칙으로 하되, 건부지의 경우에는 도면(합법적인 건축허가도면 또는 건물 관리사무소나 상가번영회 등에 비치된 도면)이나 합법 건축물의 위치 그 자체로 확인할 수 있다고 규정하고 있으나, 다수의 토지등소유자가 관련되는 정비사업 감정평가 특성 및 일정 등을 감안하면 단지 합법 건축물의 소재 그 자체로 위치를 확인하는 것에 머물러서는 안되고 사업시행자로부터 위치확인도면을 제시받을 것을 권장한다. 이 경우 사업시행자에게 위치확인동의서를 요구할 때에는 구분소유하는 위치에 따라 감정평가액(단가)이 달라질 수 있음을 충분히 설명하여야 한다.

③ **현황 도로의 종전자산 감정평가 기준**

종전자산감정평가는 청산금 산정의 기준이 되는 것으로서 조합원 출자자산의 상대적 가치비율 산정이 주된 목적이다. 따라서 현황 도로를 도로가 아닌 것으로 전제하거나 도로가 아닌 상태로 될 것이 예정됨에 따른 가치증가분을 감안하여 감정평가하는 것은 감정평가목적에 부합하지 않는다. 따라서 도로부지 감정평가기준으로 널리 인정되는 「토지보상법」 시행규칙 제26조의 규정에 따라 감정평가(사실상 사도의 경우 인근토지 평가액의 1/3 이내)하며, 이러한 사정은 재개발사업과 재건축사업이 다르지 않다.[36]

④ **법면의 평가**

법면이란 둑, 호안(湖岸), 절토(切土) 따위의 경사면을 말한다. 정비구역에는 일반적으로 그 지형적 여건으로 인하여 상당부분의 법면이 소재한다.

---

36) 재건축사업구역 내 사실상 사도 성격의 현황 도로에 대한 매도청구감정평가의 기준이 문제가 된 사건에서, 대법원 2014.12.11. 선고 2014다41698 판결은 "토지의 현황이 도로일지라도 주택재건축사업이 추진되면 공동주택의 일부가 되는 이상 시가는 재건축사업이 시행될 것을 전제로 할 경우의 인근 대지 시가와 동일하게 평가하되, 각 토지의 형태, 주요 간선도로와의 접근성, 획지조건 등 개별요인을 고려하여 감액평가하는 방법으로 산정하는 것이 타당한데도, 현황이 도로라는 사정만으로 인근 대지 가액의 1/3로 감액한 평가액을 기준으로 시가를 산정한 원심판결에 법리오해의 잘못이 있다."고 원심을 파기환송한 바 있다. 그러나 종전자산감정평가와 매도청구감정평가는 정비사업을 추진하는 과정에서 각각 그 역할과 목적을 달리하므로 해당 대법원 2014다41689 판결을 종전자산감정평가에 적용하는 것은 타당하지 않다. 종전토지의 이용상황이 대지, 도로, 임야로 상이하더라도 정비사업이 진행되면 아파트용지로 변경되는 것은 마찬가지이다. 하지만 이를 이유로 도로와 자연림을 모두 위 대법원 판결처럼 인근 대지 시가에 준한 가격으로 감정평가한다면 조합원별 현물출자가액의 상대적 가치비율이 왜곡되어 결과적으로 형평성 있고 공정한 관리처분계획을 수립할 수 없게 된다.

정비구역 내에서 이러한 법면에 대한 평가가 일반평가의 경우와 다르지는 않지만 해당 정비구역 내에 소재하는 다양한 형태의 법면을 동시에 평가하면서 이의 가격균형을 유지하여야 하는 경우가 많으므로 그 가치판단이 매우 어렵다.

법면은 성토, 절토 및 보강공사 등을 통하여 이용상태를 개선할 수 있으며, 일필지의 일부인 경우에는 건폐율, 용적률 및 법률상 녹지확보 면적에 포함되는 것 등의 가치를 지니고 있다. 따라서 법면에 대하여는 면적, 경사도, 도로조건, 형상 및 법률관계 등 제반사항을 고려한 이용가능성의 정도를 기준으로 평가하여야 한다.

⑹ 건물의 감정평가

① 평가의 기준

재개발사업을 비롯한 정비구역 내의 건물은 일반적으로 원가법으로 평가한다. 정비구역 내에 소재하는 건물은 대체로 노후화의 정도가 심한 건물로서 주거가치만을 인정하여 일정한 가격수준으로 큰 편차를 두지 않고 평가하는 것이 보통이나, 일부에 신축건물 또는 준공된 지 오래되지 않은 건물이 소재하는 경우 이들 소유자는 정비사업으로 인한 이익이 없거나 상대적으로 작기 때문에 정비사업에 대한 호응도가 낮고 평가가격에 대한 불만이 있을 수 있어 이 경우 건물가치가 상대적으로 과소평가되지 않도록 유의해야 한다. 면적의 기준은 측량성과에 따라 실측면적을 기준으로 하는 보상 감정평가와 다르게 종전자산 감정평가에서는 공부상 면적을 기준으로 평가하며, 제시외 물건은 평가대상에서 제외된다.

② 무허가건축물의 평가

> **서울특별시 도시 및 주거환경 정비조례 제2조**(정의)
>
> 이 조례에서 사용하는 용어의 뜻은 다음과 같다.
> 1. "특정무허가건축물"이란 건설교통부령 제344호 「공익사업을 위한 토지 등의 취득 및 보상에 관한 법률 시행규칙」 부칙 제5조에 따른 1989년 1월 24일 당시의 무허가건축물 등을 말한다.
> 2. "신발생무허가건축물"이란 제1호에 따른 특정무허가건축물 이외의 무허가건축물을 말한다.

무허가건축물 중 특정무허가건축물의 경우 종전자산 평가의 대상이지만 이후의 무허가건축물(신발생무허가건축물)에 대해서는 종전자산으로 인정되지 않는다는 점에 유의해야 한다.

무허가건물 평가에 있어서는 상반된 견해가 있다. 한 견해는 무허가건물은 보통 그 건물의 상태가 열악하고 허가를 통해 합법화하기 위해서는 등기비용 등 제비용이 소요되므로 이를 감안하여 합법적인 건축물보다는 낮게 평가하여야 한다는 입장이며, 다른 견해는 무허가건물의 경우는 대체로 매우 소규모의 영세한 주택으로 주거가치를 인정하여 다른 주택의 평가와 유사하게 평가하여야 한다는 입장이다.

양 견해를 종합할 때 무허가건물의 경우 원칙적으로 제반상태 및 합법화하기 위한 비용 등을 감안하여 평가하여야 하나, 소규모 영세한 주택인 경우에는 단가와 상관없이 주거가치의 측면에서 기본적으로 일정액 이상이 되도록 산정하는 것이 바람직하다고 하겠다.

③ **토지보상법 시행규칙 제33조 제2항에 따른 주거용 건축물의 거래사례비교법 적용 여부**

토지보상법 시행규칙 제33조 제2항은 주거용 건축물에 한하여 거래사례비교법과 원가법에 의한 시산가액 중 높은 금액으로 보상평가액을 결정하도록 규정하고 있으나, 종전자산감정평가는 보상평가와 그 성격을 달리하므로 이 규정이 그대로 적용되는 것은 아니다.

(7) 구분건물의 감정평가

① 감정평가방법의 결정

집합건물법에 따라 구분소유가 인정되는 구분건물은 감칙 제16조에 따라 토지(대지사용권)와 건물을 일괄하여 거래사례비교법으로 감정평가하되, 주된 감정평가방법인 거래사례비교법을 적용하는 것이 곤란하거나 부적절한 경우에는 다른 감정평가방법을 적용할 수 있다.

대부분의 재건축정비구역은 단독주택 및 다세대주택, 연립주택, 빌라 등 여러 단지의 구분건물로 구성되어 있으며 단지별 가로조건, 접근조건, 환경조건 등 입지조건과 신축연도, 구조, 사용자재 등 건물요인과 대지지분의 크기가 각각 상이하므로 대표단지를 선정하여 동유형 및 유사건물의 시중시세를 참작하여 기준가격을 결정하고 각 구분소유건물의 가격형성요인을 비교 분석하여 각 호별 비준가액을 산정한다.

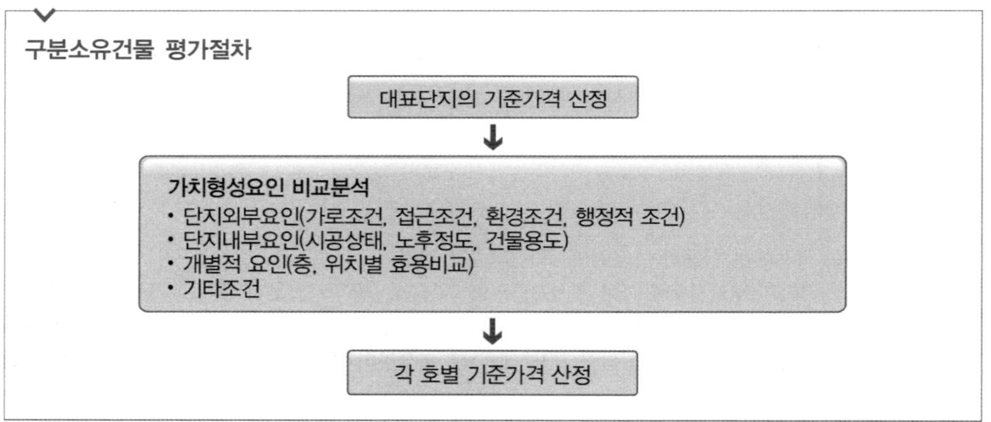

② 구분건물을 거래사례비교법으로 감정평가하는 경우 비교거래사례 선정기준

㉠ 시간적 기준

기준시점인 '사업시행계획인가의 고시가 있은 날' 전에 거래된 사례를 선정한다. 이 경우 적정한 거래사례 선정을 위해 기준시점 이전 수년 동안의 거래사례에 대한 시계열적인 분석을 권장한다.

㉡ 공간적 기준

현재 감칙이나 실무기준에는 구분건물을 거래사례비교법으로 감정평가하는 경우 비교거래사례의 공간적 선정기준에 대한 별도의 규정은 없다. 거래사례의 공간적 범위는 일률적으로 정해지는 것이 아니고 감정평가 과정에서 지역분석 및 개별분석, 거래사례분석 등을 통해 적정한 공간적 범위를 판단하게 되는 것이므로 위치적·물적 특성으로 볼 때 비교가

능성이 있는 거래사례로서 거래가격이 관리처분계획 수립이라는 감정평가목적에 부합하여 적정하다고 판단되는 경우 해당 정비구역 내·외와 무관하게 비교거래사례로 선정할 수 있다.

　ⓒ 사례선정 시 유의사항

　비교거래사례 선정 시 유의하여야 할 점은 건물의 노후도와 대지지분율(대지지분면적/건물면적) 혹은 대지지분 면적의 크기가 유사한 거래사례를 선정하는 것이 중요하다는 점이다. 왜냐하면 통상 신축 후 상당기간이 경과하고 최유효이용에 미달하는 경우에는 토지면적당 단가로 거래되는 것이 일반적인데, 정비사업이 진행되는 경우에는 이러한 경향이 더욱 강화되어 대지지분의 크기에 따라 가격수준이 달리 형성되는 경우가 많기 때문이다.

(8) 종전자산 감정평가 절차 및 평가 시 유의사항

재개발사업을 비롯한 도시정비사업을 위한 종전자산의 평가는 일반적인 감정평가와는 달리 대규모 사업구역의 평가로서 대상물건의 수량이 많고, 종류가 다양하며, 이해관계 및 법률관계가 복잡하여 감정평가의 과정도 어렵고 장기간 소요되는 것이 보통이다.

이와 같은 특수성으로 인하여 정비구역 내 종전자산의 평가에 있어서는 평가업무의 수행에 있어 일련의 절차와 계획이 더욱 중시되고 있다. 즉, 장기간의 난해하고 복잡한 평가업무를 효율적으로 수행하기 위해서는 업무의 진행과정을 충분히 이해하고 그에 맞는 시간계획을 수립한 후 작업에 착수함으로써 무계획에서 오는 시간과 경비의 낭비를 줄일 수 있다.

(9) 종전자산평가와 보상감정평가의 비교[37]

구분	종전자산평가	보상감정평가
평가목적	관리처분계획수립(출자자산의 상대적 가치비율 산정)	손실보상(정당보상 실현을 위한 현금보상액 산정)
평가의 주안점	형평성 유지	정당보상, 개발이익을 배제한 정당한 시가
개발이익 배제 여부 및 그 범위	상기 본문 참조	해당 공익사업으로 인한 일체의 개발이익 배제
기준시점	사업시행계획인가(변경)고시일	계약체결일(협의), 수용재결일(재결)
평가대상	• 토지 및 건축물 • 공부면적기준	• 토지, 지장물 일체(건물, 구축물·공작물, 영업보상, 기타 권리 등) • 현황 측량성과 기준
평가기법	• 토지보상법 제70조 제5항 미적용 • 주거용 건물 평가방법 : 원가법(집합건물은 거래사례비교법) • 주거용 건축물 보상특례 미적용	• 토지보상법 제70조 제5항 적용 • 주거용 건물 평가방법 : 원가법 및 거래사례비교법(집합건물은 거래사례비교법) • 주거용 건축물 보상특례 적용

---

37) 감정평가사 실무수습교육자료, 이철현 감정평가사, 2016.02.(발췌)

감정평가사 SLA 씨는 K재개발조합으로부터 정비사업에 관련된 감정평가를 진행하고 있다.

자료 1 재개발사업의 일정

1. 정비구역지정고시일 : 2023.5.1.
2. 재개발조합설립인가일 : 2024.5.1.
3. 재개발사업시행계획인가고시일 : 2025.8.1.
4. 분양신청완료일 : 2026.10.31.
5. 관리처분계획인가일 : 2026.11.30.
6. 준공인가일(예정) : 2028.3.31.

자료 2 구역개황도 등

1. 구역개황도

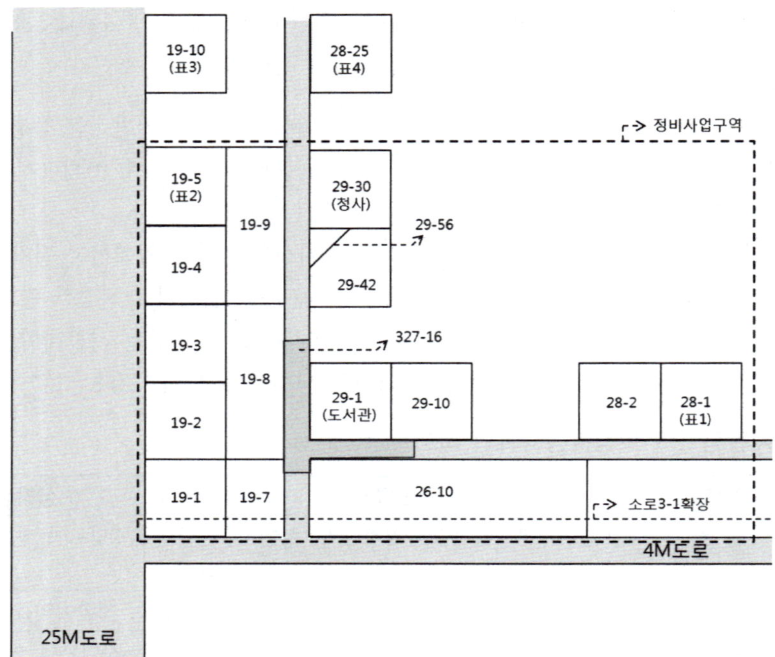

≫ 해당 사업지 내부도로의 폭은 모두 4m이다.

2. 사업구역 내는 정비사업구역 지정 전 전체 제2종일반주거지역이었으나 정비사업의 시행으로 인하여 용도지역이 2025년 9월에 제3종일반주거지역으로 변경되었다.

자료 3 인근 표준지공시지가 현황

일련번호	소재지 지번	면적 (m²)	이용상황	현재의 용도지역	도로교통	형상지세	비고
1	○동 28-1	100.0	주거용	3종일주	세로(가)	정방형	정비사업구역 내
2	○동 19-5	100.0	상업용	3종일주	광대한면	정방형	정비사업구역 내
3	○동 19-10	100.0	상업용	2종일주	광대한면	정방형	정비사업구역 외
4	○동 28-25	100.0	주거용	2종일주	세로(가)	정방형	정비사업구역 외

일련번호	공시지가(원/m²)			
	2023년	2024년	2025년	2026년
1	1,000,000(2주)	1,300,000(2주)	1,370,000(2주)	1,450,000(3주)
2	3,000,000(2주)	3,600,000(2주)	3,750,000(2주)	3,900,000(3주)
3	2,700,000(2주)	2,900,000(2주)	3,100,000(2주)	3,300,000(2주)
4	900,000(2주)	950,000(2주)	1,000,000(2주)	1,050,000(2주)

자료 4 각 필지별 명세

일련번호	소재지 및 지번	지목 (이용상황)	면적 (m²)	현재의 용도지역	공법상 제한	소유자	비고	형상
1	○동 327-16	도(도로)	137.0	3종일주	도로	국(국방부)	–	부정형
2	○동 19-1	대(상업용)	100.0	3종일주	도로30%	김부자	–	정방형
3	○동 26-10	대(주거용)	300.0	3종일주	도로30%	박개발	–	가장형
4	○동 28-2	대(주거용)	100.0	3종일주	공원	최토지	–	정방형
5	○동 29-56	대(주거용)	20.0	3종일주	–	K시	–	부정형
6	○동 29-1	대(도서관)	100.0	3종일주	–	K시	–	정방형
7	○동 29-30	대(청사)	100.0	3종일주	–	K시	–	정방형
8	○동 19-3	대(상업용)	100.0	3종일주	–	김종전	일부도로	정방형
9	○동 29-10	대(주거용)	100.0	3종일주	–	김청산	–	정방형

》 ○동 29-56은 인접토지의 소유자가 점유하고 있으며, ○동 29-42번지와 정방형으로 일단의 단독주택부지이다.

자료 5 개별요인 비교 등

1. 형상

구분	가장형	정방형	세장형	사다리형	부정형
정방형	1.02	1.00	0.97	0.90	0.70

2. 도시계획시설 저촉

구분	일반	도로	공원	공공청사
일반	1.00	0.85	0.60	1.00

3. 도로조건

구분	광대각지	광대한면	세각가	세로가	맹지
광대로	1.05	1.00	0.75	0.70	0.50

4. 지가변동률은 변동이 없는 것으로 가정한다.
5. 그 밖의 요인비교치는 공시연도 및 비교표준지 여부에 불문하고 50% 증액보정한다.
6. 토지감정평가액은 반올림하여 유효숫자 3자리까지 표시한다.

기본예제

상기 공통자료를 활용하여 제시된 평가대상에 대하여 재개발정비조합으로부터 관리처분계획의 수립을 위한 종전자산의 감정평가를 의뢰받았다. 관련 법령에 의한 감정평가액을 결정하시오.

자료 1 ▶ 평가대상 목록

일련번호	지번	지목	면적(m^2)	현재용도지역	공법상 제한	소유자
8	○동 19-3	대(상업용)	100.0	3종일주	–	김종전

》 본건 서측의 약 10m^2는 현재 포장된 도로로서 일반인의 통행에 이용되고 있다.

자료 2 ▶ 현장조사일정

2025.12.1.

예시답안

Ⅰ. **평가개요**

  1. 본건은 관리처분계획인가를 위한 종전자산의 감정평가로서 「도시정비법」 제74조에 의하여 사업시행계획인가고시일인 2025년 8월 1일이 기준시점이다.

  2. 종전자산 간 가격균형을 위하여 정비사업으로 인한 용도지역의 변경은 고려하지 않는다(제2종일반주거지역 기준).

  3. 「토지보상법 시행규칙」 제26조를 준용하여 사실상 사도는 인근토지 평가금액의 1/3 이내로 평가한다.

Ⅱ. **감정평가액**

  1. **적용공시지가 및 비교표준지 선정**

  기준시점 이전 최근 공시지가인 2024년 공시지가를 기준으로 하되, 2종일반주거지역, 사업지 내 표준지로서 표준지 2를 선정한다.

  2. **감정평가액(광대한면, 정방형 기준)**

  $3,750,000 \times 1.00000 \times 1.00 \times (1.00 \times 1.00) \times 1.50 ≒ 5,630,000$원/$m^2$($\times 90 = 506,700,000$원)

  [사실상 사도부분 $1,870,000$원/m^2($\times 10 = 18,700,000$원)]

2. 관리처분계획의 수립을 위한 종후자산 감정평가

1) 분양예정자산 감정평가의 개념 및 근거

도시정비사업의 시행을 위한 관리처분계획에는 분양대상자별로 분양예정의 대지 또는 건축시설(이하 "분양예정자산"이라 한다)의 추산액이 포함되어야 하며(법 제74조 제1항 제3호), 재개발사업에서는 그 추산액은 시·도의 조례가 정하는 바에 의하여 산정하되 「감정평가 및 감정평가사에 관한 법률」에 의한 감정평가법인등의 감정평가의견을 참작하여야 한다(법 제74조 제2항).

그런데 재개발임대주택 및 임대주택부지가격은 규정에 따라 산정된 금액으로 족하고 별도의 감정절차가 필요하지 않으며, 다만 사업자 보유택지에 한하여 감정평가법인등에게 평가의뢰하여 평가한 가격으로 택지비를 산정한다.

따라서 도시정비사업 중 재개발사업에 있어서 분양예정자산의 평가란 관리처분계획을 위한 분양예정자산의 추산액 산정을 위하여 평가하는 것으로서, 규정에 따라 산정되는 예정자산을 제외한 분양예정자산에 대한 감정평가를 의미한다고 하겠다.

2) 분양예정자산의 평가기준

(1) 기준시점

> **감정평가실무기준 730.3.2 종후자산의 감정평가**
> ① 종후자산의 감정평가는 분양신청기간 만료일이나 의뢰인이 제시하는 날을 기준으로 하며, 대상물건의 유형·위치·규모 등에 따라 감정평가액의 균형이 유지되도록 하여야 한다.
> ② 종후자산을 감정평가할 때에는 인근지역이나 동일수급권 안의 유사지역에 있는 유사물건의 분양사례·거래사례·평가선례 및 수요성, 총사업비 원가 등을 고려하여 감정평가한다.

종후자산 감정평가의 기준시점을 분양신청기간 만료일로 볼 수도 있는데, 이는 「서울특별시 도시 및 주거환경정비조례」가 분양신청기간 만료일을 '관리처분계획기준일'로 정의한 것에 근거한 것이기는 하다. 그러나 분양신청기간 만료일은 당초 감정평가 기준시점의 기준일이라는 의미보다는 분양설계에 관한 계획수립의 기준일로서 규정(도시정비법 제74조 제1항)되었고, 서울특별시 조례 역시 '관리처분계획기준일 현재'를 기준으로 분양대상자 여부를 판정하도록 하는 점, 종후자산 감정평가 시 분양신청기간 만료일까지는 종후자산 감정평가의 주요 변수인 정비사업비 추산액이 확정되지 않은 경우가 대부분인 점 등을 고려하면, 현실적으로 기준시점이 분양신청기간 만료일로 되는 경우는 그리 많지 않을 것으로 보인다. 따라서 사업시행자에게 별도로 기준시점을 서면으로 제시받는 것이 타당할 것이다.

또한 상당한 규모의 사업계획변경이나, 당초 분양신청기간 만료일 후 상당한 기간의 경과와 부동산가격의 변동이 수반되어 사업시행자가 별도의 기준일을 서면으로 제시하는 경우 역시 제시받은 날을 기준시점으로 할 수 있을 것이다.

(2) **평가조건—현존하지 않는 물건에 대한 조건부 감정평가**[38]

기준시점 당시 실제로 존재하지 않는 물건에 대해 그 적법한 사용승인을 전제로 하는 조건부 감정평가로서 적법한 사용승인 및 (종후자산의 대부분이 집합건물법에 따른 집합건물이므로) 적정 대지사용권의 배분·귀속을 전제로 감정평가한다. 따라서 반드시 적법하게 인가를 받은 사업시행계획도서에 근거하여야 한다.

(3) **감정평가방법**

① **종후자산 감정평가 시 유의점**

분양예정인 대지 또는 건축물에 대한 종후자산의 감정평가액은 종전자산 감정평가액과 함께 관리처분을 위한 기준가격이 되므로, 상대적인 가격균형의 유지가 무엇보다도 중요하다. 특히 분양예정 공동주택을 평가할 경우 규모별·층별·향·위치별 효용차이를 적정하게 산정하여 이를 반영하여야 한다.

② **분양구분과 종후자산평가 대상**

주택공급을 주목적으로 하는 정비사업의 특성상 종후자산은 조합원분양분과 일반분양분으로 구분되며, 일반분양분은 추후 분양가상한제라는 별도의 분양가격 결정절차가 예정되어 있는 바, 종후자산 감정평가는 분양예정자산 전체(일반분양분 포함)를 조합원분양분으로 보아 감정평가하는 것이다.

③ **평가기준 및 방법 등**[39]

종후자산의 감정평가는 감정평가대상의 특성에 따라 감칙 및 실무기준이 정한 물건별 주된 감정평가방법을 적용하고 그 밖의 감정평가방법으로 주된 감정평가방법에 의한 시산가액의 합리성을 비교·검토 및 조정하는 방법에 따라야 하며, 물건별 특성에 따라 아래와 같이 정리할 수 있다.

● 종후자산 감정평가에서 물건별 감정평가방법의 결정

구분	주된 감정평가방법	그 밖의 감정평가방법	비고
분양 공동주택	비교방식	원가방식	–
임대주택 (재건축소형주택 포함)	별도의 규정 존재: 집합건물법에 따른 구분건물임에도 불구하고 부속토지와 건축비를 각각 감정평가하여 이를 합산한 가격으로 결정한다는 점에서 원가방식으로 볼 수 있다.		
근린생활시설 (집합건물)	비교방식	–	물건의 특성상 다른 감정평가방법 적용이 곤란한 경우
토지	공시지가기준법	비교방식, 원가방식 등	학교용지 등

---

38) 감정평가 실무매뉴얼(도시정비평가편), 한국감정평가사협회, 2020.12.
39) 감정평가 실무매뉴얼(도시정비평가편), 한국감정평가사협회, 2020.12.

기 본예제

재개발정비사업의 관리처분계획 수립을 위한 종후자산의 감정평가를 하시오.

자료 1 **사업의 개요**

1. 사업명 : K재개발사업
2. 사업추진경위
   ⑴ 2022.2.6. : 조합설립인가
   ⑵ 2026.8.16. : 재개발정비사업 사업시행계획인가고시
   ⑶ 2027.5.20. : 조합원 분양신청기간 종료
3. 평가대상 아파트단지 전유면적 합계 : 2,316m²

자료 2 **평가대상 기준호(105동 제1503호)**

구분	주택형	전유면적(m²)	향
제105동 제15층 제1503호	84A	84.96	남남동

자료 3 **거래사례 및 요인비교치**

1. 거래사례

거래사례	전유면적(m²)	거래가액	거래단가(원/전유m²)	거래일자
M아파트 제127동 제104호	84.96	630,000,000	7,415,254	2027.3.3.

2. 요인비교치

외부요인	건물요인	호별요인
0.930	1.050	1.030

자료 4 **아파트 매매가격지수(2027년)**

구분	1월	2월	3월	4월	5월
2027년	102.1	102.4	102.9	103.0	미고시

자료 5 **정비사업비 추산액**

항목	총 합계
원가에 산입할 종전자산, 현금청산액, 국공유지 매입비, 조사측량비, 설계감리비, 공사비, 관리비, 금융비용 등	15,000,000,000

자료 6

1. 사업시행자는 분양신청기간이 종료되는 날을 기준으로 감정평가해 줄 것을 요청하였다.
2. 거래사례비교법 적용 시 통상적인 사업기간에 대한 기회비용, 기간이익, 인근 일반분양 시장의 동향 등을 고려하여 기타요인에서 10% 감가하도록 한다.
3. 단가는 반올림하여 원단위까지 표시하며, 평가액은 반올림하며 십만원 단위까지 표시한다.

예시답안

Ⅰ. 평가개요

본건은 관리처분계획 수립을 위한 종후자산의 감정평가로서 분양신청기간 종료일인 2027년 5월 20일을 기준시점으로 평가한다.

Ⅱ. 종후자산 감정평가액

1. 거래사례비교법에 의한 시산가액

$7,415,254 \times 1.000 \times 1.00586^* \times (0.93 \times 1.05 \times 1.03 \times 0.90) = 6,751,738$원$/m^2 (\times 84.96 \div 573,600,000$원$)$

* 2027.5.20./2027.3.3. APT매매가격지수 : 2027년 4월/2027년 2월 = 103/102.4

2. 원가법에 의한 시산가액

$15,000,000,000 \div 2,316 \div 6,476,684$원$/m^2$

3. 감정평가액 결정

감정평가에 관한 규칙 제16조에 의하여 거래사례비교법에 의한 시산가액으로 결정하되, 원가법에 의하여 그 합리성이 인정된다(573,600,000원).

3. 도시정비사업의 그 밖의 감정평가

1) 정비기반시설의 감정평가[40]

(1) 개요

정비사업의 시행으로 새로 설치한 정비기반시설은 그 시설을 관리할 국가 또는 지방자치단체에 무상으로 귀속되고, 정비사업의 시행으로 인하여 용도가 폐지되는 국가 또는 지방자치단체 소유의 정비기반시설은 그가 새로이 설치한 정비기반시설의 설치비용에 상당하는 범위 안에서 사업시행자에게 무상으로 양도된다(법 제97조 제2항).

정비구역 내 국유·공유재산은 정비사업 외의 목적으로 매각하거나 양도할 수 없고(법 제98조 제3항), 정비구역 안의 국유·공유재산은 「국유재산법」 제9조 또는 공유재산법 제10조에 따른 국유재산관리계획 또는 공유재산관리계획과 「국유재산법」 제43조 및 공유재산법 제29조에 따른 계약의 방법에도 불구하고 사업시행자 또는 점유자 및 사용자에게 다른 사람에 우선하여 수의계약으로 매각 또는 임대할 수 있다(법 제98조 제4항).

따라서 법 제97조 제2항에 따른 무상귀속·무상양도가 완료되기 위해서는 우선 사업시행자가 새로이 설치할 예정인 정비기반시설(이하 '신설 정비기반시설')의 설치비용과 정비사업의 시행으로 인하여 용도가 폐지되는 국가 또는 지방자치단체 소유의 정비기반시설(이하 '기존 정비기반시설'이라 한다)의 가액을 알아야 하므로, 영 제47조 제2항 제11호는 사업시행계획서에 포함되어야 할 내용의 하나로 "정비사업의 시행의 시행으로 법 제97조 제2항에 따라 용도가 폐지되는 정비기반시설의 조서·도면 및 그 정비기반시설에 대한 둘 이상의 감정평가법인등의 감정평가서와 새로 설치할 정비기반시설의 조서·도면 및 그 설치비용 계산서"를 규정하고 있고 이를 위한 감정평가를 '정비기반시설의 감정평가'라고 한다. 정비기반시설 감정평가는 사업시행계획인가 신청 전에

---

40) 감정평가 실무매뉴얼(도시정비평가편), 한국감정평가사협회, 2020.12.

행해지게 되므로 정비사업 전체 절차에서 가장 먼저 행해지는 감정평가이고 나중에 행해지는 종전자산감정평가, 국유·공유재산 매각을 위한 감정평가의 참고자료로서 중요한 역할을 한다.

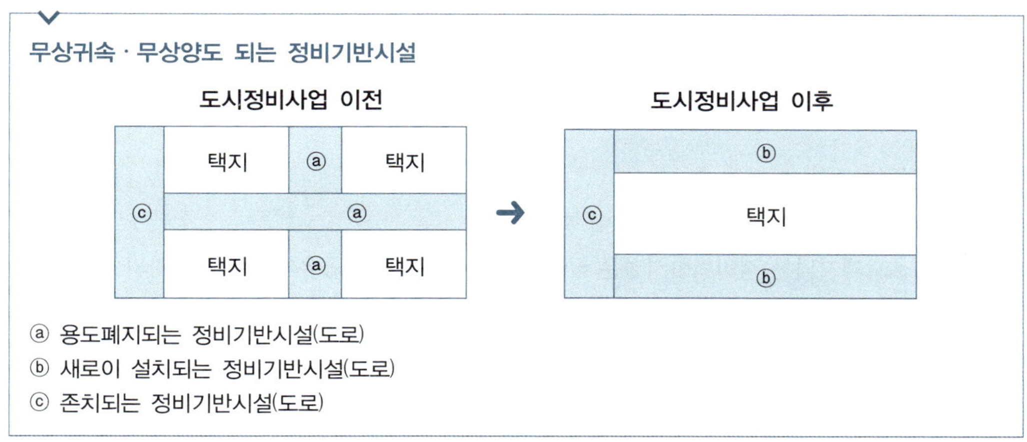

(2) 정비기반시설 감정평가 목적물

① **무상귀속 부분**(새로이 설치하는 정비기반시설)

사업시행자가 제시하는 조서에 따른다. 이 경우 조서는 각 지방자치단체 조례 시행규칙 서식 등으로 법정(法定)되어 있는 경우가 많으므로 이에 맞추어 작성된 것인지 검토한다. 새로이 설치하는 정비기반시설 조서는 측량성과를 기준으로 작성하게 되므로 측량성과(측량성과 조서 및 도면)와 제시받은 조서의 일치 여부를 확인한다.

② **무상양도 부분**(용도폐지되는 기존 정비기반시설 등)

구역 내 국유·공유재산 전부가 무상양도대상이 되는 것은 아니므로 무상양도 대상 부분을 특정하여 제시받는 것이 가능하다면 이에 따르면 되나, 실무에서는 그렇게 할 수 없는 것이 현실이다. 왜냐하면, 정비기반시설 감정평가를 실시할 당시에는 감정평가대상 국유·공유재산이 무상양도 대상인지 아니면 유상매입 대상인지가 명확히 구분될 수 없는 상태로서 감정평가 결과와 정비기반시설 설치비용 계산서를 토대로 사업시행계획인가권자와 협의를 통해 무상양도 대상과 유상매입 대상이 최종적으로 구분되기 때문이다.

따라서 실무에서는 사업시행자가 제시하는 조서에 따르며, 이 조서는 통상 해당 정비구역 내 국유·공유재산 전체를 대상으로 하거나 그중에서 무상양도대상이 아님이 명백한 것만을 제외하는 경우가 대부분이다.

이 역시 각 지방자치단체 조례 시행규칙 서식 등으로 법정(法定)되어 있는 경우가 많으므로 이에 맞추어 작성된 것인지를 검토하여야 하며, 측량성과(측량성과 조서·도면)와 제시받은 조서의 일치여부를 사전에 검토해야 한다.

(3) 정비기반시설 감정평가의 기준시점

무상양도는 국유·공유재산 처분의 일종이고 법 제98조 제6항 단서 외 본문은 국유·공유재산 매각을 위한 감정평가의 기준시점을 '사업시행계획인가의 고시가 있는 날'로 한다. 다만, 사업시행계획인가 신청 전에 정비기반시설 감정평가가 완료되어야 하는 사정상 사업시행자로부터 '사업시행계획인가(고시)의 예정일'을 제시받아 이를 기준시점으로 하여 감정평가한다.

(4) 감정평가기준

① 용도폐지되는 정비기반시설의 평가

용도폐지되는 정비기반시설은 국·공유지이므로 국·공유지의 처분평가와 동일한 기준을 적용하여야 한다. 따라서 공익사업에 해당하는 재개발사업의 경우 국·공유지의 매각 시 적용되는 「국유재산법」 또는 「공유재산법」에 따라 평가한다.

기능이 대체되어 용도폐지되는 국·공유지는 용도가 폐지된 상태를 기준으로 감정평가한다(도시정비법 제98조 제5항).

② 새로이 설치되는 정비기반시설의 평가

사업시행자가 대체되는 시설로 설치한 도로 등 정비기반시설의 설치비용의 평가는 「도시개발법」 제66조의 규정에 따라 일반적으로 원가법에 의하되, 그 정비기반시설의 설치전의 이용상황을 기준으로 한 소지가격에 형질변경 등 그 시설의 설치에 통상 소요되는 비용 등을 합산한 가액으로 평가할 수 있다.

다만, 평가시점 당시 그 정비기반시설이 설치되지 아니하고 소지상태로 있거나 그 시설의 설치에 통상 소요되는 비용을 사업시행자 등이 따로 정하는 조건으로 평가의뢰된 경우에는 조성 전 토지의 소지가격으로 평가하는 것이 타당할 것이다. 조성 전 토지의 소지가격은 표준지공시지가를 적용하여 개별필지별로 결정한다.

③ 존치되는 정비기반시설의 평가

존치되는 정비기반시설의 경우 무상귀속·무상양도 협의를 위한 평가와는 무관하나 조합에서 무상귀속·무상양도 평가 시 동시에 의뢰하는 경우가 많다. 이 경우 존치되는 정비기반시설은 계속 공공의 목적에 사용되어야 할 시설이므로 기준시점 현재의 이용상태를 기준으로 평가하여야 한다.

(5) 용도지역 기준 및 평가 시 유의사항

정비기반시설 감정평가 시 용도지역은 원칙적으로 기준시점에서의 용도지역을 기준으로 평가한다. 국·공유 정비기반시설의 무상귀속·무상양도평가를 한 이후에 동일한 토지에 대하여 관리처분계획의 수립을 위하여 종전자산평가를 하게 되므로 감정평가가격의 결정 시에는 차후에 이루어지는 종전자산 평가가격을 염두에 두어야 하며, 양 평가가격 간에 괴리가 없도록 하여야 할 것이다.

기 본예제

상기 공통자료를 활용하여 제시된 평가대상토지에 대한 재개발정비구역의 사업인가신청을 위한 정비기반시설(정비사업의 시행으로 용도가 폐지되는 기존의 정비기반시설부지와 새로이 설치하는 정비기반시설 예정부지)의 감정평가를 진행하시오.

자료 1 평가대상 목록

1. 용도폐지되는 정비기반시설 목록

일련번호	지번	지목	면적(m²)	용도지역	공법상 제한	소유자
1	327-16	도	137	제2종일주	도로	국(국방부)

2. 새로이 설치되는 정비기반시설 목록

일련번호	지번	지목	면적(m²)	용도지역	공법상 제한	소유자
2	19-1	대(상업용)	30.0	제2종일주	소로 3-1호선 확장 도로 30% 저촉	김부자
3	26-10	대(주거용)	90.0	제2종일주	소로 3-1호선 확장 도로 30% 저촉	박개발
4	28-2	대(주거용)	100.0	제2종일주	근린공원신설 공원 100% 저촉	최토지

자료 2 현장조사일정

2025.3.15.~2025.3.17.

자료 3 평가조건

1. 국가 또는 지방자치단체로부터 사업시행자인 해당 정비사업조합에 무상으로 양여되는 국·공유 정비기반시설부지는 용도폐지를 전제로 감정평가할 것
2. 사업시행자로부터 사업시행계획인가권자인 지방자치단체에 무상으로 귀속되는 새로이 설치하는 정비기반시설은 토지의 형질변경 등 그 시설의 설치에 소요되는 비용은 포함하지 않고 현장조사 당시 현재의 현황을 기준으로 감정평가할 것

예시답안

Ⅰ. **평가개요**

　1. 본건은 「도시 및 주거환경정비법」 제97조에 의한 정비기반시설에 대한 무상 양도 및 양수에 대한 감정평가로서 관련법령에 의하여 평가한다.

　2. 기준시점은 사업시행계획인가고시(예정)일인 2025년 8월 1일이다.

　3. 기준시점에서의 용도지역을 기준으로 감정평가하며(제2종일반주거지역 기준), 제시된 평가조건에 따라 평가한다.

Ⅱ. **용도가 폐지되는 기존의 정비기반시설부지에 대한 감정평가**

　1. **적용공시지가 및 비교표준지 선정**

　　기준시점 이전 2025년 공시지가를 기준하며, 제2종일반주거지역이며 이용상황이 유사하고 사업지 내 표준지인 표준지 1을 선정한다.

　2. **감정평가액(세각가, 부정형 기준)**

　　$1,370,000 \times 1.00000 \times 1.000 \times (0.75/0.70 \times 0.70) \times 1.50 ≒ 1,540,000$원/m²($\times 137 = 210,980,000$원)

III. 새로이 설치하는 정비기반시설 예정부지의 감정평가액

1. 적용공시지가 및 비교표준지 선정

기준시점 이전의 2025년 공시지가를 기준하되, 사업구역 내 제2종일주 기준이며, 19-1번지는 상업용으로서 표준지 2를 선정하며, 26-10번지 및 28-2번지는 주거용으로서 표준지 1을 선정한다.

2. 감정평가액

(1) ○동 19-1(광대각지, 정방형) :

$3,750,000 \times 1.00000 \times 1.000 \times (1.05 \times 1.00) \times 1.50 ≒ 5,910,000$원/m²$(\times 30 = 177,300,000$원$)$

(2) ○동 26-10(세각가, 가장형) :

$1,370,000 \times 1.00000 \times 1.000 \times (0.75/0.70 \times 1.02) \times 1.50 ≒ 2,250,000$원/m²$(\times 90 = 202,500,000$원$)$

(3) ○동 28-2(세로가, 정방형) :

$1,370,000 \times 1.00000 \times 1.000 \times (1.00 \times 1.00) \times 1.50 ≒ 2,060,000$원/m²$(\times 100 = 206,000,000$원$)$

---

2) 국·공유지의 처분평가

(1) 국·공유지 처분평가 관련 법규

「도시 및 주거환경정비법」 제98조에서는 도시정비구역 내 국·공유지는 시행자 또는 점유자 및 사용자에게 타에 우선하여 매각할 수 있으며, 이 경우 매각가격은 사업시행계획인가고시가 있은 날을 기준으로 하여 평가하되, 사업시행고시가 있은 날부터 3년 이내에 매각계약이 체결되지 아니할 경우에는 그 가격결정에 있어서는 「국유재산법」 및 「공유재산법」의 관계규정에 따르도록 하고 있다. 국·공유재산의 감정평가기준은 시가(時價)평가가 원칙이다. 다만, 「국유재산법 시행령」 제42조와 「공유재산법 시행령」 제27조에서는 "「토지보상법」이 적용되는 공익사업에 필요한 국유재산을 사업시행자에게 처분하는 경우 해당 법률에 의하여 산정한 보상액을 국유재산의 처분가격으로 할 수 있다"고 규정하고 있다.

> **도시 및 주거환경정비법 제98조**(국유·공유재산의 처분 등)
>
> ① 시장·군수 등은 제50조 및 제52조에 따라 인가하려는 사업시행계획 또는 직접 작성하는 사업시행계획서에 국유·공유재산의 처분에 관한 내용이 포함되어 있는 때에는 미리 관리청과 협의하여야 한다. 이 경우 관리청이 불분명한 재산 중 도로·구거(도랑) 등은 국토교통부장관을, 하천은 기후에너지환경부장관을, 그 외의 재산은 재정경제부장관을 관리청으로 본다.
>
> ② 제1항에 따라 협의를 받은 관리청은 20일 이내에 의견을 제시하여야 한다.
>
> ③ 정비구역의 국유·공유재산은 정비사업 외의 목적으로 매각되거나 양도될 수 없다.
>
> ④ 정비구역의 국유·공유재산은 「국유재산법」 제9조 또는 「공유재산 및 물품 관리법」 제10조에 따른 국유재산종합계획 또는 공유재산관리계획과 「국유재산법」 제43조 및 「공유재산 및 물품 관리법」 제29조에 따른 계약의 방법에도 불구하고 사업시행자 또는 점유자 및 사용자에게 다른 사람에 우선하여 수의계약으로 매각 또는 임대될 수 있다.
>
> ⑤ 제4항에 따라 다른 사람에 우선하여 매각 또는 임대될 수 있는 국유·공유재산은 「국유재산법」, 「공유재산 및 물품 관리법」 및 그 밖에 국·공유지의 관리와 처분에 관한 관계 법령에도 불구하고 사업시행계획인가의 고시가 있은 날부터 종전의 용도가 폐지된 것으로 본다.

⑥ 제4항에 따라 정비사업을 목적으로 우선하여 매각하는 국·공유지는 사업시행계획인가의 고시가 있은 날을 기준으로 평가하며, 주거환경개선사업의 경우 매각가격은 평가금액의 100분의 80으로 한다. 다만, 사업시행계획인가의 고시가 있은 날부터 3년 이내에 매매계약을 체결하지 아니한 국·공유지는 「국유재산법」 또는 「공유재산 및 물품 관리법」에서 정한다.

국유재산법 시행령 제42조(처분재산의 예정가격)

⑨ 「공익사업을 위한 토지 등의 취득 및 보상에 관한 법률」에 따른 공익사업에 필요한 일반재산을 해당 사업의 사업시행자에게 처분하는 경우에는 제1항에도 불구하고 해당 법률에 따라 산출한 보상액을 일반재산의 처분가격으로 할 수 있다.

공유재산 및 물품 관리법 시행령 제27조(일반재산가격의 평정 등)

⑥ 「공익사업을 위한 토지 등의 취득 및 보상에 관한 법률」이 적용되는 공익사업에 필요한 공유재산을 해당 공익사업의 사업시행자에게 매각할 때에는 제1항에도 불구하고 해당 법률에 따라 산정한 보상액을 해당 재산의 매각가격으로 할 수 있다.

따라서 재개발구역 내에서 국·공유지의 우선매각을 위한 평가는 「도시정비법」 제98조 제6항의 규정에 따라 사업시행계획인가고시가 있은 날을 기준으로 하여 평가하되, 사업시행계획인가고시가 있은 날부터 3년 이내에 매각계약이 체결되지 아니할 경우에 그 가격결정에 있어서 「국유재산법」 및 「공유재산법」의 관계규정에 따라 평가하게 된다. 정비기반시설의 감정평가와 매각(처분)평가는 아래와 같은 차이가 있다.[41]

구분	정비기반시설 감정평가	매각평가
근거규정	법 제97조 제1항 → 영 제47조 제2항 제10호 법 제97조 제2항 → 영 제47조 제2항 제11호	법 제98조 제6항
감정평가실시시기	사업시행계획인가 신청 전	사업시행계획인가 후 (통상 관리처분계획인가 신청 전에 실시)
감정평가 목적물	정비구역 내 무상양도대상인 국유·공유재산 및 신설 정비기반시설 예정지	무상양도 대상에서 제외된 국유·공유재산

⑵ **국·공유지 처분평가 기준**

① **사업시행계획인가고시가 있은 날부터 3년[42] 이내에 매각하는 경우**

재개발구역 내 국·공유지의 우선매각에 있어서 사업시행계획인가고시가 있은 날을 기준으로 평가하는 경우에는 사업시행계획인가고시가 있은 날부터 3년 이내에 매매계약이 체결되는 경우이며, 이 경우에는 사업시행계획인가고시일을 기준으로 하므로 사업시행계획인가고시일 당시의 실제 이용상황을 기준으로 평가한다.

---

41) 감정평가 실무매뉴얼(도시정비평가편), 한국감정평가사협회, 2020.12.

42) "3년"의 기산일은 사업시행계획'변경'인가의 고시가 있는 경우에도 법 제98조 제6항의 '3년'의 기산일은 최초 사업시행계획인가의 고시가 있은 날로 본다. 따라서 사업시행계획변경인가의 고시가 있은 날부터 기산하면 3년 이내라고 하여도 이를 이유로 사업시행계획변경인가의 고시가 있은 날을 기준시점으로 할 수 없다.

그러나 국가와 지자체에서는 「도시정비법」 제98조 제5항에서와 같이 국·공유재산은 해당 사업시행인가고시일부터 용도가 폐지된 것으로 보게 되므로, 이에 대한 감정평가는 도로 등의 경우 대부분 용도폐지가 되면 대지로 이용하게 될 것이므로 종래의 국·공유지의 상태(도로, 구거 등)가 아닌 '대'를 기준으로 평가할 것을 요청한다.

다만, 재개발사업 등의 경우에는 사업시행자의 요청으로 현황에 불구하고 '대'를 기준으로 감정평가를 의뢰받은 경우 대지로 평가한다는 점을 유의하여야 하고, 이때에도 국·공유지의 위치·형상·환경 등 토지의 객관적 가치형성에 영향을 미치는 개별적인 요인을 고려하여 평가하여야 할 것이다.

이하에서는 사인이 건축물 등으로 점유하고 있는 점유 국·공유지와 비점유 국·공유지로 구분하여 각각 평가기준을 살펴본다. 도시정비구역 내 국·공유지의 평가에 있어 점유·비점유를 구분하는 실익은 사업시행계획인가고시일 당시의 현실 이용상황이 달리 적용되어 가격편차가 발생한다는 이유뿐만 아니라 점유 국·공유지에 대하여는 점유연고권이 인정되어 점유건축물의 소유자에게 매각되나 비점유 국·공유지는 사업시행자에게 매각되어 시행자 보유토지가 되어 소유권이 달라지기 때문이다.

⁝ 정비구역 내 국·공유지의 처분방향[43]

구분	점유자 취득	사업시행자 취득
점유지	점유자 불하 (유상매입)	점유자가 불하받기를 포기하는 경우 → 사업시행자 유상매입 ≫ 서울시의 경우 점유불인정분(200m² 초과부분, 서울시 조례 제55조)
非점유지	–	• 정비기반시설인 경우 : 사업시행자에게 무상양도. 다만, 기존 국공유지의 가액이 사업시행자가 새로이 설치하는 정비기반시설을 초과하는 경우에는 그 초과하는 부분에 해당하는 국공유지는 사업시행자가 유상매입 • 정비기반시설이 아닌 경우 : 사업시행자가 유상매입

서울특별시 도시 및 주거환경정비 조례 제55조(국·공유지의 점유·사용 연고권 인정기준 등)

① 법 제98조 제4항에 따라 정비구역의 국·공유지를 점유·사용하고 있는 건축물소유자(조합 정관에 따라 조합원 자격이 인정되지 않은 경우와 신발생무허가건축물을 제외한다)에게 우선 매각하는 기준은 다음 각 호와 같다. 이 경우 매각면적은 200제곱미터를 초과할 수 없다.
  1. 점유·사용인정 면적은 건축물이 담장 등으로 경계가 구분되어 실제사용하고 있는 면적으로 하고, 경계의 구분이 어려운 경우에는 처마 끝 수직선을 경계로 한다.
  2. 건축물이 사유지와 국·공유지를 점유·사용하고 있는 경우에 매각면적은 구역 내 사유지면적과 국·공유지 면적을 포함하여야 한다.
② 제1항에 따른 점유·사용 면적의 산정은 「공간정보의 구축 및 관리 등에 관한 법률」에 따른 지적측량성과에 따른다.
③ 국·공유지를 점유·사용하고 있는 자로서 제1항에 따라 우선 매수하고자 하는 자는 관리처분계획인가신청을 하는 때까지 해당 국·공유지의 관리청과 매매계약을 체결하여야 한다.

---

43) 정비사업 관련 최근 쟁점, 이철현 감정평가사(하나감정평가법인), 2015.10, 감정평가사협회 R&D 자료

㉠ **점유 국·공유지의 평가**: 점유 국·공유지는 국·공유지를 점유하고 있는 건축물 소유자에게 우선 매각하고 점유면적이 점유연고권 일정면적을 초과하여 점유연고권이 인정되지 않은 잔여 국·공유지는 시행자에게 매각하여 시행자 보유토지로 한다.

> **서울특별시 도시 및 주거환경정비 조례 제34조**(관리처분계획의 수립 기준)
>
> 법 제74조 제1항에 따른 정비사업의 관리처분계획은 다음 각 호의 기준에 적합하게 수립하여야 한다.
> 2. 국·공유지의 점유연고권은 그 경계를 기준으로 실시한 지적측량성과에 따라 관계 법령과 정관 등이 정하는 바에 따라 인정한다.
> 5. 국·공유지의 점유연고권자는 제2호에 따라 인정된 점유연고권을 기준으로 한다.

먼저 점유연고권이 인정되는 국·공유지는 타에 우선하여 점유 건축물의 소유자가 매수할 수 있으므로 공부상 지목에 구애 없이 점유 건축물의 현실 이용상황에 따라 평가하여야 한다. 이때 점유 건축물이 건축물 소유자의 토지와 인접한 국·공유지를 함께 점유하고 있는 경우에는 일단지를 기준으로 평가하여야 한다.

이 경우 지목, 형상 등의 열세를 이유로 건축물 소유자의 토지보다 낮게 평가하여야 한다는 견해도 있으나 국·공유지의 처분평가 시 이와 같은 점은 고려하지 않는다는 것이 일반적인 견해이다. 일필지의 국·공유지가 수인의 건축물 소유자에 의하여 점유된 경우에는 각각의 이용상황에 따라 구분하여 평가하여야 한다.

다음으로 점유 국·공유지 중 점유연고권이 인정되어 해당 점유자가 매수한 면적을 제외한 잔여 국·공유지의 평가와 관련해서는 소지가와 개량비를 별도로 구분하여 평가하여야 한다는 견해가 있다. 즉, 「토지보상법 시행규칙」 제27조의 규정에 따라 소지가와 개량비를 구분하여 평가하고 「국유재산법 시행령」 제42조 제7항 및 「공유재산법 시행령」 제28조의 규정에 의거해 소지가는 국가나 지방자치단체에 지급하고 개량비는 점유자에게 지급하여야 한다는 것이다.

> **국유재산법 시행령 제42조**(처분재산의 예정가격)
>
> ⑤ 일반재산을 법 제45조에 따라 개척·매립·간척 또는 조림하거나 그 밖에 정당한 사유로 점유하고 개량한 자에게 해당 재산을 매각하는 경우에는 매각 당시의 개량한 상태의 가격에서 개량비 상당액을 뺀 금액을 매각대금으로 한다. 다만, 매각을 위한 평가일 현재 개량하지 아니한 상태의 가액이 개량비 상당액을 빼고 남은 금액을 초과하는 경우에는 그 가액 이상으로 매각대금을 결정하여야 한다.
> ⑥ 법 제45조에 따라 개척·매립·간척 또는 조림하거나 그 밖에 정당한 사유로 점유하고 개량한 일반재산을 「공익사업을 위한 토지 등의 취득 및 보상에 관한 법률」에 따른 공익사업의 사업시행자에게 매각하는 경우로서 해당 사업시행자가 해당 점유·개량자에게 개량비 상당액을 지급한 경우에 관하여는 법 제44조의2 제1항을 준용한다.
> ⑦ 제5항 및 제6항의 개량비의 범위는 재정경제부령으로 정한다.

공유재산 및 물품 관리법 시행령 제28조(공유재산 개량 시의 가격평정 등)

① 공유재산을 개척·매립·간척 또는 조림하거나 그 밖에 정당한 사유로 점유하고 개량한 자에게 해당 재산을 매각하는 경우에는 매각 당시의 개량한 상태의 가액에서 개량비에 해당하는 금액을 빼고 남은 금액을 매각대금으로 한다. 다만, 매각을 위한 평가일 현재 개량하지 않은 상태의 가액이 개량한 상태의 가액에서 개량비에 해당하는 금액을 빼고 남은 금액보다 높을 때에는 그 개량하지 않은 상태의 가액 이상으로 매각대금을 결정하여야 한다.

② 제1항에 따른 개량비의 범위는 형질 변경, 조림, 부속시설 설치 등에 드는 인건비·시설비·공과금 및 그 밖에 해당 재산을 개량하기 위하여 실제 지출한 비용으로 한다.

③ 제2항에 따른 개량비는 매수하려는 자의 신청으로 지방자치단체의 장이 심사·결정한다.

④ 개척·매립·간척·조림 또는 그 밖의 정당한 사유로 점유하고 개량한 공유재산을 「공익사업을 위한 토지 등의 취득 및 보상에 관한 법률」이 적용되는 공익사업의 사업시행자에게 매각하는 경우로서 그 사업시행자가 그 재산을 점유하고 개량한 자에게 개량비에 해당하는 금액을 지급한 경우 그 매각 대금에 관하여는 제1항을 준용한다.

위의 경우에 있어서 개량비를 개량한 자에게 지급하기 위해서는 그 개량행위가 위법행위에 기인한 것이 아니어야 하지만 적법행위에 기하지 않은 것이라도 사용료, 대부료, 점용료 등을 관리청에 납부한 경우에는 점유를 합법으로 추인한 것으로 인정하는 것으로 보아야 할 것이다. 그리고 점유는 계속이 추정되므로 당초에 점유·개량한 자로부터 점유자가 변경되었더라도 위와 같은 평가방법이 달라지지 않기 때문에 현 점유자에게 당초의 점유·개량비와 중간의 점유·개량비를 전부 지급하여야 한다.

그러나 현실에 있어서는 관리청이 정비구역 내의 점유를 대부분 위법행위에 기인한 것으로 보고 있어서 소지가와 개량비를 구분하여 평가하는 경우는 거의 없으며, 점유연고권이 인정되는 토지와 동일한 기준으로 평가하는 것이 일반적이다.

기 본예제

상기의 공통자료를 활용하여 제시된 평가대상에 대하여 재개발정비조합으로부터 아래 국공유지에 대한 처분목적의 감정평가(도시정비법 제98조 제4항)를 의뢰받았다. 관련 법령에 의한 감정평가액을 결정하시오.

자료 1 평가대상 목록

일련번호	지번	지목	면적(m²)	현재용도지역	공법상 제한	소유자
5	○동 29-56	대(주거용)	20.0	3종일주	–	K시

≫ 본 토지는 인접토지인 ○동 29-42번지 소유자가 점유 중이며 해당 소유자에게 매각될 것이다.

자료 2 각종 일정

1. 계약예정일자 : 2025.12.15.
2. 현장조사일정 : 2025.12.1.
3. 사업시행인가고시일 당시 제2종일주였음.

예시답안

Ⅰ. 평가개요

  1. 본건은 「도시정비법」 제98조에 의한 국공유재산에 대한 처분목적의 감정평가이다.

  2. 기준시점은 「공유재산법」에 불구하고 「도시정비법」 제98조에 의하여 사업시행계획인가고시일인 2025년 8월 1일을 기준한다.

  3. 기준시점에서의 용도지역을 기준으로 감정평가하며(제2종일반주거지역 기준) 인접 토지소유자에게 매각되는 점을 고려하여 일단의 이용에 따른 기여도를 반영하여 평가한다.

Ⅱ. 처분목적의 감정평가액

  1. 적용공시지가 및 비교표준지 선정

    기준시점 이전의 2025년 공시지가를 기준하되, 사업구역 내 2종일주의 주거용 표준지로서 표준지 1을 선정한다.

  2. 감정평가액(세로가, 정방형기준)

    $1,370,000 \times 1.00000 \times 1.000 \times (1.00 \times 1.00) \times 1.50 ≒ 2,060,000$원/m²$(\times 20 = 41,200,000$원$)$

  ⓒ 비점유 국·공유지의 평가 : 도시정비사업 중 재개발사업구역 내 비점유 국·공유지는 다음과 같은 방법으로 평가한다. 비점유 국·공유지는 사업시행자에게 매각하여 시행자 보유토지로 한다(도시정비법 제98조 참조).

    이러한 비점유 국·공유지는 대체로 지형적인 요인에 의해 획지조건이 불량하거나 현실적 이용상황이 법면, 도로 등인 경우가 대부분이므로 이와 같은 점을 감안하여 평가하여야 한다. 그리고 일필지의 비점유 국·공유지가 도로, 법면, 임야 등 다수의 이용상황인 경우에는 각각 구분하여 평가한다.

기 본예제

상기의 공통자료를 활용하여 제시된 평가대상에 대하여 재개발정비조합으로부터 아래 국공유지에 대한 처분목적의 감정평가(도시정비법 제98조 제4항)를 의뢰받았다. 관련 법령에 의한 감정평가액을 결정하시오.

자료 1 평가대상 목록

일련번호	지번	지목	면적(m²)	현재용도지역	공법상 제한	소유자
6	○동 29-1	대(도서관)	100.0	3종일주	-	K시

자료 2 현장조사일정

1. 계약예정일자 : 2025.12.15.
2. 현장조사일정 : 2025.12.1.
3. 사업시행인가고시일 당시 제2종일주였음.

예시답안

Ⅰ. 평가개요

  1. 본건은 도시정비법 제98조에 의한 국공유재산에 대한 처분목적의 감정평가이다.

2. 기준시점은 공유재산법에 불구하고 도시정비법 제98조에 의하여 사업시행계획인가고시일인 2025년 8월 1일을 기준한다.

3. 기준시점에서의 용도지역을 기준으로 감정평가하며(제2종일반주거지역 기준) 도시정비법 제98조에 의하여 종전의 용도(도서관)는 폐지된 것으로 본다.

Ⅱ. 처분목적의 감정평가액

1. 적용공시지가 및 비교표준지 선정

기준시점 이전의 2025년 공시지가를 기준하되, 사업구역 내 2종일주의 주거용 표준지로서 표준지 1을 선정한다.

2. 감정평가액(세각가, 정방형 기준)

$1,370,000 \times 1.00000 \times 1.000 \times (1.00 \times 0.75/0.70) \times 1.50 ≒ 2,200,000원/m^2(\times 100 = 220,000,000원)$

---

② **사업시행계획인가고시가 있은 날부터 3년 이내에 매각계약이 체결되지 않은 경우**

재개발사업구역 내 국·공유지의 우선매각에 있어서 사업시행계획인가고시가 있은 날부터 3년 이내에 매각계약이 체결되지 아니할 경우 「도시정비법」 제98조 제6항의 규정에 의하여 국유재산법 또는 공유재산법의 관계규정에 따라 평가하여야 한다.

재개발사업구역 내 국·공유지에 대한 국유재산법 또는 공유재산법에 의한 평가는 사업시행자에게 매각하는 경우와 국·공유지의 점유자에게 매각하는 경우가 그 적용규정이 각각 다르므로 이를 구분하여 설명한다.

㉠ **사업시행자에게 매각하는 경우**: 국·공유지의 매각에 따른 평가는 일반적으로 「국유재산법 시행령」 제42조 또는 「공유재산법 시행령」 제27조 등의 규정에 따라야 할 것이나, 정비구역 내 비점유 국·공유지를 사업시행자(조합)에게 매각하는 경우에는 시가(時價)를 기준으로 평가함이 원칙이다. 단, 재개발사업이 「토지보상법」 제2조 제2호에서 규정한 "공익사업"에 해당되므로 「국유재산법 시행령」 제42조 또는 「공유재산법 시행령」 제27조의 규정에 따라 「토지보상법」의 관계규정에 의하여 평가할 수 있다(토지보상법의 준용 여부는 임의규정이므로 보상감정평가 여부는 의뢰인으로부터 평가목적을 명확하게 제시받아 평가해야 할 것이다).

시가평가인 경우 기준시점 현재의 현황에 따라 현실화·구체화된 개발이익을 반영하여 평가하며, 보상감정평가인 경우 가격시점은 「토지보상법」 제67조 제1항의 규정에 따라 "계약체결 당시"를 기준으로 하되, 「토지보상법」의 규정에 따라 해당 공익사업으로 인한 개발이익을 배제하고 평가해야 할 것이다.

㉡ **점유자에게 매각하는 경우**: 재개발정비구역 안에 있는 국·공유지를 그 점유자 또는 사용자에게 매각하는 경우에는 이를 사업시행자에게 매각하는 경우와 달리 「국유재산법」 제44조 또는 「공유재산법」 제30조에 의하여 기준시점 당시의 토지의 시가(時價) 등을 참작하여 평가한다. 이 경우에는 「토지보상법」의 적용이 원칙적으로 배제되므로 해당 재개발사업의 시행에 따른 개발이익 등이 반영된 가격으로 평가할 수 있다고 보는 것이 타당하다. 그렇다고 하여 그것이 바로 공공주택용지 등으로 대지조성이 완료된 상태를 상정하여 평가하는 의미는 아니다.

이 경우에는 계약체결 당시를 기준으로 재개발사업에 의하여 형질변경이 된 상태와 그 재개발사업의 성숙도 등이 고려된 가격으로 평가하되,「감정평가 및 감정평가사에 관한 법률」제3조 및 「감정평가에 관한 규칙」제14조 등의 규정에 따라 공시지가기준법으로 평가하면 될 것이다.

ⓒ 매각평가 시 유의사항

ⓐ 일단지 여부에 대한 판단

계약체결 당시를 기준으로 시가평가하는 경우 기준시점 당시에 해당 정비사업에 실제 착공된 경우에는 이를 공사 중인 아파트용지 등인 일단지로 감정평가하며 비교표준지 역시 아파트용지를 선정한다. 착공되지 않은 경우에는 아파트 예정부지로서 이른바 '이행지, 택지예정지'에 해당하는 것이며, 비교표준지 선정에 있어 일단지인 장래 이용상황을 기준으로 하는 방법과 현재 이용상황을 기준으로 하는 것 모두 가능하므로 제반 사정을 종합적으로 고려하여 개별적으로 판단하여야 한다.

ⓑ 개량비의 고려여부

국유재산법, 공유재산법은 공히 국유·공유재산의 매각가액은 매각 당시 개량한 상태의 가격에서 개량비 상당액을 공제한 금액으로 한다고 정하고 있으며(국유재산법 시행령 제42조 제5항, 공유재산법 시행령 제28조 제1항), 이때 개량비는 국유재산법 시행규칙 제25조, 공유재산법 시행령 제28조 제2항, 제3항에 따라 행정청의 장이 심사·결정하는 사항이다. 즉 감정평가법인등이 국유·공유재산 매각평가를 함에 있어 개량비 상당액을 고려하여야 하는 것은 아니며 개량된 상태를 기준으로 감정평가한다.

기 본예제

01 상기의 공통자료를 활용하여 제시된 평가대상에 대하여 K시장으로부터 아래 국공유지에 대한 처분목적의 감정평가(도시정비법 제98조 제6항)를 의뢰받았다. 관련 법령에 의한 감정평가액을 결정하시오.

자료 1 평가대상 목록

일련번호	지번	지목	면적(m²)	현재용도지역	공법상 제한	소유자
7	○동 29-30	대(청사)	100.0	3종일주	−	K시

≫ 본건은 주민센터 별관으로 이용 중이던 부지이다.

자료 2 현장조사일정

1. 계약예정일자(기준시점 의뢰일) : 2026.12.15.
2. 현장조사일정 : 2026.12.1.

자료 3 기타

1. 본 사안에 대하여는 공통자료에도 불구하고 사업시행계획인가고시일을 2023년 8월 1일로 할 것
2. 현장조사시점 현재 아직 공사가 착공되지 않았으며 청사 등은 모두 이주를 마친 상태이다.

I. 평가개요

1. 본건은 「도시정비법」 제98조에 의한 국공유재산에 대한 처분목적의 감정평가로서, 사업시행계획인가고시가 있은 날부터 3년 이내에 매매계약을 체결하지 아니한바, 「공유재산법」 제30조에 의하여 시가로 평가한다.

2. 기준시점은 「공유재산법」에 의하여 계약체결예정일인 2026년 12월 15일을 기준한다.

3. 「도시정비법」 제98조에 의하여 종전의 용도(청사)는 폐지된 것으로 보며, 기준시점 현재의 용도지역인 제3종일반주거지역을 기준으로 평가한다.

II. 처분목적의 감정평가액

1. 적용공시지가 및 비교표준지 선정

기준시점 이전의 2026년 공시지가를 기준하되, 사업지역 내 표준지로서 제3종일주, 주거용인 표준지 1을 선정한다.

2. 감정평가액(세로가, 정방형 기준)

$1,450,000 \times 1.00000 \times 1.000 \times (1.00 \times 1.00) \times 1.50 ≒ 2,180,000$원$/m^2 (\times 100 = 218,000,000$원$)$

---

02 상기의 공통자료를 활용하여 다음 물건에 대하여 K재개발조합으로부터 해당 국공유지에 대한 처분목적의 감정평가(도시정비법 제98조 제6항)를 의뢰받았다. 단, K재개발정비조합은 공유재산법 시행령 제27조 제6항에 의하여 보상감정평가액 산정을 의뢰하였다. 관련 법령에 의한 감정평가액을 결정하시오.

자료 1 ▶ 평가대상 목록

일련번호	지번	지목	면적(m^2)	현재용도지역	공법상 제한	소유자
7	○동 29-30	대(청사)	100.0	3종일주	−	K시

자료 2 ▶ 현장조사일정

1. 계약예정일자(기준시점 의뢰일) : 2026.12.15.
2. 현장조사일정 : 2026.12.1.

자료 3 ▶ 기타

1. 본 사안에 대하여는 공통자료에도 불구하고 사업시행계획인가고시일을 2023년 8월 1일로 할 것
2. 현장조사시점 현재 아직 공사가 착공되지 않았으며 청사 등은 모두 이주를 마친 상태이다.

I. 평가개요

1. 본건은 「도시정비법」 제98조에 의한 국공유재산에 대한 처분목적의 감정평가로서, 사업시행계획인가고시가 있은 날부터 3년 이내에 매매계약을 체결하지 아니한바, 「공유재산법」 제30조에 의하되, 공익사업(재개발)에 필요한 공유재산을 해당 공익사업의 사업시행자에게 매각하는 바, 제시된 평가목적을 고려하여 토지보상법상 보상감정평가액을 평가한다.

2. 기준시점은 「토지보상법」 제67조에 의거 계약체결예정일인 2026년 12월 15일을 기준한다.

3. 「도시정비법」 제98조에 의하여 종전의 용도(청사)는 폐지된 것으로 보며, 해당 사업으로 인한 용도지역 변경은 고려하지 않는다(제2종일반주거지역).

Ⅱ. 보상감정평가액

1. 적용공시지가 및 비교표준지 선정

「도시정비법」상 사업인정의제일인 사업시행계획인가고시일 이전의 공시지가인 2023년 공시지가를 선정하되, 제2종일주, 주거용 표준지로서 사업지 내 표준지로 지리적으로 근접한 표준지 1을 선정한다.[44]

2. 감정평가액(세로가, 정방형 기준)

$$1,000,000 \times 1.00000 \times 1.000 \times (1.00 \times 1.00) \times 1.50 ≒ 1,500,000원/m^2$$
$$(\times 100 = 150,000,000원)$$

3) 현금청산감정평가

「도시정비법」 제63조에 의하면 시행자는 정비구역 안에서 그 사업을 위하여 필요한 토지·건축물 기타의 권리를 수용할 수 있다. 이때 보상감정평가(협의보상감정평가·수용재결평가·이의재결평가)가 필요하게 된다.

재개발사업의 절차상 조합 설립에 동의하지 않은 경우, 동의는 했으나 종후자산에 대한 분양신청을 하지 않고 현금청산에 대한 협의도 성립되지 않은 경우 등이 이에 해당될 것이다.

재개발사업의 시행을 위한 수용 또는 사용에 관하여는 「도시정비법」에 특별한 규정이 있는 경우를 제외하고는 「토지보상법」이 준용되며, 사업시행계획인가를 「토지보상법」에 의한 사업인정으로 본다. 이 경우 재결 신청은 「토지보상법」의 규정에 불구하고 재개발사업의 시행기간 내에 행하여야 한다.

> **도시 및 주거환경정비법 제63조**(토지 등의 수용 또는 사용)
>
> 사업시행자는 정비구역에서 정비사업(재건축사업의 경우에는 제26조 제1항 제1호 및 제27조 제1항 제1호에 해당하는 사업으로 한정한다)을 시행하기 위하여 「공익사업을 위한 토지 등의 취득 및 보상에 관한 법률」 제3조에 따른 토지·물건 또는 그 밖의 권리를 취득하거나 사용할 수 있다.
>
> **동법 제65조**(「공익사업을 위한 토지 등의 취득 및 보상에 관한 법률」의 준용)
>
> ① 정비구역에서 정비사업의 시행을 위한 토지 또는 건축물의 소유권과 그 밖의 권리에 대한 수용 또는 사용은 이 법에 규정된 사항을 제외하고는 「공익사업을 위한 토지 등의 취득 및 보상에 관한 법률」을 준용한다. 다만, 정비사업의 시행에 따른 손실보상의 기준 및 절차는 대통령령으로 정할 수 있다.
> ② 제1항에 따라 「공익사업을 위한 토지 등의 취득 및 보상에 관한 법률」을 준용하는 경우 사업시행계획인가 고시(시장·군수 등이 직접 정비사업을 시행하는 경우에는 제50조 제9항에 따른 사업시행계획서의 고시를 말한다. 이하 이 조에서 같다)가 있은 때에는 같은 법 제20조 제1항 및 제22조 제1항에 따른 사업인정 및 그 고시가 있은 것으로 본다.
> ③ 제1항에 따른 수용 또는 사용에 대한 재결의 신청은 「공익사업을 위한 토지 등의 취득 및 보상에 관한 법률」 제23조 및 같은 법 제28조 제1항에도 불구하고 사업시행계획인가(사업시행계획변경인가를 포함한다)를 할 때 정한 사업시행기간 이내에 하여야 한다.

---

44) 2022년 당시에는 정비구역 내 및 정비구역 외의 지역이 모두 제2종일반주거지역으로서 표준지 4를 선정할 수도 있을 것이다. 다만, 사업지 내 표준지 선정이 우선시된다.

④ 대지 또는 건축물을 현물보상하는 경우에는 「공익사업을 위한 토지 등의 취득 및 보상에 관한 법률」 제42조에도 불구하고 제83조에 따른 준공인가 이후에도 할 수 있다.

동법 제73조(분양신청을 하지 아니한 자 등에 대한 조치)

① 사업시행자는 관리처분계획이 인가·고시된 다음 날부터 90일 이내에 다음 각 호에서 정하는 자와 토지, 건축물 또는 그 밖의 권리의 손실보상에 관한 협의를 하여야 한다. 다만, 사업시행자는 분양신청기간 종료일의 다음 날부터 협의를 시작할 수 있다.
  1. 분양신청을 하지 아니한 자
  2. 분양신청기간 종료 이전에 분양신청을 철회한 자
  3. 제72조 제6항 본문에 따라 분양신청을 할 수 없는 자
  4. 제74조에 따라 인가된 관리처분계획에 따라 분양대상에서 제외된 자
② 사업시행자는 제1항에 따른 협의가 성립되지 아니하면 그 기간의 만료일 다음 날부터 60일 이내에 수용재결을 신청하거나 매도청구소송을 제기하여야 한다.
③ 사업시행자는 제2항에 따른 기간을 넘겨서 수용재결을 신청하거나 매도청구소송을 제기한 경우에는 해당 토지등소유자에게 지연일수(遲延日數)에 따른 이자를 지급하여야 한다. 이 경우 이자는 100분의 15 이하의 범위에서 대통령령으로 정하는 이율을 적용하여 산정한다.

① **일반적 사항**

「도시정비법」 제63조 규정에 의거 토지 등의 수용 또는 사용할 수 있는 정비사업구역 안의 토지 등에 대한 현금청산 감정평가 및 수용에 따른 감정평가는 동법 제65조의 규정에 의거 「토지보상법」의 규정을 준용·적용하여 평가하므로, 해당 정비사업으로 인한 개발이익을 배제하여 감정평가하여야 하며, 이 경우 현금청산자·수용대상자의 종전자산평가액,[45] 비례율, 분담금, 조합원 입주권의 프리미엄, 부동산 경기상황 등을 종합적으로 참작하여 평가함에 유의해야 한다.

② **기타 재개발사업 등의 현금청산평가·수용평가와 일반적인 보상감정평가의 비교**

  ㉠ **영업손실보상 중 휴업보상의 휴업기간**: 통상 4개월 기준하여 최장 2년 이내의 범위에서 휴업기간을 산정한다.

  ㉡ **영업손실보상 기준일**: 일반적인 보상감정평가의 경우 영업보상기준일은 '사업인정고시일 등'이나 재개발사업 등의 영업손실보상에서는 '정비구역지정을 위한 주민공람공고일'이다 (도시정비법 시행령 제54조 제3항).

---

45) 재개발사업 등에서의 현금청산 감정평가·협의보상 감정평가는 이렇게 보상감정평가법리를 준용·적용하게 되므로, 해당 정비사업으로 인한 (그 실현 여부를 떠나) 일체의 가격변동을 배제한 가격으로 평가하게 된다. 따라서 재개발사업 등의 경우 해당 정비사업으로 인한 가격변동분 중 미실현분을 배제하고 가격균형이 유지되는 선에서 현실화·구체화된 부분은 반영하는 종전자산 평가가격과 현금청산 평가가격과는 상이할 수 있다. 즉, 양 평가의 기준시점이 동일하고 대상물건의 면적사정 기준이 동일하다고 하면 종전자산 평가가격이 현금청산 평가가격보다 더 높을 수 있을 것이다(다만, 재건축사업에서는 해당 재건축사업으로 인한 적정 개발이익이 포함된 '시가'에 따라 매도청구를 하게 됨으로 이와는 다름에 유의).

기 본예제

상기 공통자료를 활용하여 제시된 평가대상의 소유자는 K재개발사업의 조합설립에 동의하지 않은 자로서 현금청산대상자로 분류되었다. 이에 K재개발조합은 감정평가사인 당신에게 현금청산을 위한 감정평가를 의뢰하였다. 관련 법령에 의한 감정평가액을 결정하시오.

자료 1 ▶ 평가대상 목록

일련번호	지번	지목	면적(m^2)	현재용도지역	공법상 제한	소유자
9	○동 29-10	대(주거용)	100.0	3종일주	–	김청산

자료 2 ▶ 일정 등

1. 현장조사일정 : 2025.12.1.
2. 기준시점 의뢰일 : 2025.12.1.
3. 본 사안에 대하여는 공통자료에도 불구하고 사업시행계획인가고시일을 2023년 8월 1일로 할 것

예시답안

Ⅰ. **평가개요**

1. 본건은 재개발사업의 현금청산가액 산정을 위한 감정평가로서 도시정비법 제63조, 제65조에 의하여 토지보상법을 준용하여 평가한다.

2. 기준시점은 사업시행자가 의뢰한 2025년 12월 1일이다.

3. 해당 사업으로 인한 용도지역의 변경은 고려하지 않는다(제2종일반주거지역 기준).

Ⅱ. **감정평가액**

1. **적용공시지가 및 비교표준지 선정**

   도시정비법상 사업인정의제일인 사업시행계획인가고시일 이전의 공시지가인 2023년 공시지가를 선정하되, 제2종일주, 주거용 표준지로서 사업지 내 표준지로 지리적으로 근접한 표준지 1을 선정한다.[46]

2. **감정평가액(세로가, 정방형 기준)**

   $1,000,000 \times 1.00000 \times 1.000 \times (1.00 \times 1.00) \times 1.50 ≒ 1,500,000$원/$m^2$($\times 100 = 150,000,000$원)

또한 분양신청 및 관리처분계획인가 후에는 사업의 진행 정도에 따라 종후자산가액에 대한 분양가 및 분담금 등을 고려한 가격으로 거래가가 형성되므로 이를 반영하여 평가해야 할 것이다.

---

46) 2022년 당시에는 정비구역 내 및 정비구역 외의 지역이 모두 제2종일반주거지역으로서 표준지 4를 선정할 수도 있을 것이다. 다만, 사업지내 표준지 선정이 우선시된다.

03 **재건축사업과 감정평가**

1. 개요

재건축사업은 도시정비사업의 유형 중 하나로서 기본적인 감정평가방법은 재개발에 적용되는 감정평가
방법과 동일하다. 다만, 재개발사업이 「토지보상법」을 준용하는 공익사업인 데 반하여 재건축사업은
공익사업에 해당하지 않는 사업인 점에서 평가방법상 다음과 같은 차이점이 발생하고 있는바, 이하에서
는 재건축사업 관련 감정평가 시 유의하여야 할 차이점을 중심으로 기술하고자 한다.

2. 관리처분계획의 수립을 위한 종전자산 감정평가

1) 감정평가의 근거

재건축사업을 비롯한 도시정비사업의 관리처분계획에는 분양대상자별로 종전의 토지 및 건축물의 명
세와 사업시행계획인가고시가 있은 날을 기준으로 한 가격이 반드시 포함되어야 하며(법 제74조 제1항
제4호), 이 경우 재건축사업에서 종전자산의 가격은 감정평가법에 의한 감정평가법인등 2인 이상이
평가한 금액을 산술평균하여 산정하도록 규정하고 있다.

도시 및 주거환경정비법 제74조(관리처분계획의 인가 등)

① 사업시행자는 제72조에 따른 분양신청기간이 종료된 때에는 분양신청의 현황을 기초로 다음 각 호의 사항
이 포함된 관리처분계획을 수립하여 시장·군수 등의 인가를 받아야 하며, 관리처분계획을 변경·중지 또는
폐지하려는 경우에도 또한 같다. 다만, 대통령령으로 정하는 경미한 사항을 변경하려는 경우에는 시장·군
수 등에게 신고하여야 한다.
1. 분양설계
2. 분양대상자의 주소 및 성명
3. 분양대상자별 분양예정인 대지 또는 건축물의 추산액(임대관리 위탁주택에 관한 내용을 포함한다)
4. 다음 각 목에 해당하는 보류지 등의 명세와 추산액 및 처분방법. 다만, 나목의 경우에는 제30조 제1항에
   따라 선정된 임대사업자의 성명 및 주소(법인인 경우에는 법인의 명칭 및 소재지와 대표자의 성명 및
   주소)를 포함한다.
   가. 일반 분양분
   나. 공공지원민간임대주택
   다. 임대주택
   라. 그 밖에 부대시설·복리시설 등
5. 분양대상자별 종전의 토지 또는 건축물 명세 및 사업시행계획인가 고시가 있은 날을 기준으로 한 가격
   (사업시행계획인가 전에 제81조 제3항에 따라 철거된 건축물은 시장·군수 등에게 허가를 받은 날을 기
   준으로 한 가격)
6. 정비사업비의 추산액(재건축사업의 경우에는 「재건축초과이익 환수에 관한 법률」에 따른 재건축부담금
   에 관한 사항을 포함한다) 및 그에 따른 조합원 분담규모 및 분담시기
7. 분양대상자의 종전 토지 또는 건축물에 관한 소유권 외의 권리명세
8. 세입자별 손실보상을 위한 권리명세 및 그 평가액
9. 그 밖에 정비사업과 관련한 권리 등에 관하여 대통령령으로 정하는 사항

---

② 시장·군수 등은 제1항 각 호 외의 부분 단서에 따른 신고를 받은 날부터 20일 이내에 신고수리 여부를 신고인에게 통지하여야 한다.

③ 시장·군수 등이 제2항에서 정한 기간 내에 신고수리 여부 또는 민원 처리 관련 법령에 따른 처리기간의 연장을 신고인에게 통지하지 아니하면 그 기간(민원 처리 관련 법령에 따라 처리기간이 연장 또는 재연장된 경우에는 해당 처리기간을 말한다)이 끝난 날의 다음 날에 신고를 수리한 것으로 본다.

④ 정비사업에서 제1항 제3호·제5호 및 제8호에 따라 재산 또는 권리를 평가할 때에는 다음 각 호의 방법에 따른다.

  1. 「감정평가 및 감정평가사에 관한 법률」 따른 감정평가법인등 중 다음 각 목의 구분에 따른 감정평가법인등이 평가한 금액을 산술평균하여 산정한다. 다만, 관리처분계획을 변경·중지 또는 폐지하려는 경우 분양예정 대상인 대지 또는 건축물의 추산액과 종전의 토지 또는 건축물의 가격은 사업시행자 및 토지등소유자 전원이 합의하여 산정할 수 있다.

    가. 주거환경개선사업 또는 재개발사업: 시장·군수 등이 선정·계약한 2인 이상의 감정평가법인등

    나. 재건축사업: 시장·군수 등이 선정·계약한 1인 이상의 감정평가법인등과 조합총회의 의결로 선정·계약한 1인 이상의 감정평가법인등

  2. 시장·군수 등은 제1호에 따라 감정평가법인등을 선정·계약하는 경우 감정평가법인등의 업무수행능력, 소속 감정평가사의 수, 감정평가 실적, 법규 준수 여부, 평가계획의 적정성 등을 고려하여 객관적이고 투명한 절차에 따라 선정하여야 한다. 이 경우 감정평가법인등의 선정·절차 및 방법 등에 필요한 사항은 시·도조례로 정한다.

  3. 사업시행자는 제1호에 따라 감정평가를 하려는 경우 시장·군수 등에게 감정평가법인등의 선정·계약을 요청하고 감정평가에 필요한 비용을 미리 예치하여야 한다. 시장·군수 등은 감정평가가 끝난 경우 예치된 금액에서 감정평가 비용을 직접 지급한 후 나머지 비용을 사업시행자와 정산하여야 한다.

2) 기준시점

재건축사업을 비롯한 도시정비사업을 위한 종전자산 평가는 사업시행계획인가고시일 기준으로 산정하도록 규정하고 있다. 기준시점이 사업시행계획인가고시일이므로 사업시행계획인가고시일 이전에 공시한 공시지가를 기준으로 평가하여야 한다.

3) 감정평가방법

재개발사업의 종전자산 감정평가기준에 의한다.

3. 관리처분계획의 수립을 위한 종후자산 감정평가

재개발사업의 종후자산 감정평가기준에 의한다.

4. 국·공유지 감정평가

재개발사업의 처분(매각) 감정평가 방법에 의하며, 국유재산법 및 공유재산법에 의하여 감정평가한다.

5. 매도청구에 따른 감정평가 [47)]

> **도시 및 주거환경정비법 제64조**(재건축사업에서의 매도청구)
>
> ① 재건축사업의 사업시행자는 사업시행계획인가의 고시가 있은 날부터 30일 이내에 다음 각 호의 자에게 조합설립 또는 사업시행자의 지정에 관한 동의 여부를 회답할 것을 서면으로 촉구하여야 한다.
>   1. 제35조 제3항부터 제5항까지에 따른 조합설립에 동의하지 아니한 자
>   2. 제26조 제1항 및 제27조 제1항에 따라 시장·군수 등, 토지주택공사 등 또는 신탁업자의 사업시행자 지정에 동의하지 아니한 자
> ② 제1항의 촉구를 받은 토지등소유자는 촉구를 받은 날부터 2개월 이내에 회답하여야 한다.
> ③ 제2항의 기간 내에 회답하지 아니한 경우 그 토지등소유자는 조합설립 또는 사업시행자의 지정에 동의하지 아니하겠다는 뜻을 회답한 것으로 본다.
> ④ 제2항의 기간이 지나면 사업시행자는 그 기간이 만료된 때부터 2개월 이내에 조합설립 또는 사업시행자 지정에 동의하지 아니하겠다는 뜻을 회답한 토지등소유자와 건축물 또는 토지만 소유한 자에게 건축물 또는 토지의 소유권과 그 밖의 권리를 매도할 것을 청구할 수 있다.

> **감정평가실무기준 730.3.4 매도청구에 따른 감정평가**
> 재건축사업구역 안의 토지등에 대한 「도시정비법」 제39조의 매도청구에 따른 감정평가는 법원에서 제시하는 날을 기준으로 한다. 다만, 기준시점에 현실화·구체화되지 아니한 개발이익이나 조합원의 비용부담을 전제로 한 개발이익은 배제하여 감정평가한다.

매도청구는 재건축사업을 시행할 때 조합설립 부동의자 등에 대해 그 소유 토지 등을 시가에 매도할 것을 청구하는 것으로, 매도청구권은 재건축에 참가하는 토지등소유자가 재건축에 불참한 토지등소유자에 대하여 일정한 절차를 거쳐 토지·건물의 매도를 청구하는 권리를 말한다.

1) 기준시점

매도청구 소송감정의 기준시점은 '매매계약 체결 의제일'인바, 감정평가실무상으로는 법원의 감정명령서에 제시된 일자를 기준으로 하면 될 것이다. 매도청구권은 적법한 의사표시가 상대방에게 도달한 때에 상대방의 승낙을 기다리지 않고 바로 목적물에 대한 시가에 의한 매매계약이 성립되는 것으로 보는 형성권(形成權)이라는 데 이의가 없는 점에 비추어, 매도청구의 의사표시가 상대방에게 도달한 시점(소장부본 또는 청구취지변경서 부본의 송달)이 매매계약 체결시점이 된다.

매도청구의 소장에 최고서를 첨부하여 송달하는 경우에는 최고서 송달일로부터 집합건물법상의 회답기간인 2개월이 경과한 다음 날 매매계약의 체결이 의제된다(대판 2010.7.15, 2009다63380).

---

47) 감정평가실무기준 해설서(Ⅰ) 총론편, 한국감정평가사협회 등, 2014.02, pp.585~588

2) 감정평가 목적물의 확정과 관련된 문제

(1) 공부의 표시와 현황이 불일치하는 경우

실무상으로는 감정명령서에 기재된 감정평가 대상을 목적물로 하면 될 것이나, 현장조사 결과 법원의 감정명령서 또는 공부상의 물건표시와 현황이 불일치하는 경우에는 감정평가서에 이러한 내용과 현황을 기준으로 감정평가한다는 취지를 기재하고 현황을 기준으로 평가한다.

(2) 영업손실보상금 등의 포함 여부

매도청구는 그 성격상 실질적으로는 공용수용과 같다는 점[48], 단독주택 재건축사업의 경우 공동주택 재건축과 달리 부동산 유형별 구성이 재개발과 유사하고, 잡화점, 세탁소, 음식점 등 비교적 소규모의 상인이 많아 영업손실보상금 지급이 필요성이 매우 큰 점 등을 근거로 단독주택재건축사업에서 매도청구의 상대방에게 영업손실보상금을 지급하여야 한다거나, '종래의 생활환경이 손상됨에 따른 손실상당액'이 '시가'에 포함되어야 한다는 주장이 많이 제기되고 있다.

그러나 그 타당성 여부를 떠나 이는 입법정책의 문제로서 「토지보상법」을 준용·적용할 수 있는 공익사업에 해당하지 않는 재건축사업의 매도청구소송의 '시가'에 이러한 영업손실보상금 등이 포함된다고 할 수는 없을 것이다.

3) '시가'의 의미 및 감정평가방법

(1) 판례의 입장

대법원 1996.1.23, 95다38712 판결 이후 매도청구소송에서의 '시가' 개념이 해당 재건축사업으로 인한 발생할 것으로 예상되는 개발이익이 포함해야 한다는 점을 일관되게 유지하고 있다[대판 2005.6.24, 2003다55455 ; 대판 2009.3.26, 2008다21549(본소), 21556(본소), 21563(반소) 참조].[49]

(2) 매도청구소송 '시가' 감정평가 시 유의할 점

판례에서 말하는 '재건축사업으로 인해 발생할 것으로 예상되는 개발이익이 포함된 시가'라는 것은 철거예정에 있는 노후화된 건물의 감가를 모두 인정하고 토지자산에 준하는 상태의 가격, 즉 '노후되어 철거될 상태를 전제로 한 가격'이 아님을 강조하기 위한 것으로서, 토지·건물 일체로 거래되는 가격, 즉 재건축결의 및 조합설립인가에 따라 시장에서 형성·반영되고 있는 개발이익 모두를 반영하라는 의미로 해석되어야 한다.

그렇지만 재건축사업의 주체로서의 조합원이 지는 리스크나 향후 현실화·구체화되지 아니한 개발이익까지 개발이익으로 기준시점 당시에 반영하라는 의미로 해석할 수는 없다.

거래사례비교법에 의하는 경우 해당 재건축사업의 적정 리스크를 반영하지 않은 상태에서 인근의 기 사용승인된 아파트부지 표준지와의 단순 비교(매도청구대상이 토지인 경우), 기 입주한 아파트와의 단순 비교(매도청구대상이 공동주택인 경우)를 통한 예상 개발이익 추정은 조합원으로서의

---

48) 대판 2008.7.10, 2008다12453 ; 대판 2009.3.26, 2008다21549·21556·21563 ; 헌법재판소 2006.7.27, 2003헌바18 결정 등 참조
49) 개발이익이 배제된 보상가격으로 소유권을 취득하는 재개발사업 등과 예상 개발이익을 포함하는 재건축사업과의 비교는 입법정책의 문제로서 여기서 논하는 '시가'의 개념과는 다른 차원의 문제라 할 것이다.

비용부담 및 사업추진에 따른 각종 리스크(부동산 시장의 하락, 일반분양 실패, 정부정책의 변경, 각종 소송 등) 부담을 전제로 함에도 불구하고 이를 반영하기 곤란하다는 점, 재건축으로 인한 장래의 이익까지 현재의 구분소유자, 즉 매도청구소송의 피고에게만 귀속시키고 매도청구권자(매수자)에게는 전혀 그 이익을 향유하지 못하게 하는 셈이 되어 부당한 결과를 초래할 수 있다는 점뿐만 아니라, 매도청구소송에 의한 매매계약은 당사자가 자율적으로 체결한 매매가 아닌 사법절차에 의한 매매라는 점에서 그 이익을 어느 일방에게 귀속시켜서는 아니 된다는 점 등을 유의하여 감정평가하여야 할 것이다.

4) 현금청산대상자에 대한 매도청구소송 감정평가

「도시정비법」 제64조에 해당하는 자 및 분양계약을 체결하지 아니하여 조합정관에 따라 현금청산대상자로 분류된 자들 역시 결국은 매도청구소송을 통해 소유권관계가 정리되는바(대판 2010.12.23, 2010다73215 참조), 이러한 경우의 매도청구소송 '시가' 평가 역시 기본적으로는 거래사례비교법을 중심으로 하되, 사업시행계획인가 전에 진행되는 매도청구소송에 비해 상대적으로 해당 사업의 수익·비용에 대한 자료가 보다 풍부할 수 있으므로 이러한 점을 반영할 수 있을 것이다.

다만, 이 경우에도 통상적인 관리처분계획상의 사업수지 등은 사업리스크 및 이에 따른 현재가치를 충분히 고려하지 않으므로 이에 대한 적절한 고려가 필요할 것이다.

또한 분양신청을 하였으나 관리처분인가 이후 분양계약을 체결하지 않아 현금청산대상자가 된 경우에는 관리처분계획인가의 고시로서 토지 및 건축물에 관한 권리는 분양예정인 대지 또는 건축물에 대한 분양받을 권리, 즉 '수분양권'으로 변환되는 것(대판 1993.11.23, 93누1633)이고, 관리처분인가 및 수분양권 확정에 따라 종전자산 권리가액, 입주예정 동·호수의 위치 및 그 분양가, 개별적 분담금(환급금) 규모 및 납부일정 등도 확정되어 있을 것이므로, 이러한 점을 충분히 반영하여 감정평가하여야 할 것이다.

> **｜판례｜**
>
> **주택재건축사업에서의 매도청구권 행사 시 토지의 매매가격이 되는 '시가'의 의미 및 현황 '도로'의 감정평가방법(2014다41698(2014-12-11))**
>
> **【판시사항】**
>
> 1. 주택재건축사업의 시행자가 도시 및 주거환경정비법 제39조 제2호에 따라 토지만 소유한 사람에게 매도청구권을 행사하는 경우, 토지의 매매가격이 되는 '시가'의 의미
> 2. 도시 및 주거환경정비법에 의한 주택재건축사업의 시행자가 같은 법 제39조 제2호에 따라 을 등이 소유한 토지에 대하여 매도청구권을 행사하였는데, 토지 현황이 인근 주민의 통행에 제공된 도로 등인 사안에서, 시가는 재건축사업이 시행될 것을 전제로 할 경우의 인근 대지 시가와 동일하게 평가하되, 각 토지의 형태 등 개별요인을 고려하여 감액평가하는 방법으로 산정하는 것이 타당하다고 한 사례

【판결요지】

1. 도시 및 주거환경정비법에 의한 주택재건축사업의 시행자가 같은 법 제39조 제2호에 따라 토지만 소유한 사람에게 매도청구권을 행사하면 매도청구권 행사의 의사표시가 도달함과 동시에 토지에 관하여 시가에 의한 매매계약이 성립하는데, 이때의 시가는 매도청구권이 행사된 당시의 객관적 거래가격으로서, 주택재건축사업이 시행되는 것을 전제로 하여 평가한 가격, 즉 재건축으로 인하여 발생할 것으로 예상되는 개발이익이 포함된 가격을 말한다.

2. 도시 및 주거환경정비법에 의한 주택재건축사업의 시행자가 같은 법 제39조 제2호에 따라 을 등이 소유한 토지에 대하여 매도청구권을 행사하였는데, 토지 현황이 인근 주민의 통행에 제공된 도로 등인 사안에서, 토지의 현황이 도로일지라도 주택재건축사업이 추진되면 공동주택의 일부가 되는 이상 시가는 재건축사업이 시행될 것을 전제로 할 경우의 인근 대지 시가와 동일하게 평가하되, 각 토지의 형태, 주요 간선도로와의 접근성, 획지조건 등 개별요인을 고려하여 감액평가하는 방법으로 산정하는 것이 타당한데도, 현황이 도로라는 사정만으로 인근 대지 가액의 1/3로 감액한 평가액을 기준으로 시가를 산정한 원심판결에 법리오해의 잘못이 있다고 한 사례

【판결이유】

1. 도시 및 주거환경정비법에 의한 주택재건축사업의 시행자가 같은 법 제39조 제2호에 의하여 토지만 소유한 사람에 대하여 매도청구권을 행사하면 그 매도청구권 행사의 의사표시가 도달함과 동시에 그 토지에 관하여 시가에 의한 매매계약이 성립하는바, 이때의 시가는 매도청구권이 행사된 당시의 객관적 거래가격으로서, 주택재건축사업이 시행되는 것을 전제로 하여 평가한 가격, 즉 재건축으로 인하여 발생할 것으로 예상되는 개발이익이 포함된 가격을 말한다(대판 2009.3.26, 2008다21549 · 21556 · 21563 판결 참조).

2. 원심판결 이유에 의하면, 원심은, 이 사건 매도청구권의 대상인 피고들 소유의 이 사건 각 토지는 그 현황이 인근 주민의 통행에 제공된 도로 등으로서 이미 교환가치가 현저히 저감된 상태여서 이 사건 재건축사업구역에 편입된다는 사정만으로는 기존의 저감상태에서 벗어난다고 할 수 없다는 등을 이유로, 기준시점에서의 이 사건 재건축사업 시행으로 인한 지가변동분이 반영된 인근 대지의 가액을 3분의 1로 감액한 감정평가액을 기준으로 그 시가를 산정하였다.

   그러나 위 법리에 비추어 보면, 이 사건 각 토지의 현황이 도로일지라도 주택재건축사업이 추진되면 공동주택부지의 일부가 되는 이상 그 시가는 재건축사업이 시행될 것을 전제로 할 경우의 인근 대지의 시가와 기본적으로 동일하게 평가하되, 다만 이 사건 각 토지의 형태, 주요 간선도로와의 접근성, 획지조건 등 개별요인들을 고려하여 감액평가하는 방법으로 산정하는 것이 타당하다고 할 것인바, 이와 달리 원심이 현황이 도로라는 이유만으로 인근 대지 가액의 3분의 1로 감액한 평가액을 기준으로 시가를 산정한 것은 매도청구권 행사에 있어 시가 산정에 관한 법리를 오해하여 판단을 그르친 것이다.

개발사업지구의 단계별 지가상승 분석[50]

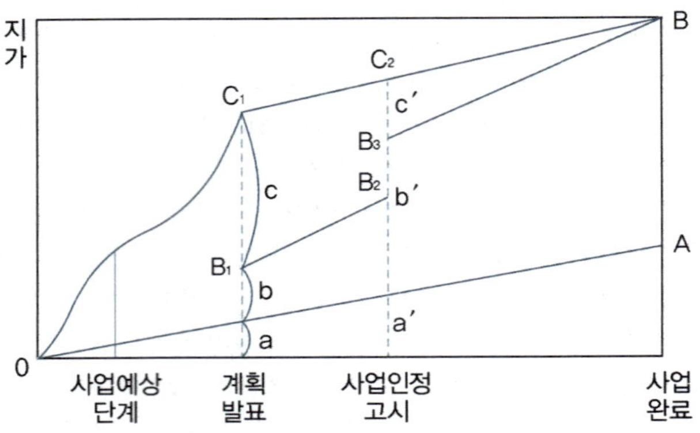

- A : 공익사업의 시행이 없었을 경우의 지가곡선
- B1~B2~B3~B : 개발의 진행에 따라 개발이익을 적절히 반영시킨 공시지가 수준곡선
- C1~C2~B : 투기가격을 포함하여 거래되고 있는 현실가격곡선
- a, a′ : 정상지가상승분
- c, c′ : 투기가격수준
- b, b′ : 공시지가에 반영시킨 개발이익분
- a+b, a′+b′ : 공시지가 수준

기 본예제

감정평가사 A씨는 ◯◯지방법원으로부터 소유권이전등기 사건(청구번호 : 20◯◯가합556◯◯◯)의 감정인으로 선임되어 소송목적의 감정평가를 진행하고 있다. 아래 부동산에 대한 감정평가를 진행하되, 토지 및 건물단가는 반올림하여 유효숫자 3자리까지 결정한다.

≫ 감정사항 : 매매계약체결일을 기준으로 재건축으로 인한 개발이익이 포함된 감정목적물의 시가

자료 1 감정목적물

피고	구분	부동산의 표시	기준시점 (매매계약체결시점)
◯◯◯	토지	A시 B구 C동 100 대 200m²	2026.07.15.
	건물	철근콘크리트구조 스라브지붕 단층 단독주택 1층 100m²	

≫ 가격조사완료시점 : 2027.07.15.
≫ 건물의 사용승인일 : 1991.04.07.

자료 2 해당 토지의 토지이용계획사항 등

1. 토지이용계획사항
   제3종일반주거지역, 어린이공원(저촉), 도로(저촉), 완충녹지(저촉), 정비구역(◯◯재건축사업)
   ≫ 용도지역은 해당 재건축사업의 시행에 따라 종전의 제2종일반주거지역에서 제3종일반주거지역으로 종상향되었으며, 도시·군계획시설은 정비구역의 지정에 따라 지정되었음.
2. 해당 토지는 세로(가), 가장형의 평지에 해당하는 것으로 조사되었음.

---

50) 2020년 표준지공시지가 조사·평가 업무요령, 국토교통부, 2019.09, p.135

자료 3 ▶ 인근의 표준지공시지가

기호	소재지	용도지역	이용상황	도로접면	형상지세	공시지가		비고
						2026	2027	
A	C동 200	2종일주	단독주택	세로(가)	가장형 평지	2,200,000	2,400,000	정비구역 내
B	C동 300	3종일주	단독주택	세로(가)	가장형 평지	2,500,000	2,700,000	정비구역 내
C	C동 800	2종일주	단독주택	세로(가)	가장형 평지	1,900,000	2,100,000	정비구역 외
D	C동 900	3종일주	단독주택	세로(가)	가장형 평지	2,000,000	2,200,000	정비구역 외

자료 4 ▶ 지가변동률(A시, 주거지역)

구분	2026년 6월 누계	2026년 7월 당월	2026년 12월 누계	2027년 5월 누계	2027년 6월 당월	2027년 7월 당월
변동률(%)	2.397	0.394	4.875	2.207	0.277	미고시

자료 5 ▶ 인근의 거래사례 등

기호	구분	용도지역	이용상황	거래시점 등	거래단가(원/m²)	비고
가	실거래	2종일주	주거나지	2026.01.01	3,300,000	사업지 내
나	실거래	2종일주	주거나지	2026.01.01	3,100,000	사업지 밖
다	실거래	3종일주	주거나지	2026.01.01	3,600,000	사업지 내
라	실거래	3종일주	주거나지	2026.01.01	3,400,000	사업지 밖
마	협의보상	3종일주	주거나지	2026.01.01	2,800,000	사업지 내

자료 6 ▶ 건물의 가격자료(재조달원가)

단독주택	상가주택	내용연수
900,000원/m²	800,000원/m²	50

자료 7 ▶ 그 밖의 사항

1. 본건, 비교표준지, 거래사례 등의 개별요인은 모두 대등한 것으로 조사되었음.
2. 편의상 「감정평가에 관한 규칙」상의 주된 감정평가방법에 의할 것

◢예시답안

Ⅰ. **평가개요**

본건은 주택재건축정비사업구역 내 토지, 건물에 대한 소송 참고 목적의 감정평가로서, 기준시점은 매매계약 체결시점인 2026.07.15.이다.

Ⅱ. **토지의 감정평가액(공시지가기준법)**

1. **적용공시지가 및 비교표준지 선정**

기준시점 이전 공시지가인 2026년 공시지가를 선정하되, 현재의 용도지역인 3종일주 기준, 해당 사업의 영향 반영가능한 사업지 내 표준지인 표준지 B를 선정한다.

2. **시점수정치(2026.01.01.~2026.07.15.)**

$$1.02397 \times (1+0.00394 \times 15/31) = 1.02592$$

3. 지역, 개별요인 비교치 : 인근지역으로서 대등하며(1.000), 개별요인 대등함(1.000)

4. **그 밖의 요인 비교치**

   (1) 거래사례 등 선정 : 실거래사례를 기준으로 하며, 해당 사업의 영향 반영이 가능한 사업지 내 3종일반 주거지역 사례인 거래사례 다를 선정한다.

   (2) 격차율 산정

   $$\frac{3{,}600{,}000 \times 1.000(사정) \times 1.02592^* \times 1.000 \times 1.000}{2{,}500{,}000 \times 1.02592} \fallingdotseq 1.440$$

   * 시점(2026.01.01.~2026.07.15.)

   (3) 결정 : 상기 격차율을 고려하여 1.44로 결정한다.

5. **토지의 감정평가액**

   $2{,}500{,}000 \times 1.02592 \times 1.000 \times 1.000 \times 1.44 \fallingdotseq 3{,}690{,}000$원/$m^2$($\times 200 = 738{,}000{,}000$원)

III. 건물의 감정평가액(원가법)

$900{,}000 \times \dfrac{15}{50} = 270{,}000$원/$m^2$($\times 100 = 27{,}000{,}000$원)

IV. 감정평가액

$738{,}000{,}000 + 27{,}000{,}000 = 765{,}000{,}000$원

---

04 비례율과 관리처분

1. 비례율

(1) 개요

비례율이란 재개발구역 내 사업완료 후 대지 및 건축시설의 총 추산액에서 총사업비를 뺀 후 구역 내 종전토지 및 건축물의 총가액으로 나누어 구한 율을 말한다. 사전에 예상되는 개발이익을 추정하고 사업의 원활한 시행을 조합원들에게 인식시키는 수단으로 이용할 수 있으며, 조합원들은 재개발사업을 통하여 기대되는 사업완료 후에 분양받게 될 건축물의 분양평수 및 부담해야 될 비용을 예측할 수 있는 자료를 확보하는 데 그 목적이 있다.

(2) 효과

① 종전권리가액의 평가로 인한 주민의 불만을 완화시키고 사업시행 후 사업계획완료까지 사업으로 인한 개발이익을 사전에 예상할 수 있는 수단으로 이용된다.

② 조합원은 장래 자기지분에 따른 사업완료 후의 귀속권리이익을 예상할 수 있다.

③ 사업시행자는 투자비에 따른 사업채산성을 예측할 수 있으며, 최대수익을 창출할 수 있는 사업 프로그램을 작성할 수 있다.

④ 조합원은 종전의 권리가액에 의한 사업완료 후 배분될 예상권리가액을 알 수 있으므로 자금조달을 용이하게 하는 기대효과를 가져올 수 있다.

2. 산식

$$\text{비례율} = \frac{\text{구역 내 사업완료 후 대지 및 건축시설의 총추산액} - \text{총사업비}}{\text{구역 내 종전토지 및 건축물의 총가액}}$$

3. 재개발사업에 있어 권리의 변환 및 정산의 흐름

종전자산의 평가

기존의 주택, 연립주택, 상가, 사무실 등의 각 조합원별 자산가치의 평가
- 조합원A의 기존 토지, 건물 자산가치의 감정평가액을 2억원이라 하고, 조합원 전체의 종전자산 가치 감정평가액의 합계액을 500억원이라고 가정하자.

→

추정 총사업비의 산정

사업을 완성시키는 데 소요되는 전체 투자사업비(건축비, 이주비, 조합운영비, 각종용역비, 인허가비 등)를 추산
- 본 사업의 총사업비를 600억원이라 가정하자.

↓

전체 종후자산 가치의 추산

아파트 및 상가의 예정분양가에 의하여 전체 종후자산 가치를 추산
- 본 사업의 종후자산 가치의 총액을 1,000억원이라고 가정하자.

←

비례율산출

전체 종후자산가에서 총사업비를 공제한 후 이를 전체 종전자산금액으로 나누어서 비례율을 산출
-  $\dfrac{\text{총수입(1,000억원)} - \text{총지출(600억원)}}{\text{종전자산평가액(500억원)}} \times 100$

  $= 80\%(0.8)$

↓

조합원별 권리액 산정

종전자산 평가금액에 비례율을 곱하여 권리액을 산정
- 2억원 × 0.8 = 1억 6천만원

→

권리자별 권리의 변환, 조정 및 정산

종후자산 총액에서 각 권리자가 차지할 권리액과 확정된 각 권리자별 종후자산 가치를 비교하여 과부족은 현금으로 청산함.
- 분양받게 될 32평형 아파트의 자산가치가 1억 8천만원이라면 조합원 A의 정산액은 1억 6천만원과 1억 8천만원의 차액인 2천만원이 되어 결과적으로 조합원 A는 32평형 아파트 1채를 받고 2천만원을 현금으로 정산해야 한다.

기본예제

다음 자료를 통하여 재개발사업의 관리처분에 따른 갑 씨의 정산금을 결정하시오.

자료

1. 갑 씨의 종전자산가액 : 400,000,000원
2. 갑 씨가 받게 될 종후자산의 가치(추첨부동산) : 600,000,000원
3. 전체 종전자산가액 합 : 60,000,000,000원
4. 전체 종후자산가액 합 : 120,000,000,000원
5. 총사업비 : 45,000,000,000원

예시답안

1. **비례율 산정 :** $\dfrac{120,000,000,000 - 45,000,000,000}{60,000,000,000} = 1.25$

2. **갑의 권리가액 :** $400,000,000 \times 1.25 = 500,000,000$원

3. **정산금 :** $600,000,000 - 500,000,000 = 100,000,000$원(분담금)

05 정비사업구역 내 일반시가목적 등 감정평가

1. 일반적인 감정평가의 기준

정비구역 내 토지, 건축물 등의 일반시가목적 등(담보, 경매평가 등)의 감정평가는 기준시점에서의 해당 물건의 시장가치를 기준으로 감정평가하게 된다. 다만, 정비구역 내 토지 등의 감정평가에 있어서는 정비사업의 진행정도에 따라 해당 토지의 종전자산가액 등이 존재할 수 있으며, 종전자산가치와 일반시가목적 등의 감정평가액의 유사성 여부가 문제될 수 있다. 종전자산가액은 사업시행인가고시 시점을 기준시점으로 하여 관리처분계획수립을 위한 조합원간 상대적 가격균형에 중점을 둔 감정평가로서 실제 시장가치와는 괴리될 수 있다고 보아야 할 것이다.

또한 정비사업의 진행정도에 따라 정비구역 내 토지 등의 시가는 크게 변동될 수 있다. 특히 관리처분계획인가를 득한 정비사업의 경우 종전의 토지 등의 자산은 분양받게 될 자산의 가격에 연동될 수 있을 것이다. 따라서 감정평가사의 입장에서는 해당 정비사업의 진행정도, 해당 물건의 특성, 수분양 조건 및 수분양 자산의 시가 등을 종합적으로 고려하여 감정평가해야 할 것이다.

2. 「상속세 및 증여세법」에 의한 입주권의 감정평가

(1) 조합원입주권의 개념

조합원입주권이란 「상속세 및 증여세법」에 의하면 부동산을 취득할 수 있는 권리(건물이 완성되는 때에 그 건물과 이에 부수되는 토지를 취득할 수 있는 권리를 포함한다) 및 특정시설물을 이용할 수 있는 권리로 규정되어 있으며,[51] 「소득세법」에 의하면 「도시 및 주거환경정비법」 제74조에 따른 관리처분계획의 인가 및 「빈집 및 소규모주택 정비에 관한 특례법」 제29조에 따른 사업시행 계획인가로 인하여 취득한 입주자로 선정된 지위를 말하며, 이 경우 「도시 및 주거환경정비법」에 따른 재건축사업 또는 재개발사업, 「빈집 및 소규모주택 정비에 관한 특례법」에 따른 자율주택정비사업, 가로주택정비사업, 소규모재건축사업 또는 소규모재개발사업을 시행하는 정비사업조합의 조합원(같은 법 제22조에 따라 주민합의체를 구성하는 경우에는 같은 법 제2조 제6호의 토지등소유자를 말한다)으로서 취득한 것(그 조합원으로부터 취득한 것을 포함한다)으로 한정하며, 이에 딸린 토지를 포함한다고 규정되어 있다.[52]

---

51) 상속세 및 증여세법 시행령 제51조(지상권등의 평가)
52) 소득세법 제88조(정의)

⁑ 도시 및 주거환경정비법 조합원입주권

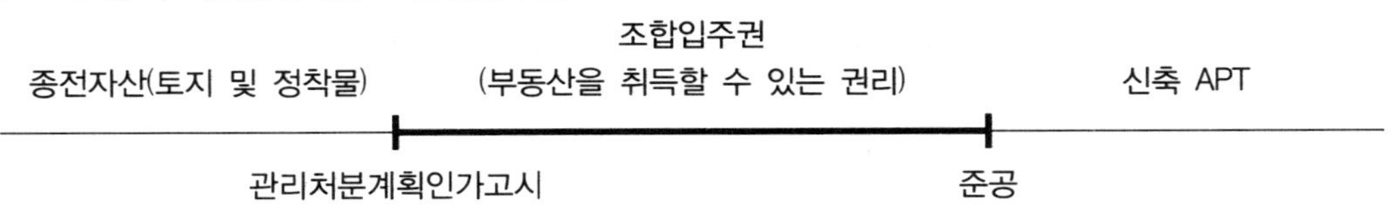

(2) 평가의 원칙

「상속세 및 증여세법」 제60조(평가의 원칙 등)에 의하여 상속세나 증여세가 부과되는 재산의 가액은 상속개시일 또는 증여일(이하 "평가기준일"이라 한다) 현재의 시가(時價)에 따르도록 규정되어 있다.[53] 또한 동법 제61조(부동산 등의 평가) 제3항은 지상권(地上權) 및 부동산을 취득할 수 있는 권리와 특정시설물을 이용할 수 있는 권리는 그 권리 등이 남은 기간, 성질, 내용, 거래 상황 등을 고려하여 대통령령으로 정하는 방법으로 평가한 가액으로 하도록 규정되어 있다.

(3) 평가의 방법

> 입주권의 감정평가액 = 기준시점까지 납입한 금액(권리가액 + 기납입분담금) + 프리미엄
> 프리미엄 = 종후아파트의 시장가치 − 조합원분양가

「상속세 및 증여세법」 시행령 제51조(지상권 등의 평가) 제2항에 의하면 부동산을 취득할 수 있는 권리(건물이 완성되는 때에 그 건물과 이에 부수되는 토지를 취득할 수 있는 권리를 포함한다) 및 특정시설물을 이용할 수 있는 권리의 가액은 평가기준일까지 납입한 금액(「소득세법」 제89조 제2항에 따른 조합원입주권의 경우 「도시 및 주거환경정비법」 제74조 제1항에 따른 관리처분계획을 기준으로 하여 재정경제부령으로 정하는 조합원권리가액과 평가기준일까지 납입한 계약금, 중도금 등을 합한 금액으로 한다)과 평가기준일 현재의 프리미엄에 상당하는 금액을 합한 금액으로 하도록 규정되어 있다. 이는 결국 종후자산 아파트의 시장가치에서 추가로 납부해야 하는 분담금을 차감한 금액이 입주권의 시가로 결정되게 된다.

---

53) 시가주의 원칙으로서 동법 시행령 제49조(평가의 원칙 등)에 의하여 시가는 불특정 다수인 사이에 자유롭게 거래가 이루어지는 경우에 통상적으로 성립된다고 인정되는 가액으로 하고 수용가격·공매가격 및 감정가격 등 대통령령으로 정하는 바에 따라 시가로 인정되는 것을 포함한다. 한편, 시가를 산정하기 어려운 경우에는 해당 재산의 종류, 규모, 거래 상황 등을 고려하여 「상속세 및 증여세법」 제61조부터 제65조까지에 규정된 방법으로 평가한 가액을 시가로 본다.

> ### 기 본예제
>
> 「상속세 및 증여세법」에 의하여 아래 입주권에 대한 감정평가액을 결정하시오.
>
> **자료**
>
> - 종전자산 감정평가액 : 300,000,000원
> - 비례율 : 95%
> - 분양받을 주택의 타입(59m^2 A타입)의 조합원 분양가 : 450,000,000원
> - 인근의 59m^{2}의 신축 아파트의 시장가치 : 700,000,000원
> - 부담금 등은 납입한 내역이 없음.
>
> **예시답안**
>
> - 권리가액 : 300,000,000 × 0.95 = 285,000,000원
> - 프리미엄상당액 : 700,000,000 − 450,000,000 = 250,000,000원
> - 감정평가액 : 285,000,000 + 250,000,000 = 535,000,000원

06 정비사업의 현물출자자산의 감정평가(법인세 산정 목적의 감정평가)

1. 기준시점 등

정비사업에서 법인세 산정을 위한 현물출자자산의 취득시기는 대금청산일, 소유권이전등기일, 사용수익일 중 빠른날을 기준으로 하며(조세심판 2015부4909, 2018.03.14.), 조세심판원의 판결례와 대법원의 태도(대판(전) 1992.12.22, 91다22094 등)를 종합적으로 살펴볼 때 사용수익일을 관리처분계획인가 고시일자 또는 신탁등기일자로 본다면 법인세 감정평가의 현물출자 취득시기는 관리처분계획인가 고시일과 신탁등기일자 중 빠른 날짜를 적용해야 할 것이 타당하며, 구체적으로는 의뢰인에게 기준시점을 확정받아 평가함이 타당할 것이다.

2. 감정평가의 기준

「감정평가에 관한 규칙」에 의한 시가평가이므로, 기준시점 당시의 용도지역을 기준으로 평가해야 하며, 정비사업으로 인한 도시계획시설저촉에 대해서는 현실적으로 그 감가가 없기 때문에 구애됨 없이 평가하게 된다.

정비사업 시행에 따른 현실, 구체화된 개발이익을 포함하여 평가해야 할 것이다. 종전자산의 평가와는 그 목적, 기준시점과 적용법규가 상이하기 때문에 감정평가액의 차이가 발생할 수 있다.

구분	사업시행계획인가고시일 기준시점의 종전자산평가	관리처분계획인가고시일 기준시점의 현물출자자산평가
근거법률	도정법 제72조 제1항 제1호 및 제74조 제1항 제5호(종전자산평가) 같은 법 제65조(토지보상법의 준용)	법인세법 시행령 제72조 제2항 제3호 나목(현물출자자산의 시가) 감정규칙 제5조(시장가치기준원칙)
평가목적	출자자산의 상대적 가치비율 산정 (형평성 유지)	현물출자에 의해 취득한 자산의 취득가액산정(시가평가)
기준시점	사업시행계획인가고시일	관리처분계획인가고시일 등
적용 용도지역	당해 공익사업의 시행을 직접 목적으로 한 용도지역 변경 시 변경 전의 용도지역 기준으로 평가(토지보상법 시행규칙 제23조 제2항)	기준시점 당시의 용도지역을 기준으로 평가(감정규칙 제6조 제1항)
개발이익포함여부	해당 공익사업으로 인하여 토지 등의 가격이 변동되었을 때에는 이를 고려하지 아니함(배제하고 평가함, 토지보상법 제67조 제2항)	기준시점 당시의 시가로 평가하며, 재개발이 진행되면 토지 등의 가격이 변동되는게 일반적이며 시가에 포함됨 (감정규칙 제5조 제1항)
평가업체선정	시, 군, 구청장이 선정	사업시행자(조합)가 선정

07 도시개발법상 도시개발사업에 의한 감정평가

1. 도시개발사업[54]의 시행방법 및 시행절차

1) 시행방법

> **도시개발법 제21조**(도시개발사업의 시행 방식)
>
> ① 도시개발사업은 시행자가 도시개발구역의 토지 등을 수용 또는 사용하는 방식이나 환지 방식 또는 이를 혼용하는 방식으로 시행할 수 있다.

(1) 수용방식

사업시행자가 도시개발사업 대상토지에 대하여 전면 매수(협의매수 내지 수용)하여 사업시행을 하는 방식으로 지구 내 거주 중인 주민을 보상하고 이주시켜야 하므로 초기자금이 많이 필요한데, 주로 공공시행자가 시행하므로 공영개발방식이라고도 한다. 민간시행자가 수용방식을 시행할 시 「도시개발법」에서는 전체 토지면적의 2/3 이상을 소유하고 토지소유자 수의 1/2 이상의 동의를 얻고 난 후에 수용권을 부여하도록 제시하고 있다. 따라서 수용방식을 민간시행자가 시행하는 사례는 특수한 경우라고 할 수 있으며, 일반적으로는 공영개발방식이라고도 정의할 수 있다.

---

54) 도시개발구역에서 주거, 상업, 산업, 유통, 정보통신, 생태, 문화, 보건 및 복지 등의 기능이 있는 단지 또는 시가지를 조성하기 위하여 시행하는 사업을 말한다.

(2) **환지방식**

사업지구 내 토지소유자로부터 토지를 제공받아 이를 환지, 즉 교환·분합, 구획변경 및 지목 또는
형질의 변경을 통하여 사업시행 전의 토지에 존재하고 있던 권리관계를 각 토지의 위치, 지적,
토질, 수리, 이용상황 및 환경 등을 고려하여 사업시행 후의 토지(환지)에 이동시키고, 그 비용
등은 감보(체비지와 보류지)를 통해 충당하는 방법을 의미한다.

환지방식은 개발사업의 초기에 토지소유권을 수용하는 방법을 채택하지 않고, 그 사업이 완료 후에
비로소 기존의 토지소유권을 새로운 토지소유권으로 변환시키거나(환지), 새롭게 토지소유권을
부여하거나(체비지, 보류지), 토지 소유권을 소멸시키는(과소토지 등) 과정을 겪는다는 특징이 있다.

(3) **혼용방식**

도시개발사업은 환지방식과 수용방식 중 하나를 선택하거나 이를 혼용하는 방법으로 시행될 수
있으며 혼용방식으로 시행하려는 경우에는 분할혼용방식, 미분할혼용방식으로 도시개발사업을
시행할 수 있다.

2) 시행절차

도시개발사업은 개발계획 수립(사업시행자, 수용·사용할 토지 세부목록 포함) 및 도시개발구역 지정
(시·도지사, 대도시의 장, 예외적 국토교통부장관) → 사업주체(공공시행자, 민간시행자, 공동출자법
인)와 사업방식 → 실시계획 작성(시행자) → 실시계획인가·고시(지정권자) → ⅰ) 수용방식(부지
확보 → 착공 → 준공 → 공급), ⅱ) 환지방식[환지계획 작성55)(시행자)·인가(특별자치도지사·시
장·군수 또는 구청장) → 환지예정지 지정(시행자) → 사업시행(부지확보 → 착공 → 준공) → 환지
처분 → 청산]의 절차로 진행된다.

2. 도시개발사업과 감정평가

(1) **수용 및 사용방식**

시행자는 도시개발사업에 필요한 토지 등을 수용하거나 사용할 수 있으며, 수용 또는 사용에 관하여
도시개발법에 특별한 규정이 있는 경우 외에는 「토지보상법」을 준용하며, 수용 또는 사용의 대상이
되는 토지의 세부목록을 고시한 경우에는 「토지보상법」에 따른 사업인정 및 그 고시가 있었던
것으로 보고 있다. 사업의 시행을 위하여 필요한 조성 전 토지의 수용이나 사용을 위한 감정평가
를 할 때는 일반적으로 「토지보상법」을 적용하며, 조성 후 토지공급을 위한 감정평가를 할 때는
통상 「감정평가법」을 적용하면 될 것이다.

---

55) 환지계획에 포함되는 환지설계에는 환지전후 평가단가가 표시도에 첨부되어야 하며, 국토교통부령으로 정하는 환지계획에 포
   함되는 사항 중 평균부담률 및 비례율은 환지전후 평가액으로 계산하여야 하며 같은 조 제3항에 따라 조성토지 등의 가격을
   평가할 때에는 토지평가협의회의 심의를 거쳐 결정하되, 그에 앞서 공인평가기관(감정평가법인등)이 평가하게 하여야 한다.

> **도시개발법 제22조**(토지 등의 수용 또는 사용)
>
> ① 시행자는 도시개발사업에 필요한 토지 등을 수용하거나 사용할 수 있다. 다만, 제11조 제1항 제5호 및 제7호부터 제11호까지의 규정(같은 항 제1호부터 제4호까지의 규정에 해당하는 자가 100분의 50 비율을 초과하여 출자한 경우는 제외한다)에 해당하는 시행자는 사업대상 토지면적의 3분의 2 이상에 해당하는 토지를 소유하고 토지 소유자 총수의 2분의 1 이상에 해당하는 자의 동의를 받아야 한다. 이 경우 토지 소유자의 동의요건 산정기준일은 도시개발구역지정 고시일을 기준으로 하며, 그 기준일 이후 시행자가 취득한 토지에 대하여는 동의 요건에 필요한 토지 소유자의 총수에 포함하고 이를 동의한 자의 수로 산정한다.
> ② 제1항에 따른 토지등의 수용 또는 사용에 관하여 이 법에 특별한 규정이 있는 경우 외에는 「공익사업을 위한 토지 등의 취득 및 보상에 관한 법률」을 준용한다.
> ③ 제2항에 따라 「공익사업을 위한 토지 등의 취득 및 보상에 관한 법률」을 준용할 때 제5조 제1항 제14호에 따른 수용 또는 사용의 대상이 되는 토지의 세부목록을 고시한 경우에는 「공익사업을 위한 토지 등의 취득 및 보상에 관한 법률」 제20조 제1항과 제22조에 따른 사업인정 및 그 고시가 있었던 것으로 본다. 다만, 재결 신청은 같은 법 제23조 제1항과 제28조 제1항에도 불구하고 개발계획에서 정한 도시개발사업의 시행 기간 종료일까지 하여야 한다.
> ④ 제1항에 따른 동의자 수의 산정방법 및 동의절차, 그 밖에 필요한 사항은 대통령령으로 정한다.

(2) 환지방식

정리 전 토지(종전토지)의 감정평가는 조합원별 조합출자 자산의 상대적 가치비율 산정의 기준이 되므로 대상물건의 유형, 위치, 규모 등에 따른 가격균형이 유지되도록 하여야 할 것이다. 환지설계가 평가식인 경우 정리 전 가격은 실시계획인가시점(도시개발사업으로 인한 도시관리계획 결정, 변경결정 등을 반영하지 않은 사업 이전 상태)을 기준으로 평가한다.

정리 후 토지(종후토지)의 감정평가 시 기준시점은 환지처분시점을 기준으로 지구단위계획사항을 반영하여 종후의 토지가치를 평가한다.

> **도시개발법 제28조**(환지 계획의 작성)
>
> ① 시행자는 도시개발사업의 전부 또는 일부를 환지 방식으로 시행하려면 다음 각 호의 사항이 포함된 환지계획을 작성하여야 한다.
> ③ 시행자는 환지 방식이 적용되는 도시개발구역에 있는 조성토지등의 가격을 평가할 때에는 토지평가협의회의 심의를 거쳐 결정하되, 그에 앞서 대통령령으로 정하는 공인평가기관이 평가하게 하여야 한다.

기 본예제

감정평가사 A씨는 ◎◎도시개발사업구역 내 토지에 대한 아래의 감정평가를 각각 의뢰받았다. 각 물음에 답하시오.

1. ◎◎도시개발사업조합으로부터 ◎◎도시개발사업(환지방식)의 환지계획수립을 위한 정리 전 토지에 대한 감정평가액을 결정하시오.

2. ◎◎도시개발사업조합으로부터 ◎◎도시개발사업(환지방식)의 환지계획수립을 위한 정리 후 토지에 대한 감정평가액을 결정하시오.

3. 의뢰인인 ○○은행은 담보평가를 의뢰하였다. 실시계획인가고시시점에 환지계획대로 예정지의 지정고시가 있었다. 담보평가액을 결정하시오. 이 경우 가격조사완료일은 2027년 7월 10일로 한다.

풀이영상

 사업의 개요

1. 사업명 및 사업시행자 : ○○도시개발사업/○○도시개발사업조합
2. 사업의 연혁
   (1) 도시개발구역 지정고시 : 2026.07.01.
   (2) 조합설립인가 : 2026.09.05.
   (3) 실시계획인가의 고시 : 2027.05.10.
   (4) 환지처분예정일 : 2028.07.15.

 평가대상 및 토지의 조사사항

1. 평가대상

   사업지에 편입되는 토지 중 아래의 토지를 평가대상으로 한다.

종전의 토지				환지예정지		
소재지	지번	지목	면적(m^2)	BL	LT	환지면적(m^2)
A동	300	전	1,800	30	10	500

   ≫ 종전의 토지에 대한 권리면적은 450m^2가 될 것으로 판단된다.

2. 종전 토지에 대한 사항

   종전의 자연녹지지역에서 도시개발사업의 지정으로 인하여 제2종일반주거지역으로 변경되었다.

3. 환지 후 토지에 대한 사항

   제2종일반주거지역으로 지정되었으며, 환지예정지는 주상용으로 이용될 것으로 보인다.

 인근지역의 표준지공시지가

연번	소재지/지번	용도지역	이용상황	공시지가(원/m^2)		
				2026	2027	2028
A	A동 10	자연녹지	전	500,000	550,000	미고시
B	A동 20	2종일주	주상용	1,800,000	1,950,000	미고시
C	A동 30	2종일주	전	900,000	1,000,000	미고시

 기타자료

1. 지가변동률(용도지역 무관하게 적용)(단위 : %)

시작/종료시점	2026.07.01.	2026.09.05.	2027.05.10.	2027.07.10.	2028.07.15.
2026.01.01.	1.197	2.311	4.698	3.674	6.979
2027.01.01.	–	–	1.077	1.293	4.784
2028.01.01.	–	–	–	–	2.689

2. 개별요인에 대한 평점

정리 전 토지	정리 후 토지	표준지 A	표준지 B	표준지 C
70	110	75	115	90

3. 그 밖의 요인 비교치는 대등한 것으로 본다.
4. 토지평가 시 단가의 유효숫자는 반올림하여 3자리까지 표시한다.

예시답안

Ⅰ. 평가개요

도시개발사업에 따른 환지계획수립을 위한 정리전 및 정리후 토지의 감정평가 및 환지예정지에 대한 담보목적의 감정평가이다.

Ⅱ. 정리전 토지 감정평가액(기준시점 : 2027.05.10.)

1. 비교표준지 선정

기준시점 이전 최근 공시지가인 2027년 공시지가를 선정하되, 해당 사업으로 인한 용도지역의 변경을 반영하지 않으며, 자연녹지지역의 전인 표준지 A를 선정한다.

2. 감정평가액

550,000 × 1.01077 × 1.000 × 70/75 × 1.00 ≒ @519,000(×1,800 = 934,200,000원)

Ⅲ. 정리후 토지 감정평가액(기준시점 : 2028.07.15.)

1. 비교표준지 선정

기준시점 이전 최근 공시지가인 2027년 공시지가를 선정하되, 환지 후 토지를 기준으로 제2종일주, 주상용인 표준지 B를 선정한다.

2. 감정평가액

1,950,000 × 1.04784 × 1.000 × 110/115 × 1.00 ≒ @1,950,000(×500[*] = 975,000,000원)

[*] 환지면적을 기준한다.

Ⅳ. 담보평가액(기준시점 : 2027.07.10.)

1. 비교표준지 선정

기준시점 이전 최근인 2027년 공시지가를 기준하며, 환지예정지 지정 후로서 환지예정지를 기준으로 평가하고, 제2종일주, 주상용 표준지인 B를 선정한다.

2. 감정평가액

1,950,000 × 1.01293 × 1.000 × 110/115 × 1.00 ≒ @1,890,000(×450[*] = 850,500,000원)

[*] 권리면적 기준

제6절 **공동주택 분양가격 산정을 위한 택지비평가**

>> 국토교통부고시 제2023-3호(2023년 1월 5일)에 의하여 분양가상한제 적용지역 지정이 해제되어 현재는 서울특별시 강남구, 서초구, 송파구, 용산구만 적용을 받는다. 다만, 이는 2023년 1월 5일 이후에 입주자모집 승인을 신청하는 분부터 적용된다.

01 개설

「주택법」에 따라 일반인에게 분양되는 공동주택은 공동주택 분양가 산정에 포함되는 택지비를 감정평가함으로써 여기에 가산되는 건축비를 합한 금액 이하로 공급해야 한다. 따라서 분양가격에 포함되는 택지가격을 평가하는 것이 택지비 평가이다.

> 분양가상한제 적용 주택의 분양가격 산정방식[56]
> 분양가격 = 기본형건축비 + 건축비 가산비용 + 택지비

02 택지비 평가

1. 의뢰주체

시장·군수 또는 구청장(국가·지방자치단체·한국토지주택공사 또는 지방공사인 사업주체는 해당 기관의 장을 말한다)은 「부동산공시법」에 따라 국토교통부장관이 고시하는 기준을 충족하는 감정평가법인등(감정평가기관) 2인에게 택지가격의 감정평가를 의뢰하여야 한다.

2. 기준시점

감정평가를 의뢰받은 감정평가기관은 공공택지 외의 택지에 대하여 사업주체가 택지가격의 감정평가를 신청한 날(국가·지방자치단체·한국토지주택공사 또는 지방공사인 사업주체의 경우에는 해당 기관의 장이 택지가격의 감정평가를 의뢰한 날을 말한다)을 기준으로 평가하여야 한다.

3. 택지가격의 감정평가기준

공공택지의 경우 공공택지의 공급가격에 택지에 관련된 비용을 가산하여 택지가격을 산정하며, 공공택지 외의 택지의 경우 감정평가액에 택지와 관련된 비용을 가산하여 택지가격을 산정한다. 택지비는 공시지가기준법을 원칙으로 다른 방식에 의하여 합리성을 검토해야 한다.

1) 평가대상 면적

대상택지의 면적은 사업계획승인 면적 중 주택분양대상이 되는 면적으로 한다.

---

56) 공동주택 분양가격의 산정 등에 관한 규칙 제7조(분양가상한제 적용주택의 분양가격 산정방식 등)

2) 택지평가방법의 적용

택지평가는 "공동주택 분양가격 산정 등에 관한 규칙" 제11조 제1항의 규정에 따라 공시지가기준법으로 감정평가해야 한다.

감정평가기관은 공시지가기준법에 따라 감정평가한 가액을 다음 각 호에 해당하는 토지의 조성에 필요한 비용추정액을 고려하여 각각 감정평가한 가액과 비교하여 합리성을 검토해야 한다.

① 해당 토지

② 해당 토지와 유사한 이용가치를 지닌다고 인정되는 토지

3) 택지평가기준

택지조성이 완료되지 않은 소지상태의 토지는 택지조성이 완료된 상태를 상정하고, 이용상황은 대지를 기준으로 하여 감정평가해야 한다. 이 경우 신청일 현재 현실화 또는 구체화되지 아니한 개발이익을 반영해서는 안 된다.

4. 세부적인 감정평가방법[57]

1) 공시지가기준법

⑴ 적용공시지가의 선택

택지를 공시지가기준법으로 감정평가하는 경우 적용공시지가는 대상택지의 기준시점 당시 공시된 공시지가 중 기준시점에 가장 가까운 시점에 공시된 공시지가를 기준으로 한다. 다만, 감정평가시점이 공시지가 공고일 이후이고 기준시점이 공시기준일과 공시지가 공고일 사이인 경우에는 기준시점 해당 연도의 공시지가를 기준으로 한다.

⑵ 비교표준지의 선정

비교표준지의 선정은 「감정평가에 관한 규칙」 제14조 제2항 제1호 및 「감정평가실무기준」 [610-1.5.2.1]의 규정을 준용하되, 인근지역 및 동일수급권 안의 유사지역에 있는 동종·유사규모인 공동주택 표준지를 선정함을 원칙으로 한다.

⑶ 그 밖의 요인 보정을 위한 사례 선정

그 밖의 요인을 보정하는 경우에는 대상택지의 인근지역 또는 동일수급권 안의 유사지역의 정상적인 거래사례나 감정평가사례 등(이하 이 조에서 "거래사례 등"이라 한다)을 참작할 수 있다. 거래사례 등은 다음 각 호의 선정기준을 모두 충족하는 사례 중에서 대상택지의 감정평가에 가장 적절하다고 인정되는 사례를 선정한다. 다만, 제1호 및 제4호는 거래사례를 선정하는 경우에만 적용된다.

---

57) 공동주택 분양가격의 산정 등에 관한 규칙 제11조(공공택지 외 택지의 감정평가기준 등)

> 1. 「부동산 거래신고 등에 관한 법률」에 따라 신고된 실제 거래사례일 것
> 2. 거래 또는 감정평가가 정상적이라고 인정되는 사례나 정상적인 것으로 보정이 가능한 사례일 것
> 3. 기준시점으로부터 도시지역(「국토의 계획 및 이용에 관한 법률」 제36조 제1항 제1호에 따른 도시지역을 말한다.)은 3년 이내, 그 밖의 지역은 5년 이내에 거래 또는 감정평가된 사례일 것. 다만, 특별한 사유가 있는 경우에는 그 기간을 초과할 수 있다(이 경우 그 사유를 감정평가서에 기재하여야 한다).
> 4. 토지 및 그 지상건물이 일체로 거래된 복합부동산의 경우에는 배분법의 적용이 합리적으로 가능한 사례일 것
> 5. 「감정평가 실무기준」 [610-1.5.2.1]에 따른 비교표준지의 선정기준에 적합할 것

2) 감정평가액의 합리성 검토 방법

(1) 해당 토지의 조성에 필요한 비용추정액을 고려한 감정평가 가액산정[58]

> 평가가액 = ① 소지의 취득가액 + ② 조성에 필요한 비용추정액

① 소지의 취득가액 : 취득가액 + 기간보정

조성 전 토지의 취득가액은 실제 취득가격을 원칙으로 하되, 그 가격을 알 수 없는 경우 또는 그 가격이 적정하지 아니하다고 판단되는 경우에는 대상택지의 조성 전 상태를 기준으로 하는 감정평가액(이하 "종전평가액 등"이라 한다)을 기준으로 산정할 수 있다.

다만, 종전자산평가금액 또는 법인세 목적 평가금액 등 소지가액과 관련된 기존 평가금액을 취득가액으로 판단하여 적용할 수 있으나, 이 경우 취득가액과 해당 평가금액과의 이론상 차이점, 참작의 이유 및 필요성 등에 대해 구체적으로 기재해야 한다.

또한, 취득가액(종전자산 평가금액 또는 법인세 목적 평가금액 등을 포함)을 알 수 없거나 적정하지 않다고 판단되는 등 필요하다고 인정되는 경우 기준시점 기준으로 평가하여 산정 가능하며, 이 경우 그 사유를 구체적으로 기재해야 한다.

취득시점(종전평가액 등의 기준시점을 포함한다)과 택지평가의 기준시점 간 기간 차이가 발생하는 경우 이에 따른 기간보정을 별도로 할 수 있으며, 기간보정에 따른 이율은 1년 만기 정기예금금리 등 시중금리를 참작하여 결정할 수 있다.

② 토지의 조성에 필요한 비용추정액 산정

토지의 조성에 필요한 비용추정액은 해당 토지의 조성에 필요한 직·간접비용을 포함한다. 비용추정액은 사업주체로부터 제시받은 자료를 기준으로 산정하되, 제시받은 비용 항목의 적정성을 검토해야 한다. 사업주체로부터 제시받은 비용이 표준적인 비용 수준과 현저히 부합하지 않는다고 판단되는 경우 이를 합리적인 수준으로 조정하여 산정할 수 있다.

---

58) 공동주택 분양가격의 산정 등에 관한 규칙 제11조 제2항 제1호

(2) 거래사례비교법 적용

규칙상 별도의 합리성 검토방법이 규정되어 있으나, 감정평가기관이 필요하다고 인정하는 경우에 한하여 거래사례비교법 적용 가능하다. 다만, 순수거래사례로 인정되는 사례만 선정가능하다(공공택지 매각사례 등은 선정 불가).

기 **본예제**

감정평가사 A는 K구청으로부터 민영주택사업부지에 대한 『공동주택 분양가격의 산정 등에 관한 규칙』에 따른 공동주택 분양가상한제 적용을 위한 공공택지 외의 택지에 대한 택지비 감정평가를 의뢰받았다. 아래 평가대상 부동산의 감정평가액을 평가목적에 따라 평가하시오.

자료 1 감정평가 대상

기호	소재지	면적(m²)	용도지역
1	K구 A동 100	1,500	2종일반주거지역

풀이영상

≫ 본건은 종전의 단독주택부지를 현재 아파트 사업계획에 따라 건축 중인 건부지로서 아파트 사업의 착공일자는 2026년 1월 31일이다.

자료 2 인근지역의 표준지공시지가 목록

일련번호	소재지	면적(m²)	용도지역	이용상황	공시지가(원/m²) 2026년	2027년
A	A동 200	2,000	2종일반주거지역	아파트	4,000,000	4,500,000
B	A동 300	200	2종일반주거지역	단독주택	3,600,000	3,950,000

자료 3 지가변동률(K구 주거지역, %)

구분	해당 연도 누적	해당 월
2026년 1월	0.574	0.574
2026년 12월	5.474	0.398
2027년 1월	0.401	0.401

≫ 2027년 2월은 미고시상태임.

자료 4 인근의 거래사례 등

기호	용도지역	이용상황	기준시점	평가단가(원/m²)	평가목적
가	2종일반주거지역	아파트	2026.01.01.	6,500,000	택지비
나	2종일반주거지역	단독주택	2026.01.01.	6,400,000	실거래

자료 5 그 밖의 자료

1. 같은 이용상황으로서의 본건, 비교표준지, 평가선례 등의 개별요인은 모두 대등한 것으로 가정한다.
2. 택지비 감정평가를 신청한 날 : 2027년 1월 17일
3. 가격조사완료일 : 2027년 3월 2일
4. 해당 토지는 2020.07.19.에 상속된 자산으로서 당시 개별공시지가로 신고하였으며, @2,890,000원을 기준으로 신고되었다.
5. 토지단가는 반올림하여 유효숫자 3자리까지 표시한다.

6. 원가법에 의한 감정평가 시 착공일자 당시의 소지가격에 금융비용 및 적정이윤을 고려하여 평가하며, 금융
   비용은 연간 정기예금금리인 2%를 기준으로 한다.
7. 원가법에 의한 감정평가 시 『공동주택 분양가격의 산정 등에 관한 규칙』 제9조 공공택지 외의 택지의 감정평
   가가액에 가산하는 항목은 고려하지 않도록 한다.
8. 적정이윤은 5%를 가정한다.

◢예시답안

Ⅰ. 평가개요
택지비 감정평가로서 아파트 사업부지로서 평가한다.
기준시점 : 택지가격의 감정평가를 신청한 날인 2027년 1월 17일이다.

Ⅱ. 공시지가기준법
1. 비교표준지 선정
기준시점 이전 최근 공시지가인 2027년 공시지가를 선정하며, 2종일반주거지역, 아파트부지로서 유사한
A를 선정한다.

2. 시점수정치(2027.01.01. ~ 2027.01.17.) : $1 + 0.00401 \times 17/31 \fallingdotseq 1.00220$

3. 그 밖의 요인 비교치
(1) 평가선례 선정 : 2종일반주거지역, 아파트(택지비)부지 감정평가인 기호 가를 선정한다.

(2) 격차율 산정
$$\frac{6,500,000 \times 1.05706^* \times 1.000(지역) \times 1.000(개별)}{4,500,000 \times 1.00220} \fallingdotseq 1.523$$
   * 2026.01.01. ~ 2027.01.17. 지가변동률
   $1.05474 \times (1 + 0.00401 \times 17/31)$

(3) 결정 : 상기 격차율 고려하여 1.52로 결정한다.

4. 공시지가기준가액
$4,500,000 \times 1.00220 \times 1.000 \times 1.000 \times 1.52 \fallingdotseq 6,860,000원/m^2$

Ⅲ. 합리성검토(원가법에 의한 평가)
1. 처리방침
상속시점에 신고된 가액은 개별공시지가로서 토지의 시장가치를 반영하기 어렵다고 판단하여 배제한다.

2. 착공시점(2026.01.31.)에서의 소지가격(공시지가기준법)
(1) 비교표준지 선정
착공일자 이전 최근 공시지가인 2026년 공시지가 기준하되, 2종일반주거지역, 단독주택(소지상태)로
유사한 표준지 B를 선정한다.

(2) 시점수정(2026.01.01. ~ 2026.01.31.) : 1.00574

(3) 그 밖의 요인 비교치
① 평가선례 선정 : 제2종일반주거지역, 단독주택으로서 유사한 사례 나를 선정한다.
② 격차율 산정 : $\dfrac{6,400,000 \times 1.000(사정) \times 1.00574 \times 1.000(지역) \times 1.000(개별)}{3,600,000 \times 1.00574} \fallingdotseq 1.777$
③ 결정 : 상기 격차율 고려하여 1.77으로 결정한다.

(4) 공시지가기준가액
$3,600,000 \times 1.00574 \times 1.000 \times 1.000 \times 1.77 \fallingdotseq 6,410,000원/m^2$

PART 01

   3. 기준시점(2027.01.17.)에서의 소지가액

$$6,410,000 \times 1.01929^* ≒ 6,533,649원/m^2$$

    ＊ 2026.01.31. ~ 2027.01.17. 정기예금금리

$$1 + 0.02 \times \frac{352}{365}$$

   4. 적정이윤을 반영한 토지가치

$$6,533,649 \times 1.05 ≒ 6,860,000원/m^2$$

Ⅳ. 감정평가액 결정

공시지가기준법에 의한 가액으로 결정하되, 다른 방법에 의한 시산가액에 의하여 그 합리성이 인정되는 것으로 판단된다.

$$@6,860,000원/m^2(\times 1,500 = 10,290,000,000원)$$

제7절   재무보고평가[59]

01 재무보고 평가의 정의, 배경 및 업무범위

① 「주식회사의 외부감사에 관한 법률」(이하 "외감법"이라 한다) 제5조의 회계처리기준에 따른 재무보고를 목적으로 하는 공정가치의 추정을 위한 감정평가(이하 "재무보고평가"라 한다)를 말한다.

② **한국채택국제회계기준(K-IFRS)의 제정목적**

국제회계기준위원회(IASB · International Accounting Standards Board)에서 '국제적으로 통일된 회계기준 제정'을 목표로 제정한 국제회계기준(IFRS · International Financial Reporting Standards)은 글로벌 스탠더드로 정착되고 있는 추세이다. 우리나라만의 독자적 회계기준 유지에 따른 대외 신뢰도 하락을 극복하고 회계기준의 국제 정합성 확보를 위하여 2009년부터 선택 적용이 가능하며, 2011년부터는 모든 상장기업이 의무적으로 적용되었다.

이러한 국제회계기준의 특징 중 하나는 기업의 재무제표에 계상된 모든 분류의 자산 및 부채에 대하여 역사적 취득원가가 아닌 공정가치를 기준으로 금액을 측정할 수 있다는 데에 있다. 따라서 재무제표에 계상된 자산 및 부채의 공정가치 측정과 관련하여 기업의 감정평가 수요는 증가할 것으로 예상되며, 이에 따른 처리절차와 감정평가기준이 필요할 것이다.

③ 기업이 재무보고 등을 위하여 의뢰하는 감정평가업무의 종류는 다양하다. 자산 및 부채의 공정가치 평가업무뿐 아니라, 자산의 분류와 계상, 감가상각 목적을 위한 자산가액의 안분, 외부공시를 위한 내용연수 및 잔존가치의 추정, 재평가 주기의 검토 등 다양한 성격의 감정평가 분야가 있으며, 재무보고평가 업무는 이러한 제반 업무를 포함한다.

---

59) 감정평가실무기준 해설서(Ⅰ) 총론편, 한국감정평가사협회 등, 2014.02, pp.592~597

02 적용범위

1. 재무보고평가 수행 시

재무보고 평가를 수행할 때에는 감정평가관계법규 및 한국채택국제회계기준(K-IFRS)에서 따로 정한 것을 제외하고는 감정평가 관련 규칙에 근거하여 평가한다.

2. 국가 등의 자산과 시설

국가 · 지방자치단체 · 공공기관의 자산과 시설에 대한 재평가 및 회계업무 등과 관련된 감정평가를 할 때에 준용될 수 있다.

국제회계기준(IFRS)은 주로 영리기업을 대상으로 제정된 회계기준으로, 정부기관 등 비영리기관을 대상으로 제정된 회계기준에는 국제비영리회계기준(IPSAS · International Public Sector Accounting Standards)이 있다.

그러나 우리나라는 국제비영리회계기준(IPSAS)을 현재 공식적으로 채택하지 않았으며, 정부기관의 경우 「국가회계기준에 관한 규칙」(재정경제부령 제527호)에 의거 재무제표를 작성하고 있다. 「국가회계기준에 관한 규칙」 제38조의2(일반유형자산 및 사회기반시설의 재평가 기준)에서 재평가 관련 사항을 정하고 있다.

03 재무보고평가의 대상 및 확인사항

1. 재무보고평가의 대상물건

재무보고평가의 대상은 회사 · 국가 · 지방자치단체 · 공공기관의 재무제표에 계상되는 유형자산 · 무형자산 · 유가증권 등의 자산 및 관련 부채와 재평가를 위한 시설 등의 자산으로서 의뢰인이 감정평가를 요청한 물건으로 한다.

2. 재무보고 평가 시 확인사항

재무보고평가를 할 때에는 다음 각 호의 사항을 의뢰인과 협의하여 명확히 확인해야 한다.

① 의뢰인의 재무제표상의 자산분류 기준과 감정평가서에 표시될 감정평가 목록 분류의 기준의 일치 여부

② 대상 자산에 대한 담보설정 등 소유권에 대한 제한사항의 내용

자산의 분류와 계상

기업은 국제회계기준에 따라 자신이 보유한 전체 자산 중 일부 자산만을 분류하여 재평가 대상으로 의뢰할 수 있다. 그러나 재평가 대상으로서의 자산 분류는 자의적이어서는 안 되며, 회계기준에서 정하고 있는 자산의 성격 및 유동성, 기업 내에서의 자산 기능, 부채의 금액, 성격 및 시기 등을 기준으로 합리적으로 분류하여야 한다. 이러한 분류 기준에 지리적 위치나 가치 증감 여부는 포함될 수 없으며, 영업용 토지에 대해서 재평가를 결정하였다면 해외에 소재하는 영업용 토지도 재평가 대상에 포함시켜야 한다. 같은 맥락에서 가격이 상승한 자산만 재평가 대상으로 삼을 수는 없다.

감정평가법인등이 평가한 자산의 단위와 기업이 재무제표에 계상한 자산의 단위는 상이할 수 있으며, 또한 기업은 감가상각 등 여러 가지 목적으로 감정평가법인등이 제시한 평가금액을 다양한 자산에 안분하여야 하는 경우가 발생한다.

일반적으로 재무보고평가는 대상자산이 소유 및 용익 제한이 없는 것을 전제로 평가하는바, 실제 기업 보유 부동산의 소유 및 용익에 제한이 있는 경우도 있으므로, 의뢰인이 오해가 없도록 명확히 확인할 필요가 있다. 예를 들어 담보권 설정, 가압류 설정, 다툼 중이거나 계류 중인 소송이 있는 물건이더라도 재무보고평가는 이에 구애됨이 없이 평가하게 됨을 명확히 해야 한다.

04 기준가치 – 공정가치(Fair Value)기준

재무보고평가는 공정가치를 기준으로 감정평가한다. 공정가치는 한국채택국제회계기준에 따라 자산 및 부채의 가치를 추정하기 위한 기본적 가치기준으로서 합리적인 판단력과 거래의사가 있는 독립된 당사자 사이의 거래에서 자산이 교환되거나 부채가 결제될 수 있는 금액을 말한다.

여기에서의 공정가치는 자산의 교환을 하고자 하는 특정한 양 당사자 간에 합리적으로 합의하여 결정된 가격을 말하며, 당사자 사이에 서로 특별한 관계가 없이 정상적인 거래를 하면 되므로, 자산은 광범위한 시장에 방매될 필요가 없다. 따라서 합의된 가격은 일반적인 시장에서보다는 관련 당사자가 보유한 권리에 대한 특정 이익(혹은 손실)을 반영한 결과가 된다.

회계기준에서 사용하는 공정가치 개념은 일반적으로 감정평가분야에서 사용하는 시장가치와 유사한 개념이지만, 공정가치는 시장가치보다 광범위한 개념이다. 일반적으로 특정 당사자 사이에서 공정한 의미를 갖는 가격은 다른 시장참여자에게도 공정한 의미를 갖는다. 그러나 경우에 따라 공정가치 산정 시 고려하는 사항들 중 일부는 시장가치 산정에서는 고려하지 않는다. 공정가치는 기업체의 지분 취득을 위한 가격산정에 흔히 적용된다. 특정 당사자 사이에서만 발생하는 특수한 증분가치는 해당 당사자 간에는 공정한 가격일 수 있으나, 일반시장에서 형성되는 가격과는 다를 수 있다. 시장가치는 이와 같은 특수가치(여기에서는 결합가치)의 요소를 배제한다.

재무보고평가 외의 다른 목적의 감정평가에서 공정가치는 시장가치와 구분될 수도 있다. 공정가치는 해당 거래에서 얻게 될 이익(손실)을 고려한 특정 당사자 사이에서 공정한 의미를 갖는 가격을 의미하기 때문이다.

공정가치의 예로는 임대차계약의 명도나 기한연장에 대한 대가를 반영한 임대인과 임차인 사이에 합의된 가격 또는 미공개기업에서의 주식양도(Transfer of Shares) 시 주식을 위한 가격이 있을 수 있다.

제8절   **감정평가와 관련된 상담 및 자문** [60]

01 적용

감정평가법인등이 「감정평가 및 감정평가사에 관한 법률」 제10조에 따른 감정평가와 관련된 상담 및 자문(이하 "상담자문 등"이라 한다)이나 토지 등의 이용 및 개발 등에 대한 조언이나 정보 등의 제공(이하 "정보제공 등"이라 한다) 등의 업무를 수행할 때에 적용되며, 일반 감정평가 관계법규 및 규칙에 의한다.

02 상담자문 등

1. 상담자문 등의 수임

상담자문 등은 정식 감정평가서를 제공하는 용역과 구분되어야 하며, 상담자문 등의 책임범위는 정식 감정평가의 책임범위와 차이가 있다. 또한 상담자문 등의 업무는 정보제공 등의 업무범위와 구분될 필요는 없으나, 정보제공 등의 업무에 비해 상대적으로 개략적인 측면에서 접근하는 업무로 볼 수 있다. 즉, 현장조사 및 자료의 제한이 있을 수 있으며, 정식 감정평가 또는 보다 정밀한 용역이 수행될 경우 결과가 달라질 수 있음을 전제로 한다.

이에 따라 상담 및 자문의 경우 목적, 업무범위, 보고형식, 책임범위 등에 대한 명확한 사전 협의가 필요한 분야이며, 상담 및 자문의 특성상 업무가 진행됨에 따라 업무 내용 및 범위가 달라질 수 있으며, 이 경우 다른 용역이 될 수 있음에 유의해야 한다.

「감정평가서」와 「컨설팅보고서」의 구분기준 [61]

컨설팅보고서에는 다음의 문구가 반드시 포함되어야 하며, 구체적인 구분기준은 아래와 같다.

"본 보고서는 「감정평가에 관한 규칙」(국토교통부령 제55호, 2014.01.02.) 제27조에 해당하는 부동산에 대한 조언·정보제공을 목적으로 하는 용역보고서이며, 「부동산 가격공시 및 감정평가에 관한 법률」 제32조에 따른 감정평가서가 아닌 점을 알려드립니다."

구분	감정평가서	컨설팅보고서
명칭	감정평가서	컨설팅 목적에 따라 자유롭게 명칭을 사용하되, 감정평가서 명칭은 사용불가
개념	특정권익의 가치, 가격을 구체적으로 산정(감정평가)한 보고서	가치, 가격 산정(감정평가)이 목적이 아니고, 이를 업무의 구성부분 중의 하나로 활용한 보고서
기준시점 및 시점수정	특정일자(연, 월, 일) 기준으로 제시	연, 월 수준으로 제시 또는 조사기간으로 제시 가능 (예) 2015년 6월 or 2015년 6월 20일~30일 등)

---

60) 감정평가실무기준 해설서(Ⅰ) 총론편, 한국감정평가사협회 등, 2014.02, pp.598~609
61) 한국감정평가사협회, 기획팀-2309(2015.07.13.)

산출 과정	「감정평가에 관한 규칙」에 따라 기재	• '표준지'를 활용한 특정일자 기준의 가격산정 및 기타요인보정치를 활용한 가격산출 과정 기재 불가 → 감정평가서로 판단 • 「감정평가에 관한 규칙」에서 정하고 있는 ① (　) 감정평가표, ② 감정평가액의 산출근거 및 결정의견, ③ (　)감정평가명세표의 서식을 사용하거나 기재 불가 → 감정평가서로 판단
범위 가격	–	범위의 가격을 제시하는 경우에도 최저액과 최고액의 차이가 110%를 초과(±5%)하여야 함. → 110% 이하 시 감정평가서로 판단될 수 있음.
유의사항	특별한 조건의 제시 없이 현재 시점의 가치를 범위의 가격으로 제시하는 경우도 감정평가에 해당	–

2. 상담자문 등의 수임 시 의뢰인과 협의사항

(1) 상담자문 등의 목적

의뢰인이 상담자문 등을 하고자 하는 목적을 확인해야 한다. 「감정평가법」 제10조 제6호에서는 감정평가와 관련된 상담 및 자문으로 규정하고 있으므로, 상담자문 등의 내용은 감정평가에 관련된 것에 국한된다. 이에는 감정평가 의뢰절차, 필요한 자료, 수수료에 관한 사항 등은 포함되나, 감정평가업무가 아닌 상담자문 등에만 의존한 감정평가액의 약속 등은 배제되어야 할 것이다.

(2) 상담자문 등의 업무범위 및 소요시간

의뢰인과 상담자문 등의 업무범위를 협의한다. 현장조사를 수반하지 않는 것이 원칙이나, 별도로 요구하는 경우 현장조사를 할 수도 있다. 다만, 보수기준상의 수수료 외에 실비 지급 등에 대해서는 별도로 정하여야 한다.

또한 의뢰인과 상담자문 등에 드는 시간을 협의해야 한다. 의뢰인의 상담자문 등 요구를 고려하여야 하나, 상담자문 등의 업무범위와 내용에 따라 많은 시간이 소요될 수 있으므로, 무조건적으로 응하기보다는 업무범위를 고려하여 의뢰인에게 알리고, 예상치 못하게 지연이 될 경우에는 미리 양해를 구해야 할 것이다.

(3) 대상물건 및 자료수집의 범위

상담자문 등을 하기 위한 대상물건이 무엇인지를 협의하고, 자료수집의 범위를 결정해야 한다. 공부발급이나 감정평가법인등으로서 취득할 수 있는 범위 외의 자료를 요구하는 경우에는 별도의 실비 등을 추가하여야 한다.

(4) 상담자문 등의 의뢰조건 및 시점

의뢰인이 요구하는 의뢰조건과 대상물건의 상담자문 등 시점을 확인한다.

(5) 상담자문 등의 보고 형식

상담자문 등의 보고형식을 구두 또는 전화로 할 것인지, 서면으로 받을 것인지를 협의하여야 한다. 「감정평가법인등의 보수에 관한 기준」에서는 보고 형식에 따라 수수료를 달리 규정하고 있다. 최근에는 정보통신기술의 발달로 이메일이나 전자파일 형식으로도 상담자문 등의 결과 보고가 가능한 바, 이러한 형식은 서면상담에 준하여야 할 것으로 판단된다.

(6) 상담자문 등의 수수료 및 실비의 청구와 지급

상담자문 등의 수수료 및 실비 청구 및 지급기준을 의뢰인에게 설명하고, 협의한 업무범위에 따라 추가로 드는 비용에 대해서도 협의하여야 한다.

(7) 상담자문 등의 책임범위

상담자문 등은 감정평가업무와 업무범위, 내용, 업무의 정도 등이 다르며, 서면보고 형식이라 하더라도 감정평가법인등의 서명 등이 기재되지 않으므로, 감정평가서와 효력이 다르다는 것을 의뢰인에게 알리고, 해당 상담자문 등의 결과를 감정평가서로 잘못 인식하거나, 상담자문 등의 목적 이외의 목적으로 활용함으로 인해 발생할 민·형사상의 책임도 지지 않는다는 것을 알리도록 한다. 또한 상담 및 자문의 의뢰목적을 분명히 적시함으로써 상담 및 자문업무의 특성상 외부 대항력 있는 자료로 변질되지 않도록 주의해야 할 것이다. 그리고 상담 및 자문의 의뢰인과 의뢰목적을 적시하여 본 상담 및 자문업무가 객관성을 유지하되, 관점이 의뢰인의 목적에 맞게 출발하였음을 인지할 수 있도록 해야 할 것이다.

3. 상담자문 등의 보고 시 포함사항

(1) 의뢰인에 관한 사항 및 이용제한

상담자문 등을 의뢰한 의뢰인에 관한 사항과 상담자문 등의 보고서를 활용할 수 있는 범위를 기재한다. 상담자문 등의 의뢰인은 제한되지는 않으나, 보고서에 의뢰인에 관한 사항, 이해관계 상황 그리고 상담자문 등의 보고서를 의뢰인과 협의한 목적에만 이용되어야 하며, 다른 목적으로 이용될 수 없음을 명시하여야 한다.

상담자문 등의 업무특성상 관점에 따라 시각차가 존재할 수 있음에 따라 의뢰인에 관한 사항을 적시하여 관점이 어디에서 출발하였는지 확인할 수 있도록 한다.

(2) 상담자문 등 업무의 목적, 부대조건, 자문대상, 적용기준

상담자문 등의 업무를 행한 목적과 의뢰 당시 의뢰인이 제시한 조건, 상담자문 등의 대상물건, 상담자문 등에 활용한 법령이나 기준, 자료의 출처 등을 기재한다. 또한 본 상담자문 등의 보고서는 가정이나 불확실한 미래에 대한 추정을 객관적이고 합리적인 관점에서 접근하였다는 점과 이에 따른 민·형사상의 책임을 지지 않는다는 점을 적시하여야 한다.

상담자문 등의 업무의 목적은 정식 감정평가의 목적과 구분되어야 하고, 조건 및 가정 그리고 자문의 대상 등에 대해 명시하여야 한다. 또한 가정이나 불확실한 미래에 대한 추정이 들어갈 가능성이 높아 내부적으로 이용해야 하며, 대외적인 대항 자료로서의 이용을 제한하여야 할 것이다. 이용제한에 대한 내용을 보고서의 앞부분에 적시하여야 한다.

(3) 보고서 작성일

해당 상담자문 등 보고서를 작성한 날짜를 기재한다.

(4) 보고서의 책임범위

의뢰인의 의뢰목적과 부대조건하에서 이루어진 상담자문 등이므로, 의뢰인 당사자에게 상담자문 등으로서의 효력만 있음을 기재한다.

보고서의 책임범위는 정식 감정평가에 비하여 제한되어야 하고, 합리적인 조건 및 가정 그리고 추정은 상담자문 등 업무의 특성상 책임에 대한 부담은 없어야 한다.

03 정보제공 등

1. 정보제공 등의 수임계약 포함 내용

(1) 정보제공 등의 목적 및 범위

의뢰인이 정보제공 등을 요청하는 목적을 확인하고, 의뢰인이 필요로 하는 정보의 범위 등을 확인한다.

(2) 수행기간

정보제공 등 업무의 실질적인 수행기간을 협의한다. 업무의 범위, 난이도에 따라 수행기간에 영향을 받을 수 있는바, 의뢰인과 협의하여 적절한 수행기간을 확정한다.

(3) 정보제공 등의 보수

업무의 난이도, 정보수집 정도, 수행기간 등에 따라 정보제공 등의 업무에 대한 적절한 보수를 확정한다.

(4) 결과보고서의 양식 및 성과품

의뢰인이 요구하는 양식을 존중하되, 필요한 경우 성과품 납품 전에 중간보고나 설명회 등을 할지 여부도 합의가 되어야 한다.

(5) 준수사항 및 비밀보장

의뢰인과 계약상 준수사항과 해당 업무와 관련된 비밀을 보장한다는 내용을 명기한다.

(6) 정보제공 등의 중지 및 변경

정보제공 등 업무를 중단하거나 변경하게 될 경우의 조치사항과 책임 등에 관하여 협의하고 확인한다.

(7) 계약의 해제 등

천재지변 등 부득이한 사유로 진행이 어렵거나, 수행기간을 초과한 경우, 의뢰인의 부득이한 사유로 업무를 해약하는 경우, 조사 등을 진행하지 못할 사유가 발생한 경우 등 계약을 해제해야 하는 경우의 조치사항과 책임에 관한 내용을 협의하고 확인한다.

(8) 계약일자

정보제공 등의 업무를 계약한 날짜를 기재한다.

(9) 계약당사자

정보제공 등 업무의 계약당사자, 즉 의뢰인과 감정평가법인등의 명칭을 기재한다.

(10) 그 밖의 업무특약사항

정보제공 등 업무에 관하여 개별적으로 특약사항이 있는 경우 이에 관한 모든 사항을 기재한다.

2. 정보제공 등의 수행 및 보고

(1) 정보제공 등 업무수행 시 일반적 고려사항

감정평가법인등이 정보제공 등 업무를 수행할 때에는 목적, 업무범위, 의뢰조건 등을 충분히 숙지하고 업무의 수행기간 동안 이를 충실히 이행하여야 한다.

(2) 객관적 자료에 근거한 합리적 분석

정보제공 등의 결과는 의뢰인의 의사결정에 중요한 요소가 될 수 있으며, 감정평가법인등은 전문가로서의 신뢰성이 유지될 수 있도록 객관적인 자료를 통한 합리적이고 논리적인 분석을 행하여 정보제공 등의 의뢰 목적달성에 부합하도록 하여야 한다.

보고서는 객관적인 자료에 근거하여 합리적으로 분석하여야 하고, 보고서에서 활용한 자료는 출처를 명확하게 밝히고, 가정 및 추정의 경우 그 근거를 제시하여야 한다. 논리의 전개는 전문가적 달관법을 지양하고, 단계별 근거자료와 판단자료를 적시하여야 한다. 다만, 근거자료와 판단자료가 거의 없거나 명확하지 않을 경우 합리적인 이유를 기술하여 전문가적 판단을 할 수 있다.

(3) 보고서 작성 시 준수사항

정보제공 등의 보고서를 작성할 때에는 조사나 분석결과를 객관적·구체적으로 기술하고, 인용한 자료가 있는 경우에는 그 출처(날짜 등 포함)를 명확히 기재하여야 한다. 또한 수집된 사실이나 자료들 중에서 보고서의 목적에 맞지 않고, 신뢰성이 없는 내용은 기술하지 아니하며, 용어나 기술방법 측면에서도 최대한 일반인이 보아도 쉽게 이해할 수 있도록 작성한다.

객관적으로 입증된 사실에 대한 기술은 객관적인 자료를 바탕으로 합리적인 내용으로 기술하여 객관적으로 입증된 사실로서의 보고서를 지향해야 한다. 인용자료의 출처는 명확하게 밝히고, 평가자가 새롭게 생성한 자료 외에 단순 가공한 자료도 출처를 밝혀야 한다. 이외 내부적인 자료는 출처를 내부자료로 적시하고, 그 근거를 보관할 필요가 있다.

박문각 감정평가사

유도은 S+감정평가실무
2차 | 기본서 2권

제13판 인쇄 2026. 4. 15. | **제13판 발행** 2026. 4. 20. | **편저자** 유도은
발행인 박 용 | **발행처** (주)박문각출판 | **등록** 2015년 4월 29일 제2019-0000137호
주소 06654 서울시 서초구 효령로 283 서경 B/D 4층 | **팩스** (02)584-2927
전화 교재 문의 (02)6466-7202

이 책의 무단 전재 또는 복제 행위를 금합니다.

정가 58,000원
ISBN 979-11-7519-903-3(2권)
　　　 979-11-7519-901-9(세트)

저자와의
협의하에
인지생략

MEMO